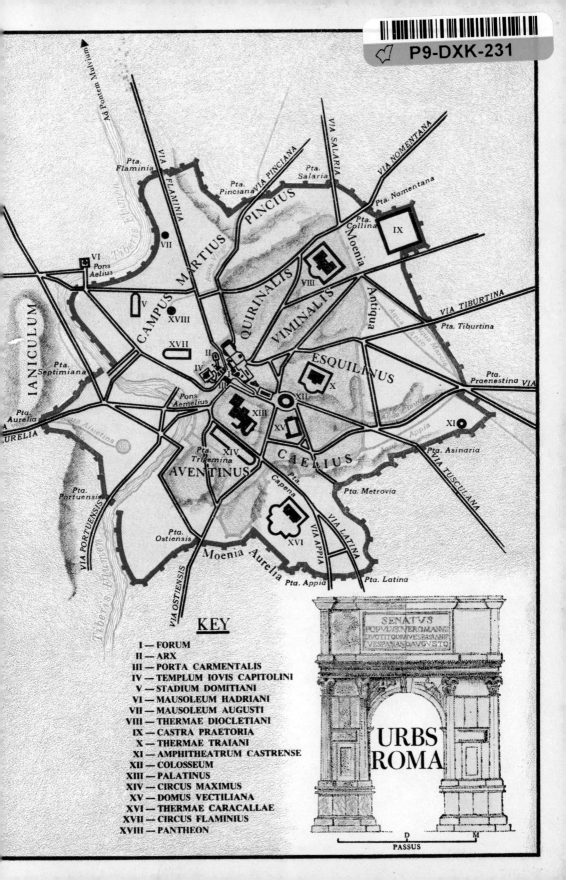

KEY

I — FORUM
II — ARX
III — PORTA CARMENTALIS
IV — TEMPLUM IOVIS CAPITOLINI
V — STADIUM DOMITIANI
VI — MAUSOLEUM HADRIANI
VII — MAUSOLEUM AUGUSTI
VIII — THERMAE DIOCLETIANI
IX — CASTRA PRAETORIA
X — THERMAE TRAIANI
XI — AMPHITHEATRUM CASTRENSE
XII — COLOSSEUM
XIII — PALATINUS
XIV — CIRCUS MAXIMUS
XV — DOMUS VECTILIANA
XVI — THERMAE CARACALLAE
XVII — CIRCUS FLAMINIUS
XVIII — PANTHEON

SENATVS
POPVLVSQVEROMANVS
IMPTITOCAIVESPASIANI
VESPASIANOAVGVSTO

URBS ROMA

LINGUA LATĪNA — LIBER PRĪMUS

MODERN SERIES IN FOREIGN LANGUAGES

EDITORS:

LEON E. DOSTERT
HUGO MUELLER

Língua Latīna

Liber Prīmus

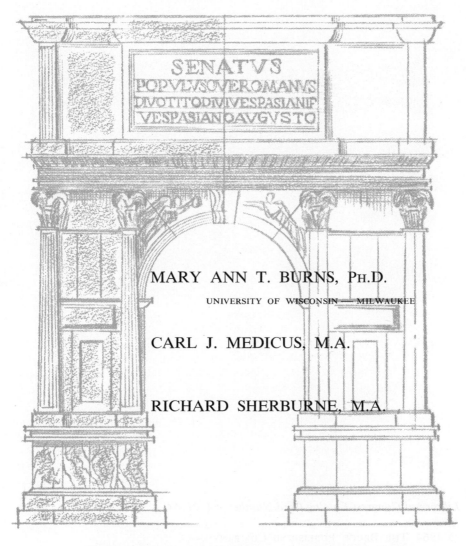

SENATVS
POPVLVSQVEROMANVS
DIVOTITODIVIVESPASIANIF
VESPASIANOAVGVSTO

MARY ANN T. BURNS, Ph.D.

UNIVERSITY OF WISCONSIN — MILWAUKEE

CARL J. MEDICUS, M.A.

RICHARD SHERBURNE, M.A.

THE BRUCE PUBLISHING COMPANY • Milwaukee

Library of Congress Catalog Card Number: 64–21064

(2/67)

FOREWORD

The relatively new science of linguistics has contributed many concepts and methods to the learning of modern languages. Reflecting this trend, there has been a concomitant movement to adapt these ideas to the study of classical languages, especially Latin. By combining the basic methods of applied linguistics with the useful elements of traditional teaching methodology the authors of LINGUA LATINA, LIBER PRIMUS have attempted to join the best principles of both.

Thus, from linguistic science, there is an emphasis on the patterns of Latin structure rather than the dissection of sentences for points of grammar. Extensive oral drills are included (with tapes) to allow the student to practice and learn the patterns of Latin by using eye, ear, and mouth

The authors believe that the primary reason for studying Latin is to achieve the ability to read the classics. With this in mind, there has been an emphasis on reading passages based, as much as possible, on original Latin works. Thus, from linguistic science again, the authors have taken the principle of emphasis on use of the language by native "speakers" rather than the rote learning of declension and conjugation that has, over the years, taken away the joy of learning from many students.

On the other hand, the authors have found it feasible to explain the patterns of Latin through the familiar nomenclature of traditional grammar. Also, translation from English to Latin has not been omitted. Latin-English vocabularies are included. Full paradigms are given for all cases and tenses covered.

The first three declensions are treated horizontally with the cases studied in the order of nominative, accusative, ablative, genitive, and dative. After the final case treatment the traditional vertical summary by declensions is noted. The third person of the verb is studied first throughout the perfect, present, and imperfect tenses. The Ablative Absolute and the Indirect Statement are introduced early.

This book is intended as a basic text for high schools and colleges. There are twenty-four lessons, of which four are comprehensive reviews appearing every six lessons. Placed appropriately are articles on Roman history and culture, accompanied by photographs and drawings. The scope is that of the normal first-year Latin text up to the subjunctive mood, for which there is a supplement for advanced students. Additional readings are found in the appendix. The traditional summary of forms and syntax is provided as a necessary adjunct for acquiring the overall view of the language and its organization. There are three vocabulary lists: proper names, Latin to English, and English to Latin.

Each lesson has been arranged for clarity of organization into seven parts. The *Fabula* is a first reading, demonstrating the forms, syntax, and vocabulary to be learned. The English translation contrasts the two languages. The reading may be gone through several times aloud in class with the students following the lead of the teacher. New constructions and vocabulary may be noted briefly by the teacher when necessary. All readings, with the exception of the first two lessons, are adaptations from classical and medieval literature. The *Grammatica* contains short grammatical explanations which may be given prior to each drill exercise. The *Exercitia* comprise the oral drills, consisting normally of a recognition and then a production of the form or syntax, although the first lesson is one of recognition only. The recognition process asks the student to see the form or syntax in a language situation, while the production process demands that he actually make or bring forth the item. In both processes use is made of previously learned structure on a contrastive basis, thereby relating the old to the new, the new to the old.

In the right corner of the start of each drill is a box to be used as a quick and brief survey of the item to be studied. When taken in class, the left column of the drills is spoken by the teacher; the student answers immediately and the teacher follows with the correct answer in the right column, which has been covered over by the pupil. When taken outside class, the student can work at will, looking at the answer column only after he has first given his own reply.

For the classroom situation the teacher should take advantage of the tapes (available in both the Roman and the Italian pronunciation), which ease the task and afford the opportunity to move among the pupils to check individual response. The *Conversio* consists of translation of English to Latin sentences. The *Narratio* is a second reading in the lesson and has been adapted from classical and medieval literature. Latin questions to be answered in Latin serve to evaluate reading comprehension. The *Epitoma* is an abridged review of the grammar. The *Index Verborum* has the new vocabulary used in the readings and the exercises. It is to be learned in the traditional fashion.

A special debt of gratitude goes out to the many high school and college teachers and students from east to west who helped to bring this book to the light of day.

THE AUTHORS

CONTENTS

THE HISTORY OF ROME

Legendary Beginnings. The history of early Rome is an interesting mixture of legend and historical fact. Vergil, the great Roman poet who died in 19 B.C., wrote about the legendary beginnings of Rome in his epic poem, the *Aeneid*. The hero of the story, Aeneas, a Trojan nobleman, escaped from Troy as the Greek army began to burn the city. After suffering many perils, he finally landed in Latium, the general area of present Rome. There he fought and defeated Turnus, a Sabine. He married Lavinia, the daughter of King Latinus of the Latins. This, so the legend goes, linked the Trojan and Latin heritage.

Among his descendants were Romulus and Remus, the twin sons of the Roman God of war, Mars, and a Latin girl, Rhea Silvia. Romulus became the first king of Rome and set about defeating her enemies and unifying the Latin peoples.

The Early History of Latium (1000–753 B.C.). Some of the legendary history may have some basis in fact. From archaeological sources it can be determined that the first settlement of the general area now around the city of Rome, Latium, was made about 900 B.C. Here the early tribes were at first little independent communities governed by officials elected by the citizens or freemen. These people were called Latins and probably came from Alba Longa, southeast of the future city of Rome. But as outside pressures built up from hostile neighbors, the small communities were forced to combine their assets for mutual defense. The Sabines, a tribe to the east of Rome, fought the Latins for a number of years. When these two tribes, which had similar languages and customs, were united, a new era began in the history of the Latin people.

The Kingdom (753–509 B.C.). By tradition the first Roman king, Romulus, unified the neighboring tribes and founded the city of Rome in 753 B.C. This date was used in the determination of the later Roman calendars.

Rome's independence and purely Latin heritage were soon threatened. From Asia Minor about 800 B.C. had come the invading Etruscans, a people whose customs and language differed greatly from those of the Romans. The Etruscans were a people with great skill and a highly

1

Modern Rome, looking east from the Vatican. Hadrian's tomb, the round structure, and the Tiber appear in the background.

developed culture. Eventually their influence was felt in Latium. Etruscan raiders began to attack outlying Roman towns. Their soldiers brought into submission a large part of northern and central Italy, including Rome. Strangely enough, under Etruscan influence Rome grew and flourished. However, the Romans always resented Etruscan domination. The Tarquins, a ruling family of Etruscans, had control of Rome. As kings, they developed Rome into a populous and prosperous city. But as aliens, they were disliked by the Roman people. Finally in about 509 B.C., Rome was powerful enough to oust the Etruscan king, Tarquinius Superbus (Tarquin the Proud). Etruscan power throughout Italy was waning and soon the various Latin peoples were independent.

The Republic (509–27 B.C.). The Romans had had enough of kings and now set up a republican type of government. The patrician class, the nobility, chose the leaders and controlled the government. Elected magistrates (consuls and praetors) interpreted and administered the laws passed by the Senate, an assembly of elders chosen from the patrician class. For many years Rome's chief internal problem was a struggle for power between the patrician nobility and the plebeian masses.

In its external affairs Rome organized a league of Latin towns to oppose the still potent Etruscans. At the battle of Lake Regillus, Etruria, the land of the Etruscans, was dealt a serious blow. Rome sought to dominate the Latin League and finally after a series of wars from about 499 to 343 B.C. she was in control of central Italy. Her only setback was an invasion by the Gallic Senones, Celtic tribes from northern Italy, in 390 B.C. Although they sacked Rome after defeating a Roman army at the Allia River, the Gauls left as quickly as they had come. Rome was soon rebuilt, and she turned her eyes to the south.

In a series of wars against the Samnites from 343 B.C. to about 290 B.C. Rome not only conquered the Samnites but also destroyed a coalition of her allies in the north, namely, the Etruscans, Celts, and Umbrians. Rome was master of most of Italy, when in 281 B.C. King Pyrrhus of Epirus (a district in northwestern Greece) landed in southern Italy to aid the Greek settlement at Tarentum in a war with Rome. Pyrrhus, who wanted to establish his rule in the western Mediterranean, won victory after victory but could not subdue the determined Romans. Finally he began to withdraw and was defeated at Beneventum in 275 B.C. Rome was now in control of all Italy.

Her internal affairs centered mainly on the extension of power to the plebeian class. Many plebeians now had wealth and influence. This fact together with their numerical superiority over the patricians gained them a place in the government.

From the time of the decemviri, a board of ten men who ruled Rome in about 450 B.C., to the defeat of Pyrrhus, the plebeian class gained privilege after privilege until they assumed some control of the government with the passage of the *lex Hortensia* in 287 B.C.

Having new interests in southern Italy, Rome was drawn into conflict with the great commercial and military power, Carthage, a city in North Africa (near modern Tunis). The Phoenicians, who founded Carthage, were great seamen and dominated trade in the Mediterranean. It was inevitable that the growing might of Rome should test the established interests of the Carthaginians. In the three Punic wars which grew from this conflict, Rome emerged completely victorious.

The First Punic War (264–241 B.C.) made Rome a naval power of the first order. She had always been interested in sea trade since the time of the Etruscan kings. But now she had to build a navy to match that of the

The ruins of the Aemilian bridge over the Tiber. The island of
Aesculapius, the god of medicine, is at the right.

Number One maritime power in the Mediterranean. The Roman fleet did
the job and Carthage was defeated off the Aegates Islands in 242 B.C. Rome
received her first territory outside Italy itself, Sicily, by terms of the peace
treaty. Corsica and Sardinia were taken soon after.

In Carthage, a great new military commander decided on a bold step.
Hannibal, son of an old Roman enemy Hamilcar Barca, raised an army and
moved toward Rome through Spain and down across the Alps, beginning
the Second Punic War (218–202 B.C.). He defeated the Romans on many
occasions, inflicting a particularly crushing blow at Cannae in southern
Italy in 216 B.C. Soon Rome's allies began to fall or desert her. Word came
from Greece of a Greco-Carthaginian alliance. The future was indeed black.
Rome was able to hang on to life, though, and succeeded in counterattack-
ing and containing Hannibal in southern Italy. Meanwhile, Hasdrubal,
Hannibal's brother, moved into northern Italy across the Alps. After several
victories, he was finally defeated and killed in a battle at the Metaurus
River in 207 B.C. Victories in Spain by Scipio encouraged the Senate to
have him attack Africa. Hannibal withdrew from Italy to defend his home-

land, but he was decisively defeated at Zama in 202 B.C. Rome was now in control of Spain and the entire western Mediterranean. The Third Punic War (149–146 B.C.) marked the complete destruction of Carthage.

Rome, having solidified her conquests in Spain, turned her eyes to the east. From about 190 to 133 B.C., she was victorious in the eastern Mediterranean, gaining control of Greece, Egypt, and parts of Asia Minor.

At home, many Romans had become prosperous. Greek culture was widely accepted. Romans became interested in art, literature, and philosophy. At first much of this cultural activity was borrowed from the Greeks. Translations of Greek poetry, drama, and philosophy gradually gave way to native Roman poets and thinkers.

However, not all Roman citizens were enjoying the good life. Many were dissatisfied with the poor distribution of the economic profits of the growing Roman world. The dissatisfied element was represented by the

The Forum of Julius Caesar in the foreground with the Colosseum in the background.

popular party. The aristocratic party represented the nobles and wealthy merchants. Leaders of the popular party tried to force reforms through the Senate. Tiberius and Gaius Gracchus, brothers, both tried to initiate reforms but were killed in riots. In the next one hundred years Rome was torn by civil war. Marius, a successful general, became leader of the popular movement. Sulla, an equally famous military leader, led the aristocrats. After some vicious slaughter by both sides, Sulla won out and established a dictatorship.

After Sulla retired, more civil war was avoided by the establishment of the First Triumvirate — a three-man council. Pompey, a military general and leader of the aristocratic element, Gaius Julius Caesar, a patrician who was the popular leader, and Crassus, a man of vast wealth, formed this triumvirate. Meanwhile, Marcus Tullius Cicero, the great orator and statesman, opposed the destruction of republican government. He succeeded in exposing the revolutionary aims of Catiline.

Caesar went to Gaul and there enjoyed great military success. With the death of Crassus, the old enmity between the popular party and the aristocrats was renewed. Caesar, as a military commander, was required to remain in Gaul until he was relieved of his command by the Senate or authorized to return. Refusing to abide by the Senate's decision, he crossed the Rubicon River, the southern boundary of his territory, in 49 B.C. He pursued Pompey to Greece and defeated him. Pompey's followers were likewise defeated in Spain and Egypt, where Pompey was killed. Caesar became virtual dictator of the Mediterranean world. The Republic was dead.

Caesar's rule was short-lived. He was assassinated in 44 B.C. by members of the Pompeian party whom he had pardoned. In the chaos that followed, Mark Antony, Octavian, and Lepidus formed the Second Triumvirate and persecuted Caesar's enemies. Even Cicero was executed. Brutus and Cassius, leaders of the conspirators, who had fled to Greece, were defeated at Philippi. It was not long before the Second Triumvirate fell apart. Lepidus overstepped his authority and was removed from his power. Antony lost the decisive battle of Actium in 31 B.C. to Octavian, who once again brought peace and one-man rule to the Roman world. In 27 B.C. Octavian was given the title Augustus, and the Roman Empire was born.

The period from about 50 B.C. to A.D. 14 was a fertile time for Roman literature. Poets, orators, and historians flourished. The latter part of this time (27 B.C.–A.D. 14) is called the Golden Age of Latin literature, pro-

The Roman temples of Bacchus (at left) and of Jupiter at Heliopolis (modern Baalbek, Lebanon) represent some of the most massive architecture of ancient times. Heliopolis was made a Roman colony by Augustus.

ducing such great writers as the poets Horace, Vergil, and Ovid, and the historian Livy.

The Empire (27 B.C.–A.D. 476). Augustus brought unity, good government, and general prosperity as well as peace to the Roman Empire. His long rule saw great social advances and the beautification of the city itself in an immense building campaign. His enlightened rule united the popular and aristocratic elements of the Roman people.

The history of the empire after the death of Augustus is generally a story of gradual decay. More and more the Roman people lost their willingness to fight and suffer for their independence. Citizens who had once taken a personal responsibility in government and defense now turned these responsibilities over to others. Barbarian troops were employed. Germans and Gauls became military leaders in the Roman army. Gone was the stubborn spirit that defeated Pyrrhus and Hannibal.

The collapse of Rome, however, was not all downhill; it rather followed a gradually declining up-and-down path. Under able leadership Rome

IMPERIUM
ROMANUM A.D. CXVII

S·P·Q·R

Places labeled on the map:

HIBERNIA

BRITANNIA · Londinium

GERMANIA

GERMANIA INFERIOR

RHENUS FL.

BELGICA

LUGDUNENSIS

MATRONA FL.

SEQUANA FL.

GALLIA

Celtae

AQUITANIA

JURA

GERMANIA SUPERIOR

Helvetii

RHAETIA

NORICUM

DANUVIUS FL.

PANNONI.

Oceanus Atlanticus

GARUNNA FL.

RHODANUS FL.

NARBONENSIS

ALPES

GALLIA CISALPINA

PADUS FL.

ITALIA

DALMA

Brundisium · D

MARE ADRIATICUM

TARRACONENSIS

HISPANIA

LUSITANIA

BAETICA

CORSICA
AND
SARDINIA

Roma

Neapolis · Pompeii · D

Tarentum

Mare

SICILIA · M. AETNA

MAURETANIA

NUMIDIA

Carthago

Zama

Inter

AFRICA

C

MILIA PASSUUM

C   CCC   D   M

The Arch of Constantine, the best preserved of Roman triumphal arches.

flourished. Under tyrants and madmen she faltered. Caligula (37–41), Nero (54–68), Commodus (180–192), Septimius Severus (193–211), and others were corrupt and tyrannical. Good emperors like Vespasian (69–79), Trajan (98–117), and Hadrian (117–138) helped Rome to survive as long as she did.

Under Marcus Aurelius (161–180) the empire returned to its former vigor. But upon his death, Rome once again fell into years of trouble. Invaders were beginning to hammer away at the outlying provinces. Aurelian (270–275) strengthened Rome's position by defeating some of her barbarian enemies and building a wall around the city.

Diocletian (285–305) divided the empire, and Constantine (306–337) moved the capital to Byzantium (Constantinople). Eventually the empire was formally divided into East and West at the end of the reign of Theodosius in 395. The Western Empire, repeatedly invaded by barbarians, tottered. Finally toward the middle of the fifth century, the emperor was nothing more than a puppet of a strong barbarian chieftain. Even this sham was at last removed when in 476 Odoacer, a barbarian, became emperor, bringing to a close the Western Empire.

The Legacy of Rome. Roman domination of the Mediterranean world, which could be said to have begun in 202 B.C. with the defeat of Carthage, lasted effectively to the time of Theodosius, A.D. 395. So for some six hundred years, Roman language, literature, architecture, and law influenced the greater part of the civilized world. The Latin language is still used today by the Roman Catholic Church and in certain types of documents. The present languages of France, Italy, Romania, Spain, and Portugal are direct offshoots of Latin. Latin has had great influence on Germanic languages, notably English.

At first, Latin had little effect on English. The conquests of Rome in Britain were long before the Anglo-Saxon invasion of Britain. These invaders had had some contact with Latin, since they were mainly Germanic tribes from what is now West Germany. Christianity came to England in 597 and with it an increase of Latin. English scholars translated Latin works into English. Then in 1066 the Norman French conquered England.

Latin, especially through French, came into England during the next few centuries. Latin itself had its greatest affect on English in the sixteenth century when classical scholarship gained great interest. Today a large part of our language is the heritage of Rome.

Another strong influence of Rome on our modern world is Roman law. Despite years of tyranny and anarchy, Rome did formulate many of the basic legal principles still in force today. Her organizational and governmental institutions are to a great extent still copied.

Roman art and literature provide us with some of our greatest cultural achievements. Livy, the historian; Terence and Plautus, the comic dramatists; Cicero, the philosopher and orator; Catullus, Ovid, Horace, and Vergil, the poets; and many others — all have made a great impact on English thought and literature.

It must be remembered that the time from the founding of the city to the crowning of Odoacer covered over twelve centuries. Romulus, according to the old legend, had seen a prophecy of twelve vultures indicating Rome would last 1200 years.

From the first English colony at Jamestown to modern times is only about 350 years. The United States is not yet 200 years old. Yet Rome ruled the civilized world almost completely for 600 years. The existence of a more-or-less continuous government over such a long period of time speaks well for the legal, economic, and political ideas that gave birth to the young Roman Republic.

A Roman matron (right) and the tombstone of a young child. Note the bulla around his neck.

THE ROMAN FAMILY

No nation is any stronger than its smallest unit — the family. One of the keys to the greatness of Rome through more than half of its history was the stability of the Roman family.

The full meaning of **familia** encompassed the entire household: father (**pater familiās**), mother, sons (and, if married, their families), unmarried daughters, and slaves. By law the father had absolute authority, even to death, over these and their possessions. Custom, however, softened this a bit. The father, nevertheless, was in charge, and when a child was born the infant was taken and laid at his feet. He picked it up and happily accepted it as his own, thereby assuring its care and rights as a Roman citizen.

Nine days after birth (eight for girls) the child was named in a special ceremony attended by relatives and friends. The father afterward placed around the baby's neck a **bulla,** or locket of charms, which was worn until the boy at about fourteen assumed the toga, the sign of manhood, or until the girl became a bride. In this ceremony the father simply gave the infant a first name (**praenōmen**), such as Marcus or Lucius or Gaius for a boy. The second name (**nōmen**) or clan (**gēns**) name and the third (**cognōmen**), which indicated the particular family of the clan, were the same as the father's. Therefore, Marcus Tullius Cicero was known as Marcus of the Cicero family of the Tullius clan.

A girl, as her first name, ordinarily received the feminine form of her father's **praenōmen** or **nōmen,** such as Marcia from Marcius or Tullia from Tullius. Sometimes she was merely called Prima (the first) or Secunda (the second) or Tertia (the third).

The wife, although legally under control of her husband, held a place equal to her spouse. Nowhere in the ancient world was the woman more respected. She could own her own property, go where she wished, enter legal actions, and do more or less as she pleased. The Roman **mātrōna,** however, had too much responsibility at home to go about the city at will. Besides caring for her husband and children, she also had charge of any number of slaves, who helped do many of the menial chores in the Roman home. She was the main tutor of her daughters in all affairs and also cared for the education of her sons until they went off to school.

Through half of Rome's long history, divorce, although allowed, was shunned. The first recorded was in 231 B.C. Near the time of Christ, however, divorce was common and a few centuries later became a problem, especially in the upper classes. Marriage gave the girl freedom from her parents; divorce added not only freedom from her husband and perhaps a return of her dowry but also the liberty to choose her next spouse, since the first marriage was always arranged by the parents.

The Roman family, however, was normally as happy as any today. The parents worked diligently and the children were expected to learn from them. The boy, of course, was given the greater attention in order to carry on the fame of the family name and the glory of Rome.

LECTIŌ PRĪMA
(I)
FIRST LESSON

FĀBULA
Story

ANGLICĒ
A Roman Family

Once there was a Roman family. The family lived in the city of Rome. The family had a father, mother, son, and daughter. The father, Marcus Tullius Cicero, was an orator. He often walked to the Forum and delivered a speech. The mother, Terentia, cared for the house and prepared the food.

The son was Marcus. When the boy walked to school, a Greek slave showed the way and took care of the boy. Marcus saw his friend Quintus there. When the slave led Marcus to the house, the mother Terentia waited for him.

The daughter Tullia had a friend Claudia. Terentia taught the girl and her friend. The sister Tullia loved her brother Marcus and the brother praised his sister.

The family always loved and cared for Rome.

LATĪNĒ
Familia Rōmāna

Ōlim fuit familia Rōmāna. Familia urbem Rōmam incoluit. Familia patrem, mātrem, fīlium, fīliam habuit. Pater, Mārcus Tullius Cicerō, fuit ōrātor. Ad Forum[1] saepe ambulāvit et ōrātiōnem habuit. Māter, Terentia, domicilium cūrāvit et cibum parāvit.

Fīlius fuit Mārcus. Ubi puer ad scholam ambulāvit, servus Graecus viam mōnstrāvit atque puerum cūrāvit. Mārcus amīcum Quīntum ibi vīdit. Ubi servus Mārcum ad domicilium dūxit, māter Terentia eum exspectāvit.

Fīlia Tullia comitem Claudiam habuit. Terentia puellam et comitem docuit. Soror Tullia frātrem Mārcum amāvit et frāter sorōrem laudāvit.

Familia Rōmam semper amāvit et cūrāvit.

---

[1] The heart of the city where commercial, governmental, and public business was transacted.

GRAMMATICA
Grammar

1. Nouns: Nominative and accusative cases:

In English the *case* (or use) of a noun is shown by its position in the sentence. In the sentence *The teacher punished the boy* we know that the subject is *teacher* because it comes before the verb. We cannot change the words around without changing the sense or meaning of the sentence. *The boy punished the teacher* is hardly the same sentence. This is called word order and is essential in English.

In Latin, however, the case of a noun is shown, not by position, but by an ending on the word. *The teacher punished the boy* in Latin is **Magister puerum pūnīvit.** The endings **–er** and **–um** tell that **magister** is the subject (or nominative case) and **puerum** is the object (or accusative case). The word order can therefore be changed without changing the meaning.

Magister puerum pūnīvit.

Puerum magister pūnīvit.

Pūnīvit puerum magister.

Pūnīvit magister puerum.

All these sentences mean *The teacher punished the boy*. To say *The boy punished the teacher* the endings would have to be changed — **Puer magistrum pūnīvit.** The **–um** shows that *teacher* is now the object. This sentence too could be written in any order and would still mean the same.

These different endings form what are called the *declensions*. A few English words are declined:

| **Nominative** | *he* | *she* | *who* |
| **Accusative** | *him* | *her* | *whom* |

All Latin nouns are declined. The following exercises will demonstrate the different endings of the nominative case (subject and predicate nominative) and of the accusative case (direct object and object of some prepositions).

The peristyle of the Roman house was characterized by a colon-naded walk surrounding a garden.

2. Verbs:

As in the case of nouns, Latin verbs have endings, but these will be taught in later lessons. The verb form used in the following exercises (and in the narrative) may be translated by the third person singular of the English past tense, e.g., **laudāvit** — he (she or it) praised; **laudāvitne?** — did he praise?

EXERCITIA

Drills

1. First declension nouns (nominative and accusative singular):

Declension I — F	
SINGULAR	
Nom.	**–a**
Acc.	**–am**

1. Directions:

The verb is recognized by the **–it** ending.
The subject is recognized by the **–a** ending (Nominative ending).
The object is recognized by the **–am** ending (Accusative ending).
Quis?: WHO did the action?
Quem?: WHOM did the subject act upon?
Quid ēgit?: WHAT DID the subject DO?
–ne?: indicates that a question is being asked.

2. Answer the questions, as shown in the English examples:

A. If the family waited for Terentia, who waited? — The family waited.
B. If the family waited for Terentia, whom did it wait for? — It waited for Terentia.
C. If the family waited for Terentia, what did it do? — It waited for Terentia.
D. Did the family wait for Terentia? — It waited.
E. Did Terentia wait for the family? — She did not wait.

1. Sī familia exspectāvit Terentiam, quis exspectāvit? — Familia exspectāvit.
2. Sī Terentiam familia exspectāvit, quem exspectāvit? — Terentiam exspectāvit.
3. Sī exspectāvit Terentiam familia, quid ēgit? — Exspectāvit Terentiam.
4. Exspectāvitne familia Terentiam? — Exspectāvit.
5. Exspectāvitne familiam Terentia? — Nōn exspectāvit.

6. Sī fīlia vīdit familiam, quis vīdit? — Fīlia vīdit.
7. Sī familiam fīlia vīdit, quem vīdit? — Familiam vīdit.
8. Sī vīdit fīlia familiam, quid ēgit? — Vīdit familiam.
9. Vīditne fīlia familiam? — Vīdit.
10. Vīditne familiam fīlia? — Vīdit.

11. Sī Terentia docuit puellam, quis docuit? — Terentia docuit.
12. Sī puellam Terentia docuit, quem docuit? — Puellam docuit.
13. Sī docuit puellam Terentia, quid ēgit? — Docuit puellam.
14. Docuitne puella Terentiam? — Nōn docuit.
15. Docuitne puellam Terentia? — Docuit.

16. Sī Tullia Claudiam amāvit, quis amāvit? — Tullia amāvit.
17. Sī Claudiam Tullia amāvit, quem amāvit? — Claudiam amāvit.
18. Sī amāvit Claudiam Tullia, quid ēgit? — Amāvit Claudiam.
19. Amāvitne Tullia Claudiam? — Amāvit.
20. Amāvitne Claudiam Tullia? — Amāvit.

21. Sī Claudia vīdit Tulliam, quis vīdit?   Claudia vīdit.
22. Sī Tulliam Claudia vīdit, quem vīdit?   Tulliam vīdit.
23. Sī vīdit Tulliam Claudia, quid ēgit?   Vīdit Tulliam.
24. Vīditne Tullia Claudiam?   Nōn vīdit.
25. Vīditne Tulliam Claudia?   Vīdit.

2. Second declension nouns (nominative and accusative singular: masculine):

Declension II — M	
SINGULAR	
Nom.	**–us, –er**
Acc.	**–um**

1. Directions:

The verb is recognized by the **–it** ending.
The subject is recognized by the **–us, –er** ending (Nominative).
The object is recognized by the **–um** ending (Accusative).
Quis?: WHO did the action?
Quem?: WHOM did the subject act upon?
Quid ēgit?: WHAT DID the subject DO?
–ne?: shows that a question is being asked.

2. Answer the questions:

1. Sī servus cūrāvit fīlium, quis cūrāvit?   Servus cūrāvit.
2. Sī fīlium servus cūrāvit, quem cūrāvit?   Fīlium cūrāvit.
3. Sī cūrāvit fīlium servus, quid ēgit?   Cūrāvit fīlium.
4. Cūrāvitne fīlium servus?   Cūrāvit.
5. Cūrāvitne fīlius servum?   Nōn cūrāvit.

6. Sī amīcus dūxit Quīntum, quis dūxit?   Amīcus dūxit.
7. Sī Quīntum amīcus dūxit, quem dūxit?   Quīntum dūxit.
8. Sī dūxit amīcus Quīntum, quid ēgit?   Dūxit Quīntum.
9. Dūxitne amīcum Quīntus?   Nōn dūxit.
10. Dūxitne amīcus Quīntum?   Dūxit.

The excavations at Pompeii brought to light many
aspects of Roman life such as this sidewalk shop.

11. Sī puer habuit amīcum, quis habuit?   Puer habuit.
12. Sī amīcum puer habuit, quem habuit?   Amīcum habuit.
13. Sī habuit amīcum puer, quid ēgit?   Habuit amīcum.
14. Habuitne amīcus puerum?   Nōn habuit.
15. Habuitne amīcum puer?   Habuit.

16. Sī Mārcus Tullius amāvit fīlium, quis amāvit?   Mārcus Tullius amāvit.
17. Sī fīlium Mārcus Tullius amāvit, quem amāvit?   Fīlium amāvit.
18. Sī amāvit fīlium Mārcus Tullius, quid ēgit?   Amāvit fīlium.
19. Amāvitne fīlium Mārcus Tullius?   Amāvit.
20. Amāvitne Mārcus Tullius fīlium?   Amāvit.

21. Sī Tullius vīdit puerum, quis vīdit?   Tullius vīdit.
22. Sī puerum vīdit Tullius, quem vīdit?   Puerum vīdit.
23. Sī vīdit puerum Tullius, quid ēgit?   Vīdit puerum.
24. Vīditne puerum Tullius?   Vīdit.
25. Vīditne puer Tullium?   Nōn vīdit.

3. Third declension nouns (nominative and accusative singular: masculine and feminine):

Declension III — M & F	
SINGULAR	
Nom.	–er, –or, –s, –ō, –x
Acc.	–em

1. Directions:

The verb is recognized by the **–it** ending.
The subject is recognized by the **–er, –or, –s, –ō, –x** ending (Nominative).
The object is recognized by the **–em** ending (Accusative).
Quis?: WHO? (Subject)
Quem?: WHOM? (Object)
Quid?: WHAT? (Subject or Object)
Quid ēgit?: WHAT DID the subject DO? (Verb)
–ne?: shows that a question is being asked.

2. Answer the questions:

1. Ubi pater amāvit mātrem, quis amāvit?   Pater amāvit.
2. Ubi mātrem pater amāvit, quem amāvit?   Mātrem amāvit.
3. Ubi amāvit mātrem pater, quid ēgit?   Amāvit mātrem.
4. Amāvitne pater mātrem?   Amāvit.
5. Amāvitne mātrem pater?   Amāvit.

6. Ubi ōrātor habuit ōrātiōnem, quis habuit?   Ōrātor habuit.
7. Ubi ōrātiōnem ōrātor habuit, quid habuit?   Ōrātiōnem habuit.
8. Ubi habuit ōrātiōnem ōrātor, quid ēgit?   Habuit ōrātiōnem.
9. Habuitne ōrātiōnem ōrātor?   Habuit.
10. Habuitne ōrātiō ōrātōrem?   Nōn habuit.

11. Ubi ōrātiō docuit frātrem, quid docuit?   Ōrātiō docuit.
12. Ubi frātrem ōrātiō docuit, quem docuit?   Frātrem docuit.
13. Ubi docuit frātrem ōrātiō, quid ēgit?   Docuit frātrem.
14. Docuitne ōrātiō frātrem?   Docuit.
15. Docuitne ōrātiōnem frāter?   Nōn docuit.

16. Ubi māter laudāvit sorōrem, quis laudāvit?   Māter laudāvit.
17. Ubi sorōrem māter laudāvit, quem laudāvit?   Sorōrem laudāvit.
18. Ubi laudāvit sorōrem māter, quid ēgit?   Laudāvit sorōrem.
19. Laudāvitne sorōrem māter?   Laudāvit.
20. Laudāvitne soror mātrem?   Nōn laudāvit.

21. Ubi soror exspectāvit comitem, quis exspectāvit?   Soror exspectāvit.
22. Ubi comitem soror exspectāvit, quem exspectāvit?   Comitem exspectāvit.
23. Ubi exspectāvit comitem soror, quid ēgit?   Exspectāvit comitem.
24. Exspectāvitne sorōrem comes?   Nōn exspectāvit.
25. Exspectāvitne soror comitem?   Exspectāvit.

4. Nouns of declensions I, II, III (nominative and accusative singular):

	I — F	II — M	III — M & F
		SINGULAR	
Nom.	–a	–us, –er	–er, –or, –s, –ō, –x
Acc.	–am	–um	–em

Answer the questions:

1. Ubi servus Mārcum ad scholam dūxit, quis dūxit?   Servus dūxit.
2. Ubi dūxit servus Mārcum ad scholam, quem dūxit?   Mārcum dūxit.
3. Ubi Mārcum ad scholam dūxit servus, quid ēgit?   Dūxit Mārcum.
4. Dūxitne servum ad scholam Mārcus?   Nōn dūxit.
5. Dūxitne Mārcum ad scholam servus?   Dūxit.

6. Sī māter parāvit cibum, quis parāvit?   Māter parāvit.
7. Sī cibum māter parāvit, quid parāvit?   Cibum parāvit.
8. Sī parāvit cibum māter, quid ēgit?   Parāvit cibum.
9. Parāvitne cibus mātrem?   Nōn parāvit.
10. Parāvitne cibum māter?   Parāvit.

11. Sī mōnstrāvit Cicerō viam, quis mōnstrāvit?   Cicerō mōnstrāvit.
12. Sī Cicerō viam mōnstrāvit, quid mōnstrāvit?   Viam mōnstrāvit.
13. Sī viam mōnstrāvit Cicerō, quid ēgit?   Mōnstrāvit viam.
14. Mōnstrāvitne via Cicerōnem?   Nōn mōnstrāvit.
15. Mōnstrāvitne viam Cicerō?   Mōnstrāvit.

16. Ubi soror cūrāvit familiam, quis cūrāvit?   Soror cūrāvit.
17. Ubi familiam soror cūrāvit, quem cūrāvit?   Familiam cūrāvit.
18. Ubi cūrāvit familiam soror, quid ēgit?   Cūrāvit familiam.
19. Cūrāvitne familia sorōrem?   Nōn cūrāvit.
20. Cūrāvitne familiam soror?   Cūrāvit.

21. Ubi frāter Mārcus laudāvit Tulliam, quis laudāvit?   Frāter Mārcus laudāvit.
22. Ubi frāter Mārcus laudāvit Tulliam, quem laudāvit?   Tulliam laudāvit.
23. Ubi frāter Mārcus laudāvit Tulliam, quid ēgit?   Laudāvit Tulliam.
24. Laudāvitne Tullia frātrem Mārcum?   Nōn laudāvit.
25. Laudāvitne Tulliam frāter Mārcus?   Laudāvit.

CONVERSIŌ

Translation

1. The mother praised the boy.   **Māter puerum laudāvit.**

2. The brother showed the way.   . . . .

3. Did the girl care for the family?   . . . .

4. Who loved the city?   . . . .

5. The family prepared the food.   . . . .

6. The daughter did not see the school. . . . .

7. What did the slave wait for?   . . . .

8. The friend led (his)[2] sister to school. . . . .

9. Whom did the orator teach?   . . . .

10. Who was the father?   . . . .

NĀRRĀTIŌ

Story

FAMILIA ET SCHOLA

Familia scholam amāvit et ad scholam saepe ambulāvit. Pater Cicerō scholam amāvit et magistrum vīsitāvit. Māter Terentia magistrum salūtāvit et scholam laudāvit.

Puer Mārcus scholam amāvit sed magister eum (*him*) saepe pūnīvit. Amīcus Quīntus scholam nōn laudāvit, quia (*because*) magistrum nōn amāvit. Magister Mārcum et Quīntum docuit.

Puella Tullia scholam vīsitāvit atque ibi frātrem Mārcum saepe vīdit. Comes Claudia ad scholam ambulāvit et magistrum vīdit. Claudia scholam laudāvit et magistrum amāvit.

Magister Cicerōnem ōrātōrem laudāvit et familiam amāvit.

---

[2] Words in parentheses are not to be translated.

Respondē Latīnē:

1. Quid familia amāvit?
2. Ad quid familia saepe ambulāvit?
3. Amāvitne Cicerō scholam?
4. Vīsitāvitne Cicerōnem magister?
5. Quis magistrum salūtāvit?
6. Quem Terentia salūtāvit?
7. Laudāvitne māter Terentia scholam?

8. Quis Mārcum saepe pūnīvit?
9. Quis scholam nōn laudāvit?
10. Quem Quīntus nōn amāvit?
11. Docuitne magister Mārcum et Quīntum?

12. Fuitne Tullia puella?
13. Quis scholam vīsitāvit?
14. Quem Tullia ad scholam saepe vīdit?
15. Quis ad scholam ambulāvit?
16. Vīditne Claudia magistrum?
17. Quid Claudia laudāvit?

18. Quis Cicerōnem laudāvit?
19. Quem magister laudāvit?
20. Amāvitne magister familiam?

EPITOMA

Summary

1. Cases:

The nominative case is used as the subject of a verb and as a predicate nominative.

The accusative case is used as the direct object of a verb and as the object of some prepositions.

2. Singular case endings:

	Declensions			Interrogatives	
	I — F	*II — M*	*III — M & F*		
Nom.	vi–a	amīc–us, pu–er	māt–er[3]	quis	quid
Acc.	vi–am	amīc–um, puer–um	mātr–em	quem	quid

A Pompeian street leading to a city gate; note the
stepping-stones for pedestrians and the wheel ruts
worn by wagons.

NOTE TO VOCABULARIES

The vocabulary listing of a word gives all the forms and information
necessary for using the word correctly in Latin. It is important that the
vocabulary be memorized completely and exactly. The meanings of these
various forms will be explained as needed.

Proper names are not ordinarily included in the lesson vocabulary but are
found in the index at the back of this book.

---

[3] The third declension nominative (masculine and feminine) usually ends in –er,
–or, –s, –ō, –x.

INDEX VERBŌRUM
Vocabulary

ad[4]	to, near, for	māter, mātris, f.	mother
agere, ēgī, āctus (3)[5]	do, drive, act	mōnstrāre, mōnstrāvī, mōnstrātus (1)	show, point out
amāre, amāvī, amātus (1)	love, like		
ambulāre, ambulāvī, ambulātus (1)	walk	–ne	(indicates a question)
amīcus, amīcī, m.[6]	friend	nōn	not
atque	and	ōlim	once
cibus, cibī, m.	food	ōrātiō, ōrātiōnis, f.	speech, oration
comes, comitis, c.	companion, friend	ōrātor, ōrātōris, m.	orator
cūrāre, cūrāvī, cūrātus (1)	care for, take care of	parāre, parāvī, parātus (1)	prepare
docēre, docuī, doctus (2)	teach	pater, patris, m.	father
		puella, puellae, f.	girl
dūcere, dūxī, ductus (3)	lead	puer, puerī, m.	boy
		pūnīre, pūnīvī, pūnītus (4)	punish
esse, fuī, futūrus	be	quis, quid	who? what?
et	and	Rōma, Rōmae, f.	Rome
exspectāre, exspectāvī, exspectātus (1)	wait for, await	saepe	often
		salūtāre, salūtāvī, salūtātus (1)	greet
familia, familiae, f.	family, household	schola, scholae, f.	school
fīlia, fīliae, f.	daughter	sed	but
fīlius, fīliī, m.	son	semper	always
frāter, frātris, m.	brother	servus, servī, m.	slave, servant
habēre, habuī, habitus (2)	have, consider	sī	if
		soror, sorōris, f.	sister
ibi	there	ubi	when, where
incolere, incoluī, incultus (3)	live in, inhabit	urbs, urbis, f.	city
		via, viae, f.	way, street, road
laudāre, laudāvī, laudātus (1)	praise	vidēre, vīdī, vīsus (2)	see
magister, magistrī, m.	teacher	vīsitāre, vīsitāvī, vīsitātus (1)	visit

[4] In this book prepositions, unless otherwise specified, are followed by the accusative case.

[5] The numbers in parentheses after the verbs refer to the conjugations to which the verbs belong.

[6] Abbreviations: **m.** — masculine; **f.** — feminine; **n.** — neuter; **c.** — common. Common gender means the noun can be either masculine or feminine. When there is no indication of definite gender, the masculine is always used.

THE ROMAN HOUSE

The Roman house differed through the ages, just as homes in all lands
have. The earliest Roman home was a round, one-room hut with a thatched
roof. It was called the **ātrium** or *black room* (**āter**) probably because the
walls and ceiling were blackened from the open fireplace. In the middle
of the roof there was an opening (**compluvium**) through which the smoke
passed and which also served to let in light and air, since there were usually
no windows. Below this was a shallow pool (**impluvium**) (2 in figure below)
to collect the rainwater for household use.

In time, this house or large living room became rectangular in size (1)
and small rooms (3) were added at the sides, primarily for sleeping. At
the rear directly opposite the front door was an open room, the **tablīnum**
(4), where the master had his study, kept his papers and records, and stored
his money and other valuables in a locked chest. Flanking this office were
corner rooms (5), usually the kitchen, dining room, and bathroom. The
wings (6) made into the atrium by the above rooms often held busts and
wax masks of famous ancestors. Directly behind the **impluvium** was a small
shrine to the household gods (**larēs** or **penātēs**) (7). The house was set next
to the street and one entered from the sidewalk right into the atrium. At
times the back of the home was closed by a little garden.

This was the basic Roman house as found in most towns of Italy. Around
the second and first centuries B.C., especially in the homes of the upper
classes, the center of living shifted from the atrium to a beautifully
gardened court at the back. This peristyle (**peristȳlum**), an adaption from
the Greeks, was an open plot around which ran a colonnaded walk. Off
this columned veranda were many rooms used for everything from eating
to sleeping. Here the master would entertain his special friends. Here a
cultured man like Cicero could leisurely walk and plan his next speech in
court. Here the matron of the house could watch her children frolicking

The House of the Faun in Pompeii shows the impluvium in the atrium, the tablinum, and columned peristylum.

about the fountain or could admire the exotic shrubs and flowers so well kept by her slaves. A shrine to the gods could be found here and the slave quarters might also lead from this part. Later, a second story, normally for slaves, was added. The atrium no longer was the center of activity.

The atrium was then reserved as a formal reception room for meeting friends and clients, for laying the dead in state. It was exquisitely adorned with statues, wall paintings, paneled ceiling, mosaic floor, a few pieces of ornate furniture, and sometimes even with pillars. In addition, the doorway was lengthened into two parts: the **vestibulum,** an outside hall from the sidewalk to the door; and the **ostium,** an inside entrance hall from the door to the atrium. Before the door, in mosaic pavement, there was often the greeting **Salvē** (*Good health, Greetings*). A doorman (**iānitor**), a trusted slave, was usually on duty in the ostium with a chained watchdog. Some homes simply posted the warning **Cavē canem!** (*Beware of the dog!*)

There were also, of course, the country mansions (**vīllae**) of the wealthy. In these the peristyle was normally in front and behind it came the atrium, which led to a game field. The owners of these homes were rich city dwellers who visited their villas for relaxation and pleasure. Most city dwellers, especially as Rome became larger after the Carthaginian wars, were plebeians who lived in great apartment buildings (**īnsulae**) with less of the comfort and living ease of the traditional Roman home.

LECTIŌ SECUNDA

(II)

SECOND LESSON

FĀBULA

Story

ANGLICĒ	LATĪNĒ
A Roman House	**Domicilium Rōmānum**

The father, Marcus Tullius Cicero, built a large house near the Forum. There the Roman family lived.

In front of the atrium was the word: *Welcome*. The atrium was a large place where the family greeted a friend. The large atrium had an open roof, and through the space light entered into the atrium. On account of the open space, rain came into a pool.

Behind the atrium was the study where Cicero did his work. There the good father kept his money.

In back of the study was the court. The court had a beautiful garden and a small fountain. The family liked to walk often through the garden. The good Terentia liked to look at the pretty fountain. The boy Mark played near the fountain. The girl Tullia visited her good friend Claudia there.

Pater, Mārcus Tullius Cicerō, magnum domicilium ad Forum aedificāvit. Ibi familia Rōmāna habitāvit.

Ante ātrium fuit verbum: *Salvē.** Ātrium fuit magnus locus ubi familia amīcum salūtāvit. Magnum ātrium tēctum apertum habuit et per spatium lūmen in ātrium intrāvit. Propter spatium apertum pluvia in impluvium vēnit.

Post ātrium fuit tablīnum ubi Cicerō opus fēcit. Ibi pater bonus pecūniam servāvit.

Post tablīnum fuit peristȳlum. Peristȳlum hortum pulchrum et parvum fontem habuit. Familia per hortum saepe ambulāre amāvit. Terentia bona fontem pulchrum spectāre amāvit. Puer Mārcus ad fontem lūsit. Puella Tullia comitem bonam Claudiam ibi vīsitāvit.

---

* Words indicated with an asterisk (*) in the **Fābula** are nonvocabulary.

GRAMMATICA

Grammar

1. Noun formation:

You will have noted that in the vocabulary two forms and the gender are given for each noun. With this information you can use any noun correctly.

The case endings of a noun, e.g., **–um, –am,** are added to the stem of the noun. The *stem* gives the meaning of the noun; the *endings* show its use in the sentence. The first form given in the vocabulary, the nominative, will not always show the stem. Certain sound changes occurred in early Latin which resulted in spelling variations in the nominative case, especially in the third declension.[1] Therefore a second form (the genitive) is given. To determine the stem remove the genitive ending — first declension, **–ae;** second declension, **–ī;** third declension, **–is.** The stem of *girl* is **puell–,** of *food* it is **cib–,** of *father* it is **patr–.** Other case endings are added to this stem.

In summary, the nominative form is given first. The genitive is given in order to derive the stem and to show which declension a noun is; e.g., **puer, puerī** is second declension because the genitive ending is **–ī,** while **pater, patris** is third declension because the genitive ending is **–is,** even though both words have the same nominative ending.

2. Gender:

All nouns have gender. The three genders in Latin are: *masculine, feminine,* and *neuter.* In Latin, gender is not quite the same thing as in English. In English, nouns referring to men are masculine; those referring to women are feminine; and those referring to things are neuter. This is called natural gender. In Latin, gender is usually determined by the declension of the noun (grammatical gender). Nouns of the first declension are feminine (unless they refer to men); nouns of the second declension ending in **–us** or **–er** are masculine and those ending in **–um** are neuter; third declension nouns can be of any gender.

It is therefore necessary to learn the gender of a noun when you learn

---

[1] Third-declension masculine and feminine nouns usually end in **–er, –or, –s, –ō, –x.** Third-declension neuter nouns have a variety of endings, of which the most common are **–n, –us, –al, –e, –ar.**

its forms, since you cannot always determine this by the meaning of the word. It is true that most nouns referring to men will be masculine and those referring to women will be feminine but this is not universally true; e.g., **legiō** (*legion*), the main division of the Roman army, is a feminine word. Many words which would be considered neuter in English are in Latin masculine (**cibus,** *food;* **hortus,** *garden*) or feminine (**silva,** *forest;* **aestās,** *summer*). One example of this is found in English where those interested in boating refer to a ship as *she,* not *it.*

3. Neuter nouns:

All second declension nouns ending in the nominative **–um (bellum)** are neuter gender. Third declension neuters have a variety of nominative endings, of which **–n (flūmen)** and **–us (opus)** are used in this lesson.

In the neuter, the nominative and accusative forms are the same; e.g., **tēctum** is either nominative or accusative. The context (the rest of the sentence) will show whether it is the subject or the object in a particular sentence. For example, **Domicilium tēctum habuit** could only mean *The house had a roof,* even if it were written **Tēctum domicilium habuit.**

4. Adjectives:

In Latin, adjectives (words describing nouns) have the same endings as noun endings; English adjectives have no endings at all, but show the nouns to which they belong by being placed directly before them. A Latin adjective has an ending agreeing in *gender, number,* and *case* with the noun it modifies. Adjectives are of two groups — those which use first and second declension endings, and those which use third declension endings. The first group will be discussed in this lesson.

Since most first declension nouns are feminine, the first declension endings (e.g., **–a, –am**) are used when the adjective modifies a feminine noun. In the same way **–us** and **–er** second declension endings are used to indicate masculine, and **–um** endings to indicate neuter. In the vocabulary the forms (nominative only) of the adjective are given in the order: masculine, feminine, neuter; for example, *good* is **bonus, bona, bonum;** *beautiful* is **pulcher, pulchra, pulchrum.** The stem is taken from the second form given. The stem of *good* is **bon–,** the stem of *beautiful* is **pulchr–.**

An adjective agrees with the noun it modifies in gender, number, and

A two-story home (restored), dug out of the ruins
of Herculaneum near Pompeii.

case. An adjective need not have a case ending of the same declension as
the noun; e.g., **māter** is third declension but the form of *good* that would
modify it would be **bona,** which is first declension.

	II — M	I — F	II — N
Nom.	**bonus, pulcher**	**bona, pulchra**	**bonum, pulchrum**
Acc.	**bonum, pulchrum**	**bonam, pulchram**	**bonum, pulchrum**
Nom.	amīcus bonus	via bona	bellum bonum
	pater bonus	māter bona	flūmen bonum
Acc.	amīcum bonum	viam bonam	bellum bonum
	patrem bonum	mātrem bonam	flūmen bonum

Hint: A good way to remember the gender of a noun is to associate the correct adjective form with it — e.g., **parvum flūmen, ōrātiō bona.**

5. Complementary infinitives of verbs:

The infinitive of a Latin verb (in English, *to walk, to have*) is the first form given in the Latin vocabulary in this book, e.g., **ambulāre** (*to walk*), **habēre** (*to have*).

In English and in Latin the present infinitive is often used to complete the meaning of another verb, e.g., *He liked to walk:* **Ambulāre amāvit.** This use of the infinitive is called the complementary infinitive. **Note:** In Latin the infinitive will ordinarily come before the main verb, e.g., **ambulāre amāvit**, not **amāvit ambulāre.**

EXERCITIA

Drills

1. Second and third declension neuter nouns (nominative and accusative singular):

	II — N	III — N
	SINGULAR	
Nom.	–um	–n, –us
Acc.	–um	–n, –us

Recognize neuter nouns both as subject and object by answering the questions, as shown in the English examples:

Quis? — Who? (subject)
Quid? — *What?* (subject or object)
Quem? — *Whom?* (object)

A. The boy saw the light: Who saw?   The boy saw.
B. The boy saw the light: What did he see?   He saw the light.
C. The light led the slave: Whom did it lead?   It led the slave.
D. The light led the slave: What led?   The light led.

1. Puer lūmen vīdit: Quis vīdit?   Puer vīdit.
2. Puer lūmen vīdit: Quid vīdit?   Lūmen vīdit.
3. Lūmen servum dūxit: Quem dūxit?   Servum dūxit.
4. Lūmen servum dūxit: Quid dūxit?   Lūmen dūxit.

5. Cicerō domicilium aedificāvit: Quis aedificāvit? — Cicerō aedificāvit.
6. Cicerō domicilium aedificāvit: Quid aedificāvit? — Domicilium aedificāvit.
7. Domicilium patrem habuit: Quem habuit? — Patrem habuit.
8. Domicilium patrem habuit: Quid habuit? — Domicilium habuit.

9. Claudia verbum scrīpsit: Quis scrīpsit? — Claudia scrīpsit.
10. Verbum Claudia scrīpsit: Quid scrīpsit? — Verbum scrīpsit.
11. Puerum docuit verbum: Quem docuit? — Puerum docuit.
12. Verbum puerum docuit: Quid docuit? — Verbum docuit.

13. Pater opus fēcit: Quis fēcit? — Pater fēcit.
14. Opus pater fēcit: Quid fēcit? — Opus fēcit.
15. Puerum opus docuit: Quem docuit? — Puerum docuit.
16. Opus puerum docuit: Quid docuit? — Opus docuit.

17. Māter perīculum mōnstrāvit: Quis mōnstrāvit? — Māter mōnstrāvit.
18. Perīculum māter mōnstrāvit: Quid mōnstrāvit? — Perīculum mōnstrāvit.
19. Perīculum fīlium exspectāvit: Quem exspectāvit? — Fīlium exspectāvit.
20. Fīlium perīculum exspectāvit: Quid exspectāvit? — Perīculum exspectāvit.

21. Flūmen puella vīsitāvit: Quis vīsitāvit? — Puella vīsitāvit.
22. Puella flūmen vīsitāvit: Quid vīsitāvit? — Flūmen vīsitāvit.
23. Urbem flūmen intrāvit: Quem intrāvit? — Urbem intrāvit.
24. Flūmen urbem intrāvit: Quid intrāvit? — Flūmen intrāvit.

2. First and second declension adjectives (nominative and accusative singular):

	Adjective		
	SINGULAR		
	II — M	I — F	II — N
Nom.	–us (–er)	–a	–um
Acc.	–um	–am	–um

1. Recognize the adjective in the *nominative* singular of the three genders and produce the same by completing the sentence with the predicate adjective **bonus, bona, bonum:**

A. The pretty girl was *good.*
1. Pulchra puella fuit — bona.
2. Parva silva fuit — bona.
3. Pulchra familia fuit — bona.
4. Parva soror fuit — bona.
5. Magna urbs fuit — bona.

6. Magnus amīcus fuit	bonus.
7. Parvus puer fuit	bonus.
8. Magnus fuit locus	bonus.
9. Magnus pater fuit	bonus.
10. Pulcher fuit fōns	bonus.
11. Magnum ātrium fuit	bonum.
12. Pulchrum domicilium fuit	bonum.
13. Parvum forum fuit	bonum.
14. Parvum flūmen fuit	bonum.
15. Magnum opus fuit	bonum.

2. Recognize the adjective in the *accusative* singular by answering the questions:

    B. The girl saw the *beautiful* forest: What did she see?   She saw the *beautiful* forest.

16. Puella silvam pulchram vīdit: Quid vīdit?	Silvam pulchram vīdit.
17. Pater parvam fīliam spectāvit: Quem spectāvit?	Parvam fīliam spectāvit.
18. Māter comitem bonam habuit: Quem habuit?	Comitem bonam habuit.
19. Ad magnam urbem puer vēnit: Ad quid vēnit?	Ad magnam urbem vēnit.
20. In vīllam apertam soror ambulāvit: In quid ambulāvit?	In vīllam apertam ambulāvit.
21. Terentia hortum pulchrum amāvit: Quid amāvit?	Hortum pulchrum amāvit.
22. Amīcum bonum pater vīsitāvit: Quem vīsitāvit?	Amīcum bonum vīsitāvit.
23. Parvum frātrem Claudia servāvit: Quem servāvit?	Parvum frātrem servāvit.
24. Propter spatium apertum pluvia intrāvit: Propter quid intrāvit?	Propter spatium apertum intrāvit.
25. Magnum flūmen puer vīdit: Quid vīdit?	Magnum flūmen vīdit.

A floral and animal design, sculptured in bas-relief, at Pompeii.

3. Adjectives (nominative and accusative singular with first and second declension nouns):

	Adjective		
	SINGULAR		
	II — M	*I — F*	*II — N*
Nom.	–us (–er)	–a	–um
Acc.	–um	–am	–um

1. Produce the *nominative* singular of the adjective **magnus, magna, magnum** by describing the *subject* of each sentence:

A. The family liked the villa.   The *large* family liked the villa.

1. Familia vīllam amāvit.   Magna familia vīllam amāvit.
2. Via ad scholam dūxit.   Magna via ad scholam dūxit.
3. Puella pecūniam servāvit.   Magna puella pecūniam servāvit.
4. Impluvium pluvia intrāvit.   Impluvium magna pluvia intrāvit.
5. Docuit puerum schola.   Docuit puerum magna schola.

6. Servus puerum mōnstrāvit.   Magnus servus puerum mōnstrāvit.
7. Amīcus frātrem habuit.   Magnus amīcus frātrem habuit.
8. Fīlius sorōrem salūtāvit.   Magnus fīlius sorōrem salūtāvit.
9. Servum magister exspectāvit.   Servum magnus magister exspectāvit.
10. Amāvit lūmen hortus.   Amāvit lūmen magnus hortus.

11. Ātrium ad tablīnum dūxit.   Magnum ātrium ad tablīnum dūxit.
12. Domicilium habuit familiam.   Magnum domicilium habuit familiam.
13. Forum viam habuit.   Magnum forum viam habuit.
14. Fīlium verbum docuit.   Fīlium magnum verbum docuit.
15. Servāvit pluviam impluvium.   Servāvit pluviam magnum impluvium.

2. Produce the *accusative* singular of the adjective **pulcher, pulchra, pulchrum** by describing the *object* of each sentence:

B. The servant pointed out the way.   The servant pointed out the *beautiful* way.

16. Viam mōnstrāvit servus.   Viam pulchram mōnstrāvit servus.
17. Vīllam Cicerō aedificāvit.   Vīllam pulchram Cicerō aedificāvit.
18. Silvam pater servāvit.   Silvam pulchram pater servāvit.
19. Puer puellam laudāvit.   Puer puellam pulchram laudāvit.
20. Vīsitāvit ōrātor Rōmam.   Vīsitāvit ōrātor Rōmam pulchram.

21. Hortum intrāvit amīcus.   Hortum pulchrum intrāvit amīcus.
22. Fīlium exspectāvit māter.   Fīlium pulchrum exspectāvit māter.
23. Locum habuit fōns.   Locum pulchrum habuit fōns.
24. Soror cibum parāvit.   Soror cibum pulchrum parāvit.
25. Salūtāvit comes amīcum.   Salūtāvit comes amīcum pulchrum.

26. Domicilium pater aedificāvit.   Domicilium pulchrum pater aedificāvit.
27. Ātrium mōnstrāvit servus.   Ātrium pulchrum mōnstrāvit servus.
28. Tēctum vīlla habuit.   Tēctum pulchrum vīlla habuit.
29. Rōma forum fēcit.   Rōma forum pulchrum fēcit.
30. Scrīpsit puella verbum.   Scrīpsit puella verbum pulchrum.

4. Adjectives (nominative and accusative singular with third declension nouns):

	Adjective		
	SINGULAR		
	II — M	*I — F*	*II — N*
Nom.	–us (–er)	–a	–um
Acc.	–um	–am	–um

1. Produce the *nominative* singular of the adjective **Rōmānus, Rōmāna, Rōmānum** by describing the *subject:*

A. Cicero lived in Rome.   The *Roman* Cicero lived in Rome.

1. Cicerō Rōmam incoluit.   Cicerō Rōmānus Rōmam incoluit.
2. Frāter sorōrem relīquit.   Frāter Rōmānus sorōrem relīquit.
3. Pater fīliam pūnīvit.   Pater Rōmānus fīliam pūnīvit.
4. Verbum ōrātor servāvit.   Verbum ōrātor Rōmānus servāvit.

5. Opus servāvit Rōmam.   Opus Rōmānum servāvit Rōmam.
6. Flūmen fuit post vīllam.   Flūmen Rōmānum fuit post vīllam.
7. Lūmen fuit Cicerō.   Lūmen Rōmānum fuit Cicerō.
8. Rūs fuit pulchrum.   Rūs Rōmānum fuit pulchrum.

9. Urbs ad flūmen spectāvit.   Urbs Rōmāna ad flūmen spectāvit.
10. Fīlium māter cūrāvit.   Fīlium māter Rōmāna cūrāvit.
11. Frātrem soror relīquit.   Frātrem soror Rōmāna relīquit.
12. Pulchra fuit aestās.   Pulchra fuit aestās Rōmāna.

The peristyle of a rich man's home in Pompeii. The peristyle replaced the atrium as the focal point of Roman family life.

2. Produce the *accusative* singular of the adjective **parvus, parva, parvum** by describing the *object:*

B. Terentia waited for Cicero.   Terentia waited for the *little* Cicero.

13. Cicerōnem Terentia exspectāvit.   Parvum Cicerōnem Terentia exspectāvit.
14. Frātrem soror salūtāvit.   Parvum frātrem soror salūtāvit.
15. Orātōrem laudāvit schola.   Parvum ōrātōrem laudāvit schola.
16. Pluvia fontem intrāvit.   Pluvia parvum fontem intrāvit.

17. Urbem vīsitāvit familia.   Parvam urbem vīsitāvit familia.
18. Orātiōnem cūrāvit ōrātor.   Parvam ōrātiōnem cūrāvit ōrātor.
19. Servus sorōrem dūxit.   Servus parvam sorōrem dūxit.
20. Laudāvit puer aestātem.   Laudāvit puer parvam aestātem.

21. Pater opus fēcit.   Pater parvum opus fēcit.
22. Puer flūmen vīsitāvit.   Puer parvum flūmen vīsitāvit.
23. Lūmen Tullia vīdit.   Parvum lūmen Tullia vīdit.
24. Relīquit familia rūs.   Relīquit familia parvum rūs.

5. Adjectives (nominative and accusative singular with first, second, and third declension nouns):

	Adjective		
	SINGULAR		
	II — M	*I — F*	*II — N*
Nom.	–us (–er)	–a	–um
Acc.	–um	–am	–um

1. Produce the *nominative* singular of the adjective **bonus, bona, bonum** by describing the *subject:*

    A. The mother took care of the house.   The *good* mother took care of the house.

1. Māter domicilium cūrāvit.	Māter bona domicilium cūrāvit.
2. Fīlius vīllam vīdit.	Fīlius bonus vīllam vīdit.
3. Puella forum vīsitāvit.	Puella bona forum vīsitāvit.
4. Flūmen dūxit ad urbem.	Flūmen bonum dūxit ad urbem.
5. Pater magistrum laudāvit.	Pater bonus magistrum laudāvit.
6. Peristȳlum fontem habuit.	Peristȳlum bonum fontem habuit.
7. Silva fuit pulchra.	Silva bona fuit pulchra.
8. Servus viam mōnstrāvit.	Servus bonus viam mōnstrāvit.
9. Opus ōrātōrem docuit.	Opus bonum ōrātōrem docuit.
10. Urbs aestātem exspectāvit.	Urbs bona aestātem exspectāvit.
11. Ōrātor Rōmam relīquit.	Ōrātor bonus Rōmam relīquit.
12. Pecūnia nōn est perīculum.	Pecūnia bona nōn est perīculum.
13. Verbum fīlium docuit.	Verbum bonum fīlium docuit.
14. Magister puerum pūnīvit.	Magister bonus puerum pūnīvit.
15. Aestās rūs intrāvit.	Aestās bona rūs intrāvit.

2. Produce the *accusative* singular of the adjective **bonus, bona, bonum** by describing the *object:*

    B. The father built a villa.   The father built a *good* villa.

16. Vīllam pater aedificāvit.	Vīllam bonam pater aedificāvit.
17. Hortum amīcus intrāvit.	Hortum bonum amīcus intrāvit.
18. Domicilium servus mōnstrāvit.	Domicilium bonum servus mōnstrāvit.
19. Fontem mōnstrāvit puer.	Fontem bonum mōnstrāvit puer.
20. Ōrātiōnem scrīpsit ōrātor.	Ōrātiōnem bonam scrīpsit ōrātor.

21. Lūmen hortus amāvit. Lūmen bonum hortus amāvit.
22. Familiam pater dūxit. Familiam bonam pater dūxit.
23. Cibum soror parāvit. Cibum bonum soror parāvit.
24. Tēctum ātrium habuit. Tēctum bonum ātrium habuit.
25. Urbem vīsitāvit familia. Urbem bonam vīsitāvit familia.

26. Frātrem soror salūtāvit. Frātrem bonum soror salūtāvit.
27. Opus magister fēcit. Opus bonum magister fēcit.
28. Mātrem vīdit puer. Mātrem bonam vīdit puer.
29. Cicerōnem Terentia exspectāvit. Cicerōnem bonum Terentia exspectāvit.
30. Flūmen puer vīsitāvit. Flūmen bonum puer vīsitāvit.

CONVERSIŌ

Translation

1. The good father walked through the garden. **Pater bonus per hortum ambulāvit.**

2. The boy liked to play near the large river. ....

3. Cicero built a small tablinum behind the atrium. ....

4. The good mother liked to take care of the house. ....

5. Did the peristyle have a large fountain? ....

6. Marcus was a good boy but he did not always do (his) work. ....

7. Because of the open roof, light came into the atrium. ....

8. The small boy looked at the beautiful forest behind the country house. ....

9. The tablinum was the place where the family wrote. ....

10. Claudia often came to the country house and visited (her) good friend Tullia. ....

The atrium with its open ceiling was the reception room of the Roman house.

NĀRRĀTIŌ

Story

VĪLLA RŌMĀNA

Pater Cicerō vīllam magnam et pulchram rūrī aedificāvit. Ad silvam et flūmen vīlla fuit. Ubi aestās vēnit, familia urbem Rōmam relīquit et vīllam vīsitāvit.

Ibi pater bonus opus nōn fēcit. Per hortum saepe ambulāvit. Interdum (*sometimes*) puerum Mārcum docuit atque interdum scrīpsit. Magnam silvam vīsitāre semper amāvit. Māter familiam cūrāvit et hortum pulchrum amāvit.

Fīlius Mārcus per silvam ad flūmen saepe ambulāvit. Servus bonus viam mōnstrāvit, sī magnum perīculum fuit. Fīlia Tullia silvam et flūmen vidēre nōn amāvit, sed hortum et fontem saepe spectāvit.

Familia vīllam laudāvit et rūs amāvit.

Respondē Latīnē:
1. Quis vīllam rūrī aedificāvit?
2. Quālem vīllam Cicerō aedificāvit?

3. Ubi vīllam aedificāvit?
4. Ad quid fuit vīlla?
5. Quid familia relīquit?
6. Quis vīllam vīsitāvit?

7. Fēcitne pater bonus opus rūrī?
8. Quid ēgit Cicerō per hortum?
9. Quem Cicerō docuit?
10. Scrīpsitne pater semper?
11. Quid Cicerō agere semper amāvit?
12. Quis familiam cūrāvit?
13. Quālem hortum māter Terentia amāvit?

14. Per quid Mārcus saepe ambulāvit?
15. Ambulāvitne Mārcus per silvam ad Forum?
16. Quid ēgit servus, sī magnum perīculum fuit?
17. Quālis servus viam mōnstrāvit?
18. Amāvitne Tullia flūmen vidēre?
19. Quid fīlia saepe spectāvit?

20. Quis rūs amāvit?

EPITOMA
Summary
1. Stem formation:

1. Nouns:

I — F	*II — M*		*II — N*	*III — M, F*	*III — N*
via	amīcus	puer	bellum	māter	flūmen
vi–ae	amīc–ī	puer–ī	bell–ī	mātr–is	flūmin–is

2. Adjectives:

M	*F*	*N*		*M*	*F*	*N*
parvus,	parv–a,	parv–um		pulcher,	pulchr–a,	pulchr–um

2. Singular case endings of nouns:

	I — F	*II — M*		*II — N*	*III — M, F*	*III — N*
Nom.	vi–a	amīc–us	pu–er	bell–um	māt–er[2]	flūm–en[2]
Acc.	vi–am	amīc–um	puer–um	bell–um	mātr–em	flūm–en

[2] As noted before, the nominative endings of the third declension show a variety of forms.

3. Adjective agreement:

	NOMINATIVE	ACCUSATIVE
a good girl	**puella bona**	**puellam bonam**
a good slave	**servus bonus**	**servum bonum**
a good boy	**puer bonus**	**puerum bonum**
a good house	**domicilium bonum**	**domicilium bonum**
a good brother	**frāter bonus**	**frātrem bonum**
a good sister	**soror bona**	**sorōrem bonam**
a good river	**flūmen bonum**	**flūmen bonum**

INDEX VERBŌRUM
Vocabulary

aedificāre, aedificāvī, aedificātus (1) — build
aestās, aestātis, f. — summer
ante — before, in front of
apertus, aperta, apertum — open
ātrium, ātriī, n. — atrium
bonus, bona, bonum — good
domicilium, domiciliī, n. — home, house
facere, fēcī, factus (3 –iō) — do, make
flūmen, flūminis, n. — river
fōns, fontis, m. — fountain, spring
forum, forī, n. — Forum, marketplace
habitāre, habitāvī, habitātus (1) — live in, inhabit
hortus, hortī, m. — garden
impluvium, impluviī, n. — impluvium, pool
in — into, to, against
intrāre, intrāvī, intrātus (1) — enter
locus, locī, m. — place
lūdere, lūsī, lūsūrus (3) — play
lūmen, lūminis, n. — light, lamp
magnus, magna, magnum — large, great, big
opus, operis, n. — work
parvus, parva, parvum — small
pecūnia, pecūniae, f. — money

per — through
perīculum, perīculī, n. — danger, peril
peristȳlum, peristȳlī, n. — peristyle, court
pluvia, pluviae, f. — rain
post — after, behind
propter — because of, on account of
pulcher, pulchra, pulchrum — beautiful, handsome, pretty
quālis, quāle[3] — what kind of?
relinquere, relīquī, relictus (3) — leave, leave behind
Rōmānus, Rōmāna, Rōmānum — Roman
rūs, rūris, n. — the country, countryside
rūrī — in the country
scrībere, scrīpsī, scrīptus (3) — write
servāre, servāvī, servātus (1) — save, keep, preserve
silva, silvae, f. — forest, woods
spatium, spatiī, n. — space
spectāre, spectāvī, spectātus (1) — look at, look, watch
tablīnum, tablīnī, n. — tablinum, study
tēctum, tēctī, n. — roof, house
venīre, vēnī, ventūrus (4) — come
verbum, verbī, n. — word
vīlla, vīllae, f. — country house, villa

---

[3] This is a third declension adjective, which will be explained in Lesson VII.

LECTIŌ TERTIA
(III)

FĀBULA

ANGLICĒ
Britain

After the Trojan war Aeneas left Troy and came to Italy and there founded the city of Alba. Afterward he married a wife, who bore a son called Silvius or Ascanius. Silvius also married and called the son, who was born, Brito.

After a time Brito by chance killed his father. Expelled because of this deed he came to the Gauls and there founded a state. Later he arrived at that island which he called Britain.

Britain had five races. They were the Angles, Britons, Welsh, Scithians, and Picts.

The Britons were the first inhabitants and lived in the southern part.

Then the Picts came to Scotland and sought homes. The Scots said, "There is a good place facing the east." The Picts, so advised, came there and lived in the northern part, because the Britons inhabited the southern part.

LATĪNĒ
Britannia[1]

Aenēās post Trōiānum bellum Trōiam relīquit et ad Italiam vēnit et ibi Albam urbem condidit. Posteā uxōrem dūxit, quae* peperit* fīlium vocātum Silvium vel Ascanium. Silvius etiam uxōrem dūxit et fīlium nātum vocāvit Brītōnem.

Britō post tempus forte occīdit patrem. Propter factum expulsus pervēnit ad Gallōs ibique condidit cīvitātem. Posteā ad istam* pervēnit īnsulam quam* vocāvit Britanniam.

Britannia V (quīnque)* gentēs habuit. Fuērunt Anglī, Britōnī, Walōnī, Scithī, et Pictī.

Britōnī prīmī possessōrēs fuērunt et incoluērunt austrālem* partem.

Tum Pictī ad Scōtiam vēnērunt et domicilia petīvērunt. Scōtī dīxērunt, "Est locus bonus contrā ortum* sōlis."[2] Pictī sīc monitī ibi vēnērunt et septentriōnālem* partem habitāvērunt, quod austrālem partem Britōnī incoluērunt.

— Adapted from *Annālēs Domitiānī Latīnī*, a medieval British chronicle.

---

[1] A medieval British historian, name unknown, has given this fanciful account of the early history of Britian.

[2] **ortum sōlis:** literally, *the rising of the sun.*

Built in Greek style, the temple of Fortuna in the Forum Boarium is
one of the best preserved Roman buildings.

GRAMMATICA

1. Plurals of nouns:

In English, nouns have endings which indicate plural number, but not
case. In Latin, the noun endings indicate number and also case. The endings
used thus far all indicate singular number, one person or thing (*girl* —
puella). To indicate plural, i.e., more than one (*girls* — **puellae**), different
endings are used. These are:

	I — F		II — M		II — N		III — M, F		III — N	
	Sing.	*Pl.*	*Sing.*	*Pl.*	*Sing.*	*Pl.*	*Sing.*	*Pl.*	*Sing.*	*Pl.*
Nom.	–a	–ae	–us	–ī	–um	–a	—	–ēs	—	–a
Acc.	–am	–ās	–um	–ōs	–um	–a	–em	–ēs	—	–a
Nom.	via	**viae**	amīcus	**amīcī**	bellum	**bella**	māter	**mātrēs**	flūmen	**flūmina**
Acc.	viam	**viās**	amīcum	**amīcōs**	bellum	**bella**	mātrem	**mātrēs**	flūmen	**flūmina**

Note: In the plural the nominative and accusative of *neuter* nouns of
both the second and third declension have the ending **–a.**

2. Plurals of adjectives:

First and second declension adjectives use the plural endings of nouns of the first and second declensions:

	II — M	*I — F*	*II — N*
Nom.	**bonī**	**bonae**	**bona**
Acc.	**bonōs**	**bonās**	**bona**
Nom.	amīcī bonī	viae bonae	bella bona
	patrēs bonī	mātrēs bonae	flūmina bona
Acc.	amīcōs bonōs	viās bonās	bella bona
	patrēs bonōs	mātrēs bonās	flūmina bona

3. Plurals of interrogatives:

The plural forms of the interrogatives (*who? what?*) are:

	M	*F*	*N*
Nom.	**quī**	**quae**	**quae**
Acc.	**quōs**	**quās**	**quae**

4. Perfect active tense:

The third person singular (*he, she, it*) of the perfect tense is formed by adding **–it** to the perfect stem; the third person plural (*they*) by adding **–ērunt**. The perfect stem is the second principal part of the verb minus **–ī.**

aedificāre, aedificāvī, aedificātus — *build*

perfect stem	**aedificāv–**
he (she, it) built, did build, has built	**aedificāvit**
they built, did build, have built	**aedificāvērunt**

5. Perfect passive participle:

The third principal part of the verb (e.g., **aedificātus, victus**) is actually an adjective form, like **bonus, bona, bonum.** A verb used in the adjective form is called a participle. The third principal part of the verb (the perfect passive participle) is translated as an English past participle; e.g., **aedificātus** is *built* or *having been built;* **victus** is *defeated* or *having been defeated.* The participle can be used anywhere an adjective is used. Like the adjective, the participle will agree in gender, number, and case with the noun it modifies.

The *defeated* slaves left.　　　Servī **victī** relīquērunt.

He saw the *defeated* slaves.　　Servōs **victōs** vīdit.

6. The verb "esse":

The verb *to be* (**esse, fuī, futūrus**) is irregular in certain of its forms. The perfect tense is regular:

he (she, it) was　**fuit**　　　　　*they were*　**fuērunt**

The present tense is irregular:

he (she, it) is　**est**　　　　　*they are*　**sunt**

EXERCITIA

1. Nouns and adjectives of the first and second declensions (nominative plural):

	I — F	II — M	II — N
Nom. Pl.	**–ae**	**–ī**	**–a**

1. Recognize the *nominative plural* by telling whether the *subject* is singular or plural in describing it with **ūnus, ūna, ūnum** (*one*) or **multī, multae, multa** (*many*):

A. The *altar* was near the mountain.　　*One altar* was near the mountain.

B. The *altars* were near the mountain.　　*Many altars* were near the mountain.

1. Āra fuit ad montem.　　　　　　Ūna āra fuit ad montem.

2. Ārae fuērunt ad montem.　　　　Multae ārae fuērunt ad montem.

3. Vīlla tēctum habuit.　　　　　　Ūna vīlla tēctum habuit.

4. Vīllae tēctum habuērunt.　　　　Multae vīllae tēctum habuērunt.

5. Familia īnsulam incoluit.　　　　Ūna familia īnsulam incoluit.

6. Familiae īnsulam incoluērunt.
7. Fīliae mātrem amāvērunt.
8. Fīlia mātrem amāvit.
9. Viae ad flūmen dūxērunt.
10. Via ad flūmen dūxit.
11. Annus fuit bonus.
12. Annī fuērunt bonī.
13. Agrī sōlem salūtāvērunt.
14. Ager sōlem salūtāvit.
15. Puer puellam vīsitāvit.
16. Puerī puellam vīsitāvērunt.
17. Trōiānī urbem condidērunt.
18. Trōiānus urbem condidit.
19. Servī possessōrem habuērunt.
20. Servus possessōrem habuit.
21. Forum nōmen habuit.
22. Fora nōmen habuērunt.
23. Domicilium ad montem spectāvit.
24. Domicilia ad montem spectāvērunt.
25. Bellum patrem expulit.
26. Bella patrem expulērunt.
27. Perīcula locum rēgnāvērunt.
28. Perīculum locum rēgnāvit.
29. Auguria Rōmulum et Remum monuērunt.
30. Augurium Rōmulum et Remum monuit.

Multae familiae īnsulam incoluērunt.
Multae fīliae mātrem amāvērunt.
Ūna fīlia mātrem amāvit.
Multae viae ad flūmen dūxērunt.
Ūna via ad flūmen dūxit.
Ūnus annus fuit bonus.
Multī annī fuērunt bonī.
Multī agrī sōlem salūtāvērunt.
Ūnus ager sōlem salūtāvit.
Ūnus puer puellam vīsitāvit.
Multī puerī puellam vīsitāvērunt.
Multī Trōiānī urbem condidērunt.
Ūnus Trōiānus urbem condidit.
Multī servī possessōrem habuērunt.
Ūnus servus possessōrem habuit.
Ūnum forum nōmen habuit.
Multa fora nōmen habuērunt.
Ūnum domicilium ad montem spectāvit.
Multa domicilia ad montem spectāvērunt.
Ūnum bellum patrem expulit.
Multa bella patrem expulērunt.
Multa perīcula locum rēgnāvērunt.
Ūnum perīculum locum rēgnāvit.
Multa auguria Rōmulum et Remum monuērunt.
Ūnum augurium Rōmulum et Remum monuit.

2. Produce the *nominative plural* by changing the *subject* from singular to plural, making the verb agree in number:

C. The *girl* dedicated the fountain.   The *girls* dedicated the fountain.

31. Puella fontem dēdicāvit.
32. Servus magistrum monuit.
33. Domicilium ibi fuit.
34. Pluvia ad silvam vēnit.
35. Frātrem bellum expulit.

Puellae fontem dēdicāvērunt.
Servī magistrum monuērunt.
Domicilia ibi fuērunt.
Pluviae ad silvam vēnērunt.
Frātrem bella expulērunt.

36. Sōlem puer salūtāvit.   Sōlem puerī salūtāvērunt.
37. Ad montem fuit āra.   Ad montem fuērunt ārae.
38. Habuit vīcus agrum.   Habuērunt vīcī agrum.
39. Trōiānus incoluit Trōiam.   Trōiānī incoluērunt Trōiam.
40. Augurium gentem servāvit.   Auguria gentem servāvērunt.

2. Nouns and adjectives of the first and second declensions (accusative plural):

	I — F	II — M	II — N
Acc. Pl.	–ās	–ōs	–a

1. Recognize the *accusative plural* by telling whether the *object* is singular or plural in describing it with a form of **ūnus** (*one*) or **multī** (*many*):

A. The king dedicated the *altar*.   The king dedicated *one altar*.
B. The king dedicated the *altars*.   The king dedicated *many altars*.

1. Āram rēx dēdicāvit.   Ūnam āram rēx dēdicāvit.
2. Ārās rēx dēdicāvit.   Multās ārās rēx dēdicāvit.
3. Vīllam Tullius habuit.   Ūnam vīllam Tullius habuit.
4. Vīllās Tullius habuit.   Multās vīllās Tullius habuit.
5. Scholās magister cūrāvit.   Multās scholās magister cūrāvit.
6. Scholam magister cūrāvit.   Ūnam scholam magister cūrāvit.
7. Īnsulam mīles cēpit.   Ūnam īnsulam mīles cēpit.
8. Īnsulās mīles cēpit.   Multās īnsulās mīles cēpit.
9. Annum rēx dēdicāvit.   Ūnum annum rēx dēdicāvit.
10. Annōs rēx dēdicāvit.   Multōs annōs rēx dēdicāvit.
11. Agrum incoluit gēns.   Ūnum agrum incoluit gēns.
12. Agrōs incoluit gēns.   Multōs agrōs incoluit gēns.
13. Servum mīles interfēcit.   Ūnum servum mīles interfēcit.
14. Servōs mīles interfēcit.   Multōs servōs mīles interfēcit.
15. Trōiānōs augurium monuit.   Multōs Trōiānōs augurium monuit.
16. Trōiānum augurium monuit.   Ūnum Trōiānum augurium monuit.
17. Forum urbs aedificāvit.   Ūnum forum urbs aedificāvit.
18. Fora urbs aedificāvit.   Multa fora urbs aedificāvit.
19. Bella gēns petīvit.   Multa bella gēns petīvit.
20. Bellum gēns petīvit.   Ūnum bellum gēns petīvit.
21. Perīculum contentiō mōnstrāvit.   Ūnum perīculum contentiō mōnstrāvit.
22. Perīcula contentiō mōnstrāvit.   Multa perīcula contentiō mōnstrāvit.
23. Verbum scrīpsit ōrātor.   Ūnum verbum scrīpsit ōrātor.
24. Verba scrīpsit ōrātor.   Multa verba scrīpsit ōrātor.

The interior of the Colosseum with its arena platform removed shows the small cells where wild beasts and prisoners were held.

2. Produce the *accusative plural* by changing the *object* from singular to plural:

C. The nation took the *augury*.   The nation took the *auguries*.

25. Augurium gēns cēpit.	Auguria gēns cēpit.
26. Servum occīdit mīles.	Servōs occīdit mīles.
27. Silvam puer intrāvit.	Silvās puer intrāvit.
28. Bellum nōn laudāvit uxor.	Bella nōn laudāvit uxor.
29. Hortum vīsitāvit māter.	Hortōs vīsitāvit māter.
30. Viam servus mōnstrāvit.	Viās servus mōnstrāvit.
31. Verbum Vulcānus dīxit.	Verba Vulcānus dīxit.
32. Pater agrum spectāvit.	Pater agrōs spectāvit.
33. Vocāvit servum magister.	Vocāvit servōs magister.
34. Ad scholam puerī vēnērunt.	Ad scholās puerī vēnērunt.
35. Impluvium vīdit pater.	Impluvia vīdit pater.
36. Soror puerum monuit.	Soror puerōs monuit.
37. Servī vīdērunt puellam.	Servī vīdērunt puellās.
38. Ātrium domicilium habuit.	Ātria domicilium habuit.
39. Ōrātor magistrum laudāvit.	Ōrātor magistrōs laudāvit.
40. Magister vīcum docuit.	Magister vīcōs docuit.

3. Nouns of the third declension (nominative plural):

	III — M, F	III — N
Nom. Pl.	–ēs	–a

1. Recognize the *nominative plural*. Tell whether the *subject* is singular or plural by describing it with a form of **ūnus** or **multī**:

   A. The *possessor* founded a city.   *One possessor* founded a city.
   B. The *possessors* founded a city.   *Many possessors* founded a city.

1. Possessor urbem condidit. — Ūnus possessor urbem condidit.
2. Possessōrēs urbem condidērunt. — Multī possessōrēs urbem condidērunt.
3. Rēx Rōmam rēgnāvit. — Ūnus rēx Rōmam rēgnāvit.
4. Rēgēs Rōmam rēgnāvērunt. — Multī rēgēs Rōmam rēgnāvērunt.
5. Mīlitēs oppidum cēpērunt. — Multī mīlitēs oppidum cēpērunt.
6. Mīles oppidum cēpit. — Ūnus mīles oppidum cēpit.
7. Fōns fuit ad montem. — Ūnus fōns fuit ad montem.
8. Fontēs fuērunt ad montem. — Multī fontēs fuērunt ad montem.
9. Gēns Britanniam incoluit. — Ūna gēns Britanniam incoluit.
10. Gentēs Britanniam incoluērunt. — Multae gentēs Britanniam incoluērunt.
11. Partēs fuērunt magnae. — Multae partēs fuērunt magnae.
12. Pars fuit magna. — Ūna pars fuit magna.
13. Uxor mīlitem monuit. — Ūna uxor mīlitem monuit.
14. Uxōrēs mīlitem monuērunt. — Multae uxōrēs mīlitem monuērunt.
15. Contentiō fuit inter frātrēs. — Ūna contentiō fuit inter frātrēs.
16. Contentiōnēs fuērunt inter frātrēs. — Multae contentiōnēs fuērunt inter frātrēs.
17. Nōmen fuit pulchrum. — Ūnum nōmen fuit pulchrum.
18. Nōmina fuērunt pulchra. — Multa nōmina fuērunt pulchra.
19. Opus mīlitem docuit. — Ūnum opus mīlitem docuit.
20. Opera mīlitem docuērunt. — Multa opera mīlitem docuērunt.
21. Lūmen viam mōnstrāvit. — Ūnum lūmen viam mōnstrāvit.
22. Lūmina viam mōnstrāvērunt. — Multa lūmina viam mōnstrāvērunt.
23. Flūmina pervēnērunt ad agrōs. — Multa flūmina pervēnērunt ad agrōs.
24. Flūmen pervēnit ad agrōs. — Ūnum flūmen pervēnit ad agrōs.

2. Produce the *nominative plural* by changing the *subject* from singular to plural, making the verb agree in number:

   C. The *mountain* ruled the fields.   The *mountains* ruled the fields.

25. Mōns rēgnāvit agrōs. — Montēs rēgnāvērunt agrōs.
26. Rēx āram dēdicāvit. — Rēgēs āram dēdicāvērunt.

27. Uxor lūmen cēpit.   Uxōrēs lūmen cēpērunt.
28. Nōmen fuit bonum.   Nōmina fuērunt bona.
29. Fōns fuit parvus.   Fontēs fuērunt parvī.
30. Gēns prōcessit ad bellum.   Gentēs prōcessērunt ad bellum.
31. Pars fuit ad vīcum.   Partēs fuērunt ad vīcum.
32. Docuit mīlitēs ōrātiō.   Docuērunt mīlitēs ōrātiōnēs.
33. Domicilium pater intrāvit.   Domicilium patrēs intrāvērunt.
34. Ōrātor opus fēcit.   Ōrātōrēs opus fēcērunt.
35. Flūmen ad montem spectāvit.   Flūmina ad montem spectāvērunt.
36. Inter frātrēs contentiō fuit.   Inter frātrēs contentiōnēs fuērunt.
37. Monuit mīles rēgem.   Monuērunt mīlitēs rēgem.
38. Puerum opus docuit.   Puerum opera docuērunt.
39. Mōns fuit post flūmen.   Montēs fuērunt post flūmen.
40. Cīvitās bellum amāvit.   Cīvitātēs bellum amāvērunt.

4. Nouns of the third declension (accusative plural):

	III — M, F	III — N
Acc. Pl.	—ēs	—a

1. Recognize the *accusative plural*. Tell whether the *object* is singular or plural by describing it with a form of **ūnus** or **multī**:

A. Britain had an *owner*.   Britain had *one owner*.
B. Britain had *owners*.   Britain had *many owners*.

1. Possessōrem habuit Britannia.   Ūnum possessōrem habuit Britannia.
2. Possessōrēs habuit Britannia.   Multōs possessōrēs habuit Britannia.
3. Fontem habuit hortus.   Ūnum fontem habuit hortus.
4. Fontēs habuit hortus.   Multōs fontēs habuit hortus.
5. Mīlitēs rēx laudāvit.   Multōs mīlitēs rēx laudāvit.
6. Mīlitem rēx laudāvit.   Ūnum mīlitem rēx laudāvit.
7. Montem sōl vīdit.   Ūnum montem sōl vīdit.
8. Montēs sōl vīdit.   Multōs montēs sōl vīdit.
9. Gentem vīsitāvit rēx.   Ūnam gentem vīsitāvit rēx.
10. Gentēs vīsitāvit rēx.   Multās gentēs vīsitāvit rēx.
11. Partēs incoluērunt possessōrēs.   Multās partēs incoluērunt possessōrēs.
12. Partem incoluērunt possessōrēs.   Ūnam partem incoluērunt possessōrēs.
13. Uxōrem fīliī petīvērunt.   Ūnam uxōrem fīliī petīvērunt.
14. Uxōrēs fīliī petīvērunt.   Multās uxōrēs fīliī petīvērunt.
15. Contentiōnem amāvit ōrātor.   Ūnam contentiōnem amāvit ōrātor.
16. Contentiōnēs amāvit ōrātor.   Multās contentiōnēs amāvit ōrātor.

17. Nōmen cēpit fīlia.
18. Nōmina cēpit fīlia.
19. Opus fēcit pater.
20. Opera fēcit pater.
21. Lūmina sōl habuit.
22. Lūmen sōl habuit.
23. Flūmen spectāvērunt puerī.
24. Flūmina spectāvērunt puerī.

Ūnum nōmen cēpit fīlia.
Multa nōmina cēpit fīlia.
Ūnum opus fēcit pater.
Multa opera fēcit pater.
Multa lūmina sōl habuit.
Ūnum lūmen sōl habuit.
Ūnum flūmen spectāvērunt puerī.
Multa flūmina spectāvērunt puerī.

2. Produce the *accusative plural* by changing the *object* from singular to plural:

C. The tribe inhabited the mountain.

The tribe inhabited the *mountains*.

25. Montem gēns incoluit.
26. Opus rēx dēdicāvit.
27. Lūmen cēpērunt uxōrēs.
28. Nōmen habuit puer.
29. Cūrāvit pluvia fontem.
30. Rēgnāvit gentem rēx.
31. Partem incoluērunt possessōrēs.
32. Ōrātor ōrātiōnem fēcit.
33. Familia patrem amāvit.
34. Flūmen puella vīdit.

Montēs gēns incoluit.
Opera rēx dēdicāvit.
Lūmina cēpērunt uxōrēs.
Nōmina habuit puer.
Cūrāvit pluvia fontēs.
Rēgnāvit gentēs rēx.
Partēs incoluērunt possessōrēs.
Ōrātor ōrātiōnēs fēcit.
Familia patrēs amāvit.
Flūmina puella vīdit.

5. Perfect passive participle:

Perfect Passive Participle	
vocātus, –a, –um	ductus, –a, –um
monitus, –a, –um	pūnītus, –a, –um

1. Recognize the perfect passive participle by changing the **sī** (*if*) clause as indicated in the example, using **aliquis** (*someone*).

A. If it was a *consecrated* altar,

someone consecrated the altar.

1. Sī fuit āra dēdicāta,
2. Sī fuit puella amāta,
3. Sī fuit familia cūrāta,
4. Sī fuērunt viae mōnstrātae,
5. Sī fuērunt vīllae parātae,
6. Sī fuērunt puellae salūtātae,

aliquis āram dēdicāvit.
aliquis puellam amāvit.
aliquis familiam cūrāvit.
aliquis viās mōnstrāvit.
aliquis vīllās parāvit.
aliquis puellās salūtāvit.

7. Sī fuit servus pūnītus, aliquis servum pūnīvit.
8. Sī fuit cibus servātus, aliquis cibum servāvit.
9. Sī fuit hortus spectātus, aliquis hortum spectāvit.
10. Sī fuērunt vīcī dēdicātī, aliquis vīcōs dēdicāvit.
11. Sī fuērunt puerī doctī, aliquis puerōs docuit.
12. Sī fuērunt hortī habitī, aliquis hortōs habuit.

13. Sī fuit bellum āctum, aliquis bellum ēgit.
14. Sī fuit perīculum petītum, aliquis perīculum petīvit.
15. Sī fuit spatium factum, aliquis spatium fēcit.
16. Sī fuērunt verba scrīpta, aliquis verba scrīpsit.
17. Sī fuērunt auguria petīta, aliquis auguria petīvit.
18. Sī fuērunt fora condita, aliquis fora condidit.

19. Sī puer vīdit urbem captam, aliquis urbem cēpit.
20. Sī puer vīdit mīlitem interfectum, aliquis mīlitem interfēcit.
21. Sī puer vīdit gentem rēgnātam, aliquis gentem rēgnāvit.
22. Sī puer vīdit sorōrem salūtātam, aliquis sorōrem salūtāvit.
23. Sī puer vīdit nōmen dictum, aliquis nōmen dīxit.
24. Sī puer vīdit lūmen positum, aliquis lūmen posuit.

2. Produce the perfect passive participle as indicated in the example (**quis** instead of **aliquis** is used after **sī**):

B. If someone expected the daughter, she was an *expected* daughter.

25. Sī quis fīliam exspectāvit, fuit fīlia exspectāta.
26. Sī quis Trōiam laudāvit, fuit Trōia laudāta.
27. Sī quis uxōrem dūxit, fuit uxor ducta.
28. Sī quis familiās vīsitāvit, fuērunt familiae vīsitātae.
29. Sī quis scholās aedificāvit, fuērunt scholae aedificātae.
30. Sī quis cīvitātēs dēdicāvit, fuērunt cīvitātēs dēdicātae.

31. Sī quis locum habitāvit, fuit locus habitātus.
32. Sī quis agrum rēgnāvit, fuit ager rēgnātus.
33. Sī quis patrem interfēcit, fuit pater interfectus.
34. Sī quis vīcōs rēgnāvit, fuērunt vīcī rēgnātī.
35. Sī quis agrōs vīdit, fuērunt agrī vīsī.
36. Sī quis fīliōs monuit, fuērunt fīliī monitī.

37. Sī quis spatium fēcit, fuit spatium factum.
38. Sī quis ātrium relīquit, fuit ātrium relictum.
39. Sī quis oppidum condidit, fuit oppidum conditum.
40. Sī quis facta laudāvit, fuērunt facta laudāta.
41. Sī quis lūmina mōnstrāvit, fuērunt lūmina mōnstrāta.
42. Sī quis tablīna posuit, fuērunt tablīna posita.

43. Sī quis montēs incoluit,	fuērunt montēs incultī.
44. Sī quis aestātem amāvit,	fuit aestās amāta.
45. Sī quis factum laudāvit,	fuit factum laudātum.
46. Sī quis oppida cēpit,	fuērunt oppida capta.
47. Sī quis ōrātiōnēs scrīpsit,	fuērunt ōrātiōnēs scrīptae.
48. Sī quis Cicerōnem docuit,	fuit Cicerō doctus.

CONVERSIŌ

1. The king called the captured island Britain.
2. Later she put a fountain in front of the open space.
3. Are (there) many quarrels among the tribes?
4. The soldiers built a road between the city and the town.
5. The tribes sought homes but the auguries were not good.
6. Then the sisters praised the boy and (his) good deed.
7. The fathers had neither time nor money.
8. Because of the augury the wives dedicated an altar.
9. The expelled slaves came by chance to the mountain.
10. Who saw the killed Remus?
11. Aeneas founded one state.
12. The friends proceeded against the danger.
13. The girls wrote the names but did not speak.
14. The orator, having been warned, warned the owners.
15. The first soldiers seized the good fields.

NĀRRĀTIŌ

RĒGĒS PRĪMĪ[3]

Pīcus Sāturnī[4] fīlius rēgnāvit per agrum Laurentīnum ūsque ad locum ubi nunc Rōma est annōs XXXVIII (duodēquadrāgintā). Tum ibi nec oppida nec vīcī fuērunt sed passim habitāvērunt.

Faunus Pīcī fīlius per eadem loca rēgnāvit annōs XLIII (quadrāgintā trēs). Tum Herculēs āram quae est ad forum boārium posuit et dēdicāvit quod Cācum fīlium Vulcānī ibi occīdit.

Sāturnī: *of Saturn.*	**Pīcī:** *of Picus.*	**forum boārium:** *cattle*
ūsque ad: *up to.*	**eadem loca:** *same places.*	*market.*
annōs: *for years.*	**quae:** *which.*	**Vulcānī:** *of Vulcan.*
passim: *here and there.*		

[3] The earliest origins of Rome are shrouded in legend. This fanciful account comes from the Middle Ages.

[4] Proper names are found in the index at the back. New grammar constructions and nonvocabulary words are translated in the notes under the nārrātiō.

Lake Albano is located in the rolling countryside once inhabited by the Latins.

Deinde Latīnus, Aenēās, Ascanius fuērunt rēgēs. Tum etiam rēgēs Albānī rēgnāvērunt.

Remus et Rōmulus duo frātrēs Rōmam cīvitātem aedificāvērunt. Deinde fuit contentiō inter frātrēs propter nōmen ad urbem aedificātam. Prōcessērunt in montem Aventīnum et ibi augurium cēpērunt. Deinde mīlitēs Rōmulī Remum interfēcērunt et Rōmulus urbem Rōmam vocāvit.

— Adapted from the *Mīrābilia Rōmae.*

---

duo: *two.*   **Rōmulī:** *of Romulus.*

Respondē Latīnē:

1. Quis rēgnāvit per agrum Laurentīnum ad Rōmam?
2. Per quid Pīcus rēgnāvit?
3. Fuitne Pīcus rēx?
4. Fuēruntne multa oppida et multī vīcī, ubi Pīcus rēgnāvit?
5. Quis fuit Pīcī fīlius?
6. Quid ēgit Faunus per eadem loca?

7. Quis āram ad forum boārium posuit?
8. Quid Herculēs dēdicāvit?
9. Ubi Herculēs āram posuit?
10. Quem interfēcit Herculēs?

11. Fuēruntne Latīnus et Aenēās rēgēs?

12. Quī fuērunt frātrēs?
13. Quī Rōmam condidērunt?
14. Propter quid fuit contentiō inter Rōmulum et Remum?
15. Inter quōs fuit contentiō?
16. In quid prōcessērunt frātrēs?
17. Quid ēgērunt Rōmulus et Remus, ubi in Aventīnum ambulāvērunt?
18. Quī Remum occīdērunt?
19. Quem mīlitēs interfēcērunt?
20. Vocāvitne Remus urbem Rōmam?

EPITOMA

1. Case endings of nouns:

	I — F	*II — M*	*II — N*	*III — M, F*	*III — N*
			SINGULAR		
Nom.	vi–a	amīc–us	pu–er	bell–um	māt–er	flūm–en
Acc.	vi–am	amīc–um	puer–um	bell–um	mātr–em	flūm–en
			PLURAL		
Nom.	vi–ae	amīc–ī	puer–ī	bell–a	mātr–ēs	flūmin–a
Acc.	vi–ās	amīc–ōs	puer–ōs	bell–a	mātr–ēs	flūmin–a

2. Interrogatives:

	M, F	*N*	*M*	*F*	*N*
	SINGULAR			PLURAL	
Nom.	quis	quid	quī	quae	quae
Acc.	quem	quid	quōs	quās	quae

3. Perfect active tense:

Perfect stem + ending   Perfect stem + ending

SINGULAR   PLURAL

vocāv–   vocāv–
monu–   } it   *he, she, it*   monu–   } ērunt   *they*
dūx–   dūx–
pūnīv–   pūnīv–

4. Perfect passive participle:

Last principal part of the verb: **vocātus** — (*having been*) *called*

5. Verb "esse" (*to be*):

	SINGULAR		PLURAL	
Present	**est**	*he (she, it) is*	**sunt**	*they are*
Perfect	**fuit**	*he (she, it) was*	**fuērunt**	*they were*

INDEX VERBŌRUM

ager, agrī, m.	field, land	**nec ... nec**	neither ... nor
annus, annī, m.	year	**nōmen, nōminis,** n.	name
āra, ārae, f.	altar	**nunc**	now
augurium, auguriī, n.	augury	**occīdere, occīdī, occīsus** (3)	kill
bellum, bellī, n.	war		
capere, cēpī, captus (3 -iō)	take, seize, capture	**oppidum, oppidī,** n.	town
		pars, partis, f.	part
cīvitās, cīvitātis, f.	state, city	**pervenīre, pervēnī, perventūrus** (4)	come, arrive
condere, condidī, conditus (3)	found, establish	**petere, petīvī, petītus** (3)	seek, ask, ask for
contentiō, contentiōnis, f.	quarrel, fight	**pōnere, posuī, positus** (3)	put, place
contrā	against, opposite, facing	**possessor, possessōris,** m.	possessor, owner
		posteā	afterward
dēdicāre, dēdicāvī, dēdicātus (1)	dedicate, consecrate	**prīmus, prīma, primum**	first
deinde	then, next	**prōcēdere, prōcessī, prōcessūrus** (3)	go, proceed
dīcere, dīxī, dictus (3)	say, speak		
etiam	also, even	**-que**	and
expellere, expulī, expulsus (3)	expel, drive out	**quod**	because
		rēgnāre, rēgnāvī, rēgnātus (1)	rule, reign
factum, factī, n.	deed	**rēx, rēgis,** m.	king
forte	by chance	**sīc**	thus, so
gēns, gentis, f.	tribe, family, race, nation	**sōl, sōlis,** m.	sun
		tempus, temporis, n.	time
īnsula, īnsulae, f.	island	**tum**	then, at that time
inter	among, between	**ūnus, ūna, ūnum**	one
interficere, interfēcī, interfectus (3 -iō)	kill	**uxor, uxōris,** f.	wife
		vel	or
mīles, mīlitis, m.	soldier	**vīcus, vīcī,** m.	village
monēre, monuī, monitus (2)	advise, warn	**vocāre, vocāvī, vocātus** (1)	call
mōns, montis, m.	mountain, hill		
multus, multa, multum	much; many (*pl.*)		
nātus, nāta, nātum	born		

LECTIŌ QUĀRTA
(IV)

FĀBULA

ANGLICĒ

Romulus and Remus

The city of Rome and the empire were founded by Romulus, the son of Mars and Rhea Silvia. With his brother Remus he was thrown into the Tiber River by King Amulius. But a wolf saved the twins and took care of them. When they had been found thus under a tree, a shepherd Faustulus carried them into his cottage and brought them up. Romulus, therefore, when a young man, immediately drove out his uncle Amulius from the citadel and restored his grandfather Numitor.

Romulus loved the river and the mountains where he was brought up and had an idea to build a new city. But Romulus and Remus were twins. And so Remus took the Aventine hill, Romulus the Palatine. Romulus, the winner by an augury, built a city. A wall seemed to be sufficient for protection. Because Remus jumped over the small wall, he was killed; there is doubt whether by his brother. Certainly he was the first victim and consecrated the wall with his blood.

LATĪNĒ

Rōmulus et Remus

Urbs Rōma et imperium condita sunt ā Rōmulō, Mārte nātō[1] et Rhēā Silviā. Cum frātre Remō in flūmen Tiberīnum ab Amūliō rēge iactātus est. Sed lupa geminōs servāvit et cūrāvit. Sīc repertōs[2] sub arbore Faustulus pāstor portāvit in casam atque ēducāvit. Itaque statim iuvenis Rōmulus Amūlium patruum* ab arce pepulit, avum* Numitōrem reposuit.

Rōmulus flūmen et montēs ubi ēducātus est amāvit atque condere urbem novam agitāvit. Sed Rōmulus et Remus geminī fuērunt. Itaque Remus montem Aventīnum, Rōmulus Palātīnum occupāvit. Victor auguriō Rōmulus urbem aedificāvit. Ad tūtēlam* sufficere* vāllum vīsum est.[3] Quod Remus vāllum parvum transiliut,* occīsus est; dubium* est an* ā frātre. Prīma certē victima fuit et vāllum sanguine dēdicāvit.

— Adapted from Lūcius Annaeus Flōrus, *Epitoma*, I. 1.

---

[1] **Nātō:** literally, *born,* the ablative of the adjective (to be taken up in Lesson V).
[2] **Repertōs:** literally, *them (having been) found.*
[3] **Vīsum est:** in the passive voice **vidēre** can also mean *seem.*

Alinari

According to legend, Romulus and Remus, the
founders of Rome, were saved from death by a
wolf.

GRAMMATICA

1. Passive voice:

Voice indicates whether or not the subject of the verb is performing the
action of the verb. If the subject is *performing* the action, it is *active* voice.
If the subject is *receiving* the action, it is *passive* voice.

In the sentence *The father called the boy,* the subject, *father,* was doing
the calling. The verb is therefore active voice. But in the sentence *The boy
was called by the father,* the subject, *boy,* was not doing the calling.
Someone else, *the father,* was calling him. This verb is in the passive voice.

Active voice indicates that the subject is doing the action (*the father
called*); passive voice indicates that the subject is receiving the action
(*the boy was called*).

2. Perfect passive tense:

The perfect passive tense, e.g., *he (she, it) was called; they were called,*
is formed by using the third part of the verb (the perfect passive participle)
and the present tense of the verb **esse;**

| *he (she, it) was called,*
has been called | **vocātus (–a, –um) est** |
| *they were called,*
have been called | **vocātī (–ae, –a) sunt** |

Notice the change in the form of the participle. Since it is an adjective it must agree in gender, number, and case with its noun — the subject.

The boy was called.	**Puer vocātus est.**
The wife was called.	**Uxor vocāta est.**
The name was called.	**Nōmen vocātum est.**
The boys were called.	**Puerī vocātī sunt.**
The wives were called.	**Uxōrēs vocātae sunt.**
The names were called.	**Nōmina vocāta sunt.**

Some verbs will not generally be used in the passive voice; e.g., *go, come.* Such verbs will therefore not have a perfect passive participle. With such verbs another participle (the future active) is given in the vocabulary. This can be recognized by the ending **–ūrus** instead of **–us**; e.g., **venīre, vēnī, ventūrus.** Such an ending on the last part of a verb indicates that the verb is not generally used in the passive voice.

3. Ablative case:

The ablative case is used to express the answers to such adverbial expressions as *Where? (In what place?) From where? When? How? By whom? With whom?* In English such answers will usually be in the form of prepositional phrases, e.g., *in the forum, from the citadel, in summer, by an augury, by the father, with friends.* In Latin the nouns will be in the ablative case but sometimes *with* and sometimes *without* a preposition.

The endings of the ablative case are:

I — F		II — M, N		III — M, F, N	
SING.	PL.	SING.	PL.	SING.	PL.
–ā[4]	–īs	–ō	–īs	–e	–ibus
viā	viīs	amīcō	amīcīs	mātre	mātribus
		bellō	bellīs	flūmine	flūminibus

A handy, although not quite infallible, rule for the use of prepositions with the ablative case is that phrases which answer the questions *Where?*

---

[4] The macron (long mark) distinguishes the ablative from the nominative.

(*In what place?*) *From where? By whom? With whom?* will use a preposition in Latin; those answering the questions *When?* and *How?* will not use a preposition.[5]

Following this rule with the examples above, the phrases *in the forum, from the citadel, by the father,* and *with friends* will use prepositions and would be in Latin **in forō, ab arce, ā patre,** and **cum amīcīs;** the phrases *in summer* and *by an augury* will not have prepositions and would be in Latin **aestāte, auguriō.** In translating from Latin to English, then, an English preposition must be supplied when a Latin ablative is used without one. A Latin ablative will usually mean an English prepositional phrase.

The answer to each of these adverbial questions which takes an ablative is given a special name in Latin grammar. The uses introduced in this lesson are listed in the **Epitoma.** The names are self-explanatory. The essential thing is to remember the rule above. While this rule is not absolute, most apparent exceptions will have a logical explanation. The exceptions will be noted later with the individual uses of the ablative.

4. Prepositions with the ablative:

The Latin prepositions which are followed by the ablative case are eleven in number. They are:

> **ab, cum, cōram, dē,**
> **prō, prae, sine, ē,** and
> **in, sub,** and **super** showing position.[6]

The last three prepositions — **in, sub, super** — will be followed by the ablative case when they show position; by the accusative when they show motion. The Latin **in** with the English meaning *in* or *on* shows position and therefore uses the ablative but **in** with the English meaning *into* or *to* shows motion and therefore uses the accusative case. For example, note: **Pāstor "in agrō" fuit** (The shepherd was *in the field*) and **Pāstor "in agrum" prōcessit** (The shepherd went *into the field*).

As these prepositions are introduced in the vocabularies, it will be noted that they are followed by the ablative case. All other prepositions will take the accusative case.

---

[5] Another wording of the rule is that people and positions (places) use prepositions.

[6] **Cōram** (*in the presence of*), **dē** (*concerning, from*), **prae** (*in front of*), **sine** (*without*), and **super** (*above*) are not used in this lesson.

A vessel for
heating water.

Alinari

5. Ablative of Agent and Ablative of Means:

Notice that with the passive voice the doer of the action (the subject in the active voice) is expressed by a prepositional phrase — "The boy was called *by the father.*" In Latin this living agent will be expressed by the preposition **ā (ab)** and the ablative case — **ā patre.** This is called the Ablative of Agent (from **agere**; agent = the one doing).

> The boy was called *by the father.*
> Puer vocātus est **ā patre.**

If the doer of the action is a thing, it is actually not a true doer or agent but the means or instrument by which the action of the verb is done. This is called the Ablative of Means and is expressed without a preposition:

> The altar was consecrated *with (by) blood.*
> Āra dēdicāta est **sanguine.**

The Ablative of Means is also used with an active voice verb, while the Ablative of Agent is used only with the passive:

> He consecrated the altar *with blood.*
> Āram **sanguine** dēdicāvit.

6. Ablative of interrogatives:

The ablative forms of the interrogative pronouns are:

	M — F — N		M — F — N
Singular	**quō**	*Plural*	**quibus**

EXERCITIA

1. Perfect passive tense:

Perfect Passive			
	SINGULAR		PLURAL
M	laudātus ⎫		laudātī ⎫
F	laudāta ⎬ est		laudātae ⎬ sunt
N	laudātum ⎭		laudāta ⎭

1. Recognize the perfect passive tense by changing the **sī** (*if*) clause to the perfect active with **aliquis** (*someone*) as subject:

A. If the city was founded,   someone founded the city.

1. Sī urbs condita est,   aliquis urbem condidit.
2. Sī Rōmulus iactātus est,   aliquis Rōmulum iactāvit.
3. Sī Remus repertus est,   aliquis Remum reperit.
4. Sī cibus portātus est,   aliquis cibum portāvit.
5. Sī puer ēducātus est,   aliquis puerum ēducāvit.
6. Sī Amūlius pulsus est,   aliquis Amūlium pepulit.
7. Sī vir repositus est,   aliquis virum reposuit.
8. Sī urbs agitāta est,   aliquis urbem agitāvit.
9. Sī Aventīnus occupātus est,   aliquis Aventīnum occupāvit.
10. Sī vāllum dēdicātum est,   aliquis vāllum dēdicāvit.

11. Sī uxōrēs datae sunt,   aliquis uxōrēs dedit.
12. Sī pecūniae occupātae sunt,   aliquis pecūniās occupāvit.
13. Sī mīlitēs interfectī sunt,   aliquis mīlitēs interfēcit.
14. Sī arcēs captae sunt,   aliquis arcēs cēpit.
15. Sī ārae dēdicātae sunt,   aliquis ārās dēdicāvit.
16. Sī corpora reperta sunt,   aliquis corpora reperit.
17. Sī fēminae amātae sunt,   aliquis fēminās amāvit.
18. Sī arborēs spectātae sunt,   aliquis arborēs spectāvit.
19. Sī rēgēs pulsī sunt,   aliquis rēgēs pepulit.
20. Sī templa aedificāta sunt,   aliquis templa aedificāvit.

2. Produce the perfect passive tense by changing the **sī** clause (in the perfect active) to the passive:

B. If someone founded the city,   the city was founded.

21. Sī quis urbem condidit,   urbs condita est.
22. Sī quis montem rēgnāvit,   mōns rēgnātus est.

23. Sī quis victimam occīdit,   victima occīsa est.
24. Sī quis Rōmulum vocāvit,   Rōmulus vocātus est.
25. Sī quis fīlium ēducāvit,   fīlius ēducātus est.
26. Sī quis verbum dīxit,   verbum dictum est.
27. Sī quis puerum monuit,   puer monitus est.
28. Sī quis pācem petīvit,   pāx petīta est.
29. Sī quis arborem spectāvit,   arbor spectāta est.
30. Sī quis populum servāvit,   populus servātus est.

31. Sī quis auxilia portāvit,   auxilia portāta sunt.
32. Sī quis puerōs ēducāvit,   puerī ēducātī sunt.
33. Sī quis mātrēs laudāvit,   mātrēs laudātae sunt.
34. Sī quis virōs monuit,   virī monitī sunt.
35. Sī quis victōrēs salūtāvit,   victōrēs salūtātī sunt.

2. Ablative of the first and second declensions:

	I — F		II — M, N	
	SING.	PL.	SING.	PL.
Abl.	–ā	–īs	–ō	–īs

1. Recognize the ablative case of the first and second declensions by changing the perfect passive sentence to the active:

 A. The temple was seen by the girl. The girl saw the temple.
 B. The temple was seen by the girls. The girls saw the temple.

 1. Templum vīsum est ā puellā. Puella templum vīdit.
 2. Templum vīsum est ā puellīs. Puellae templum vīdērunt.
 3. Puerī cūrātī sunt ā lupā.   Lupa puerōs cūrāvit.
 4. Puerī cūrātī sunt ā lupīs.   Lupae puerōs cūrāvērunt.
 5. Āra dēdicāta est ā victimā. Victima āram dēdicāvit.
 6. Āra dēdicāta est ā victimīs. Victimae āram dēdicāvērunt.
 7. Casae incultae sunt ab incolā. Incola casās incoluit.
 8. Casae incultae sunt ab incolīs. Incolae casās incoluērunt.
 9. Vir amātus est ā fēminā.   Fēmina virum amāvit.
10. Vir amātus est ā fēminīs.   Fēminae virum amāvērunt.

11. Rēx occīsus est ā populō.   Populus rēgem occīdit.
12. Rēx occīsus est ā populīs.   Populī rēgem occīdērunt.
13. Urbēs aedificātae sunt ā virō. Vir urbēs aedificāvit.
14. Urbēs aedificātae sunt ā virīs. Virī urbēs aedificāvērunt.

Jupiter was the chief Roman deity.

Alinari

15. Frāter pulsus est ā geminō.	Geminus frātrem pepulit.
16. Frāter pulsus est ā geminīs.	Geminī frātrem pepulērunt.
17. Rōma condita est ā Trōiānō.	Trōiānus Rōmam condidit.
18. Rōma condita est ā Trōiānīs.	Trōiānī Rōmam condidērunt.
19. Vāllum factum est ā puerō.	Puer vāllum fēcit.
20. Vāllum factum est ā puerīs.	Puerī vāllum fēcērunt.

21. Oppidum cūrātum est vāllō.	Vāllum oppidum cūrāvit.
22. Oppīdum cūrātum est vāllīs.	Vālla oppidum cūrāvērunt.
23. Mōns dēdicātus est templō.	Templum montem dēdicāvit.
24. Mōns dēdicātus est templīs.	Templa montem dēdicāvērunt.
25. Italia rēgnāta est imperiō.	Imperium Italiam rēgnāvit.
26. Italia rēgnāta est imperiīs.	Imperia Italiam rēgnāvērunt.
27. Vīlla aedificāta est auxiliō.	Auxilium vīllam aedificāvit.
28. Vīlla aedificāta est auxiliīs.	Auxilia vīllam aedificāvērunt.
29. Remus expulsus est auguriō.	Augurium Remum expulit.
30. Remus expulsus est auguriīs.	Auguria Remum expulērunt.

2. Produce the ablative by changing the sentence from active to passive voice:

C. The boy saw the river.	The river was seen by the boy.
D. The boys saw the river.	The river was seen by the boys.

31. Puer flūmen vīdit.	Ā puerō flūmen vīsum est.
32. Puerī flūmen vīdērunt.	Ā puerīs flūmen vīsum est.
33. Populus hostem occīdit.	Ā populō hostis occīsus est.

34. Populī hostem occīdērunt.	Ā populīs hostis occīsus est.
35. Victima templum dēdicāvit.	Ā victimā templum dēdicātum est.
36. Victimae templum dēdicāvērunt.	Ā victimīs templum dēdicātum est.
37. Lupa geminōs servāvit.	Ā lupā geminī servātī sunt.
38. Lupae geminōs servāvērunt.	Ā lupīs geminī servātī sunt.
39. Augurium frātrem expulit.	Auguriō frāter expulsus est.
40. Auguria frātrem expulērunt.	Auguriīs frāter expulsus est.

3. Ablative of the third declension:

	III — M, F, N	
	SINGULAR	PLURAL
Abl.	–e	–ibus

1. Recognize the ablative of the third declension by changing the perfect passive sentence to the active:

A. Britain was taken by the enemy.	The enemy took Britain.
B. Britain was taken by the enemies.	The enemies took Britain.
1. Britannia capta est ab hoste.	Hostis Britanniam cēpit.
2. Britannia capta est ab hostibus.	Hostēs Britanniam cēpērunt.
3. Arx occupāta est ā mīlite.	Mīles arcem occupāvit.
4. Arx occupāta est ā mīlitibus.	Mīlitēs arcem occupāvērunt.
5. Imperium agitātum est ā victōre.	Victor imperium agitāvit.
6. Imperium agitātum est ā victōribus.	Victōrēs imperium agitāvērunt.
7. Arbor reperta est ā iuvene.	Iuvenis arborem reperit.
8. Arbor reperta est ā iuvenibus.	Iuvenēs arborem reperērunt.
9. Gēns rēgnāta est ā rēge.	Rēx gentem rēgnāvit.
10. Gēns rēgnāta est ā rēgibus.	Rēgēs gentem rēgnāvērunt.
11. Geminī ēducātī sunt ā pāstōre.	Pāstor geminōs ēducāvit.
12. Geminī ēducātī sunt ā pāstōribus.	Pāstōrēs geminōs ēducāvērunt.
13. Vir amātus est ab uxōre.	Uxor virum amāvit.
14. Vir amātus est ab uxōribus.	Uxōrēs virum amāvērunt.
15. Ager occupātus est ā gente.	Gēns agrum occupāvit.
16. Ager occupātus est ā gentibus.	Gentēs agrum occupāvērunt.
17. Casa inculta est ā possessōre.	Possessor casam incoluit.
18. Casa inculta est ā possessōribus.	Possessōrēs casam incoluērunt.
19. Ōrātiō habita est ab ōrātōre.	Ōrator ōrātiōnem habuit.
20. Ōrātiōnēs habitae sunt ab ōrātōribus.	Ōrātōrēs ōrātiōnēs habuērunt.

2. Produce the ablative by changing the sentence from active to passive voice:

C. The shepherd found the brothers.

The brothers were found by the shepherd.

D. The shepherds found the brothers.

The brothers were found by the shepherds.

21. Pāstor frātrēs reperit. — Ā pāstōre frātrēs repertī sunt.
22. Pāstōrēs frātrēs reperērunt. — Ā pāstōribus frātrēs repertī sunt.
23. Hostis Britanniam cēpit. — Ab hoste Britannia capta est.
24. Hostēs Britanniam cēpērunt. — Ab hostibus Britannia capta est.
25. Soror patrem salūtāvit. — Ā sorōre pater salūtātus est.
26. Sorōrēs patrem salūtāvērunt. — Ā sorōribus pater salūtātus est.
27. Māter casam in urbe cūrāvit. — Ā mātre casa in urbe cūrāta est.
28. Mātrēs casam in urbe cūrāvērunt. — Ā mātribus casa in urbe cūrāta est.
29. Frāter Rōmam condidit. — Ā frātre Rōma condita est.
30. Frātrēs Rōmam condidērunt. — Ā frātribus Rōma condita est.
31. Iuvenis Numitōrem reposuit. — Ā iuvene Numitor repositus est.
32. Iuvenēs Numitōrem reposuērunt. — Ā iuvenibus Numitor repositus est.
33. Victor urbem aedificāvit. — Ā victōre urbs aedificāta est.
34. Victōrēs urbem aedificāvērunt. — Ā victōribus urbs aedificāta est.
35. Rēx pecūniam reposuit. — Ā rēge pecūnia reposita est.
36. Rēgēs pecūniam reposuērunt. — Ā rēgibus pecūnia reposita est.

4. Ablative of Means:

	I — F		II — M, N		III — M, F, N	
	SING.	PL.	SING.	PL.	SING.	PL.
Abl.	–ā	–īs	–ō	–īs	–e	–ibus

1. Recognize the Ablative of Means by answering the question **quō auxiliō?** (*By what means?*):

A. The house was built *with money*.

With money.

1. Domicilium aedificātum est pecūniā. — Pecūniā.
2. Urbs pāce rēgnāta est. — Pāce.
3. Sanguine vāllum dēdicātum est. — Sanguine.
4. Hostis expulsus est pugnā. — Pugnā.
5. Pars parte exspectāta est. — Parte.
6. Victima occīsa est bellō. — Bellō.
7. Contentiōne rēx agitātus est. — Contentiōne.
8. Frāter auguriō expulsus est. — Auguriō.

9. Opere puer doctus est.   Opere.
10. Populus ōrātiōne laudātus est.   Ōrātiōne.

2. Produce the Ablative of Means by changing the sentence from the active
   to the passive voice:

   B. War punished the family.   The family was punished *by war.*

11. Bellum familiam pūnīvit.   Bellō familia pūnīta est.
12. Bella familiam pūnīvērunt.   Bellīs familia pūnīta est.
13. Augurium Remum expulit.   Auguriō Remus expulsus est.
14. Auguria Remum expulērunt.   Auguriīs Remus expulsus est.
15. Pecūnia domicilium aedificāvit.   Pecūniā domicilium aedificātum est.
16. Lūmen viam mōnstrāvit.   Lūmine via mōnstrāta est.
17. Verbum mīlitem salūtāvit.   Verbō mīles salūtātus est.
18. Verba mīlitem salūtāvērunt.   Verbīs mīles salūtātus est.
19. Perīcula locum rēgnāvērunt.   Perīculīs locus rēgnātus est.
20. Perīculum locum rēgnāvit.   Perīculō locus rēgnātus est.
21. Contentiō rēgem interfēcit.   Contentiōne rēx interfectus est.
22. Contentiōnēs rēgem interfēcērunt.   Contentiōnibus rēx interfectus est.
23. Opus puerum docuit.   Opere puer doctus est.
24. Opera puerum docuērunt.   Operibus puer doctus est.
25. Ōrātiō Cicerōnem laudāvit.   Ōrātiōne Cicerō laudātus est.
26. Ōrātiōnēs Cicerōnem laudāvērunt.   Ōrātiōnibus Cicerō laudātus est.
27. Pugna populum agitāvit.   Pugnā populus agitātus est.
28. Pugnae populum agitāvērunt.   Pugnīs populus agitātus est.
29. Flūmen mīlitēs pepulit.   Flūmine mīlitēs pulsī sunt.
30. Flūmina mīlitēs pepulērunt.   Flūminibus mīlitēs pulsī sunt.

CONVERSIŌ

1. Many men carried help to the inhabitants.
2. The victim was found on the wall by (his) father.
3. The shepherd saw the wolf near the cottage.
4. The city was saved by the walls.
5. Many victims were dedicated on the altar by the women.
6. The inhabitants were seized by the enemy because the men did not save the town.
7. The soldiers immediately led the tribes to the new citadel.
8. The men threw the boys into the river.
9. Did the victor give help?
10. The bodies were found at the foot of the temple.
11. The twins restored the rule by a battle.

12. The orators were aroused by the king.
13. The boys were educated by the shepherd.
14. Amulius was driven out because Romulus intervened.
15. Therefore the people were united by blood.

NĀRRĀTIŌ

FĒMINAE SABĪNAE

Imāginem magis quam urbem Rōmulus fēcit. Incolae nōn fuērunt. Fuit in proximō silva; ibi asȳlum fēcit. Et statim multī virī vēnērunt: Latīnī Tuscīque pāstōrēs, etiam Phrygēs, Arcadēs. Itaque ex variīs quasi elementīs congregāvit corpus ūnum populumque Rōmānum fēcit rēx.

Imāginem magis quam: *an idea more than.*	**in proximō:** *in the neighborhood.* **asȳlum:** *refuge.*	**variīs quasi elementīs:** *from different groups as it were.*

Sed nōn fuērunt fēminae. Itaque uxōrēs ā fīnitimīs gentibus petītae sunt. Quod nōn datae sunt, ā Sabīnīs captae sunt. Statim bella facta sunt. Pulsī fugātīque sunt Vēientēs. Caenīnensium captum atque dīreptum est oppidum.

Deinde Sabīnī in urbem intrāvērunt et in forō magna pugna fuit. Rōmulus auxilium ā Iove petīvit; hinc templum et Stator Iuppiter. Tum intervēnērunt fēminae captae. Sīc pāx facta est cum Tatiō rēge. Novam in urbem hostēs dēmigrāvērunt et cum generīs opēs prō dōte sociāvērunt.

— Adapted from L. Annaeus Flōrus, *Epitoma,* I. 1.

fīnitimīs: *neighboring.* **fugātī sunt:** *were put to flight.* **Caenīnensium:** *of the people of Caenina.*	**dīreptum est:** *was plundered.* **hinc:** *hence, from this.* **dēmigrāvērunt:** *migrated.*	**cum generīs . . . sociāvērunt:** *shared their wealth with their sons-in-law as a dowry.*

Respondē Latīnē:

1. Quis imāginem magis quam urbem habuit?
2. Fuēruntne tum multī incolae?
3. Ubi fēcit Rōmulus asȳlum?
4. Prōcessēruntne pāstōrēs ad Rōmulum?
5. Quid ā Rōmulō congregātum est?
6. Quid factum est ā rēge?
7. Quis fuit rēx?

8. Fuēruntne multae fēminae in urbe?
9. Quae deinde ē gentibus petītae sunt?
10. Ā quibus Rōmānī uxōrēs petīvērunt?
11. Quid āctum est ā Rōmānīs, quod uxōrēs nōn datae sunt?
12. Quae facta sunt, quod Rōmānī fēminās ē Sabīnīs cēpērunt?
13. Quī pulsī sunt ā Rōmānīs?
14. Quid captum est?

15. Ā quibus urbs Rōma intrāta est?
16. Ubi fuit magna pugna?
17. Ā quō petīvit Rōmulus auxilium?
18. Quae tum intervēnērunt in pugnā inter Rōmānōs et Sabīnōs?
19. Quid cum Tatiō et Sabīnīs factum est?
20. Quōcum pāx facta est?
21. Fuitne Tatius rēx?
22. Quī in novam urbem tum vēnērunt?

EPITOMA

1. Perfect tense:

Active		Passive		
Perfect stem + ending		Perfect passive participle $\Big\} + \Big\{$		present of **esse**
vocāv– **it**	*he (she, it) called*	**vocātus, –a, –um**	**est**	*he (she, it) was called*
vocāv– **ērunt**	*they called*	**vocātī, –ae, –a**	**sunt**	*they were called*

2. Ablative case:

	I — F	II — M, N	III — M, F, N	Interrogatives M, F, N
SING.	**vi–ā**	**amīc–ō** **bell–ō**	**mātr–e** **flūmin–e**	**quō**[7]
PL.	**vi–īs**	**amīc–īs** **bell–īs**	**mātr–ibus** **flūmin–ibus**	**quibus**

---

[7] The preposition **cum** is added to the end of interrogatives: **quōcum, quibuscum.**

3. Uses of the ablative:

1. Prepositions with the ablative:

ab, cum, cōram, dē, prō, prae, sine, ē, and
in, sub, super (showing position)

2. Adverbial expressions:

	With Preposition		Without Preposition
Where?	Ablative of Place Where **in forō** *in the forum*	*How?*[9]	Ablative of Means **auguriō** *by the augury*
From Where?	Ablative of Place From Which Ablative of Source[8] **ab arce** *from the citadel*		
By Whom?	Ablative of Agent **ā patre** *by the father*		
With Whom?	Ablative of Accompaniment **cum frātre** *with the brother*		

INDEX VERBŌRUM

ā, ab (prep. with abl.)[10]   from, away from; by

agitāre, agitāvī, agitātus (1)   drive, agitate, arouse

arbor, arboris, f.   tree

arx, arcis, f.   citadel, stronghold

auxilium, auxiliī, n.   help, aid

casa, casae, f.   cottage, hut

certē   certainly

congregāre, congregāvī, congregātus (1)   collect, unite

corpus, corporis, n.   body

cum (prep. with abl.)   with

dare, dedī, datus (1)   give

ē, ex (prep. with abl.)[10]   from, out of

ēducāre, ēducāvī, ēducātus (1)   educate, bring up

fēmina, fēminae, f.   woman

geminī, geminōrum, m. (*pl.*)   twins

hostis, hostis, c.   enemy

---

[8] Exception: after **nātus** (*born*) there is often no preposition, especially with proper names; e.g., **Mārte et Rhēā Silviā nātus.**

[9] Various types of expressions answer the question *How?* The Ablative of Means is only one of these.

[10] **Ā** and **ē** are used before consonants; **ab** and **ex** are used before vowels, sometimes before consonants.

iactāre, iactāvī, iactātus (1)	throw	portāre, portāvī, portātus (1)	carry
imperium, imperiī, n.	command, rule, empire	prō (prep. with abl.)	for; before
		pugna, pugnae, f.	fight, battle
in (prep. with abl.)	in, on (cf. in with acc.: *into, to*)	reperīre, reperī, repertus (4)	find, discover
incola, incolae, c.	inhabitant	repōnere, reposuī, repositus (3)	put back, restore
intervenīre, intervēnī, interventūrus (4)	come between, intervene	sanguis, sanguinis, m.	blood
		statim	immediately, at once
itaque	and so, therefore		
iuvenis, iuvenis, c.	youth	sub (prep. with abl.)	under, at the foot of
lupa, lupae, f.	wolf		
novus, nova, novum	new, strange	templum, templī, n.	temple
occupāre, occupāvī, occupātus (1)	occupy, seize	vāllum, vāllī, n.	wall, rampart
		victima, victimae, f.	victim, sacrifice
pāstor, pāstōris, m.	shepherd	victor, victōris, m.	victor, conqueror, winner
pāx, pācis, f.	peace		
pellere, pepulī, pulsus (3)	strike, push, drive out	vidērī, vīsus (2) (passive of vidēre)	seem, be seen
populus, populī, m.	people, nation	vir, virī, m.	man

FARMERS AND SOLDIERS

The Roman genius was known for many things — farming, soldiering, engineering, governing, and lawgiving. Good organization was an important part of all these.

The early Romans were simple farmers who worked hard from dawn to dusk. Roman orators, writers, and poets have always praised the farmer's simple life and wholesome virtues.

But the farmer by necessity was forced to defend his home and fields from hostile neighbors. This made him a defender and a fighter and gradually in the days of the republic a first-class soldier. There is probably nothing that stands out more in the Roman than his soldiering. Without it none of the great gifts of his civilization could have been passed on. Unless Pyrrhus, Hannibal, Vercingetorix, and others had been conquered, the Western world would have had a different legacy. The whole history of Rome is one of wars and of victories.

The Roman soldier was the best fighter of his times. He was a citizen who considered it a privilege to serve his fatherland. He was hardened by constant training and strict obedience. Above each soldier of the legion was a finely knit organization, commanded by a strict general. Retreat was

A scene near Foggia in southern Italy. The Italian countryside of today has changed little since the Roman farmer cultivated it long ago.

normally a disgrace. Each man was responsible for five square feet of ground area and after his spear had been thrown he was expected to wield his sword and shield until the end.

No Roman army was ever completely beaten, for temporary setbacks were always ultimately wiped out with vengeance. Porsena, the Etruscan who tried to help the ousted Tarquin the Proud regain his tarnished crown, was finally forced to lift the siege of the city. A century later the Etruscans crumbled with the capture of Veii by the Romans. The Gallic Senones inflicted the first major defeat on the early republic at the Allia River just north of Rome. They burned the city but never captured the guard on the Arx of the Capitolium. These barbarians were finally massacred and routed by Camillus. King Pyrrhus of Epirus in northwestern Greece defeated the Romans with the help of elephants (one of the first *tank corps* in history) but lost so many men that it cost him the war. Hence came the phrase a Pyrrhic victory — something won but really lost because of the price paid. Pyrrhus never ceased to marvel at the Roman fighting ability. Because the stubborn Appius Claudius refused the Greek's gestures of peace, Pyrrhus was forced to leave Italy.

The great Hannibal of Carthage trooped across North Africa, Spain, southern Gaul (France), down through the Alps into northern Italy to surprise everyone. By cleverly outflanking the Romans he massacred some 80,000 legionnaires at Cannae. Only 10,000 Romans survived! He roamed the country at will for about fifteen years, being craftily baited but never being engaged in battle by the famous Quintus Fabius Maximus, who was named Cunctator (*the Delayer*) for forcing Hannibal to chase him. The Carthaginian was at length defeated in his own backyard by Scipio in the battle of Zama.

Carthage had been the greatest obstacle to Rome's growth. After two wars the beaten city began to rise again. Cato, a Roman senator, steadfastly denounced the ancient enemy, ending every speech of his in the Senate with the words: **Carthāgō dēlenda est** (*Carthage must be annihilated*)! In 146 B.C. this African city was finally burned to the ground, its land plowed up, and salt sprinkled into its soil as a reminder to the foes of Rome! The greatest victor over Rome had become the greatest victim of Rome.

Several other defeats of Rome stand out in history. At the beginning of the first century B.C., the Germanic Cimbrians and Teutons harassed the Alpine limits of Rome, humbling the Roman troops as they went. Marius saw to it that these barbarians felt the double-edged sword of the Roman foot soldier. Spartacus with his gladiators and slaves erupted and defeated several armies until finally subdued by Crassus.

The victories of Rome, however, far outnumber her defeats. Her triumphs are usually associated with the names of some of her illustrious leaders. In the time of the republic there were Sulla, Pompey, and Julius Caesar. Imperial times show us Octavian (later called Caesar Augustus), Agrippa, Claudius, Titus, Trajan, Hadrian, Marcus Aurelius, and Constantine.

Around the third century A.D., more and more foreigners and barbarians were brought into the army to replenish the ranks. The army was then no longer truly Roman in character. The far-flung frontiers were being manned by those with only weak ties to Rome. Thus began the decline of the legions and with them the start of the fall of Rome.

LECTIŌ QUĪNTA

(V)

FĀBULA

ANGLICĒ	LATĪNĒ
The Last Roman King	**Dē Ultimō Rēge Rōmānō**

Lucius Tarquin the Proud, the last Roman king, defeated many nations. Afterward because of his cruelty Lucius Iunius Brutus aroused the people and took away the rule from Tarquin. The troops also left Tarquin. With the gates closed, the king was shut out of the city, and fled with his wife and family.

The expelled king Tarquin nevertheless made war against the city of Rome. And when many nations had been brought together, he fought for his kingdom. In the first battle, although the consul Brutus was killed, the Romans still left the fight as victors.

Also in the second year from the expulsion of the kings, Tarquin again made war against the Romans. When help had been given by Porsena, the Etruscan king, he almost captured Rome. Then he was also conquered.

In the third year after the expulsion of the kings, because Porsena made peace with the Romans, Tarquin came to the town of Tusculum. The city of Tusculum was not far from the city of Rome. And there he lived with his wife for fourteen years.

Lūcius Tarquinius Superbus, ultimus rēx Rōmānus, multās gentēs vīcit. Posteā propter crūdēlitātem Lūcius Iūnius Brūtus populum agitāvit et Tarquiniō cēpit imperium. Cōpiae quoque Tarquinium relīquērunt. Rēx, portīs clausīs, ex urbe exclūsus est, cumque uxōre et familiā fūgit.

Fēcit tamen bellum contrā urbem Rōmam rēx Tarquinius expulsus. Et, lēctīs multīs gentibus, prō rēgnō pugnāvit. In prīmā pugnā, Brūtō cōnsule occīsō, Rōmānī tamen ex pugnā victōrēs cessērunt.

Secundō quoque annō ab expulsīs rēgibus[1], Tarquinius contrā Rōmānōs bellum iterum fēcit. Auxiliō ā Porsenā, rēge Tuscō, datō, Rōmam paene cēpit. Tum quoque victus est.

Tertiō annō post rēgēs expulsōs[1], quod Porsena pācem cum Rōmānīs fēcit, Tarquinius ad oppidum Tusculum vēnit. Cīvitās Tusculum nōn longē ab urbe Rōmā fuit. Atque ibi per XIV (quattuordecim) annōs cum uxōre habitāvit.

— Adapted from Eutropius, *Breviārium Ab Urbe Conditā*, I. 8–11.

---

[1] **Ab expulsīs rēgibus and post rēgēs expulsōs:** literally, *from the expelled kings* and *after the expelled kings*. The Latin sometimes uses a participle with the noun, where English uses the action of the participle (*expulsion*) as an abstract noun.

Alinari

The interior of this Etruscan tomb reveals the ornate style of their art.

GRAMMATICA

1. Ablative of adjectives:

First and second declension adjectives use the same ablative endings as nouns of the first and second declensions:

II — M, N	*I — F*	*I — II — M, F, N*
SINGULAR		PLURAL
bonō	**bonā**	**bonīs**
ab amīcō bonō	ā mātre bonā	ā mātribus bonīs
ā patre bonō	in viā bonā	ab amīcīs bonīs
in bellō bonō		ā patribus bonīs
in flūmine bonō		in viīs bonīs
		in bellīs bonīs
		in flūminibus bonīs

2. Ablative Absolute:

Answers to the question *When?* and other adverbial questions can be expressed in the form of a clause, e.g., *when the Roman troops had been defeated.* The same idea can also be expressed by a prepositional phrase with

a participle, e.g., *with the Roman troops defeated*. Since this is answering
the adverbial question *When?* or *How?* it would be expressed in Latin without
the preposition, e.g., **Rōmānīs cōpiīs victīs.** This use of the ablative case
with a noun and participle is called the Ablative Absolute. The name
indicates that the noun is grammatically unconnected with (**absolūtus,** *freed
from*) the rest of the sentence — *With the Roman troops defeated, the enemy
attacked the city.* The adverbial clause is the more usual expression in
English, the ablative phrase is more common in Latin. Therefore, when
translating from Latin into English, the Ablative Absolute of the Latin will
usually be expanded into an English clause introduced by conjunctions such
as *when, because, since, after, if, while,* and *although.*

3. Ablative of Time:

Answers to the question *When?* — *in summer, in the second year* — are
expressed in Latin by the ablative case without a preposition — **aestāte,
secundō annō.** This is called the Ablative of Time.

EXERCITIA

1. First and second declension adjectives (ablative):

	Adjective		
	I	*II*	*I — II*
	F	*M, N*	*M, F, N*
		SING.	PL.
Abl.	–ā	–ō	–īs

1. Recognize the ablative of the adjective by answering the question: *Who
   did it?*

A. If money was taken *by the big slave,* (who   *The big slave* took (it).
took it?)

1. Sī pecūnia capta est ā magnō servō,	Magnus servus cēpit.
2. Sī gladiātor victus est ā virīs bonīs,	Virī bonī vīcērunt.
3. Sī rēx exclūsus est ā populō prīmō,	Populus prīmus exclūsit.
4. Sī pater amātus est ā fīliīs nātīs,	Fīliī nātī amāvērunt.
5. Sī geminī servātī sunt ā pulchrā lupā,	Pulchra lupa servāvit.
6. Sī cibus portātus est multīs ā fēminīs,	Multae fēminae portāvērunt.
7. Sī cōnsul laudātus est ā parvā puellā,	Parva puella laudāvit.

8. Sī patrēs salūtātī sunt ā bonīs familiīs,	Bonae familiae salūtāvērunt.
9. Sī Rōma condita est Trōiānō rēgnō,	Trōiānum rēgnum condidit.
10. Sī urbs clausa est vāllīs novīs,	Vālla nova clausērunt.
11. Sī populī rēgnātī sunt tōtō imperiō,	Tōtum imperium rēgnāvit.
12. Sī oppida capta sunt ā novō victōre,	Novus victor cēpit.
13. Sī frāter repertus est multīs ā pāstōribus,	Multī pāstōrēs reperērunt.
14. Sī crūdēlitātēs doctae sunt ā magnō mīlite,	Magnus mīles docuit.
15. Sī populus ēducātus est novā pāce,	Nova pāx ēducāvit.
16. Sī porta incēnsa est multīs ab uxōribus,	Multae uxōrēs incendērunt.
17. Sī pecūniae petītae sunt ā bonā uxōre,	Bona uxor petīvit.
18. Sī vir laudātus est Rōmānō nōmine,	Rōmānum nōmen laudāvit.
19. Sī agrī cūrātī sunt bonīs flūminibus,	Bona flūmina cūrāvērunt.
20. Sī via mōnstrāta est ūnō lūmine,	Ūnum lūmen mōnstrāvit.

2. Produce the ablative form of the adjective by modifying the ablative noun with the given adjective.

B. *Great:* Rome was ruled by a king.	Rome was ruled by a *great* king.
C. Rome was ruled by kings.	Rome was ruled by *great* kings.
21. Magnus: Rōma rēgnāta est ā rēge.	Rōma rēgnāta est ā magnō rēge.
22. Rōma rēgnāta est ā rēgibus.	Rōma rēgnāta est ā magnīs rēgibus.
23. Apertus: Familia nōn cūrāta est tēctō.	Familia nōn cūrāta est apertō tēctō.
24. Familia nōn cūrāta est tēctīs.	Familia nōn cūrāta est apertīs tēctīs.
25. Pulcher: Vir amātus est ab uxōre.	Vir amātus est ā pulchrā uxōre.
26. Virī amātī sunt ab uxōribus.	Virī amātī sunt ā pulchrīs uxōribus.
27. Parvus: Oppidum exclūsum est īnsulā.	Oppidum exclūsum est parvā īnsulā.
28. Oppidum exclūsum est īnsulīs.	Oppidum exclūsum est parvīs īnsulīs.
29. Bonus: Pāx facta est ā cōnsule.	Pāx facta est ā bonō cōnsule.
30. Pāx facta est ā cōnsulibus.	Pāx facta est ā bonīs cōnsulibus.

31. Rōmānus: Casa dēlēta est ā servīs.　　Casa dēlēta est ā Rōmānīs servīs.

32.　　Cīvitās relicta est ā gente.　　Cīvitās relicta est ā Rōmānā gente.

33. Prīmus: Rōmānī victī sunt bellō.　　Rōmānī victī sunt prīmō bellō.
34.　　Pugna salūtāta est ā gladiātōribus.　　Pugna salūtāta est ā prīmīs gladiātōribus.

35. Novus: Cicerō scrīpsit dē factīs.　　Cicerō scrīpsit dē novīs factīs.
36.　　Ōrātor dīxit dē annō.　　Ōrātor dīxit dē novō annō.

37. Tōtus: Servī prōcessērunt ā forō.　　Servī prōcessērunt ā tōtō forō.
38.　　Vir ambulāvit in silvā.　　Vir ambulāvit in tōtā silvā.

39. Ultimus: Agrī datī sunt ā possessōribus.　　Agrī datī sunt ab ultimīs possessōribus.

40.　　Puer pūnītus est ā magistrō.　　Puer pūnītus est ab ultimō magistrō.

2. Ablative Absolute:

Ablative Absolute	
Noun	Participle
urbe	**captā**

1. Recognize the Ablative Absolute by expressing it with an **ubi** clause:

A. The boy having been warned . . .　　When the boy was warned . . .

1. Puerō monitō . . .　　Ubi puer monitus est . . .
2. Cibō parātō . . .　　Ubi cibus parātus est . . .
3. Pāce factā . . .　　Ubi pāx facta est . . .
4. Urbe captā . . .　　Ubi urbs capta est . . .
5. Verbō dictō . . .　　Ubi verbum dictum est . . .
6. Ōrātiōne habitā . . .　　Ubi ōrātiō habita est . . .
7. Gente lēctā . . .　　Ubi gēns lēcta est . . .
8. Portā clausā . . .　　Ubi porta clausa est . . .
9. Auxiliō datō . . .　　Ubi auxilium datum est . . .
10. Italiā dēlētā . . .　　Ubi Italia dēlēta est . . .

11. Gentibus victīs . . .　　Ubi gentēs victae sunt . . .
12. Populīs agitātīs . . .　　Ubi populī agitātī sunt . . .
13. Imperiīs occupātīs . . .　　Ubi imperia occupāta sunt . . .

14. Cōpiīs relictīs . . .	Ubi cōpiae relictae sunt . . .
15. Portīs clausīs . . .	Ubi portae clausae sunt . . .
16. Bellīs factīs . . .	Ubi bella facta sunt . . .
17. Gentibus lēctīs . . .	Ubi gentēs lēctae sunt . . .
18. Cōnsulibus occīsīs . . .	Ubi cōnsulēs occīsī sunt . . .
19. Rēgibus expulsīs . . .	Ubi rēgēs expulsī sunt . . .
20. Castrīs positīs . . .	Ubi castra posita sunt . . .

2. Produce the Ablative Absolute by changing the **ubi** clause:

B. When the work was done . . .	With the work having been done . . .
21. Ubi opus factum est . . .	Opere factō . . .
22. Ubi urbs incēnsa est . . .	Urbe incēnsā . . .
23. Ubi Campānia dēlēta est . . .	Campāniā dēlētā . . .
24. Ubi mōns occupātus est . . .	Monte occupātō . . .
25. Ubi gladiātor victus est . . .	Gladiātōre victō . . .
26. Ubi verbum dictum est . . .	Verbō dictō . . .
27. Ubi mīles captus est . . .	Mīlite captō . . .
28. Ubi auxilium datum est . . .	Auxiliō datō . . .
29. Ubi ōrātiō habita est . . .	Ōrātiōne habitā . . .
30. Ubi gēns lēcta est . . .	Gente lēctā . . .
31. Ubi cōpiae relictae sunt . . .	Cōpiīs relictīs . . .
32. Ubi gentēs victae sunt . . .	Gentibus victīs . . .
33. Ubi populī agitātī sunt . . .	Populīs agitātīs . . .
34. Ubi portae clausae sunt . . .	Portīs clausīs . . .
35. Ubi bella ācta sunt . . .	Bellīs āctīs . . .
36. Ubi cōnsulēs occīsī sunt . . .	Cōnsulibus occīsīs . . .
37. Ubi rēgēs expulsī sunt . . .	Rēgibus expulsīs . . .
38. Ubi castra posita sunt . . .	Castrīs positīs . . .
39. Ubi gladiātōrēs victī sunt . . .	Gladiātōribus victīs . . .
40. Ubi montēs occupātī sunt . . .	Montibus occupātīs . . .

3. Produce the Ablative Absolute by changing the **quod** (*because*) or **postquam** (*after*) clause:

A. Since the speech was given, there was peace.

With the speech having been given, there was peace.

B. After the wall was destroyed, the enemy conquered.

With the wall destroyed, the enemy conquered.

1. Quod ōrātiō habita est, fuit pāx.	Ōrātiōne habitā, fuit pāx.
2. Quod ōrātiōnēs habitae sunt, fuit pāx.	Ōrātiōnibus habitīs, fuit pāx.

3. Quod mōns occupātus est, fuit bellum.

Monte occupātō, fuit bellum.

4. Quod montēs occupātī sunt, fuit bellum.

Montibus occupātīs, fuit bellum.

5. Quod verbum dictum est, urbem relīquit.

Verbō dictō, urbem relīquit.

6. Quod verba dicta sunt, urbem relīquit.

Verbīs dictīs, urbem relīquit.

7. Quod auxilium datum est, hostis pugnāvit.

Auxiliō datō, hostis pugnāvit.

8. Quod auxilia data sunt, hostis pugnāvit.

Auxiliīs datīs, hostis pugnāvit.

9. Quod urbs incēnsa est, Capitōlium obsēdit.

Urbe incēnsā, Capitōlium obsēdit.

10. Quod urbēs incēnsae sunt, Capitōlium obsēdit.

Urbibus incēnsīs, Capitōlium obsēdit.

11. Quod cibus parātus est, māter salūtāvit.

Cibō parātō, māter salūtāvit.

12. Quod cibī parātī sunt, māter salūtāvit.

Cibīs parātīs, māter salūtāvit.

13. Quod porta clausa est, casa servāta est.

Portā clausā, casa servāta est.

14. Quod portae clausae sunt, casa servāta est.

Portīs clausīs, casa servāta est.

15. Quod gēns lēcta est, rēx exclūsus est.

Gente lēctā, rēx exclūsus est.

16. Quod gentēs lēctae sunt, rēx exclūsus est.

Gentibus lēctīs, rēx exclūsus est.

17. Quod urbs capta est, bellum ēgit.

Urbe captā, bellum ēgit.

18. Quod urbēs captae sunt, bellum ēgit.

Urbibus captīs, bellum ēgit.

19. Quod cōnsul occīsus est, Rōmam dēlēvit.

Cōnsule occīsō, Rōmam dēlēvit.

20. Quod cōnsulēs occīsī sunt, Rōmam dēlēvit.

Cōnsulibus occīsīs, Rōmam dēlēvit.

21. Postquam vāllum dēlētum est, hostis vīcit.

Vāllō dēlētō, hostis vīcit.

22. Postquam vālla dēlēta sunt, hostis vīcit.

Vāllīs dēlētīs, hostis vīcit.

23. Postquam rēx interfectus est, populum agitāvit.

Rēge interfectō, populum agitāvit.

24. Postquam rēgēs interfectī sunt, populum agitāvit.

Rēgibus interfectīs, populum agitāvit.

The Roman foot
soldier brought
most of the
known world un-
der the control
of Rome.

Alinari

25. Postquam mīles lēctus est, gēns pugnāvit.   Mīlite lēctō, gēns pugnāvit.

26. Postquam mīlitēs lēctī sunt, gēns pugnāvit.   Mīlitibus lēctīs, gēns pugnāvit.

27. Postquam arx dēlēta est, victōrēs cessērunt.   Arce dēlētā, victōrēs cessērunt.

28. Postquam arcēs dēlētae sunt, victōrēs cessērunt.   Arcibus dēlētīs, victōrēs cessērunt.

29. Postquam frāter relictus est, rēx rēgnāvit.   Frātre relictō, rēx rēgnāvit.

30. Postquam frātrēs relictī sunt, rēx rēgnāvit.   Frātribus relictīs, rēx rēgnāvit.

31. Postquam gladiātor victus est, Italiam servāvit.   Gladiātōre victō, Italiam servāvit.

32. Postquam gladiātōrēs victī sunt, Italiam servāvit.   Gladiātōribus victīs, Italiam servāvit.

33. Postquam ager incultus est, montēs occupāvērunt.   Agrō incultō, montēs occupāvērunt.

34. Postquam agrī incultī sunt, montēs occupāvērunt.   Agrīs incultīs, montēs occupāvērunt.

35. Postquam populus agitātus est, magister fūgit.   Populō agitātō, magister fūgit.

36. Postquam populī agitātī sunt, magister fūgit.   Populīs agitātīs, magister fūgit.

37. Postquam via mōnstrāta est, forum reperit.   Viā mōnstrātā, forum reperit.

38. Postquam viae mōnstrātae sunt, forum reperit.   Viīs mōnstrātīs, forum reperit.

39. Postquam rēx interfectus est, rēgnum petīvit.   Rēge interfectō, rēgnum petīvit.

40. Postquam rēgēs interfectī sunt, rēgnum petīvit.   Rēgibus interfectīs, rēgnum petīvit.

3. Prepositions with the ablative:

Prepositions — Ablative			
ā(b),	cum,	cōram,	dē,
prō,	prae,	sine,	ē(x),
in,	sub,	super	

1. Recognize prepositions with the ablative by translating into English:

1. In silvā magnā — In the great forest
2. Ex hortō pulchrō — Out of the beautiful garden
3. Dē pāce bonā — About good peace
4. Prō familiā parvā — For the little family
5. Cum hoste magnō — With the great enemy
6. Ā patre bonō — By (From) the good father
7. Sub arbore tertiā — Under the third tree
8. In ātriō pulchrō — In the beautiful atrium
9. Ex templīs parvīs — Out of the little temples
10. Dē īnsulīs magnīs — Down from the great islands

2. Produce the prepositions with the ablative by translating into Latin:

11. For the altars — Prō ārīs
12. With a wife — Cum uxōre
13. By the gladiators — Ā gladiātōribus
14. Under roofs — Sub tēctīs
15. In the villages — In vīcīs
16. Out of the camp — E castrīs

17. Down from the mountain   Dē monte
18. For the tribe   Prō gente
19. With the consul   Cum cōnsule
20. In the place   In locō

21. The boy walked in the forest.   In silvā puer ambulāvit.
22. He led the friend out of the garden.   Ex hortō amīcum dūxit.
23. The speech was about peace.   Dē pāce ōrātiō fuit.
24. She prepared food for the family.   Prō familiā cibum parāvit.
25. The soldier fought with the enemy.   Cum hoste mīles pugnāvit.
26. The slave was punished by the father.   Ā patre servus pūnītus est.
27. Romulus was found under a tree.   Sub arbore Rōmulus repertus est.
28. He greeted the owner in the atrium.   In ātriō possessōrem salūtāvit.
29. The victor came out of the temple.   Ex templō victor vēnit.
30. He spoke words about cruelty.   Dē crūdēlitāte verba dīxit.

4. Ablative of Time:

Ablative of Time
aestāte — *in the summer*
annō secundō — *in the second year*

1. Recognize the Ablative of Time (with no preposition) by translating into English:

1. Aestāte pulchrā   In the beautiful summer
2. Annō secundō   In the second year
3. Rēgnō tertiō   In the third kingdom
4. Tempore ultimō   At the last time
5. Bellō prīmō   In the first war
6. Pāce novā   In the new peace
7. Aestāte ultimā   In the last summer
8. Annō tertiō   In the third year
9. Temporibus bonīs   In the good times
10. Annīs relictīs   In the remaining years

2. Produce the Ablative of Time (with no preposition) by translating into Latin:

11. In the second war   Bellō secundō
12. In the first year   Annō prīmō
13. In the third kingdom   Rēgnō tertiō
14. In the good summer   Aestāte bonā

15. In the last time   Tempore ultimō
16. In good times   Temporibus bonīs
17. In the last year   Annō ultimō
18. In the good years   Annīs bonīs
19. In the new peace   Pāce novā
20. In the first wars   Bellīs prīmīs

CONVERSIŌ

1. After the city had been burned, the inhabitants fled.
2. The whole family was besieged in the house by the gladiators.
3. With the gates closed, many men and women came to the forum.
4. Because the field had been destroyed, the men chose new troops.
5. The youths were small but they fought for (their) town.
6. When the citadel and the wall had been captured, the king was driven out with (his) son.
7. Why did the soldiers punish the boy?
8. In the first year the victors carried aid between the camp and the village.
9. Because of (his) cruelty, Tarquin was the last king.
10. The youths were saved by the whole town.
11. When was the consul shut out?
12. The boys again read about the captured tribes.
13. In the third war Carthage was seized.
14. The Romans yielded after the camp was almost destroyed by Hannibal.
15. The new kingdom was chosen by a favorable augury.

NĀRRĀTIŌ

DĒ VARIĪS CLĀDIBUS RŌMĀNĪS

Etrūscō bellō Porsena rēx Iāniculum obsēdit. Gallicō bellō Gallī Senonēs, cōpiīs Rōmānīs ad Alliam dēlētīs, urbe incēnsā, Capitōlium obsēdērunt. Tarentīnō bellō Pyrrhus ad vīcēsimum lapidem, tōtā Campāniā dēlētā, cessit.

Pūnicō bellō Hannibal, ad Cannās Rōmānīs cōpiīs victīs, ad tertium lapidem castra posuit. Cimbricō bellō Cimbrī Tridentīnās Alpēs occupāvērunt. Servīlī bellō Spartacus, Crixus, Oenomaus, gladiātōrēs, dēlētā paene Italiā, ubi parāvērunt urbem incendere, in Lūcāniā ā Crassō, in Etrūriā ā Pompeiō cōnsule victī sunt.

— Adapted from Lūcius Ampelius, *Liber Memoriālis*, XLV.

Variīs Clādibus: **lapidem:** *milestone,*   **Servīlī:** *slave,* third
   various defeats.   i.e., of Rome.   declension adjective
vīcēsimum: *twentieth.*   with **bellō.**

The Alps were the home of many barbarian tribes that harassed the Romans.

Respondē Latīnē:

1. Quis Iāniculum montem obsēdit?
2. Quandō mōns Iāniculum ā Porsenā obsessum est?
3. Quid ēgit rēx Porsena Etrūscō bellō?
4. Quid ā rēge Porsenā obsessum est?
5. Quandō Gallī Senonēs Capitōlium obsēdērunt?
6. Quī ad Alliam dēlētī sunt?
7. Quī cōpiās Rōmānās ad Alliam vīcērunt?
8. Estne urbs incēnsa?
9. Estne Rōma ā Porsenā incēnsa?
10. Ā quō tōta Campānia dēlēta est?

11. Quis Rōmānōs ad Cannās vīcit?
12. Ubi fuit pugna inter Hannibalem et mīlitēs Rōmānōs?
13. Quae posuit Hannibal ad tertium lapidem?
14. Quī Tridentīnās Alpēs cēpērunt?
15. Quī fuērunt gladiātōrēs bellō servīlī?
16. Quid ā gladiātōribus paene dēlētum est?
17. Parāvēruntne gladiātōrēs Rōmam incendere?
18. Ā quibus gladiātōrēs victī sunt?
19. Ubi Crassus gladiātōrēs vīcit?
20. Ubi Pompeius cōnsul gladiātōrēs vīcit?

EPITOMA

1. Ablative of adjectives:

Adjectives in the ablative have the same endings as nouns of declensions I and II:

SINGULAR		PLURAL
I — F	II — M, N	I — II — M, F, N
–ā	–ō	–īs
bonā	bonō	bonīs

2. Uses of the ablative case:

To answer the question *When?* the Ablative of Time uses a noun in the ablative without a preposition, e.g., *in summer,* **aestāte.**

To answer the questions *When? How?* the Ablative Absolute uses a noun unconnected with the rest of sentence plus a participle, both in the ablative without a preposition, e.g., *when the city had been burned (the city having been burned),* **urbe incēnsā.**

INDEX VERBŌRUM

castra, castrōrum, n. pl.	camp
castra pōnere	pitch camp
cēdere, cessī, cessūrus (3)	go, withdraw, yield
claudere, clausī, clausus (3)	close, shut
cōnsul, cōnsulis, m.	consul
cōpiae, cōpiārum, f. pl.	troops, forces
crūdēlitās, crūdēlitātis, f.	cruelty
cūr?	why?
dē (prep. with abl.)	from, down from; about, concerning
gladiātor, gladiātōris, m.	destroy
incendere, incendī, incēnsus (3)	shut out, exclude
exclūsus (3)	flee
exclūdere, exclūsī,	
dēlēre, dēlēvī, dēlētus (2)	gladiator
fugere, fūgī, fugitūrus (3 –iō)	set on fire, burn

iterum	again
legere, lēgī, lēctus (3)	bring together, choose, read
longē	far, by far, from afar
obsidēre, obsēdī, obsessus (2)	besiege
paene	almost, nearly
porta, portae, f.	gate
postquam (conj.)	after
pugnāre, pugnāvī, pugnātūrus (1)	fight
quandō?	when?
quoque	also, too
rēgnum, rēgnī, n.	kingdom
secundus, secunda, secundum	second, following, favorable
tamen	nevertheless, still
tertius, tertia, tertium	third
tōtus, tōta, tōtum	whole, all
ultimus, ultima, ultimum	farthest, last
vincere, vīcī, victus (3)	conquer, defeat

LECTIŌ SEXTA
(VI)

RESPECTUS
Review

EXERCITIA

1. Lege et respondē Latīnē.

The king threw Romulus into the river.

A. Who threw?	The king threw.
B. Whom did he throw?	He threw Romulus.
C. What did the king do?	The king threw.
D. Into what did he throw?	Into the river he threw.
E. Who was thrown?	Romulus was thrown.
F. By whom was he thrown?	By the king he was thrown.

Rēx Rōmulum in flūmen iactāvit.

1. Quis iactāvit?	Rēx iactāvit.
2. Quem iactāvit?	Rōmulum iactāvit.
3. Quid ēgit rēx?	Iactāvit rēx.
4. In quid iactāvit?	In flūmen iactāvit.
5. Quis iactātus est?	Rōmulus iactātus est.
6. Ā quō iactātus est?	Ā rēge iactātus est.

Trōiānus ad Italiam vēnit et urbem condidit.

7. Quis vēnit et condidit?	Trōiānus vēnit et condidit.
8. Quid condidit?	Urbem condidit.
9. Quid ēgit Trōiānus?	Vēnit et condidit Trōiānus.
10. Ad quid vēnit?	Ad Italiam vēnit.
11. Quid conditum est?	Urbs condita est.
12. Ā quō condita est urbs?	Ā Trōiānō condita est urbs.

Remus et Rōmulus frātrēs geminī Rōmam cīvitātem aedificāvērunt.

13. Quī aedificāvērunt?	Remus et Rōmulus aedificāvērunt.
14. Quid aedificāvērunt?	Rōmam cīvitātem aedificāvērunt.
15. Quid ēgērunt?	Aedificāvērunt.
16. Quid aedificātum est?	Rōma cīvitās aedificāta est.
17. Ā quibus aedificāta est Rōma?	Ā Remō et Rōmulō aedificāta est Rōma.
18. Quī fuērunt Remus et Rōmulus?	Frātrēs geminī fuērunt Remus et Rōmulus.

Urbs Rōma et imperium condita sunt ā Rōmulō.

19. Quae condita sunt?	Urbs Rōma et imperium condita sunt.
20. Ā quō condita sunt?	Ā Rōmulō condita sunt.
21. Quis imperium condidit?	Rōmulus imperium condidit.
22. Quis Rōmam condidit?	Rōmulus Rōmam condidit.
23. Quid condidit Rōmulus?	Urbem Rōmam et imperium condidit Rōmulus.
24. Quid ēgit Rōmulus?	Condidit Rōmulus.

Auxilium ā Iove petīvit Rōmulus.

25. Quis petīvit?	Rōmulus petīvit.
26. Quid petīvit Rōmulus?	Auxilium petīvit Rōmulus.
27. Ā quō petīvit Rōmulus?	Ā Iove petīvit Rōmulus.
28. Quid ēgit Rōmulus?	Petīvit Rōmulus.
29. Ā quō auxilium ā Iove petītum est?	A Rōmulō auxilium ā Iove petītum est.
30. Quid ā Iove petītum est?	Auxilium ā Iove petītum est.

Pāx facta est cum Tatiō ā fēminīs. Novam in urbem hostēs prōcessērunt.

31. Quid factum est?	Pāx facta est.
32. Ā quibus facta est pāx?	Ā fēminīs facta est pāx.
33. Quōcum facta est pāx?	Cum Tatiō facta est pāx.
34. Quī fēcērunt pācem?	Fēminae fēcērunt pācem.
35. Quī prōcessērunt?	Hostēs prōcessērunt.
36. In quid hostēs prōcessērunt?	Novam in urbem hostēs prōcessērunt.

Tarquinius Superbus fuit ultimus rēx Rōmānus. Multās gentēs ōlim vīcit.

37. Quis fuit ultimus rēx Rōmānus?	Tarquinius Superbus fuit ultimus rēx Rōmānus.
38. Quis multās gentēs vīcit?	Tarquinius Superbus multās gentēs vīcit.
39. Quis fuit Tarquinius Superbus?	Ultimus rēx Rōmānus fuit Tarquinius Superbus.
40. Quid ēgit Tarquinius Superbus?	Vīcit multās gentēs Tarquinius Superbus.
41. Ā quō multae gentēs victae sunt?	Ā Tarquiniō Superbō multae gentēs victae sunt.
42. Quae victa sunt ā Tarquiniō Superbō?	Multae gentēs victae sunt ā Tarquiniō Superbō.

Mārcus Tullius Cicerō ōrātor ad Forum saepe ambulāvit. Ibi ōrātiōnem habuit.

43. Quis fuit ōrātor?	Mārcus Tullius Cicerō fuit ōrātor.
44. Quid ēgit Mārcus Tullius Cicerō?	Ambulāvit et ōrātiōnem habuit Mārcus Tullius Cicerō.

Finely wrought dishware, uncovered in ruins in various parts of the
Empire, testify to the elaborate banquets of the Romans.

45. Quis ōrātiōnem habuit?   Mārcus Tullius Cicerō ōrātiōnem habuit.
46. Quis ambulāvit?   Mārcus Tullius Cicerō ambulāvit.
47. Ad quid saepe ambulāvit?   Ad Forum saepe ambulāvit.
48. Quid habitum est ā M. Tulliō   Ōrātiō habita est ā Mārcō Tulliō
    Cicerōne?   Cicerōne.

Tum Pictī ad Scotiam vēnērunt. Domicilia ibi petīvērunt.

49. Quī vēnērunt ad Scotiam?   Pictī vēnērunt ad Scotiam.
50. Quī petīvērunt domicilia?   Pictī petīvērunt domicilia.
51. Ad quid Pictī vēnērunt?   Ad Scotiam Pictī vēnērunt.
52. Quid ēgērunt Pictī?   Vēnērunt et petīvērunt Pictī.
53. Quid petīvērunt Pictī?   Domicilia petīvērunt Pictī.
54. Ā quibus domicilia petīta sunt?   Ā Pictīs domicilia petīta sunt.

Remus montem Aventīnum, Rōmulus Palātīnum occupāvit.

55. Quis montem Aventīnum occu-   Remus montem Aventīnum occupāvit.
    pāvit?
56. Quis montem Palātīnum occu-   Rōmulus montem Palātīnum occupāvit.
    pāvit?
57. Quid occupātum est ā Remō?   Mōns Aventīnus occupātus est ā Remō.
58. Quid occupātum est ā Rōmulō?   Mōns Palātīnus occupātus est ā Rōmulō.

59. Ā quō occupātus est mōns Aventīnus? — Ā Remō occupātus est mōns Aventīnus.

60. Ā quō occupātus est mōns Palātīnus? — Ā Rōmulō occupātus est mōns Palātīnus.

Etrūscō bellō Porsena rēx Iāniculum obsēdit.

61. Quis Iāniculum obsēdit? — Porsena rēx Iāniculum obsēdit.

62. Quid obsēdit Porsena rēx? — Iāniculum obsēdit Porsena rēx.

63. Quid ēgit Porsena rēx? — Obsēdit Iāniculum Porsena rēx.

64. Quandō Porsena Iāniculum obsēdit? — Etrūscō bellō Porsena Iāniculum obsēdit.

65. Quid obsessum est? — Iāniculum obsessum est.

66. Ā quō Iāniculum obsessum est? — Ā Porsenā rēge Iāniculum obsessum est.

Ubi puer ad scholam ambulāvit, servus Graecus viam mōnstrāvit.

67. Quis ambulāvit? — Puer ambulāvit.

68. Quis mōnstrāvit? — Servus Graecus mōnstrāvit.

69. Quid ēgit puer? — Ambulāvit puer.

70. Quid ēgit servus Graecus? — Mōnstrāvit servus Graecus.

71. Ad quid puer ambulāvit? — Ad scholam puer ambulāvit.

72. Ā quō via mōnstrāta est? — Ā servō Graecō via mōnstrāta est.

Ubi aestās vēnit, familia urbem Rōmam statim relīquit.

73. Quid vēnit? — Aestās vēnit.

74. Quis relīquit? — Familia relīquit.

75. Quid ēgit aestās? — Vēnit aestās.

76. Quid ēgit familia? — Relīquit familia.

77. Quandō familia urbem Rōmam relīquit? — Ubi aestās vēnit, familia urbem Rōmam relīquit.

78. Quid relictum est ā familiā? — Urbs Rōma relicta est ā familiā.

Tum Herculēs āram ad Forum dēdicāvit quod Cācum ibi occīdit.

79. Quis āram dēdicāvit? — Herculēs āram dēdicāvit.

80. Quis Cācum occīdit? — Herculēs Cācum occīdit.

81. Ubi Herculēs āram dēdicāvit? — Ad Forum Herculēs āram dēdicāvit.

82. Quid ēgit Herculēs? — Dēdicāvit et occīdit Herculēs.

83. Quid dēdicātum est ab Hercule? — Āra dēdicāta est ab Hercule.

84. Quem occīdit Herculēs? — Cācum occīdit Herculēs.

Rōmulus flūmen et montēs ubi ēducātus est amāvit atque condere urbem novam agitāvit.

85. Quis amāvit flūmen et montēs? — Rōmulus amāvit flūmen et montēs.

86. Quis condere urbem agitāvit? — Rōmulus condere urbem agitāvit.

87. Quis ēducātus est?	Rōmulus ēducātus est.
88. Quid condere agitāvit Rōmulus?	Urbem novam condere agitāvit Rōmulus.
89. Ubi ēducātus est Rōmulus?	Ad flūmen et montēs ēducātus est Rōmulus.
90. Quid agere agitāvit Rōmulus?	Condere novam urbem agitāvit Rōmulus.

Uxōrēs, quod nōn datae sunt ā gentibus, ex Sabīnīs captae sunt.

91. Quae nōn datae sunt?	Uxōrēs nōn datae sunt.
92. Quae captae sunt?	Uxōrēs captae sunt.
93. Ā quibus nōn datae sunt uxōrēs?	Ā gentibus nōn datae sunt uxōrēs.
94. Ē quibus captae sunt uxōrēs?	Ex Sabīnīs captae sunt uxōrēs.
95. Quī nōn dedērunt uxōrēs?	Gentēs nōn dedērunt uxōrēs.
96. Cūr uxōrēs captae sunt?	Quod nōn datae sunt ā gentibus, uxōrēs captae sunt.

Lēctīs multīs gentibus, Tarquinius prō rēgnō pugnāvit.

97. Quis pugnāvit?	Tarquinius pugnāvit.
98. Prō quō pugnāvit?	Prō rēgnō pugnāvit.
99. Quae lēcta sunt?	Multae gentēs lēctae sunt.
100. Quae lēgit Tarquinius?	Multās gentēs lēgit Tarquinius.
101. Ā quō gentēs lēctae sunt?	Ā Tarquiniō gentēs lēctae sunt.
102. Quandō Tarquinius prō rēgnō pugnāvit?	Lēctīs multīs gentibus, Tarquinius prō rēgnō pugnāvit.

2. Change all words to the plural:

1. Amīcus patrem laudāvit.	Amīcī patrēs laudāvērunt.
2. Pater ab amīcō laudātus est.	Patrēs ab amīcīs laudātī sunt.
3. Ōrātor ōrātiōnem habuit.	Ōrātōrēs ōrātiōnēs habuērunt.
4. Ōrātiō ab ōrātōre habita est.	Ōrātiōnēs ab ōrātōribus habitae sunt.
5. Magister puerum pūnīvit.	Magistrī puerōs pūnīvērunt.
6. Puer ā magistrō pūnītus est.	Puerī ā magistrīs pūnītī sunt.
7. Frāter verbum scrīpsit.	Frātrēs verba scrīpsērunt.
8. Verbum ā frātre scrīptum est.	Verba ā frātribus scrīpta sunt.
9. Lūmen forum intrāvit.	Lūmina fora intrāvērunt.
10. Forum lūmine intrātum est.	Fora lūminibus intrāta sunt.
11. Servus opus fēcit.	Servī opera fēcērunt.
12. Opus ā servō factum est.	Opera ā servīs facta sunt.
13. Augurium mīlitem monuit.	Auguria mīlitēs monuērunt.
14. Mīles auguriō monitus est.	Mīlitēs auguriīs monitī sunt.
15. Rēx nōmen vocāvit.	Rēgēs nōmina vocāvērunt.

16. Nōmen ā rēge vocātum est.   Nōmina ā rēgibus vocāta sunt.
17. Gēns agrum petīvit.   Gentēs agrōs petīvērunt.
18. Ager ā gente petītus est.   Agrī ā gentibus petītī sunt.

19. Vir auxilium dedit.   Virī auxilia dedērunt.
20. Auxilium ā virō datum est.   Auxilia ā virīs data sunt.
21. Hostis imperium agitāvit.   Hostēs imperia agitāvērunt.
22. Imperium ab hoste agitātum est.   Imperia ab hostibus agitāta sunt.
23. Iuvenis corpus reperit.   Iuvenēs corpora reperērunt.
24. Corpus ā iuvene repertum est.   Corpora ā iuvenibus reperta sunt.

3. Change all words to the singular:

1. Gladiātōrēs portās incendērunt.   Gladiātor portam incendit.
2. Portae ā gladiātōribus incēnsae sunt.   Porta ā gladiātōre incēnsa est.
3. Cōnsulēs rēgna obsēdērunt.   Cōnsul rēgnum obsēdit.
4. Rēgna ā cōnsulibus obsessa sunt.   Rēgnum ā cōnsule obsessum est.
5. Crūdēlitātēs victimās lēgērunt.   Crūdēlitās victimam lēgit.
6. Victimae crūdēlitātibus lēctae sunt.   Victima crūdēlitāte lēcta est.

7. Victōrēs arcēs vīcērunt.   Victor arcem vīcit.
8. Arcēs ā victōribus victae sunt.   Arx ā victōre victa est.
9. Populī bella petīvērunt.   Populus bellum petīvit.
10. Bella ā populīs petīta sunt.   Bellum ā populō petītum est.
11. Pugnae vālla dēlēvērunt.   Pugna vāllum dēlēvit.
12. Vālla pugnīs dēlēta sunt.   Vāllum pugnā dēlētum est.

13. Vīcī ārās dēdicāvērunt.   Vīcus āram dēdicāvit.
14. Ārae vīcīs dēdicātae sunt.   Āra vīcō dēdicāta est.
15. Partēs contentiōnēs fēcērunt.   Pars contentiōnem fēcit.
16. Contentiōnēs partibus factae sunt.   Contentiō parte facta est.
17. Gentēs flūmina reperērunt.   Gēns flūmen reperit.
18. Flūmina ā gentibus reperta sunt.   Flūmen ā gente repertum est.

4. Change all words to the plural:

1. Per pulchram silvam ambulāvit.   Per pulchrās silvās ambulāvērunt.
2. Contrā magnum rēgem dīxit.   Contrā magnōs rēgēs dīxērunt.
3. Ad parvam arborem lūsit.   Ad parvās arborēs lūsērunt.
4. Ante casam novam vīsitāvit.   Ante casās novās vīsitāvērunt.
5. In urbem ultimam vēnit.   In urbēs ultimās vēnērunt.

6. Ad oppidum Trōiānum prōcessit.   Ad oppida Trōiāna prōcessērunt.
7. Post secundum bellum intervēnit.   Post secunda bella intervēnērunt.
8. Propter bonam aestātem cessit.   Propter bonās aestātēs cessērunt.
9. Inter annum prīmum pugnāvit.   Inter annōs prīmōs pugnāvērunt.
10. Ab hoste Rōmānō fūgit.   Ab hostibus Rōmānīs fūgērunt.

11. Cum Trōiānō mīlite pugnāvit.   Cum Trōiānīs mīlitibus pugnāvērunt.
12. Dē prīmō possessōre scrīpsit.   Dē prīmīs possessōribus scrīpsērunt.
13. Ē bonā parte vēnit.   Ē bonīs partibus vēnērunt.
14. In vīcō parvō habitāvit.   In vīcīs parvīs habitāvērunt.
15. In ārā magnā occīdit.   In ārīs magnīs occīdērunt.

16. Prō imperiō novō rēgnāvit.   Prō imperiīs novīs rēgnāvērunt.
17. Sub vāllō tōtō pugnāvit.   Sub vāllīs tōtīs pugnāvērunt.
18. Ante annum secundum intervēnit.   Ante annōs secundōs intervēnērunt.
19. Post annum tertium ēducāvit.   Post annōs tertiōs ēducāvērunt.
20. Ad urbem ultimam ambulāvit.   Ad urbēs ultimās ambulāvērunt.

5. Change all words to the singular:

1. Corpora in flūmina iactāta sunt.   Corpus in flūmen iactātum est.
2. Contrā rēgna nova agitātī sunt.   Contrā rēgnum novum agitātus est.
3. Ad templa Rōmāna pulsī sunt.   Ad templum Rōmānum pulsus est.
4. Per portās magnās portātae sunt.   Per portam magnam portāta est.
5. Propter bonōs iuvenēs victī sunt.   Propter bonum iuvenem victus est.

6. Cum pāstōribus bonīs repertī sunt. Cum pāstōre bonō repertus est.
7. Dē montibus pulchrīs lēctī sunt.   Dē monte pulchrō lēctus est.
8. Ā templīs Trōiānīs capta sunt.   Ā templō Trōiānō captum est.
9. In agrīs apertīs posita sunt.   In agrō apertō positum est.
10. Ē viīs magnīs vocātī sunt.   Ē viā magnā vocātus est.

11. Ante arcēs prīmās obsessī sunt.   Ante arcem prīmam obsessus est.
12. Contrā crūdēlitātēs magnās agi-   Contrā crūdēlitātem magnam agitātus est.
    tātī sunt.
13. Post silvās tōtās interfectī sunt. Post silvam tōtam interfectus est.
14. Prō cōnsulibus secundīs pūnītī   Prō cōnsule secundō pūnītus est.
    sunt.
15. Propter crūdēlitātēs apertās oc-   Propter crūdēlitātem apertam occīsus est.
    cīsī sunt.

16. Inter vālla ultima interfectī sunt. Inter vāllum ultimum interfectus est.
17. Per annōs tōtōs rēgnātī sunt.   Per annum tōtum rēgnātus est.
18. Ex operibus novīs repertī sunt.   Ex opere novō repertus est.
19. Dē incolīs Trōiānīs scrīpta sunt. Dē incolā Trōiānō scrīptum est.
20. Cum amīcīs bonīs captī sunt.   Cum amīcō bonō captus est.

6. Answer the question "Quō auxiliō?" (*By what means?*) **in one word:**

1. Crūdēlitās sanguine reperta est.   Sanguine
2. Rōmulus auguriō monitus est.   Auguriō
3. Urbs portā servāta est.   Portā
4. Oppidum vāllō obsessum est.   Vāllō
5. Mīles pugnā victus est.   Pugnā

6. Domicilium auxiliīs aedificātum est.   Auxiliīs
7. Cōnsul crūdēlitātibus rēgnāvit.   Crūdēlitātibus
8. Porta arboribus clausa est.   Arboribus
9. Puerī factīs doctī sunt.   Factīs
10. Rōma bellīs vīcit.   Bellīs

7. Answer the questions by the perfect passive participle:

1. Sī quis āram dēdicāvit, quālis āra est?   Est āra dēdicāta.
2. Sī quis puellam amāvit, quālis puella est?   Est puella amāta.
3. Sī quis familiam cūrāvit, quālis familia est?   Est familia cūrāta.
4. Sī quis Trōiam laudāvit, quālis Trōia est?   Est Trōia laudāta.

5. Sī quis servum pūnīvit, quālis servus est?   Est servus pūnītus.
6. Sī quis cibum cēpit, quālis cibus est?   Est cibus captus.
7. Sī quis rēgem monuit, quālis rēx est?   Est rēx monitus.
8. Sī quis spatium fēcit, quāle spatium est?   Est spatium factum.

9. Sī quis ōrātōrem docuit, quālis ōrātor est?   Est ōrātor doctus.
10. Sī quis ōrātiōnem habuit, quālis ōrātiō est?   Est ōrātiō habita.
11. Sī quis bellum ēgit, quāle bellum est?   Est bellum āctum.
12. Sī quis verbum scrīpsit, quāle verbum est?   Est verbum scrīptum.

13. Sī quis urbem incendit, quālis urbs est?   Est urbs incēnsa.
14. Sī quis portam clausit, quālis porta est?   Est porta clausa.
15. Sī quis Italiam dēlēvit, quālis Italia est?   Est Italia dēlēta.
16. Sī quis rēgem reposuit, quālis rēx est?   Est rēx repositus.
17. Sī quis vīllam aedificāvit, quālis vīlla est?   Est vīlla aedificāta.

8. Express the subordinate clause by an Ablative Absolute:

1. Ubi Mārcus et Tullius interfectī sunt,   Mārcō et Tulliō interfectīs,
2. Ubi hostēs victī sunt,   Hostibus victīs,
3. Ubi verba dicta sunt,   Verbīs dictīs,
4. Ubi rēgēs expulsī sunt,   Rēgibus expulsīs,
5. Ubi vīllae aedificātae sunt,   Vīllīs aedificātīs,

6. Quod pāx cum Tatiō facta est,   Pāce cum Tatiō factā,
7. Quod āra ā populō dēdicāta est,   Ārā ā populō dēdicātā,
8. Quod urbs ā cōnsule relicta est,   Urbe ā cōnsule relictā,
9. Quod cibus ā mātre parātus est,   Cibō ā mātre parātō,
10. Quod pecūnia ā magistrō servāta est,   Pecūniā ā magistrō servātā,

11. Postquam oppidum captum est, rēx vīcit.   Oppidō captō, rēx vīcit.
12. Postquam pāx facta est, populus laudāvit.   Pāce factā, populus laudāvit.
13. Postquam ōrātiō habita est, vir relīquit.   Ōrātiōne habitā, vir relīquit.
14. Postquam pater occīsus est, familia cessit.   Patre occīsō, familia cessit.
15. Postquam castra posita sunt, hostis fūgit.   Castrīs positīs, hostis fūgit.

EPITOMA

1. Cases:

Nouns

	I — F	II — M	II — N	III — M, F	III — N
		SINGULAR			
Nom.	vi–a	amīc–us	pu–er	bell–um	māt–er	flūm–en
Acc.	vi–am	amīc–um	puer–um	bell–um	mātr–em	flūm–en
Abl.	vi–ā	amīc–ō	puer–ō	bell–ō	mātr–e	flūmin–e
		PLURAL			
Nom.	vi–ae	amīc–ī	puer–ī	bell–a	mātr–ēs	flūmin–a
Acc.	vi–ās	amīc–ōs	puer–ōs	bell–a	mātr–ēs	flūmin–a
Abl.	vi–īs	amīc–īs	puer–īs	bell–īs	mātr–ibus	flūmin–ibus

Adjectives   Interrogatives

	II — M	I — F	II — N	M	F	N
		SINGULAR				
Nom.	bon–us	bon–a	bon–um	quis	quis	quid
Acc.	bon–um	bon–am	bon–um	quem	quem	quid
Abl.	bon–ō	bon–ā	bon–ō	quō	quō	quō
		PLURAL				
Nom.	bon–ī	bon–ae	bon–a	quī	quae	quae
Acc.	bon–ōs	bon–ās	bon–a	quōs	quās	quae
Abl.	bon–īs	bon–īs	bon–īs	quibus	quibus	quibus

2. Uses of cases:

The nominative is used as the subject of a verb and predicate nominative.

The accusative is used as the object of a verb and of some prepositions.

The ablative is used in various adverbial expressions, sometimes with, and sometimes without, a preposition.

1. Prepositions which will be followed by the ablative:

ab, cum, cōram, dē,
prō, prae, sine, ē, and
in, sub, and **super** showing position

2. Adverbial expressions:

Where?	Ablative of Place Where	With preposition
From where?	Ablative of Place From Which, Ablative of Source	With preposition
By whom?	Ablative of Agent	With preposition
With whom?	Ablative of Accompaniment	With preposition
When?	Ablative of Time	Without preposition
How? (By what means?)	Ablative of Means	Without preposition

3. Ablative Absolute:

Noun + participle — without preposition (grammatically independent from the rest of the sentence)

3. Perfect Tense:

	Active		*Passive*	
	Perfect stem + ending		Perfect passive participle + present tense of **esse**	
vocāvit	*he (she, it) called, has called*		**vocātus, –a, –um est**	*he (she, it) was called, has been called*
vocāvērunt	*they called, have called*		**vocātī, –ae, –a sunt**	*they were called, have been called*

A family tombstone on the Appian Way. Many
important Roman families buried their dead in this
fashion.

4. Verb "esse" (*to be*):

	Present		Perfect
est	*he* (*she, it*) *is*	**fuit**	*he* (*she, it*) *was*
sunt	*they are*	**fuērunt**	*they were*

STUDIUM VERBŌRUM

Word Study

The study of Latin is also the study of English. Over 50 percent of
English words are derived from Latin. A knowledge of Latin words,
ᵗherefore, helps one to understand new English words as well as to clarify
words already known.

Some words are spelled the same in both languages (*orator, possessor*); some change only slightly (**ōrātiō,** *oration;* **schola,** *school*). While other words are less close to the Latin form, the relationship is clear.

What Latin words do you see in these English words — *scholar, ambulance, fraternity, filial, proceed, ultimate, urban, virile, insular, portable, captive, solar, hostile, expulsion, pugnacious, delete, sanguinary, laudable, luminous?* Do you know the meaning of each of these words?

How many English words can you think of which are derived from these Latin words — **vidēre, spectāre, populus, locus, dīcere, legere, magnus, scrībere, pars, ūnus, pōnere?**

What is *a bonus, an entrance, a pastor, an agitator, an aperture, claustrophobia, a visitor, a salute, a sorority, a viaduct, a vision, a curator, a factory, a domicile, a native, a propeller, a congregation, a pacifist, a juvenile, a vocation?*

What words in this paragraph are derived from Latin words you have studied?

> This man, a fugitive from our peninsula, is obsessed with invincible and total incendiary tendencies. Therefore, incensed by his behavior, we reiterate that our ultimatum is that he be excluded from these portals once and for all.

HINTS FOR VOCABULARY

Note the words that are related in this review vocabulary. In some instances nouns are formed from verbs; in others compound verbs are formed from simple ones.

Verbs and Nouns

facere — factum
incolere — incola
pugnāre — pugna
rēgnāre — rēgnum — rēx
vincere — victor

Related Nouns and Adjectives

Rōma — Rōmānus
ōrātiō — ōrātor

Compound Verbs

pellere — expellere

pōnere — repōnere

cēdere — prōcēdere

venīre — intervenīre — pervenīre

spectāre — exspectāre

claudere — exclūdere (**au** will change to **u** when a prefix is added)

facere — interficere (**a** will change to **i** when a prefix is added)

INDEX VERBŌRUM

pāx	pugnāre	sanguis	tōtus
pecūnia	pulcher	schola	tum
pellere	pūnīre	scrībere	
per		secundus	ubi
perīculum	quālis	sed	ultimus
peristȳlum	quandō	semper	ūnus
pervenīre	–que	servāre	urbs
petere	quis, quid	servus	uxor
pluvia	quod	sī	
pōnere	quoque	sīc	vāllum
populus		silva	vel
porta	rēgnāre	sōl	venīre
portāre	rēgnum	soror	verbum
possessor	relinquere	spatium	via
post	reperīre	spectāre	victima
posteā	repōnere	statim	victor
postquam	rēx	sub	vīcus
prīmus	Rōma		vidēre
prō	Rōmānus	tablīnum	vidērī
prōcēdere	rūrī	tamen	vīlla
propter	rūs	tēctum	vincere
puella		templum	vir
puer	saepe	tempus	vīsitāre
pugna	salūtāre	tertius	vocāre

LECTIŌ SEPTIMA
(VII)
FĀBULA

A Famous Roman	Illūstris Rōmānus
Marcus Cato, born in the town of Tusculum, lived as a youth among the Sabines, because there he had an inheritance left by his father. Next he came to the city of Rome and began to enter public life.	Mārcus Catō, nātus in oppidō Tusculō, iuvenis habitāvit in Sabīnīs, quod ibi hērēdium* ā patre relictum habuit. Deinde ad urbem Rōmam vēnit in forōque esse incēpit.
In the consulship of Quintus Fabius and Marcus Claudius he was a military tribune in Sicily. Then he was in the camp of Gaius Claudius Nero and was in the fierce battle near Sena, where Hasdrubal, the brother of Hannibal, was killed.	Quīntō Fabiō et Mārcō Claudiō cōnsulibus[1] tribūnus mīlitāris in Siciliā fuit. Deinde in castrīs fuit Gaiī Claudiī Nerōnis[2] fuitque in ācrī pugnā ad Sēnam, ubi occīsus est Hasdrubal, frāter Hannibalis.[3]
As praetor he held the province of	Praetor*,[4] prōvinciam habuit Sar-

[1] **Quīntō . . . cōnsulibus:** ablative absolute with the participle *being* understood; literally, *Quintus Fabius and Marcus Claudius being consuls.*

[2] **Gaiī Claudiī Nerōnis:** genitive case explained in Lesson VIII.

[3] **Hannibalis:** genitive case also.

[4] The consuls, praetors, and censors were the chief government officials. For further information see "Society and Republican Government," p. 294.

Marcus Porcius Cato (234–149 B.C.).

Alinari

Sardinia. Earlier he brought back the poet Quintus Ennius from Sardinia. He was consul with Lucius Valerius Flaccus. He triumphed over the province of Spain. Afterward Cato was made censor with Flaccus.

diniam. Anteā ē Sardiniā Quīntum Ennium poētam abdūxit. Cōnsul fuit cum Lūciō Valeriō Flaccō. Dē prōvinciā Hispāniā triumphāvit. Posteā Catō cēnsor*,4 cum Flaccō factus est.

He was an expert farmer, a great general and an acceptable orator. As a young man he was able to compose speeches. As an old man he began to write histories; there are seven books called *The Origins*.

Agricola sollers et magnus dux et probābilis ōrātor fuit. Iuvenis facere potuit ōrātiōnēs. Senex historiās scrībere incēpit; sunt librī VII (septem) *Orīginēs* appellātī.

— Adapted from Cornēlius Nepos, *Dē Virīs Illūstribus*, XXIV.

GRAMMATICA

1. Third declension adjectives:

Adjectives having nominative forms in –us (–er), –a, –um are first and second declension adjectives. All other adjectives are third declension. Third declension adjectives, like third declension nouns, can have a variety of nominative forms. Some adjectives will have *three* forms — masculine, feminine, and neuter, e.g., **ācer, ācris, ācre;** some will have *two* forms — one for masculine and feminine and the other for neuter, e.g., **fortis, forte;** others will have only *one* form for all genders, e.g., **sapiēns.** The stem of a third declension adjective is formed by dropping the –is ending. Since adjectives of *one* nominative form will not have an –is form in the nominative, the genitive of these adjectives is given in the vocabulary — **sapiēns,** *gen.* **sapientis.**

Most third declension adjectives use –ī in the ablative singular and –ia in the nominative and accusative plural neuter. These forms will be further explained in Lesson VIII.

	Singular			**Plural**	
	M, F	*N*		*M, F*	*N*
Nominative	**fortis**	**forte**		**fortēs**	**fortia**
Accusative	**fortem**	**forte**		**fortēs**	**fortia**
Ablative	**fortī**	**fortī**		**fortibus**	**fortibus**

2. Adjectives as nouns:

Adjectives can be used in Latin as nouns — in the masculine to refer to persons and in the neuter to refer to things:

Bonī patriam amant.　　The *good* (men) love their country.
Sapientēs bona amant.　　The *wise* (men) love the *good* (things).

3. Conjugations:

In the vocabulary each verb has been followed by a number. This number indicates the conjugation (or group) to which the verb belongs. The distinguishing feature of a conjugation is the vowel of the present infinitive:

Conjugation	Infinitive Ending	Example
1 — ā	–āre	**vocāre**
2 — ē	–ēre	**monēre**
3 — e	–ere	**dūcere**
4 — ī	–īre	**pūnīre**

The **–re** is the infinitive sign (English *to*); the rest of the word is the present stem — **vocāre** is *to call;* **vocā** is *call.* The present stem is used to form three tenses — present, imperfect, and future.

Note: The stem vowels of all conjugations except the third are long vowels. The **–e** of the third conjugation will undergo certain changes because it is short and therefore easily adapted to other short vowels.

Some verbs are marked "3 **–iō**" (e.g., **capere**). Such verbs were originally fourth conjugation but through sound changes they developed infinitives ending in **–ere.** They are, therefore, technically third conjugation but in most instances they will have the same forms as fourth conjugation verbs.

4. Present infinitives:

The present active infinitive is the first principal part of the verb — **vocāre,** *to call.* The present passive infinitive is formed for first, second, and fourth conjugations by changing the final **-e** of the active infinitive to **–ī — vocārī,** *to be called.* In the third conjugation the **ere** is changed to **–ī — dūcī,** *to be led.*

Present Infinitives

	Active	Passive
1	vocāre	vocārī
2	monēre	monērī
3	dūcere	dūcī
3 –iō	capere	capī
4	pūnīre	pūnīrī

EXERCITIA

1. Third declension adjectives (nominative):

	III Adjectives				
	M, F	N		M, F	N
	SING.			PL.	
Nom.	..	..		–ēs	–ia

Produce the *nominative* case of third declension adjectives by describing the *subject* with the given adjective:

all, every

A. The leader triumphed. *Every* leader triumphed.
B. The leaders triumphed. *All* the leaders triumphed.

omnis, –e

1. Dux triumphāvit. Omnis dux triumphāvit.
2. Ducēs triumphāvērunt. Omnēs ducēs triumphāvērunt.
3. Liber ā poētīs scrīptus est. Omnis liber ā poētīs scrīptus est.
4. Librī ā poētīs scrīptī sunt. Omnēs librī ā poētīs scrīptī sunt.
5. Cōnsul bellum gessit. Omnis cōnsul bellum gessit.
6. Cōnsulēs bellum gessērunt. Omnēs cōnsulēs bellum gessērunt.

fortis, –e

7. Puella ā Mārcō laudāta est. Fortis puella ā Mārcō laudāta est.
8. Puellae ā Mārcō laudātae sunt. Fortēs puellae ā Mārcō laudātae sunt.
9. Māter domicilium rēgnāvit. Fortis māter domicilium rēgnāvit.
10. Mātrēs domicilium rēgnāvērunt. Fortēs mātrēs domicilium rēgnāvērunt.
11. Fēmina aquam portāvit. Fortis fēmina aquam portāvit.
12. Fēminae aquam portāvērunt. Fortēs fēminae aquam portāvērunt.

Juno, Queen of
the gods

Alinari

illūstris, —e

13. Augurium rēgem appellāvit.	Illūstre augurium rēgem appellāvit.
14. Auguria rēgem appellāvērunt.	Illūstria auguria rēgem appellāvērunt.
15. Rēgnum rēgnātum est ā rēge.	Illūstre rēgnum rēgnātum est ā rēge.
16. Rēgna rēgnāta sunt ā rēge.	Illūstria rēgna rēgnāta sunt ā rēge.
17. Templum victōrem recēpit.	Illūstre templum victōrem recēpit.
18. Templa victōrem recēpērunt.	Illūstria templa victōrem recēpērunt.

ācer, ācris, ācre

19. Contentiō ā mīlite agitāta est.	Ācris contentiō ā mīlite agitāta est.
20. Contentiōnēs ā mīlite agitātae sunt.	Ācrēs contentiōnēs ā mīlite agitātae sunt.
21. Gladiātor amīcum interfēcit.	Ācer gladiātor amīcum interfēcit.
22. Gladiātōrēs amīcum interfēcērunt.	Ācrēs gladiātōrēs amīcum interfēcērunt.
23. Bellum ā populō gestum est.	Ācre bellum ā populō gestum est.
24. Bella ā populō gesta sunt.	Ācria bella ā populō gesta sunt.

sapiēns

25. Vir gladiātōrem prohibuit.	Sapiēns vir gladiātōrem prohibuit.
26. Virī gladiātōrem prohibuērunt.	Sapientēs virī gladiātōrem prohibuērunt.
27. Fēmina ārās servāvit.	Sapiēns fēmina ārās servāvit.
28. Fēminae ārās servāvērunt.	Sapientēs fēminae ārās servāvērunt.
29. Opus ōrātōrem docuit.	Sapiēns opus ōrātōrem docuit.
30. Opera ōrātōrem docuērunt.	Sapientia opera ōrātōrem docuērunt.

senex

31. Poēta historiās scrīpsit.	Senex poēta historiās scrīpsit.
32. Poētae historiās scrīpsērunt.	Senēs poētae historiās scrīpsērunt.
33. Incola agrōs relīquit.	Senex incola agrōs relīquit.
34. Incolae agrōs relīquērunt.	Senēs incolae agrōs relīquērunt.
35. Corpus nōn laudātum est.	Senex corpus nōn laudātum est.
36. Corpora nōn laudāta sunt.	Senia corpora nōn laudāta sunt.

2. Third declension adjectives (accusative):

	III Adjectives			
	M, F	N	M, F	N
	SING.		PL.	
Acc.	—em	. .	—ēs	—ia

Produce the *accusative* of third declension adjectives by describing the *object* with the given adjective:

all, every

A. The victor slew the hostage.   The victor slew *every* hostage.
B. The victor slew the hostages.   The victor slew *all* the hostages.

omnis, —e

1. Obsidem victor occīdit.   Omnem obsidem victor occīdit.
2. Obsidēs victor occīdit.   Omnēs obsidēs victor occīdit.
3. Librum poēta reperit.   Omnem librum poēta reperit.
4. Librōs poēta reperit.   Omnēs librōs poēta reperit.
5. Poētam historiae laudāvērunt.   Omnem poētam historiae laudāvērunt.
6. Poētās historiae laudāvērunt.   Omnēs poētās historiae laudāvērunt.

fortis, —e

7. Victimam patria recēpit.   Fortem victimam patria recēpit.
8. Victimās patria recēpit.   Fortēs victimās patria recēpit.
9. Fēminam hostis nōn vīcit.   Fortem fēminam hostis nōn vīcit.
10. Fēminās hostis nōn vīcit.   Fortēs fēminās hostis nōn vīcit.
11. Gentem dux iussit.   Fortem gentem dux iussit.
12. Gentēs dux iussit.   Fortēs gentēs dux iussit.

illūstris, —e

13. Bellum gēns parāvit.   Illūstre bellum gēns parāvit.
14. Bella gēns parāvit.   Illūstria bella gēns parāvit.
15. Nōmen Rōmānī habuērunt.   Illūstre nōmen Rōmānī habuērunt.
16. Nōmina Rōmānī habuērunt.   Illūstria nōmina Rōmānī habuērunt.
17. Opus ōrātor fēcit.   Illūstre opus ōrātor fēcit.
18. Opera ōrātor fēcit.   Illūstria opera ōrātor fēcit.

ācer, ācris, ācre

19. Īnscrīptiōnem poēta scrīpsit.   Ācrem īnscrīptiōnem poēta scrīpsit.
20. Īnscrīptiōnēs poēta scrīpsit.   Ācrēs īnscrīptiōnēs poēta scrīpsit.
21. Magistrum puerī habuērunt.   Ācrem magistrum puerī habuērunt.
22. Magistrōs puerī habuērunt.   Ācrēs magistrōs puerī habuērunt.
23. Bellum populī gessērunt.   Ācre bellum populī gessērunt.
24. Bella populī gessērunt.   Ācria bella populī gessērunt.

sapiēns

25. Obsidem cōnsul abdūxit.
26. Obsidēs cōnsul abdūxit.
27. Sorōrem frātrēs habuērunt.
28. Sorōrēs frātrēs habuērunt.
29. Verbum deī dīxērunt.
30. Verba deī dīxērunt.

Sapientem obsidem cōnsul abdūxit.
Sapientēs obsidēs cōnsul abdūxit.
Sapientem sorōrem frātrēs habuērunt.
Sapientēs sorōrēs frātrēs habuērunt.
Sapiēns verbum deī dīxērunt.
Sapientia verba deī dīxērunt.

sollers

31. Auxilium dux abdūxit.
32. Auxilia dux abdūxit.
33. Bellum populus gessit.
34. Bella populus gessit.
35. Verbum vir dīxit.
36. Verba vir dīxit.

Sollers auxilium dux abdūxit.
Sollertia auxilia dux abdūxit.
Sollers bellum populus gessit.
Sollertia bella populus gessit.
Sollers verbum vir dīxit.
Sollertia verba vir dīxit.

3. Third declension adjectives (ablative):

	III Adjectives	
	M, F, N	**M, F, N**
	SING.	PL.
Abl.	**–ī**	**–ibus**

Produce the *ablative* of third declension adjectives by describing the noun in the ablative with the given adjective:

wise

The family was cared for by the mother.

The family was cared for by the *wise* mother.

sapiēns

1. Ā mātre familia cūrāta est.
2. Ā mātribus familia cūrāta est.
3. Ex historiā puerī doctī sunt.
4. Ex historiīs puerī doctī sunt.
5. Prō fēminā ōrātiō habita est.
6. Prō fēminīs ōrātiō habita est.

Ā sapientī mātre familia cūrāta est.
Ā sapientibus mātribus familia cūrāta est.
Ex sapientī historiā puerī doctī sunt.
Ex sapientibus historiīs puerī doctī sunt.
Prō sapientī fēminā ōrātiō habita est.
Prō sapientibus fēminīs ōrātiō habita est.

sollers

7. Ā magistrō ōrātōrēs laudātī sunt.
8. Ā magistrīs ōrātōrēs laudātī sunt.

Ā sollertī magistrō ōrātōrēs laudātī sunt.
Ā sollertibus magistrīs ōrātōrēs laudātī sunt.

9. Dē ōrātōre Cicerō scrīpsit.

Dē sollertī ōrātōre Cicerō scrīpsit.

10. Dē ōrātōribus Cicerō scrīpsit.
11. Cum mīlite gladiātor pugnāvit.
12. Cum mīlitibus gladiātor pugnāvit.

Dē sollertibus ōrātōribus Cicerō scrīpsit.
Cum sollertī mīlite gladiātor pugnāvit.
Cum sollertibus mīlitibus gladiātor pugnāvit.

cīvīlis, –e

13. In bellō victor semper fuit.
14. In bellīs victor semper fuit.
15. Sub auxiliō tōta Italia vēnit.
16. Sub armīs tōta Italia vēnit.
17. In rēgnō mīlitēs repertī sunt.
18. In castrīs mīlitēs repertī sunt.

In cīvīlī bellō victor semper fuit.
In cīvīlibus bellīs victor semper fuit.
Sub cīvīlī auxiliō tōta Italia vēnit.
Sub cīvīlibus armīs tōta Italia vēnit.
In cīvīlī rēgnō mīlitēs repertī sunt.
In cīvīlibus castrīs mīlitēs repertī sunt.

4. Third declension adjectives:

	III Adjectives			
	M, F	N	M, F	N
	SING.		PL.	
Nom.	. .	. .	–ēs	–ia
Acc.	–em	. .	–ēs	–ia
Abl.	–ī	–ī	–ibus	–ibus

Recognize and produce third declension adjectives by changing the sentence from the passive to the active voice:

History was written by a wise man.   A wise man wrote history.

1. Ā sapientī virō historia scrīpta est.
2. Ā gentibus complūribus virī ductī sunt.
3. Ā fortī Rōmānō patria restitūta est.
4. Ab illūstribus rēgibus pāx facta est.
5. Ā probābilī ōrātōre cōnsul repositus est.
6. Ab omnibus hostibus sanguis petītus est.
7. Ā senī gladiātōre mīles victus est.
8. Ā senī fēminā arma abducta sunt.
9. Senī corpore populus agitātus est.
10. Ā sollertī ōrātōre pāx facta est.

Sapiēns vir historiam scrīpsit.
Complūrēs gentēs virōs dūxērunt.
Fortis Rōmānus patriam restituit.
Illūstrēs rēgēs pācem fēcērunt.
Probābilis ōrātor cōnsulem reposuit.
Omnēs hostēs sanguinem petīvērunt.
Senex gladiātor mīlitem vīcit.
Senex fēmina arma abdūxit.
Senex corpus populum agitāvit.
Sollers ōrātor pācem fēcit.

11. Ā sollertī agricolā ager incultus est.	Sollers agricola agrum incoluit.
12. Ā sollertī uxōre domicilium cūrātum est.	Sollers uxor domicilium cūrāvit.
13. Sollertī imperiō Rōma rēgnāta est.	Sollers imperium Rōmam rēgnāvit.
14. Ā mīlitārī virō cōnsul doctus est.	Mīlitāris vir cōnsulem docuit.
15. Ā mīlitāribus virīs cōnsul doctus est.	Mīlitārēs virī cōnsulem docuērunt.
16. Omnī vāllō arx servāta est.	Omne vāllum arcem servāvit.
17. Omnibus vāllīs arx servāta est.	Omnia vālla arcem servāvērunt.
18. Ā cīvīlī cīvīlis amātus est.	Cīvīlis cīvīlem amāvit.
19. Ā cīvīlibus cīvīlēs amātī sunt.	Cīvīlēs cīvīlēs amāvērunt.
20. Ā complūribus fortēs amātī sunt.	Complūrēs fortēs amāvērunt.
21. Ā fortī puellā gēns servāta est.	Fortis puella gentem servāvit.
22. Ā fortibus puellīs gēns servāta est.	Fortēs puellae gentem servāvērunt.
23. Ab ācrī duce bellum gestum est.	Ācer dux bellum gessit.
24. Ab ācribus ducibus bellum gestum est.	Ācrēs ducēs bellum gessērunt.
25. Ā sapientī liber scrīptus est.	Sapiēns librum scrīpsit.

5. Present active infinitive:

Present Active Infinitive			
1	*2*	*3*	*4*
–āre	–ēre	–ere	–īre

1. Recognize the present active infinitive by answering the question **Quid agere potuit?** (*What was he able to do?*)

   A. If someone was able *to love,* what was he able to do?   He was able *to love.*

1. Sī quis amāre potuit, quid agere potuit?	Amāre potuit.
2. Sī quis dare potuit, quid agere potuit?	Dare potuit.
3. Sī quis ambulāre potuit, quid agere potuit?	Ambulāre potuit.
4. Sī quis cūrāre potuit, quid agere potuit?	Cūrāre potuit.
5. Sī quis exspectāre potuit, quid agere potuit?	Exspectāre potuit.

6. Sī quis habēre potuit, quid agere potuit?   Habēre potuit.
7. Sī quis vidēre potuit, quid agere potuit?   Vidēre potuit.
8. Sī quis monēre potuit, quid agere potuit?   Monēre potuit.
9. Sī quis dēlēre potuit, quid agere potuit?   Dēlēre potuit.
10. Sī quis obsidēre potuit, quid agere potuit?   Obsidēre potuit.

11. Sī quī dūcere potuērunt, quid agere potuērunt?   Dūcere potuērunt.
12. Sī quī incolere potuērunt, quid agere potuērunt?   Incolere potuērunt.
13. Sī quī facere potuērunt, quid agere potuērunt?   Facere potuērunt.
14. Sī quī lūdere potuērunt, quid agere potuērunt?   Lūdere potuērunt.
15. Sī quī dīcere potuērunt, quid agere potuērunt?   Dīcere potuērunt.

16. Sī quī pūnīre potuērunt, quid agere potuērunt?   Pūnīre potuērunt.
17. Sī quī venīre potuērunt, quid agere potuērunt?   Venīre potuērunt.
18. Sī quī pervenīre potuērunt, quid agere potuērunt?   Pervenīre potuērunt.
19. Sī quī reperīre potuērunt, quid agere potuērunt?   Reperīre potuērunt.
20. Sī quī intervenīre potuērunt, quid agere potuērunt?   Intervenīre potuērunt.

2. Produce the present active infinitive by answering the question **Quid agere potuit?**

    B. If someone looked, what was he able to do?   He was able *to look*.

21. Sī quis spectāvit, quid agere potuit?   Spectāre potuit.
22. Sī quis laudāvit, quid agere potuit?   Laudāre potuit.
23. Sī quis pugnāvit, quid agere potuit?   Pugnāre potuit.
24. Sī quis portāvit, quid agere potuit?   Portāre potuit.
25. Sī quis triumphāvit, quid agere potuit?   Triumphāre potuit.

26. Sī quī docuērunt, quid agere potuērunt?   Docēre potuērunt.
27. Sī quī monuērunt, quid agere potuērunt?   Monēre potuērunt.
28. Sī quī iussērunt, quid agere potuērunt?   Iubēre potuērunt.
29. Sī quī prohibuērunt, quid agere potuērunt?   Prohibēre potuērunt.
30. Sī quī vīdērunt, quid agere potuērunt?   Vidēre potuērunt.

31. Sī quis pepulit, quid agere potuit?   Pellere potuit.
32. Sī quis reposuit, quid agere potuit?   Repōnere potuit.
33. Sī quis recēpit, quid agere potuit?   Recipere potuit.
34. Sī quis abdūxit, quid agere potuit?   Abdūcere potuit.
35. Sī quis petīvit, quid agere potuit?   Petere potuit.

36. Sī quī pūnīvērunt, quid agere potuērunt?   Pūnīre potuērunt.
37. Sī quī reperērunt, quid agere potuērunt?   Reperīre potuērunt.
38. Sī quī vēnērunt, quid agere potuērunt?   Venīre potuērunt.
39. Sī quī pervēnērunt, quid agere potuērunt?   Pervenīre potuērunt.
40. Sī quī intervēnērunt, quid agere potuērunt?   Intervenīre potuērunt.

6. Present passive infinitive:

	Present Passive Infinitive		
1	*2*	*3*	*4*
−ārī	−ērī	−ī	−īrī

1. Recognize the present passive infinitive by answering the question **Quid agī potuit?** (*What could be done?*)

    A. If someone could *be loved*, what could be done?   He could *be loved*.

    1. Sī quis amārī potuit, quid agī potuit?   Amārī potuit.
    2. Sī quid darī potuit, quid agī potuit?   Darī potuit.
    3. Sī quis cūrārī potuit, quid agī potuit?   Cūrārī potuit.
    4. Sī quis exspectārī potuit, quid agī potuit?   Exspectārī potuit.
    5. Sī quis laudārī potuit, quid agī potuit?   Laudārī potuit.

    6. Sī quid habērī potuit, quid agī potuit?   Habērī potuit.
    7. Sī quis vidērī potuit, quid agī potuit?   Vidērī potuit.
    8. Sī quis monērī potuit, quid agī potuit?   Monērī potuit.
    9. Sī quid dēlērī potuit, quid agī potuit?   Dēlērī potuit.
  10. Sī quis obsidērī potuit, quid agī potuit?   Obsidērī potuit.

  11. Sī quī dūcī potuērunt, quid agī potuit?   Dīcī potuērunt.
  12. Sī quae incolī potuērunt, quid agī potuit?   Incolī potuērunt.
  13. Sī quī capī potuērunt, quid agī potuit?   Capī potuērunt.
  14. Sī quae dīcī potuērunt, quid agī potuit?   Dūcī potuērunt.
  15. Sī quae claudī potuērunt, quid agī potuit?   Claudī potuērunt.

  16. Sī quī pūnīrī potuērunt, quid agī potuit?   Pūnīrī potuērunt.
  17. Sī quī reperīrī potuērunt, quid agī potuit?   Reperīrī potuērunt.

2. Produce the present passive infinitive by answering the question **Quid agī potuit?** (*What could be done?*)

    B. If something was seen, what could be done?   It could *be seen*.

  18. Sī quid spectātum est, quid agī potuit?   Spectārī potuit.
  19. Sī quis laudātus est, quid agī potuit?   Laudārī potuit.
  20. Sī quid dēdicātum est, quid agī potuit?   Dēdicārī potuit.
  21. Sī quid portātum est, quid agī potuit?   Portārī potuit.
  22. Sī quid appellātum est, quid agī potuit?   Appellārī potuit.

23. Sī quī doctī sunt, quid agī potuit?   Docērī potuērunt.
24. Sī quī monitī sunt, quid agī potuit?   Monērī potuērunt.
25. Sī quī iussī sunt, quid agī potuit?   Iubērī potuērunt.
26. Sī quī prohibitī sunt, quid agī potuit?   Prohibērī potuērunt.
27. Sī quī vīsī sunt, quid agī potuit?   Vidērī potuērunt.

28. Sī quid pulsum est, quid agī potuit?   Pellī potuit.
29. Sī quid repositum est, quid agī potuit?   Repōnī potuit.
30. Sī quid receptum est, quid agī potuit?   Recipī potuit.
31. Sī quid abductum est, quid agī potuit?   Abdūcī potuit.
32. Sī quid petītum est, quid agī potuit?   Petī potuit.

33. Sī quī pūnītī sunt, quid agī potuit?   Pūnīrī potuērunt.
34. Sī quī repertī sunt, quid agī potuit?   Reperīrī potuērunt.

7. Present infinitives:

	Present Infinitive			
	1	*2*	*3*	*4*
Active	–āre	–ēre	–ere	–īre
Passive	–ārī	–ērī	–ī	–īrī

Produce the infinitive by expanding the sentence with the given verb.

seemed

A. Cato triumphed over Spain.   Cato *seemed to triumph* over Spain.
B. Peace was expected by all the people.   Peace *seemed to be expected* by all the people.

vīsus, –a, –um est

1. Catō dē Hispāniā triumphāvit.   Catō dē Hispāniā triumphāre vīsus est.
2. Pāx ab omnī populō exspectāta est.   Pāx ab omnī populō exspectārī vīsa est.
3. Poēta puerōs saepe ēducāvit.   Poēta puerōs saepe ēducāre vīsus est.
4. Cōnsul librōs Orīginēs appellāvit.   Cōnsul librōs Orīginēs appellāre vīsus est.
5. Crūdēlitās ā gladiātōre mōnstrāta est.   Crūdēlitās ā gladiātōre mōnstrārī vīsa est.
6. Vāllum ā mīlitibus posteā parātum est.   Vāllum ā mīlitibus posteā parārī vīsum est.
7. Gladiātōrēs Campāniam dēlēvērunt.   Gladiātōrēs Campāniam dēlēre vīsī sunt.
8. Cōnsulēs oppidum obsēdērunt.   Cōnsulēs oppidum obsidēre vīsī sunt.

9. Incolae domicilia habuērunt.

10. Puerī ā magistrō doctī sunt.

11. Fēminae ā lupā prohibitae sunt.

12. Ducēs auguriō monitī sunt.

Incolae domicilia habēre vīsī sunt.

Puerī ā magistrō docērī vīsī sunt.

Fēminae ā lupā prohibērī vīsae sunt.

Ducēs auguriō monērī vīsī sunt.

incēpit

13. Ōrātor in ōrātiōne dīxit.

14. Mīles obsidem interfēcit.

15. Cōnsul victimās occīdit.

16. Pāx ā populīs petīta est.

17. Victima in ārā posita est.

18. Hostis ab arce pulsus est.

19. Mīlitēs prō crūdēlitāte pūnīvērunt.

20. Pāstōrēs geminōs reperērunt.

21. Poētae sapientēs intervēnērunt.

22. Obsidēs ā duce pūnītī sunt.

23. Īnscrīptiōnēs in portā repertī
sunt.

24. Servī ā virō pūnītī sunt.

Ōrātor in ōrātiōne dīcere incēpit.

Mīles obsidem interficere incēpit.

Cōnsul victimās occīdere incēpit.

Pāx ā populīs petī incēpit.

Victima in ārā pōnī incēpit.

Hostis ab arce pellī incēpit.

Mīlitēs prō crūdēlitāte pūnīre incēpērunt.

Pāstōrēs geminōs reperīre incēpērunt.

Poētae sapientēs intervenīre incēpērunt.

Obsidēs ā duce pūnīrī incēpērunt.

Īnscrīptiōnēs in portā reperīrī incēpērunt.

Servī ā virō pūnīrī incēpērunt.

amāvit

25. Gladiātōrēs cum victimīs pugnāvērunt.

26. Patrēs cōpiās mōnstrāvērunt.

27. Pāstōrēs montem occupāvērunt.

28. Iuvenēs in aquam iactātī sunt.

29. Rōmānī librīs ēducātī sunt.

30. Mīlitēs fortēs vocātī sunt.

31. Agricola aquam portāvit.

32. M. Catō poētās abdūxit.

33. Dux mīlitēs appellāvit.

34. Rēx nōn victus est.

35. Magister ā puerīs salūtātus est.

Gladiātōrēs cum victimīs pugnāre
amāvērunt.

Patrēs cōpiās mōnstrāre amāvērunt.

Pāstōrēs montem occupāre amāvērunt.

Iuvenēs in aquam iactārī amāvērunt.

Rōmānī librīs ēducārī amāvērunt.

Mīlitēs fortēs vocārī amāvērunt.

Agricola aquam portāre amāvit.

M. Catō poētās abdūcere amāvit.

Dux mīlitēs appellāre amāvit.

Rēx vincī nōn amāvit.

Magister ā puerīs salūtārī amāvit.

potuit

36. Possessor montēs fīdit.

37. Uxōrēs virōs nōn prohibuērunt.

38. Trōiānus Trōiam nōn servāvit.

39. Verba rēgnum nōn restituērunt.

40. Urbs nōn incēnsa est.

Possessor montēs vidēre potuit.

Uxōrēs virōs prohibēre nōn potuērunt.

Trōiānus Trōiam servāre nōn potuit.

Verba rēgnum restituere nōn potuērunt.

Urbs incendī nōn potuit.

CONVERSIŌ

1. The Greeks were able to conquer Troy.
2. When all the farmers were restored, the old men destroyed (their) arms.
3. The expelled king began to wage war against (his) native land.
4. The distinguished poet wrote a pleasing book about Roman history.
5. Wise deeds were not prevented by civil war.
6. Formerly, skilled leaders were able to triumph.
7. (There) were many inscriptions and books about famous Romans.
8. The troops were not able to find water.
9. The gods could not be ordered.
10. The fierce hostage, brought back from the province, was not killed.
11. By (their) military deeds the soldiers restored the old men.
12. The youth liked to look at the burned towns.
13. The wise victor began to receive the defeated tribes.
14. Marius ordered the hostages to be led to the city.
15. Fierce fights could be prevented by the military tribune.

NĀRRĀTIŌ

ĪNSCRĪPTIŌNĒS DĒ ILLŪSTRIBUS RŌMĀNĪS

Aenēās Trōiānōs quī captā Trōiā et incēnsā fūgērunt in Italiam dūxit. Oppidum Lāvīnium condidit. Rēgnāvit annōs trēs; appellātusque Indiges pater et inter deōs receptus est.

Rōmulus urbem Rōmam condidit et rēgnāvit annōs XXXVIII (duodē-quadrāgintā). Prīmus dux, duce hostium Ācrone rēge occīsō, spolia opīma dēdicāvit receptusque inter deōs Quirīnus appellātus est.

Cornēlius Lūcius Scīpiō Barbātus, Gnaeō patre nātus, fortis vir sapiēnsque, cōnsul, cēnsor fuit. Vīcit omnem Lūcāniam obsidēsque abdūxit.

Appius Claudius Caecus, cēnsor, cōnsul II (bis). Complūra oppida dē Samnītibus cēpit; Sabīnos et Tuscōs vīcit; pācem fierī cum Pyrrhō rēge prohibuit. Cēnsor viam Appiam aedificāvit et aquam in urbem dūxit.

---

quī: *who,* with antecedent Trōiānōs.
trēs: *three.*
hostium: *of the enemy.*

spolia opīma: *spoils of honor,* taken from the enemy's general when killed by the Roman

leader himself.
II (bis): *twice.*
fierī: *from being made.*

Gaius Marius cōnsul VII (septiēs). Bellum cum Iugurthā rēge cōnsul gessit. Iugurtham cēpit et, ubi triumphāvit, ante currum dūcī iussit. Cimbricās et Teutonicās cōpiās dēlēvit. Post LXX (septuāgēsimum) annum ē patriā per arma cīvīlia expulsus, armīs restitūtus, VII (septimum) cōnsul factus est.

—Taken from *Corpus Inscrīptiōnum Latīnārum.*

VII (septiēs): *seven times.*   **LXX (septuāgēsimum):**   **VII (septimum):** *for the*
currum: *his chariot.*   *seventieth.*   *seventh time.*

Respondē Latīnē:

1. Quis Trōiānōs in Italiam dūxit?
2. Quōs Aenēās dūxit?
3. Quid ēgērunt Trōiānī, ubi Trōia incēnsa est?
4. Quid captum et incēnsum est?
5. Ā quā (*what*) patriā vēnit Aenēās?
6. Quid Aenēās condidit?
7. Quis Indiges pater vocātus est?
8. Inter quōs receptus est Aenēās?

9. Ā quō urbs Rōma condita est?
10. Quis fuit rēx Ācron?
11. Interfēcitne Rōmulus rēgem Ācronem?
12. Quis appellātus est Quirīnus?

13. Quālis vir fuit Cornēlius Scīpiō?
14. Quid victum est ā Scīpiōne?

15. Fuitne Appius Claudius cēnsor et cōnsul?
16. Dē quibus capta sunt complūra oppida ab Appiō?
17. Quōcum pācem fierī Appius prohibuit?
18. Quid ab Appiō aedificātum est?

19. Quid ēgit Marius cum Iugurthā rēge?
20. Quis captus est ā Mariō?
21. Quid Marius agī iussit?
22. Per quālia arma expulsus est Marius?
23. Quibus auxiliīs Marius restitūtus est?

EPITOMA

1. Third declension adjectives:

	SINGULAR			PLURAL	
	M, F	*N*		*M, F*	*N*
Nom.	fort–is	fort–e		fort–ēs	fort–ia
Acc.	fort–em	fort–e		fort–ēs	fort–ia
Abl.	fort–ī	fort–ī		fort–ibus	fort–ibus

2. Present infinitives:

	1	*2*	*3*	*3 –iō*	*4*
Active	vocāre	monēre	dūcere	capere	pūnīre
Passive	vocārī	monērī	dūcī	capī	pūnīrī

INDEX VERBŌRUM

abdūcere, abdūxī, abductus (3) — lead away, bring back

ācer, ācris, ācre — fierce, sharp, shrewd

agricola, agricolae, m.[5] — farmer

anteā — previously, earlier, before

appellāre, appellāvī, appellātus (1) — name, call, address

aqua, aquae, f. — water, aqueduct

arma, armōrum, n. pl. — weapons, arms

cīvīlis, cīvīle — civil

complūrēs, complūra[6] — several, many

deus, deī, m. — god

dux, ducis, m. — leader, general, guide

fortis, forte — brave, strong

gerere, gessī, gestus (3) — wage, carry on, bear, wear

historia, historiae, f. — history

illūstris, illūstre — distinguished, outstanding, famous

incipere, incēpī, inceptus (3 –iō) — begin

īnscrīptiō, īnscrīptiōnis, f. — inscription

iubēre, iussī, iussus (2) — order, command

liber, librī, m. — book

mīlitāris, mīlitāre — military

obses, obsidis, c. — hostage

omnis, omne — all, every

patria, patriae, f. — native land, country

poēta, poētae, m.[5] — poet

posse, potuī, —— (irregular) — be able, can

probābilis, probābile — acceptable, pleasing

prohibēre, prohibuī, prohibitus (2) — prohibit, prevent

prōvincia, prōvinciae, f. — province

recipere, recēpī, receptus (3 –iō) — take back, receive

restituere, restituī, restitūtus (3) — restore

sapiēns, gen., sapientis — wise

senex, gen., senis — old

sollers, gen., sollertis — skilled, expert

tribūnus, tribūnī, m. — tribune

triumphāre, triumphāvī, triumphātūrus (1) — have a triumph, triumph

---

[5] Note the masculine gender of these first declension words.

[6] This adjective does not have –ia in the nominative and accusative plural neuter.

THE CITY

Some fifteen miles inland from the sea and clustered about the east bank of the meandering yellow Tiber river lay a group of seven small hills, on and around and between which the mightiest and grandest of ancient cities grew. These were the famous seven hills of Rome.

The Palatine, first hill to be inhabited, was settled by shepherds who worshiped the goddess Pales, whence the name. Archeology dates this around 1000 B.C. The Romans themselves dated it from 753 B.C., going so far as to make April 21 the exact day. By legend Romulus was the founder. Through time this was always the foremost of the hills. Here the rich built their *palatial* homes overlooking the business districts below. And here the emperors later lived, making it the hub of their imperial government.

As the other hills were gradually settled by different tribes, the people found the valley between the Palatine and a hill to the northwest, the Capitoline, a convenient place for raising crops, grazing animals, and bartering goods. This region, central to most of the hills, was destined to be the illustrious and beautiful Forum Romanum of later days — the heart

The Roman Forum today and the Palatine hill overlooking it. Compare the size of the buildings to the people walking on the Via Sacra.

The Pons Fabricius (62 B.C.) crosses the Tiber to the island formerly dedicated to Aesculapius, the god of medicine.

of all business, commerce, and government not only of the city itself but of the entire Mediterranean world.

The Capitoline hill was so called from the temple to Jupiter, named the Capitolium, the head (**caput**) or principal shrine of Rome since Jupiter was the chief Roman deity. The whole hill was the defensive stronghold or citadel of Rome, the Arx. Opposite and north of the temple of Jupiter was a beautiful but smaller one to Juno, wife of the main god of Rome.

The other hills to the north, east, and south — the Aventine, Caelian, Esquiline, Viminal, and Quirinal — were the living quarters of the populace.

The City (for citizens usually referred to Rome merely as **Urbs**) was at its height early in the second century after Christ in the reign of the Emperor Hadrian (117–138), when the empire had reached its greatest extent. No longer was the City contained within the limits of the seven hills. It had spilled over, on the north, to the Pincian with its beautiful gardens, and, on the west across the river, to the Janiculum (at 300 feet the highest point in the City) and to the Vatican, once a cemetery ground.

In architecture, Rome surpassed even white-pillared Athens. Marble — white, green, blue, yellow, gray, reddish-orange — was seen at every turn, in the lofty temples, in the huge public buildings (basilicas), in the public baths, in the theaters and stadia, in the thousands of statues, the public

The column of Trajan depicts this emperor's victories over the Dacians in present day Rumania.
The inset shows a close-up of part of the relief
carving which extends over the entire column.

parks, gardens, roads, and walks. It was seen in the triumphal arches, in
the magnificent mansions on the Palatine, in the bridges across the Tiber,
even in the tombs built aside the many good roads leading to the City.
Marble was everywhere! It was even in private homes. The original village
of mud huts, later of brick (to the time of Cicero), had now turned to a
resplendent, gleaming marble in its walls, columns, domes, arches, and
statuary.

Each of the early emperors tried to leave some great memorial of
himself. The old Forum Romanum with its Sacred Way, Senate House,
simple temples, rostra or platform for speakers, was now being outdone by
new forums — those of Julius Caesar, of Caesar Augustus, of Trajan, and
of Nerva — with greater basilicas and temples. Titus had built his triumphal
arch to commemorate his total victory over the rebellious Jews. There was
the huge oval amphitheater of the Flavians — the Colosseum — which would

hold over 50,000 spectators. Trajan had erected a great column, spiraling some 128 feet high, to record his military exploits over the Dacians. Hadrian himself had just completed the imposing and opulent temple of Venus and Roma. Later ages would see only a few notable additions, such as the arches of Constantine and of Septimius Severus, and the basilica of Constantine.

All this splendor did have some drawbacks, however. Even though all roads led to Rome, as the saying went, streets inside the city were normally narrow and congested. Julius Caesar forbade wheeled traffic inside the walls between sunrise and sunset. The four- and five-storied apartment buildings of the lower classes were architecturally ugly and unsound; many crashed to the pavement below. Average people found it better to live in the streets where there was a continuous stream of citizens, slaves, freedmen, and foreigners. Some spent their time down in the forum, looking for choice tidbits of gossip and scandal; others waited in the public breadlines. Most would be found later in the day, relaxing at the public baths or cheering a racing charioteer at the Circus Maximus or jeering at a sweating gladiator in the Colosseum.

Water was piped in by means of aqueducts, the most famous of which was that erected in 312 B.C. by Appius Claudius, who also built the Appian Way. There were over 700 public pools and 500 public fountains to serve the needs of the people and add to the beauty of the City.

Rome was truly a place of majesty and grandeur, although at times of confusion. After the barbarians invaded southern Europe and all of Italy, the city itself became somewhat deserted. Fires, earthquakes, attacks, vandalism, and lack of care stripped it of some of its former splendor. But even in the Middle Ages men were still admiring its ruins. Today the ancient and the new stand side by side in testimony and reverence to the past and in hope for the future.

LECTIŌ OCTĀVA
(VIII)

FĀBULA

About the Wonders of Rome

The story about the wonders of the city of Rome begins. The city of Rome is in two parts because the Tiber river runs through the middle of the city. The beautiful Tiber, the king of rivers, runs from the Apennine mountain range to the sea and ships go from Ostia to Rome, the capital of the world.

In the city there are several buildings and structures different from all the (other) buildings in the world. And there are ruins within the inhabited part of Rome and palaces of kings or generals from the reign of Tarquin up to the reign of Pepin, father of Charlemagne, are found there.

Romulus left the city with three gates, as Pliny says. In the time of Pliny the gates numbered 37; now there are 13. The Salarian gate has two roads: the old Salarian road leads to the Mulvian bridge and the new one goes to the Salarian bridge. The Salarian road, also the bridge and gate, was named because along the road the Sabines brought salt back from the sea.

The Capena gate is named because through it was the way to the city of Capena. It was also called Trigemina because there the leader Horatius car-

Dē Mīrābilibus Rōmae

Incipit nārrātiō dē mīrābilibus urbis Rōmae. Est bipartīta* urbs Rōma quod Tiberis flūmen per mediam urbem currit. Flūminum rēx pulcher Tiberis ex monte Appennīnō ad mare currit et nāvēs dē Ōstiā ad caput orbis terrārum Rōmam prōcēdunt.

In urbe complūra aedificia et opera sunt ab omnibus in orbe terrārum aedificiīs dīversa. Atque inter partem habitātam Rōmae ruīnae sunt ibique palātia reperiuntur rēgum vel imperātōrum ā Tarquiniī rēgnō usque ad rēgnum Pepinī, patris Carolī.

Urbem cum tribus portīs Rōmulus relīquit, ut Plīnius dīcit. Tempore Plīniī fuērunt portae numerō XXXVII (trīgintā septem); nunc XIII (tredecim) sunt. Porta Salāria habet duās viās: Salāria antīqua ad pontem Mulvium dūcit et nova prōcēdit ad pontem Salārium. Via Salāria, quoque pōns et porta, est appellāta quod per viam Sabīnī sal* ā marī abdūxērunt.

Porta Capēna dīcitur quod per eam* fuit via ad cīvitātem Capēnam; quoque dicta est Trigemina quod ibi imperātor Horātius spolia trigemina*

A portal of the Arch of Septimius Severus (A.D. 203) frames the Forum. One of the worst emperors, Septimius ruled from 193–211.

ried the spoils of the triplets and killed his sister because she wept over the spoils of the enemy.

portāvit et, quod spolia hostis flēvit, sorōrem occīdit.[1]

The Appian gate is named from Appius Claudius the censor or from the flowing of the waters there from the nearby mountains. Appius was the first to bring aqueducts into the city.

Porta Appia dīcitur ab Appiō Claudiō cēnsōre* vel affluentiā* aquārum ibi ex montibus fīnitimīs. Aquās Appius prīmus dūxit in urbem.

— Adapted from *Mīrābilia Rōmae,* a collection of medieval guidebooks of interesting but not always accurate stories about Rome and the Romans.

GRAMMATICA

1. Present tense:

The present tense of the verb — *he calls, he is calling, he does call* — is formed in Latin by adding the personal endings to the present stem. The personal endings for the third person are:

---

[1] In the reign of Tullus Hostilius, the third king of Rome (672–640 B.C.), war with the Albans was decided by the single combat of two sets of triplet brothers, the Roman Horātiī and the Alban Curiātiī. All were killed except the one victorious Horātius. As he returned to the city, his sister recognized him wearing the cloak of one of the Curiātiī brothers to whom she was engaged to be married. Upon realizing that her beloved was dead, she loosed her hair and with tears called out her dead lover's name. Horātius was so enraged that he killed her on the spot.

	Active		Passive
he, she, it	−t		−tur
they		−nt	−ntur

Active

	1	2	3	3 (−iō)	4
he, she, it	vocat	monet	dūcit	capit	pūnit
they	vocant	monent	dūcunt	capiunt	pūniunt

Passive

	1	2	3	3 (−iō)	4
he, she, it	vocātur	monētur	dūcitur	capitur	pūnītur
they	vocantur	monentur	dūcuntur	capiuntur	pūniuntur

In the first and second conjugations the forms are regular. In the *third* conjugation the −e− of the present stem (**dūce**) becomes −i− (**dūcit**); in the third person plural, however, the −i− becomes −u− (**dūcunt**). In the *fourth* (and 3 −iō) conjugation −u− is added to −i− in the third person plural (**pūniunt**). All vowels are short before −t, −nt, −ntur.

2. Genitive case of nouns:

The genitive case expresses the ideas indicated by the English possessive case and by most prepositional phrases with *of* — the *boy's* book, the house *of the poet,* in the number *of the gods.* The endings of the genitive case in Latin are:

I — F		II — M, N		III — M, F, N	
SING.	PL.	SING.	PL.	SING.	PL.
−ae	−ārum	−ī	−ōrum	−is	−(i)um
viae	viārum	amīcī	amīcōrum	mātris	mātrum
		bellī	bellōrum	flūminis	flūminum

Note: The genitive singular is the second noun form given in the vocabulary. The English phrases given above are translated as follows:

> the *boy's* book — liber **puerī**
> the house *of the poet* — domicilium **poētae**
> in the number *of the gods* — in **deōrum** numerō

3. I-stem nouns:

Some third declension nouns are **i**-stem. Nouns of this group all have −**ium** in the genitive plural. Neuter **i**-stem nouns have, in addition, −**ī** in the ablative singular and −**ia** in the nominative and accusative plural.

Masculine and feminine nouns are i-stem if they have either of the following:

1. the same number of syllables in the nominative and genitive singular — **nāvis, nāvis.**
    Exceptions: **iuvenis, canis** (*dog*).

2. two consonants before the genitive singular ending — **gēns, gentis.**
    Exceptions: **māter, pater, frāter.**

Neuter nouns are i-stem if they have the nominative singular ending in **–e, –al,** or **–ar (mare).**

Nouns already studied which are i-stem are **arx, fōns, gēns, hostis, mōns, pars, urbs.** In this lesson they are **mare, nāvis, orbis, pōns.** The i-stem forms of these nouns are:

Genitive plural — **arcium, fontium, gentium, hostium, marium** (seldom used), **montium, nāvium, orbium, partium, pontium.**

Ablative singular — **marī.**

Nominative and accusative plural — **maria.**

4. Genitive of adjectives:

First and second declension adjectives have the same genitive endings as first and second declension nouns. Third declension adjectives have the same genitive endings as i-stem nouns of the third declension.

I — F		II — M, N		III — M, F, N	
SING.	PL.	SING.	PL.	SING.	PL.
bonae	bonārum	bonī	bonōrum	fortis	fortium

Note: Third declension adjectives have i-stem endings in all cases. In the ablative singular **–ī** is ordinarily used for all genders.

5. Genitive of interrogatives:

The genitive forms of the interrogative pronoun (*whose? of whom? of what?*) are:

	M — F — N		M — N	F
Singular	**cuius**	*Plural*	**quōrum**	**quārum**

6. The expletive "there":

The word *there* in English can have two meanings. One use has already been seen in the meaning of **ibi** — *there, in that place.* A second use is seen in the sentence *There are several buildings in the city.* This latter use of *there* does not mean *in that place* but is used only to begin or introduce the sentence. It is called an expletive or filler.

Latin has no word for the expletive *there.* The sentence *There are several buildings in the city* is translated: **Sunt complūra aedificia in urbe.**

EXERCITIA

1. Contrast of the perfect and the present tenses:

		Present Tense				
		1	*2*	*3*	*3(–iō)*	*4*
Act.	*he*	–at	–et	–it	–it	–it
	they	–ant	–ent	–unt	–iunt	–iunt
Pass.	*he*	–ātur	–ētur	–itur	–itur	–ītur
	they	–antur	–entur	–untur	–iuntur	–iuntur

Recognize the present tense with **nunc** (*now*).
Recognize the perfect tense with **herī** (*yesterday*).

A. The king *lays waste* the city.   *Now* he *lays waste.*
B. The king *laid waste* the city.   *Yesterday* he *laid waste.*

1. Urbem rēx dēsōlat.   Nunc dēsōlat.
2. Urbem rēx dēsōlāvit.   Herī dēsōlāvit.
3. Catō dē Hispāniā triumphat.   Nunc triumphat.
4. Catō dē Hispāniā triumphāvit.   Herī triumphāvit.
5. Cōnsul multās nāvēs ōrnāvit.   Herī ōrnāvit.
6. Cōnsul multās nāvēs ōrnat.   Nunc ōrnat.
7. Via Salāria appellātur.   Nunc appellātur.
8. Via Salāria appellāta est.   Herī appellāta est.
9. Custōs ad pontem Mulvium servātur.   Nunc servātur.
10. Custōs ad pontem Mulvium servātus est. Herī servātus est.

11. Fēmina dē nārrātiōne flēvit.   Herī flēvit.
12. Fēmina dē nārrātiōne flet.   Nunc flet.
13. Servus ā custōde docētur.   Nunc docētur.
14. Servus ā custōde doctus est.   Herī doctus est.

15. Puerī in flūmine sēdērunt.　　　　　　Herī sēdērunt.
16. Puerī in flūmine sedent.　　　　　　　Nunc sedent.
17. Pāstōrēs in silvā monentur.　　　　　Nunc monentur.
18. Pāstōrēs in silvā monitī sunt.　　　　Herī monitī sunt.
19. Rōma antīqua vīsa est.　　　　　　　Herī vīsa est.
20. Rōma antīqua vidētur.　　　　　　　Nunc vidētur.

21. Flūmen Tiberis ad mare currit.　　　Nunc currit.
22. Flūmen Tiberis ad mare cucurrit.　　Herī cucurrit.
23. Arx bellīs ēvertitur.　　　　　　　　Nunc ēvertitur.
24. Arx bellīs ēversa est.　　　　　　　　Herī ēversa est.
25. Victor hostem vīcit.　　　　　　　　Herī vīcit.
26. Victor hostem vincit.　　　　　　　　Nunc vincit.
27. Bella ā gentibus gesta sunt.　　　　Herī gesta sunt.
28. Bella ā gentibus geruntur.　　　　　Nunc geruntur.
29. Mare flūmina recipit.　　　　　　　Nunc recipit.
30. Mare flūmina recēpit.　　　　　　　Herī recēpit.

31. Ā pāstōre geminī reperiuntur.　　　Nunc reperiuntur.
32. Ā pāstōre geminī repertī sunt.　　　Herī repertī sunt.
33. Servus pūnītus est ā custōde.　　　Herī pūnītus est.
34. Servus pūnītur ā custōde.　　　　　Nunc pūnītur.
35. Uxōrēs prō virīs intervēnērunt.　　Herī intervēnērunt.
36. Uxōrēs prō virīs interveniunt.　　　Nunc interveniunt.
37. Agricola ad oppidum pervēnit.　　　Herī pervēnit.
38. Agricola ad oppidum pervenit.　　　Nunc pervenit.
39. Hostēs ad portam veniunt.　　　　　Nunc veniunt.
40. Hostēs ad portam vēnērunt.　　　　Herī vēnērunt.

2. Present active tense:

	Present Active				
	1	*2*	*3*	*3(–iō)*	*4*
he	–at	–et	–it	–it	–it
they	–ant	–ent	–unt	–iunt	–iunt

1. Recognize the present active tense by changing it to the infinitive with **incipit** or **incipiunt** (*begin*):

A. Cato *praises* the poet.　　　　　Cato *begins to praise* the poet.

1. Catō poētam laudat.　　　　　　Catō poētam incipit laudāre.
2. Hostis agrōs dēsōlat.　　　　　　Hostis agrōs incipit dēsōlāre.
3. Fēmina palātium ōrnat.　　　　　Fēmina palātium incipit ōrnāre.

4. Ducēs dē hostibus triumphant.	Ducēs dē hostibus incipiunt triumphāre.
5. Rēgēs mīlitēs appellant.	Rēgēs mīlitēs incipiunt appellāre.
6. Victōrēs ārās dēdicant.	Victōrēs ārās incipiunt dēdicāre.
7. Deus Iānus annum praevidet.	Deus Iānus annum incipit praevidēre.
8. Statua in templō sedet.	Statua in templō incipit sedēre.
9. Soror ruīnās flet.	Soror ruīnās incipit flēre.
10. Nāvēs bellum prohibent.	Nāvēs bellum incipiunt prohibēre.
11. Ducēs mīlitēs iubent.	Ducēs mīlitēs incipiunt iubēre.
12. Rōmānī oppidum obsident.	Rōmānī oppidum incipiunt obsidēre.
13. Imperātor cōpiās dūcit.	Imperātor cōpiās incipit dūcere.
14. Puer in viā currit.	Puer in viā incipit currere.
15. Cōnsul ruīnās ēvertit.	Cōnsul ruīnās incipit ēvertere.
16. Poētae nārrātiōnem restituunt.	Poētae nārrātiōnem incipiunt restituere.
17. Magistrī multa dōna recipiunt.	Magistrī multa dōna incipiunt recipere.
18. Victōrēs semper vincunt.	Victōrēs semper incipiunt vincere.
19. In ruīnā statuās reperit.	In ruīnā statuās incipit reperīre.
20. Māter prō fīliō intervenit.	Māter prō fīliō incipit intervenīre.
21. Agricolae ad urbem veniunt.	Agricolae ad urbem incipiunt venīre.
22. Ducēs custōdēs pūniunt.	Ducēs custōdēs incipiunt pūnīre.

2. Produce the present active tense from the infinitive by dropping **potest** or **possunt** (*able*):

B. The consul is *able to outfit* the ships.	The consul *outfits* the ships.

23. Cōnsul nāvēs potest ōrnāre.	Cōnsul nāvēs ōrnat.
24. Imperātor terram potest dēsōlāre.	Imperātor terram dēsōlat.
25. Gēns portam Salāriam potest appellāre.	Gēns portam Salāriam appellat.
26. Mātrēs cibum possunt dare.	Mātrēs cibum dant.
27. Rōmānī templa possunt aedificāre.	Rōmānī templa aedificant.
28. Rēx in aureō palātiō potest sedēre.	Rēx in aureō palātiō sedet.
29. Custōs perīcula potest praevidēre.	Custōs perīcula praevidet.
30. Deus populum potest iubēre.	Deus populum iubet.
31. Fēminae dē bellō possunt flēre.	Fēminae dē bellō flent.
32. Cōnsulēs in forō ōrātiōnēs possunt habēre.	Cōnsulēs in forō ōrātiōnēs habent.
33. Flūmen ex monte potest currere.	Flūmen ex monte currit.
34. Hostis statuās ēvertere potest.	Hostis statuās ēvertit.
35. Custōs pontem potest restituere.	Custōs pontem restituit.

36. Gentēs bellum possunt gerere.   Gentēs bellum gerunt.
37. Imperātōrēs servōs possunt ab-   Imperātōrēs servōs abdūcunt.
    dūcere.

38. Templum dōna potest recipere.   Templum dōna recipit.
39. Imperātor palātium potest in-   Imperātor palātium incipit.
    cipere.
40. Victima ab hoste potest fugere.   Victima ab hoste fugit.
41. Mātrēs pācem possunt facere.   Mātrēs pācem faciunt.
42. Gladiātōrēs servōs possunt in-   Gladiātōrēs servōs interficiunt.
    terficere.

43. Vir nārrātiōnēs potest reperīre.   Vir nārrātiōnēs reperit.
44. Populus prō servō potest inter-   Populus prō servō intervenit.
    venīre.
45. Mīlitēs ad urbem possunt per-   Mīlitēs ad urbem perveniunt.
    venīre.
46. Magistrī puerōs possunt pūnīre.   Magistrī puerōs pūniunt.
47. Hostis ad pontem potest venīre.   Hostis ad pontem venit.

3. Present passive tense:

	1	*2*	*3*	*3(–iō)*	*4*
Present Passive					
he	–ātur	–ētur	–itur	–itur	–ītur
they	–antur	–entur	–untur	–iuntur	–iuntur

1. Recognize the present passive tense by changing it to the passive infinitive
   with **incipit** or **incipiunt**:

   A. The king *is praised* by the   The king *begins to be praised* by the people.
      people.

1. Rēx ā populō laudātur.   Rēx ā populō incipit laudārī.
2. Rēgēs ā populō laudantur.   Rēgēs ā populō incipiunt laudārī.
3. Terra bellō dēsōlātur.   Terra bellō incipit dēsōlārī.
4. Fēminae dōnīs ōrnantur.   Fēminae dōnīs incipiunt ōrnārī.
5. Puella pulchra appellātur.   Puella pulchra incipit appellārī.
6. Fīliae ā patre portantur.   Fīliae ā patre incipiunt portārī.

7. Bonus puer docētur.   Bonus puer incipit docērī.
8. Urbēs obsidentur.   Urbēs incipiunt obsidērī.
9. Gladiātōrēs monentur.   Gladiātōrēs incipiunt monērī.
10. Mīlitēs prohibentur.   Mīlitēs incipiunt prohibērī.

11. Omnis statua vidētur.   Omnis statua incipit vidērī.
12. Bonus mīles iubētur.   Bonus mīles incipit iubērī.

13. Nāvis ēvertitur.   Nāvis incipit ēvertī.
14. Ruīnae restituuntur.   Ruīnae incipiunt restituī.
15. Servus abdūcitur.   Servus incipit abdūcī.
16. Silvae incenduntur.   Silvae incipiunt incendī.
17. Mīles capitur.   Mīles incipit capī.
18. Mīlitēs capiuntur.   Mīlitēs incipiunt capī.

19. Custōs pūnītur.   Custōs incipit pūnīrī.
20. Custōdēs pūniuntur.   Custōdēs incipiunt pūnīrī.
21. Crūdēlitās reperītur.   Crūdēlitās incipit reperīrī.
22. Crūdēlitātēs reperiuntur.   Crūdēlitātēs incipiunt reperīrī.

2. Produce the present passive tense from the infinitive by dropping **potest** or **possunt:**

    B. A slave *is able to be called* by the father.   A slave *is called* by the father.

23. Servus ā patre potest vocārī.   Servus ā patre vocātur.
24. Domicilium ā mātre potest cūrārī.   Domicilium ā mātre cūrātur.
25. Palātia ā populō possunt spectārī.   Palātia ā populō spectantur.
26. Puerī ā magistrō possunt ēducārī.   Puerī ā magistrō ēducantur.
27. Pugna ā mīlitibus potest exspectārī.   Pugna ā mīlitibus exspectātur.
28. Terra et agrī possunt dēsōlārī.   Terra et agrī dēsōlantur.

29. Bellum nōn semper potest praevidērī.   Bellum nōn semper praevidētur.
30. Custōdēs nōn possunt prohibērī.   Custōdēs nōn prohibentur.
31. Omnis urbs potest obsidērī.   Omnis urbs obsidētur.
32. Populī dē pluviā possunt monērī.   Populī dē pluviā monentur.
33. Nāvis in marī potest vidērī.   Nāvis in marī vidētur.
34. Magnae vīllae possunt habērī.   Magnae vīllae habentur.

35. Illūstre rēgnum potest ēvertī.   Illūstre rēgnum ēvertitur.
36. Multae ruīnae possunt restituī.   Multae ruīnae restituuntur.
37. Mīles ab urbe potest exclūdī.   Mīles ab urbe exclūditur.
38. Librī in bibliothēcā possunt pōnī.   Librī in bibliothēcā pōnuntur.
39. Dōnum ab imperātōre potest recipī.   Dōnum ab imperātōre recipitur.
40. Dōna ab imperātōre possunt recipī.   Dōna ab imperātōre recipiuntur.

41. Tōta gēns potest pūnīrī.   Tōta gēns pūnītur.
42. Omnēs populī possunt pūnīrī.   Omnēs populī pūniuntur.
43. Frāter ā pāstōre potest reperīrī.   Frāter ā pāstōre reperītur.
44. Frātrēs ā pāstōre possunt reperīrī.   Frātrēs ā pāstōre reperiuntur.

4. Genitive singular:

	I F	II M, N	III M, F, N
Genitive *Singular*	–ae	–ī	–is

1. Recognize the genitive singular by answering the question **Cuius?** (*Whose? Of what?*):

A. If it is the *girl's* book, whose book is it?

It is the *girl's* book.

1. Sī est puellae liber, cuius liber est?
2. Sī est statuae ruīna, cuius ruīna est?
3. Sī est poētae nārrātiō, cuius nārrātiō est?
4. Sī est terrae historia, cuius historia est?
5. Sī est bibliothēcae custōs, cuius custōs est?
6. Sī est ārae victima, cuius victima est?

Puellae liber est.
Statuae ruīna est.
Poētae nārrātiō est.
Terrae historia est.
Bibliothēcae custōs est.
Ārae victima est.

7. Sī est palātiī possessor, cuius possessor est?
8. Sī est bellī perīculum, cuius perīculum est?
9. Sī est librī īnscrīptiō, cuius īnscrīptiō est?
10. Sī est rēgnī pāx, cuius pāx est?
11. Sī est populī sanguis, cuius sanguis est?
12. Sī est deī templum, cuius templum est?

Palātiī possessor est.
Bellī perīculum est.
Librī īnscrīptiō est.
Rēgnī pāx est.
Populī sanguis est.
Deī templum est.

13. Sī est pontis ruīna, cuius ruīna est?
14. Sī est obsidis crūdēlitās, cuius crūdēlitās est?
15. Sī est cōnsulis prōvincia, cuius prōvincia est?
16. Sī est victōris corpus, cuius corpus est?
17. Sī est gentis nōmen, cuius nōmen est?
18. Sī est ōrātiōnis verbum, cuius verbum est?

Pontis ruīna est.
Obsidis crūdēlitās est.
Cōnsulis prōvincia est.
Victōris corpus est.
Gentis nōmen est.
Ōrātiōnis verbum est.

2. Produce the genitive singular by answering the question **Cuius?** (*Whose? Of what?*):

B. If the daughter has a statue, whose statue is it?

It is the *daughter's* statue.

19. Sī fīlia statuam habet, cuius statua est?
20. Sī bibliothēca librōs habet, cuius librī sunt?
21. Sī poēta librum scrībit, cuius liber est?
22. Sī via portam habet, cuius porta est?
23. Sī puella hortum habet, cuius hortus est?
24. Sī incola casam habet, cuius casa est?

Fīliae statua est.
Bibliothēcae librī sunt.
Poētae liber est.
Viae porta est.
Puellae hortus est.
Incolae casa est.

25. Sī magister verba dīcit, cuius verba sunt?   Magistrī verba sunt.
26. Sī dōnum perīculum portat, cuius perīculum est?   Dōnī perīculum est.
27. Sī palātium ducem habet, cuius dux est?   Palātiī dux est.
28. Sī liber īnscrīptiōnem habet, cuius īnscrīptiō est?   Librī īnscrīptiō est.
29. Sī deus templum habet, cuius templum est?   Deī templum est.
30. Sī rēgnum cōpiās habet, cuius cōpiae sunt?   Rēgnī cōpiae sunt.

31. Sī pōns custōdem habet, cuius custōs est?   Pontis custōs est.
32. Sī mare nōmen habet, cuius nōmen est?   Maris nōmen est.
33. Sī custōs aedificium habet, cuius aedificium est?   Custōdis aedificium est.
34. Sī obses ruīnam capit, cuius ruīna est?   Obsidis ruīna est.
35. Sī nārrātiō verba habet, cuius verba sunt?   Nārrātiōnis verba sunt.
36. Sī nāvis ducem habet, cuius dux est?   Nāvis dux est.

5. Genitive plural:

	I F	II M, N	III M, F, N
Genitive *Plural*	–ārum	–ōrum	–(i)um

1. Recognize the genitive plural by answering **Quōrum?** or **Quārum?** (*Whose? Of what?*):

    A. If it is the ruin *of the villas,* of what is it the ruin?   It is the ruin *of the villas.*

1. Sī est vīllārum ruīna, quārum ruīna est?   Vīllārum ruīna est.
2. Sī est terrārum caput, quārum caput est?   Terrārum caput est.
3. Sī est fēminārum palātium, quārum palātium est?   Fēminārum palātium est.
4. Sī est ruīnārum rēx, quārum rēx est?   Ruīnārum rēx est.
5. Sī est victimārum āra, quārum āra est?   Victimārum āra est.

6. Sī est amīcōrum amīcus, quōrum amīcus est?   Amīcōrum amīcus est.
7. Sī est servōrum magister, quōrum magister est?   Servōrum magister est.
8. Sī est populōrum cōnsul, quōrum cōnsul est?   Populōrum cōnsul est.
9. Sī est oppidōrum arx, quōrum arx est?   Oppidōrum arx est.
10. Sī est bellōrum augurium, quōrum augurium est?   Bellōrum augurium est.

11. Sī est pontium custōs, quōrum custōs est?   Pontium custōs est.
12. Sī est nāvium possessor, quārum possessor est?   Nāvium possessor est.
13. Sī est custōdum custōs, quōrum custōs est?   Custōdum custōs est.
14. Sī est rēgum rēx, quōrum rēx est?   Rēgum rēx est.
15. Sī est nōminum īnscrīptiō, quōrum īnscrīptiō est?   Nōminum īnscrīptiō est.

2. Produce the genitive plural by answering **Quōrum?** or **Quārum?** (*Whose? of what?*):

B. If the ruins have statues, of what are they the statues?

They are the statues *of the ruins.*

16. Sī ruīnae statuās habent, quārum statuae sunt? — Ruīnārum statuae sunt.
17. Sī terrae maria habent, quārum maria sunt? — Terrārum maria sunt.
18. Sī bibliothēcae librōs habent, quārum librī sunt? — Bibliothēcārum librī sunt.
19. Sī prōvinciae incolās habent, quārum incolae sunt? — Prōvinciārum incolae sunt.
20. Sī portae custōdēs habent, quārum custōdēs sunt? — Portārum custōdēs sunt.
21. Sī cōpiae ducem habent, quārum dux est? — Cōpiārum dux est.
22. Sī historiae librum habent, quārum liber est? — Historiārum liber est.
23. Sī poētae nōmina habent, quōrum nōmina sunt? — Poētārum nōmina sunt.
24. Sī silvae lupās habent, quārum lupae sunt? — Silvārum lupae sunt.
25. Sī scholae magistrōs habent, quārum magistrī sunt? — Scholārum magistrī sunt.

26. Sī aedificia possessōrēs habent, quōrum possessōrēs sunt? — Aedificiōrum possessōrēs sunt.
27. Sī deī templa habent, quōrum templa sunt? — Deōrum templa sunt.
28. Sī castra locum habent, quōrum locus est? — Castrōrum locus est.
29. Sī populī rēgem habent, quōrum rēx est? — Populōrum rēx est.
30. Sī bella victōrem habent, quōrum victor est? — Bellōrum victor est.
31. Sī servī nōmina habent, quōrum nōmina sunt? — Servōrum nōmina sunt.
32. Sī verba magistrum habent, quōrum magister est? — Verbōrum magister est.
33. Sī vīcī custōdēs habent, quōrum custōdēs sunt? — Vīcōrum custōdēs sunt.
34. Sī annī historiam habent, quōrum historia est? — Annōrum historia est.
35. Sī oppida portās habent, quōrum portae sunt? — Oppidōrum portae sunt.

36. Sī pontēs nōmina habent, quōrum nōmina sunt? — Pontium nōmina sunt.
37. Sī fontēs aquam habent, quōrum aqua est? — Fontium aqua est.
38. Sī montēs vīcōs habent, quōrum vīcī sunt? — Montium vīcī sunt.
39. Sī nāvēs ducem habent, quārum dux est? — Nāvium dux est.
40. Sī hostēs vāllum faciunt, quōrum vāllum est? — Hostium vāllum est.
41. Sī imperātōrēs palātium habent, quōrum palātium est? — Imperātōrum palātium est.
42. Sī custōdēs arma habent, quōrum arma sunt? — Custōdum arma sunt.
43. Sī ōrātiōnēs verba habent, quārum verba sunt? — Ōrātiōnum verba sunt.
44. Sī flūmina pontēs habent, quōrum pontēs sunt? — Flūminum pontēs sunt.
45. Sī ōrātōrēs ōrātiōnēs habent, quōrum ōrātiōnēs sunt? — Ōrātōrum ōrātiōnēs sunt.

6. Genitive singular and plural:

	Genitive		
	I	**II**	**III**
	F	**M, N**	**M, F, N**
Singular	–ae	–ī	–is
Plural	–ārum	–ōrum	–(i)um

1. Change the genitive singular word to plural; change the genitive plural to singular:

   A. The palace *of the king* was burned.   The palace *of the kings* was burned.

   B. The palace *of the kings* was burned.   The palace *of the king* was burned.

1. Rēgum palātium incēnsum est.	Rēgis palātium incēnsum est.
2. Trōiānī urbs condita est.	Trōiānōrum urbs condita est.
3. Gentium terra dēsōlātur.	Gentis terra dēsōlātur.
4. Amīcī pecūnia capta est.	Amīcōrum pecūnia capta est.
5. Locōrum deī servātī sunt.	Locī deī servātī sunt.
6. Patriae pater vocātus est.	Patriārum pater vocātus est.
7. Pāstōrum casam reperit.	Pāstōris casam reperit.
8. Urbis viae fuērunt pulchrae.	Urbium viae fuērunt pulchrae.
9. Librōrum nōmina sunt illūstria.	Librī nōmina sunt illūstria.
10. Patris rēgnum saepe laudātur.	Patrum rēgnum saepe laudātur.
11. Sorōrum amīcum occīdit.	Sorōris amīcum occīdit.
12. Domiciliī ātrium fuit magnum.	Domiciliōrum ātrium fuit magnum.
13. Ārārum victimae recipiuntur.	Ārae victimae recipiuntur.
14. Arcis porta fuit parva.	Arcium porta fuit parva.
15. Servī casae sunt antīquae.	Servōrum casae sunt antīquae.
16. Agricolārum agrōs occupāvit.	Agricolae agrōs occupāvit.
17. Pontis ruīna vidētur.	Pontium ruīna vidētur.
18. Verbōrum īnscrīptiō vidētur.	Verbī īnscrīptiō vidētur.
19. Terrae populōs rēgnāvit.	Terrārum populōs rēgnāvit.
20. Corporum sanguis dēdicātus est.	Corporis sanguis dēdicātus est.

2. Produce the genitive singular and plural by answering the questions **Cuius? Quōrum? Quārum?**

B. The ancient poet wrote a book: Whose book is it?
It is *the ancient poet's* book.

21. Antīquus poēta librum scrīpsit: Cuius liber est?
Antīquī poētae liber est.

22. Palātium aureum statuās habet: Cuius statuae sunt?
Palātiī aureī statuae sunt.

23. Pōns parvus custōdem habet: Cuius custōs est?
Pontis parvī custōs est.

24. Pulchra fēmina casam cūrat: Cuius casa est?
Pulchrae fēminae casa est.

25. Omnis populus terram habet: Cuius terra est?
Omnis populī terra est.

26. Dīversa urbs viās habet: Cuius viae sunt?
Dīversae urbis viae sunt.

27. Bonus pater fīliam cūrat: Cuius fīlia est?
Bonī patris fīlia est.

28. Prīmus magister puerōs laudat: Cuius puerī sunt?
Prīmī magistrī puerī sunt.

29. Illūstrēs patriae victōrēs habent: Quārum victōrēs sunt?
Illūstrium patriārum victōrēs sunt.

30. Mīlitēs fortēs castra pōnunt: Quōrum castra sunt?
Mīlitum fortium castra sunt.

31. Cōnsulēs sapientēs urbem rēgnant: Quōrum urbs est?
Cōnsulum sapientium urbs est.

32. Complūra oppida vāllum habent: Quōrum vāllum est?
Complūrium oppidōrum vāllum est.

33. Virī magnī nāvem habent: Quōrum nāvis est?
Virōrum magnōrum nāvis est.

34. Rōmānī ōrātōrēs pācem habent: Quōrum pāx est?
Rōmānōrum ōrātōrum pāx est.

35. Fīnitimae gentēs bellum gessērunt: Quārum bellum fuit?
Fīnitimārum gentium bellum fuit.

CONVERSIŌ

1. The boys are running toward the library.
2. The spoils of war are carried through many lands and seas.
3. The ruins of the outstanding temples are seen by all.
4. The general does not foresee the number of ships.

5. Many buildings in the city are the gifts of distinguished leaders.
6. The girls are weeping because of the men killed.
7. The heads of many statues are found in the middle of the river.
8. The city's bridges are being destroyed by the guards.
9. The spoils of three wars decorate the temples.
10. Parts of the ancient buildings are still seen.
11. The king is building a golden palace.
12. The cities of the neighboring tribes are not wonderful.
13. Up to the time of Agrippa, the Romans did not decorate buildings.
14. The deeds of the brave general are praised by the whole world.
15. There are many different stories about the wonders of Rome.

NĀRRĀTIŌ

DĒ TEMPLĪS RŌMAE

Capitōlīnus mōns, caput Rōmānī imperiī atque orbis terrārum arx, ōlim dōnīs spoliīsque ōrnātus, nunc est dēsōlātus atque ēversus. In arce fuit templum Iovis Optimī Maximī. In templō fuit aurea statua Iovis quī sēdit in aureō thronō.

Quoque fuit templum Iānī, custōdis Capitōlīnī montis. Iānus praevidet annum, ut dīcit Ovidius in Fastīs. Fuit quoque templum Iovis Ferētriī ubi Rōmulus prīmus posuit spolia opīma. Sub Capitōliō fuit templum asȳlī prīmum factum in urbe per Rōmulum.

In Forō Boāriō fuit templum Herculis, prīmum templum in partibus ubi nunc Rōma est aedificātum, et adhūc vidētur. In Campō Mārtiō fuit templum Mārtis ubi semper lēctī sunt cōnsulēs et ubi Rōmānī victōrēs posuērunt rōstra nāvium captārum. In templō Aesculāpiī fuit bibliothēca. Fuērunt in urbe antīquā bibliothēcae XXVIII (duodētrīgintā); nunc nōn est ūna.

— From *Mīrābilia Rōmae.*

Optimī Maximī: *the Best (and) the Greatest.*
quī: *who,* relative pronoun with **Iovis.**
thronō: *throne.*
Fastīs: *the Fasti,* a poetical explanation of the Roman calendar.

Feretriī: *Feretrius,* a surname of Jupiter.
spolia opīma: *the spoils of honor;* see "Nār-rātiō" of Lesson VII.
asȳlī: *of refuge.*
Forō Boāriō: *cattle market.*

Campō Mārtiō: *the Campus Martius,* the wide field where elections were held and where gymnastic and military exercises took place.
rōstra: *prows;* literally, *the beaks* of birds.

A circular temple, the name of which is unknown, stands in the Forum Boarium.

Respondē Latīnē:

1. Quid fuit caput Rōmānī imperiī?
2. Cuius caput fuit mōns Capitōlīnus?
3. Cuius arx fuit Capitōlium?
4. Quibus mōns Capitōlīnus ōlim ōrnātus est?
5. Estne nunc mōns dēsōlātus?
6. Cuius templum fuit in arce?
7. Cuius statua in templō fuit?
8. Quālis statua fuit?
9. Quid ēgit Iuppiter in aureō thronō?
10. Quis fuit custōs Capitōliī?
11. Quid agit Iānus deus?
12. Quis scrīpsit librum Fastōs appellātum?
13. In cuius templō Rōmulus spolia opīma prīmus posuit?
14. Ubi fuit templum asȳlī?
15. Ā quō templum asȳlī factum est?
16. Cuius templum est in Forō Boāriō?
17. Vidēturne adhūc templum Herculis?
18. Cuius templum fuit in Campō Mārtiō?
19. Quī lēctī sunt ad templum Mārtis?
20. Quārum rōstra posita sunt ā victōribus Rōmānīs?
21. Quālium nāvium fuērunt rōstra?
22. In cuius templō fuērunt multī librī?
23. Habuitne Rōma antīqua multās bibliothēcās?

EPITOMA

1. Genitive case:

	I — F	II — M, N	III — M, F, N	Interrogatives M, N	F
SINGULAR	vi–ae	amīc–ī	mātr–is	cuius	cuius
	bon–ae	bell–ī	flūmin–is		
		bon–ī	fort–is		
PLURAL	vi–ārum	amīc–ōrum	mātr–um	quōrum	quārum
	bon–ārum	bell–ōrum	flūmin–um		
		bon–ōrum	fort–ium		

2. Uses of the genitive case:

1. The genitive is used to show possession, e.g., the *boys'* mother, māter **puerōrum.**

2. Phrases with *of* — part *of the war,* pars **bellī.**

3. Present tense:

	1	2	3	3 (–iō)	4
			Active		
he, she, it	vocat	monet	dūcit	capit	pūnit
they	vocant	monent	dūcunt	capiunt	pūniunt
			Passive		
he, she, it	vocātur	monētur	dūcitur	capitur	pūnītur
they	vocantur	monentur	dūcuntur	capiuntur	pūniuntur

INDEX VERBŌRUM

adhūc	still, up to now	**caput, capitis,** n.	head; capitol
aedificium,	building	**currere, cucurrī,**	run
aedificiī, n.		**cursūrus** (3)	
antīquus, antīqua,	ancient, old	**custōs, custōdis,** c.	guardian, guard
antīquum		**dēsōlāre, dēsōlāvī,**	desert, abandon
aureus, aurea, aureum	golden	**dēsōlātus** (1)	
bibliothēca,	library	**dīversus, dīversa,**	different
bibliothēcae, f.		**dīversum**	

The ancient Romans dedicated this island in the Tiber to Aesculapius, the god of medicine. Today it houses medical buildings.

dōnum, dōnī, n.	gift	nāvis, nāvis, f.	ship
duo, duae, duo [2]	two	numerus, numerī, m.	number
ēvertere, ēvertī, ēversus (3)	overthrow, destroy	orbis, orbis, m.; orbis terrārum (terrae)	circle, orbit; the world, the whole earth
fīnitimus, fīnitima, fīnitimum	neighboring, nearby	ōrnāre, ōrnāvī, ōrnātus (1)	decorate, adorn
flēre, flēvī, flētus (2)	weep, weep at (over)	palātium, palātiī, n.	palace
herī	yesterday	pōns, pontis, m.	bridge
imperātor, imperātōris, m.	general, leader	praevidēre, praevīdī, praevīsus (2)	foresee, see beforehand
mare, maris, n.	sea	ruīna, ruīnae, f.	ruin
medius, media, medium	middle of, middle	sedēre, sēdī, sessus (2)	sit, settle
mīrābilis, mīrābile	wonderful, marvelous; *as noun:* wonder, marvel	spolia, spoliōrum, n. pl.	spoils, booty
		statua, statuae, f.	statue
		terra, terrae, f.	land, earth
		trēs, tria	three
nārrātiō, nārrātiōnis, f.	narrative, story	usque (with ad)	up to, as far as
		ut	as

---

[2] **Duo** (m.), **duae** (f.), **duo** (n.) is irregular and will be discussed in Lesson XIII.

LECTIŌ NŌNA
(IX)
FĀBULA

The War With Pyrrhus

War was waged against the inhabitants of Tarentum in the lowest part of Italy, because they did injury to the ambassadors of the Romans. The people of Tarentum were Greeks (living) in Italy. Therefore they asked for aid against the Romans from Pyrrhus, king of Epirus. Pyrrhus was a Greek and was descended from the race of Achilles. Pyrrhus came to Italy and then for the first time the Romans fought with an enemy from across the sea.

The consul Publius Valerius Laevinus was sent against Pyrrhus. When scouts of Pyrrhus had been captured, Laevinus ordered these enemies to be led through the camp, to be shown all the troops, and then to be sent away. He wanted the scouts to tell Pyrrhus the doings of the Romans. After the fight had been begun, Pyrrhus was already fleeing but finally won with the help of elephants. Night put an end to the battle. Laevinus nevertheless fled through the night. Pyrrhus captured many Romans but did not harm the soldiers and treated them with great honor; he buried and praised the dead.

The consuls Publius Sulpicius and Decius Mus were sent as commanders against Pyrrhus. After the battle was begun, Pyrrhus was wounded, his ele-

Dē Bellō Cum Pyrrhō

Contrā Tarentīnōs in ultimā parte Italiae bellum gestum est, quod lēgātīs Rōmānōrum iniūriam fēcērunt. Tarentīnī erant Graecī in Italiā. Itaque ā Pyrrhō, Epīrī rēge, contrā Rōmānōs auxilium petēbant. Pyrrhus erat Graecus et ex genere Achillis orīginem habēbat. Pyrrhus ad Italiam vēnit, tumque prīmum Rōmānī cum trānsmarīnō* hoste pugnāvērunt.

Missus est contrā Pyrrhum cōnsul Pūblius Valerius Laevinus. Explōrātōribus Pyrrhī captīs, Laevinus iussit hostēs per castra dūcī, mōnstrārī omnēs cōpiās tumque dīmittī. Explōrātōrēs facta Rōmānōrum Pyrrhō nūntiāre dēsīderāvit. Commissā pugnā, Pyrrhus iam fugiēbat, sed dēnique elephantōrum auxiliō vīcit. Nox pugnae fīnem dedit. Laevinus tamen per noctem fugiēbat. Pyrrhus multōs Rōmānōs cēpit sed mīlitibus nōn nocuit et magnō cum honōre tractāvit; occīsōs sepelīvit et laudāvit.

Mittēbantur contrā Pyrrhum ducēs Pūblius Sulpicius et Decius Mūs cōnsulēs. Pugnā commissā, Pyrrhus vulnerātus est, elephantī interfectī sunt,

King Pyrrhus, landing in southern Italy to support the Greek colonies there, pursued Roman armies with his elephants. Despite many victories, he was forced at last to yield to the persistent Romans.

phants were killed, and many of the enemy were slain. The Greek king fled to the city of Tarentum. Finally the Romans triumphed in many battles. Pyrrhus also went from the town of Tarentum and was killed near Argos, a city of Greece.

multī occīsī sunt hostium. Rēx Graecus ad urbem Tarentum fūgit. Dēnique multīs pugnīs Rōmānī triumphāvērunt. Pyrrhus etiam ab oppidō Tarentō cessit et ad Argōs, Graeciae cīvitātem, occīsus est.

— Adapted from Eutropius, *Breviārium Ab Urbe Conditā*, II.

GRAMMATICA

1. Imperfect tense:

The imperfect tense, like the perfect tense, indicates past time, e.g., *he called*. The difference between the two is that the perfect tense indicates a simple completed action while the imperfect indicates a continued or repeated action. English will often not make any distinction. *He called* could mean he called once or he called repeatedly. The context has to show the exact meaning. In Latin the tense form will show the difference. An action done and finished is expressed by the perfect tense; a habitual action or an action that lasted over a period of time is indicated by the imperfect.

Note: The perfect will be used more often than the imperfect.

The imperfect active tense can be expressed several ways in English, e.g., *he called, he was calling, he used to call.* The perfect active tense has three forms, namely, *he called, he did call, he has called.*

The imperfect passive is expressed *he was (being) called, he used to be called,* while the perfect passive means *he was called, he has been called.*

The imperfect tense is formed by the present stem + **bā** + the personal endings. Fourth conjugation verbs (and 3 **–iō**) will have **–iē–** before the **–bā**. The **–e** of third conjugation is lengthened before **–bā–**. Therefore, the imperfect endings are:

Active Endings		Passive Endings	
he, she, it	**–bat**	*he, she, it*	**–bātur**
they	**–bant**	*they*	**–bantur**

Active

	1	2	3	3 (–iō)	4
he, she, it	vocābat	monēbat	dūcēbat	capiēbat	pūniēbat
they	vocābant	monēbant	dūcēbant	capiēbant	pūniēbant

Passive

he, she, it	vocābātur	monēbātur	dūcēbātur	capiēbātur	pūniēbātur
they	vocābantur	monēbantur	dūcēbantur	capiēbantur	pūniēbantur

Imperfect of **esse**

The imperfect forms of **esse** are irregular:

he, she, it was	**erat**	*they were*	**erant**

Note: The imperfect of **esse** is used more than the perfect.

2. Dative case:

1. Indirect object:

The dative case indicates the person (rarely the thing) who benefits by the action of the verb. This person in the dative case is less directly affected by the action of the verb than the thing in the accusative case. The word in the accusative case is therefore called the direct object; the word in the dative case is called the indirect object.

Numa lēgēs **Rōmānīs** dedit.   Numa gave laws *to the Romans.*

The direct object (the thing most directly affected by the verb) is **lēgēs.** The *laws* are the things given. The *Romans* are indirectly affected by the giving of the laws, since, as a result of the giving, they possess them. So *laws* is in the accusative case; *Romans* is in the dative case.

The endings of the dative case are:

I — F		II — M, N		III — M, F, N	
SING.	PL.	SING.	PL.	SING.	PL.
–ae	–īs	–ō	–īs	–ī	–ibus
viae	viīs	amīcō	amīcīs	mātrī	mātribus
		bellō	bellīs	flūminī	flūminibus

The verbs that will usually take an indirect object are those meaning *give, tell,* and *show:*

Verb	Dir. Obj. *(acc.)*	Ind. Obj. *(dat.)*
give	*something*	*to somebody*
dare	**lēgēs**	**Rōmānīs**
show	*something*	*to somebody*
mōnstrāre	**librum**	**puellae**
tell	*something*	*to somebody*
dīcere	**fābulam**	**puerō**

Any verb of *giving, telling,* or *showing* — e.g., *donate, announce, point out* — may take a direct object (accusative) and an indirect object (dative).

Note: Do not overuse the dative. Only the verbs in the groups above will take the indirect object. For example, in the sentence *He brought the boys to the city,* the phrase *to the city* would not be dative but rather **ad** and the accusative. *City* is not the indirect object because it is not affected directly or indirectly by the action of the verb. The phrase *to the city* shows rather the *place* to which one is going, the goal of the action. Such a phrase is always expressed by **ad** and the accusative.

2. Verbs with the dative only:

Some verbs will take only the dative case for what appears to be the direct object of the verb. Actually the direct-object idea seems to have been thought of as in the verb. The sentence **Puerō nocet** (*He harms the boy*) could be translated *He does harm to the boy*. In this second form the indirect-object idea is clear.

It is difficult to make an all-inclusive rule as to which verbs take the dative for their objects. Therefore they will be indicated in the vocabulary by (*dat.*) after the verb form.

3. Compound verbs with the dative:

Certain verbs when compounded take a dative, sometimes with and sometimes without an accusative. A word that is felt to be the direct object of the verb is in the accusative, but a word that depends rather on the prefix is in the dative.

Numa Rōmulō successit. *Numa succeeded Romulus* (literally, *Numa came up from below Romulus*).

Rōmulō depends on the prefix **suc (sub)** rather than on the **cessit** and is therefore in the dative case. Again it is difficult to make a rule concerning these verbs, and so they will be indicated in the vocabulary by (*dat.*) if they are followed only by the dative case and by (*acc. and dat.*) if they may be followed by both cases.

4. Dative with adjectives:

Certain adjectives will also be followed by the dative case. Often the English meaning will hint at this: *Food is necessary to* (*for*) *all* (**Cibus est necessārius omnibus**). These adjectives will be so noted in the vocabularies.

5. Adjectives in the dative case:

Adjectives in the dative case have the same endings as the nouns of the respective declensions.

I — F		II — M, N		III — M, F, N	
SING.	PL.	SING.	PL.	SING.	PL.
bonae	**bonīs**	**bonō**	**bonīs**	**fortī**	**fortibus**

6. Dative of interrogatives:

The dative of the interrogative pronoun (*to whom? to what?*) is:

	M, F, N		M, F, N
Singular	**cui**	*Plural*	**quibus**

3. Summary of the declensions:

This completes the principal cases of nouns. These cases are summarized in the following order:

	I — F		II — M		II — N	
	SING.	PL.	SING.	PL.	SING.	PL.
Nom.	–a	–ae	–us (–er)	–ī	–um	–a
Gen.	–ae	–ārum	–ī	–ōrum	–ī	–ōrum
Dat.	–ae	–īs	–ō	–īs	–ō	–īs
Acc.	–am	–ās	–um	–ōs	–um	–a
Abl.	–ā	–īs	–ō	–īs	–ō	–īs
	via	viae	amīcus	amīcī	bellum	bella
	viae	viārum	amīcī	amīcōrum	bellī	bellōrum
	viae	viīs	amīcō	amīcīs	bellō	bellīs
	viam	viās	amīcum	amīcōs	bellum	bella
	viā	viīs	amīcō	amīcīs	bellō	bellīs

	III — M, F		III — N	
	SING.	PL.	SING.	PL.
Nom.	. .	–ēs	. .	–a (–ia)
Gen.	–is	–um (–ium)	–is	–um (–ium)
Dat.	–ī	–ibus	–ī	–ibus
Acc.	–em	–ēs	. .	–a (–ia)
Abl.	–e	–ibus	–e (–ī)	–ibus
	māter	mātrēs	flūmen	flūmina
	mātris	mātrum	flūminis	flūminum
	mātrī	mātribus	flūminī	flūminibus
	mātrem	mātrēs	flūmen	flūmina
	mātre	mātribus	flūmine	flūminibus

EXERCITIA

1. Imperfect active tense:

Imperfect Active				
1	*2*	*3*	*3 (–iō)*	*4*
		SINGULAR		
–ābat	–ēbat	–ēbat	–iēbat	–iēbat
		PLURAL		
–ābant	–ēbant	–ēbant	–iēbant	–iēbant

1. Recognize the imperfect active, using **hodiē** (*today*) with the present tense and **ōlim** (*once*) with the imperfect tense:

  A. The envoy *announces* the injury.   *Today* the envoy *announces* the injury.
  B. The envoy *was announcing* the injury.   *Once* the envoy *was announcing* the injury.

1. Lēgātus iniūriam nūntiat.   Hodiē lēgātus iniūriam nūntiat.
2. Lēgātus iniūriam nūntiābat.   Ōlim lēgātus iniūriam nūntiābat.
3. Mīlitēs explōrātōrēs vulnerant.   Hodiē mīlitēs explōrātōrēs vulnerant.
4. Mīlitēs explōrātōrēs vulnerābant.   Ōlim mīlitēs explōrātōrēs vulnerābant.
5. Cōnsul legere dēsīderat.   Hodiē cōnsul legere dēsīderat.
6. Cōnsul legere dēsīderābat.   Ōlim cōnsul legere dēsīderābat.

7. Elephantī nocent.   Hodiē elephantī nocent.
8. Elephantī nocēbant.   Ōlim elephantī nocēbant.
9. Bellum committere cōpiās iubet.   Hodiē bellum committere cōpiās iubet.
10. Bellum committere cōpiās iubēbat.   Ōlim bellum committere cōpiās iubēbat.
11. Oppidum lēgātī obsidēbant.   Ōlim oppidum lēgātī obsidēbant.
12. Oppidum lēgātī obsident.   Hodiē oppidum lēgātī obsident.

13. Lēgēs Phorōneus cōnstituēbat.   Ōlim lēgēs Phorōneus cōnstituēbat.
14. Lēgēs Phorōneus cōnstituit.   Hodiē lēgēs Phorōneus cōnstituit.
15. Mercurius lēgēs trādit.   Hodiē Mercurius lēgēs trādit.
16. Mercurius lēgēs trādēbat.   Ōlim Mercurius lēgēs trādēbat.
17. Ducēs obsidēs recipiēbant.   Ōlim ducēs obsidēs recipiēbant.
18. Ducēs obsidēs recipiunt.   Hodiē ducēs obsidēs recipiunt.

19. Pyrrhus mīlitēs occīsōs sepelit.   Hodiē Pyrrhus mīlitēs occīsōs sepelit.
20. Pyrrhus mīlitēs occīsōs sepeliēbat.   Ōlim Pyrrhus mīlitēs occīsōs sepeliēbat.
21. Ad urbem Tarentum rēx veniēbat.   Ōlim ad urbem Tarentum rēx veniēbat.
22. Ad urbem Tarentum rēx venit.   Hodiē ad urbem Tarentum rēx venit.
23. Lēgēs in tabulīs reperiunt.   Hodiē lēgēs in tabulīs reperiunt.
24. Lēgēs in tabulīs reperiēbant.   Ōlim lēgēs in tabulīs reperiēbant.

2. Produce the imperfect active from the present, using **ōlim** (*once*):

C. *Today* the envoy *desires* honor.   *Once* the envoy *was desiring* honor.

25. Hodiē lēgātus honōrem dēsīderat.   Ōlim lēgātus honōrem dēsīderābat.
26. Hodiē explōrātor fīnem nūntiat.   Ōlim explōrātor fīnem nūntiābat.
27. Hodiē obsidēs cum honōre tractat.   Ōlim obsidēs cum honōre tractābat.
28. Hodiē elephantus urbem intrat.   Ōlim elephantus urbem intrābat.

29. Hodiē iniūriae puerō nocent.   Ōlim iniūriae puerō nocēbant.
30. Hodiē populī noctem praevident.   Ōlim populī noctem praevidēbant.
31. Hodiē oppida in monte sedent.   Ōlim oppida in monte sedēbant.
32. Hodiē rēgēs cīvitātēs monent.   Ōlim rēgēs cīvitātēs monēbant.

33. Hodiē puella litterās mittit.   Ōlim puella litterās mittēbat.
34. Hodiē deus lēgēs trādit.   Ōlim deus lēgēs trādēbat.
35. Hodiē auctōritās iūs cōnstituit.   Ōlim auctōritās iūs cōnstituēbat.
36. Hodiē māter honōrem capit.   Ōlim māter honōrem capiēbat.

37. Hodiē multa corpora sepeliunt.   Ōlim multa corpora sepeliēbant.
38. Hodiē litteram in tabulā reperiunt. Ōlim litteram in tabulā reperiēbant.
39. Hodiē nox intervenit.   Ōlim nox interveniēbat.
40. Hodiē lēx iniūriam pūnit.   Ōlim lēx iniūriam pūniēbat.

2. Imperfect passive tense:

Imperfect Passive				
1	*2*	*3*	*3 (–iō)*	*4*
		SINGULAR		
–ābātur	**–ēbātur**	**–ēbātur**	**–iēbātur**	**–iēbātur**
		PLURAL		
–ābantur	**–ēbantur**	**–ēbantur**	**–iēbantur**	**–iēbantur**

1. Recognize the imperfect passive by changing to the present:

A. Honor *was being wounded* by injury.   Honor *is wounded* by injury.

1. Honor iniūriā vulnerābātur.   Honor iniūriā vulnerātur.
2. Omnēs fēminae tractābantur.   Omnēs fēminae tractantur.
3. Fīnis per explōrātōrem nūntiābātur.   Fīnis per explōrātōrem nūntiātur.
4. Ā multīs honōrēs dēsīderābantur.   Ā multīs honōrēs dēsīderantur.

5. Iniūria lēge prohibēbātur.   Iniūria lēge prohibētur.
6. Custōdēs ā cōnsulibus iubēbantur.   Custōdēs ā cōnsulibus iubentur.
7. Urbs ab hoste obsidēbātur.   Urbs ab hoste obsidētur.
8. Lēgātī auguriīs monēbantur.   Lēgātī auguriīs monentur.

9. Auctōritās ā deō trādēbātur.   Auctōritās ā deō trāditur.
10. Litterae ā sorōre mittēbantur.   Litterae ā sorōre mittuntur.
11. Lēx ā populō cōnstituēbātur.   Lēx ā populō cōnstituitur.
12. Honōrēs ā gladiātōribus capiēbantur.   Honōrēs ā gladiātōribus capiuntur.

13. Statua in agrō sepeliēbātur.   Statua in agrō sepelītur.
14. In ruīnā tabulae reperiēbantur.   In ruīnā tabulae reperiuntur.
15. Corpora contrā pontem sepeliēbantur.   Corpora contrā pontem sepeliuntur.
16. Propter lēgem lēgātī pūniēbantur.   Propter lēgem lēgātī pūniuntur.

2. Produce the imperfect passive by changing from the present to the imperfect:

    B. Peace *is desired* by the people.   Peace *was (being) desired* by the people.

17. Pāx ā populō dēsīderātur.   Pāx ā populō dēsīderābātur.
18. Agrī ab hostibus dēsōlantur.   Agrī ab hostibus dēsōlābantur.
19. Genus ab Achille appellātur.   Genus ab Achille appellābātur.
20. Tabulae ad palātium portantur.   Tabulae ad palātium portābantur.
21. Āra deīs dēdicātur.   Āra deīs dēdicābātur.

22. Ruīna ā Pyrrhō praevidētur.   Ruīna ā Pyrrhō praevidēbātur.
23. Fēminae bibliothēcā prohibentur.   Fēminae bibliothēcā prohibēbantur.
24. Rōma ab hostibus dēlētur.   Rōma ab hostibus dēlēbātur.
25. Victimae ā custōdibus monentur.   Victimae ā custōdibus monēbantur.
26. Tabula ā puerīs vidētur.   Tabula ā puerīs vidēbātur.

27. Lēgātī cum auctōritāte mittuntur.   Lēgātī cum auctōritāte mittēbantur.
28. Pōns ab elephantō ēvertitur.   Pōns ab elephantō ēvertēbātur.
29. Servī ā prōvinciā abdūcuntur.   Servī ā prōvinciā abdūcēbantur.
30. Porta ā custōde clauditur.   Porta ā custōde claudēbātur.
31. Litterae ā patre recipiuntur.   Litterae ā patre recipiēbantur.

32. Corpus cum honōre sepelītur.   Corpus cum honōre sepeliēbātur.
33. Īnscrīptiōnēs in tabulā reperiuntur.   Īnscrīptiōnēs in tabulā reperiēbantur.
34. Ad templum ab amīcīs sepeliuntur.   Ad templum ab amīcīs sepeliēbantur.
35. Sapientēs saepe pūniuntur.   Sapientēs saepe pūniēbantur.
36. **Orīgō ab agricolīs reperītur.**   Orīgō ab agricolīs reperiēbātur.

3. Dative Singular:

	I F	II M, N	III M, F, N
Dative *Singular*	–ae	–ō	–ī

1. Recognize the dative singular by answering the question **Cui** (*To whom?*):

A. If the victor gives a field to the farmer, *to whom* does he give (it)? — He gives (it) *to the farmer.*

1. Sī victor agrum dat agricolae, cui dat? — Agricolae dat.
2. Sī flūmen aquam dat incolae, cui dat? — Incolae dat.
3. Sī historia honōrem dat poētae, cui dat? — Poētae dat.
4. Sī puer auxilium dat puellae, cui dat? — Puellae dat.
5. Sī vir domicilium dat fēminae, cui dat? — Fēminae dat.
6. Sī victimae cibum māter dat, cui dat? — Victimae dat.

7. Sī lēx auctōritātem dat lēgātō, cui dat? — Lēgātō dat.
8. Sī vir dōnum dat deō, cui dat? — Deō dat.
9. Sī deus pācem dat populō, cui dat? — Populō dat.
10. Sī magister puerō librum dat, cui dat? — Puerō dat.
11. Sī virō uxor pecūniam dat, cui dat? — Virō dat.
12. Sī populus auctōritātem Rōmulō dat, cui dat? — Rōmulō dat.

13. Sī dux honōrem dat explōrātōrī, cui dat? — Explōrātōrī dat.
14. Sī cōnsul lēgem dat cōnsulī, cui dat? — Cōnsulī dat.
15. Sī urbs dōnum dat imperātōrī, cui dat? — Imperātōrī dat.
16. Sī mīles ducī iniūriam dat, cui dat? — Ducī dat.
17. Sī hostī gladiātor auxilium dat, cui dat? — Hostī dat.
18. Sī victor victimam gentī dat, cui dat? — Gentī dat.
19. Sī Terentia librum Cicerōnī dat, cui dat? — Cicerōnī dat.
20. Sī Rōmulus terram pāstōrī dat, cui dat? — Pāstōrī dat.

2. Produce the dative singular, using the word given:

B. Farmer: A gift was being shown . . . — A gift was being shown *to the farmer.*

21. Agricola: Dōnum mōnstrābātur . . . — Dōnum mōnstrābātur agricolae.
22. Incola: Terra mōnstrābātur . . . — Terra mōnstrābātur incolae.
23. Poēta: Liber mōnstrābātur . . . — Liber mōnstrābātur poētae.
24. Fēmina: Statua mōnstrābātur . . . — Statua mōnstrābātur fēminae.

25. Victima:	Cibus mōnstrābātur . . .	Cibus mōnstrābātur victimae.
26. Puella:	Custōs mōnstrābātur . . .	Custōs mōnstrābātur puellae.
27. Puer:	Arbor mōnstrābātur . . .	Arbor mōnstrābātur puerō.
28. Vir:	Auctōritās mōnstrābātur . . .	Auctōritās mōnstrābātur virō.
29. Amīcus:	Pecūnia mōnstrābātur . . .	Pecūnia mōnstrābātur amīcō.
30. Populus:	Pāx mōnstrābātur . . .	Pāx mōnstrābātur populō.
31. Deus:	Victima mōnstrābātur . . .	Victima mōnstrābātur deō.
32. Lēgātus:	Lēx mōnstrābātur . . .	Lēx mōnstrābātur lēgātō.
33. Vulcānus:	Mare mōnstrābātur . . .	Mare mōnstrābātur Vulcānō.
34. Ōrātor:	Verba mōnstrābantur . . .	Verba mōnstrābantur ōrātōrī.
35. Imperātor:	Lēgēs mōnstrābantur . . .	Lēgēs mōnstrābantur imperātōrī.
36. Explōrātor:	Tabulae mōnstrābantur . . .	Tabulae mōnstrābantur explōrātōrī.
37. Gladiātor:	Victimae mōnstrābantur . . .	Victimae mōnstrābantur gladiātōrī.
38. Cōnsul:	Terrae mōnstrābantur . . .	Terrae mōnstrābantur cōnsulī.
39. Iuvenis:	Hortī mōnstrābantur . . .	Hortī mōnstrābantur iuvenī.
40. Custōs:	Portae mōnstrābantur . . .	Portae mōnstrābantur custōdī.

4. Dative plural:

	I F	II M, N	III M, F, N
Dative Plural	–īs	–īs	–ibus

1. Recognize the dative plural by changing it to the dative singular:

   A. The king gives a letter *to the farmers.*   The king gives a letter *to the farmer.*

1. Rēx litterās dat agricolīs.	Rēx litterās dat agricolae.
2. Puer librōs dat poētīs.	Puer librōs dat poētae.
3. Vir honōrem dat fēminīs.	Vir honōrem dat fēminae.
4. Imperātor agrōs dat incolīs.	Imperātor agrōs dat incolae.
5. Lēx auctōritātem dat familiīs.	Lēx auctōritātem dat familiae.
6. Māter cibum dat puellīs.	Māter cibum dat puellae.

7. Cōnsulēs bellum nūntiant lēgātīs. Cōnsulēs bellum nūntiant lēgātō.
8. Victimae fīnem nūntiant deīs. Victimae fīnem nūntiant deō.
9. Ducēs pācem nūntiant populīs. Ducēs pācem nūntiant populō.
10. Custōdēs iniūriam nūntiant virīs. Custōdēs iniūriam nūntiant virō.
11. Arborēs aestātem nūntiant puerīs. Arborēs aestātem nūntiant puerō.
12. Magistrī crūdēlitātem nūntiant servīs. Magistrī crūdēlitātem nūntiant servō.

13. Dux tabulās trādit explōrātōribus. Dux tabulās trādit explōrātōrī.
14. Solon lēgēs trādit Athēniēnsibus. Solon lēgēs trādit Athēniēnsī.
15. Magister verba trādit ōrātōribus. Magister verba trādit ōrātōrī.
16. Rēx iūra trādit pāstōribus. Rēx iūra trādit pāstōrī.
17. Cōnsul pontēs trādit custōdibus. Cōnsul pontēs trādit custōdī.
18. Populus auxilium trādit cōnsulibus. Populus auxilium trādit cōnsulī.

2. Produce the dative plural by changing the dative singular to the plural:

B. The boys were giving help *to the girl.* The boys were giving help *to the girls.*

19. Puerī auxilium dabant puellae. Puerī auxilium dabant puellīs.
20. Rēgēs vīllās dabant familiae. Rēgēs vīllās dabant familiīs.
21. Patrēs librōs dabant scholae. Patrēs librōs dabant scholīs.
22. Imperātōrēs statuās dabant fēminae. Imperātōrēs statuās dabant fēminīs.
23. Victōrēs iūra dabant incolae. Victōrēs iūra dabant incolīs.
24. Fēminae cibum dabant victimae. Fēminae cibum dabant victimīs.

25. Auctōritās ā rēge dabātur lēgātō. Auctōritās ā rēge dabātur lēgātīs.
26. Pecūnia ā frātre dabātur amīcō. Pecūnia ā frātre dabātur amīcīs.
27. Vīlla ā patre dabātur fīliō. Vīlla ā patre dabātur fīliīs.
28. Corpus ā mīlitibus dabātur puerō. Corpus ā mīlitibus dabātur puerīs.
29. Dōnum ā mātre dabātur servō. Dōnum ā mātre dabātur servīs.
30. Vīcus ā victōre dabātur populō. Vīcus ā victōre dabātur populīs.

31. Palātium aureum trāditur imperātōrī. Palātium aureum trāditur imperātōribus.
32. Bibliothēca nova trāditur ōrātōrī. Bibliothēca nova trāditur ōrātōribus.
33. Oppidum antīquum trāditur victōrī. Oppidum antīquum trāditur victōribus.
34. Rēgnum magnum trāditur iuvenī. Rēgnum magnum trāditur iuvenibus.
35. Terra fīnitima trāditur possessōrī. Terra fīnitima trāditur possessōribus.
36. Templum sacrum trāditur ducī. Templum sacrum trāditur ducibus.

5. Dative with verbs:

I	II	III		I	II	III
F	M, N	M, F, N		F	M, N	M, F, N
SINGULAR				PLURAL		
Dat.						
—ae	—ō	—ī		—īs	—īs	—ibus

Dat. is placed at the left of the singular row.

1. Recognize the dative with **nocēre**, substituting **vulnerāre** for **nocēre**:

A. The soldier *harms* the boy.   The soldier *wounds* the boy.

1. Mīles nocet puerō.   Mīles vulnerat puerum.
2. Iniūria nocet honōrī.   Iniūria vulnerat honōrem.
3. Gladiātor nocet victimae.   Gladiātor vulnerat victimam.
4. Elephantus nocet lupae.   Elephantus vulnerat lupam.
5. Hostis nocet lēgātō.   Hostis vulnerat lēgātum.
6. Verbum nocet amīcō.   Verbum vulnerat amīcum.
7. Crūdēlitās nocet mātrī.   Crūdēlitās vulnerat mātrem.
8. Contentiō nocet populō.   Contentiō vulnerat populum.
9. Pugna nocet cōnsulī.   Pugna vulnerat cōnsulem.
10. Ōrātiō nocet ducī.   Ōrātiō vulnerat ducem.
11. Mīlitēs nocent puerīs.   Mīlitēs vulnerant puerōs.
12. Iniūriae nocent honōribus.   Iniūriae vulnerant honōrēs.
13. Gladiātōrēs nocent victimīs. Gladiātōrēs vulnerant victimās.
14. Elephantī nocent lupīs.   Elephantī vulnerant lupās.
15. Hostēs nocent lēgātīs.   Hostēs vulnerant lēgātōs.
16. Verba nocent amīcīs.   Verba vulnerant amīcōs.
17. Crūdēlitātēs nocent mātribus. Crūdēlitātēs vulnerant mātrēs.
18. Contentiōnēs nocent populīs. Contentiōnēs vulnerant populōs.
19. Pugnae nocent cōnsulibus.   Pugnae vulnerant cōnsulēs.
20. Ōrātiōnēs nocent ducibus.   Ōrātiōnēs vulnerant ducēs.

2. Produce the dative with **succēdere** by substituting it for the phrase **venīre post**:

B. The king *comes after* the king.   The king *succeeds* the king.

21. Rēx venit post rēgem.   Rēx succēdit rēgī.
22. Numa venit post Rōmulum.   Numa succēdit Rōmulō.
23. Sōl venit post noctem.   Sōl succēdit noctī.
24. Pars venit post partem.   Pars succēdit partī.
25. Imperātor venit post cōnsulem. Imperātor succēdit cōnsulī.
26. Pāx venit post bellum.   Pāx succēdit bellō.

27. Iūs venit post lēgem.	Iūs succēdit lēgī.
28. Palātium venit post domicilium.	Palātium succēdit domiciliō.
29. Fīnis venit post orīginem.	Fīnis succēdit orīginī.
30. Tullus Hostilius venit post Numam Pompilium.	Tullus Hostilius succēdit Numae Pompiliō.
31. Victōrēs veniunt post hostēs.	Victōrēs succēdunt hostibus.
32. Iūra veniunt post contentiōnēs.	Iūra succēdunt contentiōnibus.
33. Bella veniunt post iūra.	Bella succēdunt iūribus.
34. Honōrēs veniunt post pecūniās.	Honōrēs succēdunt pecūniīs.
35. Silvae veniunt post agrōs.	Silvae succēdunt agrīs.

6. Dative with adjectives:

	I	II	III	I	II	III
	F	M, N	M, F, N	F	M, N	M, F, N
		SINGULAR			PLURAL	
Dat.	−ae	−ō	−ī	−īs	−īs	−ibus

1. Recognize the dative with adjectives by changing the sentences as indicated in the examples:

A. The boy was *friendly to the girl.*   The boy *loved the girl.*

1. Puer fuit amīcus puellae.	Puer amāvit puellam.
2. Pater fuit amīcus familiae.	Pater amāvit familiam.
3. Deus fuit amīcus populīs.	Deus amāvit populōs.
4. Victor fuit amīcus incolīs.	Victor amāvit incolās.
5. Lēgātī nōn fuērunt amīcī hostibus.	Lēgātī nōn amāvērunt hostēs.

B. The town is *adjacent to the sea.*   The town is *near the sea.*

6. Oppidum est fīnitimum marī.	Oppidum est prope mare.
7. Silva est fīnitima montī.	Silva est prope montem.
8. Palātium est fīnitimum Forō.	Palātium est prope Forum.
9. Vīlla est fīnitima flūminī.	Vīlla est prope flūmen.
10. Porta est fīnitima vāllīs.	Porta est prope vālla.

C. Food *is necessary for the body.*   Food *preserves the body.*

11. Cibus est necessārius corporī.	Cibus servat corpus.
12. Auctōritās est necessāria lēgī.	Auctōritās servat lēgem.
13. Dux est necessārius mīlitī.	Dux servat mīlitem.
14. Ōrātiō est necessāria ōrātōribus.	Ōrātiō servat ōrātōrēs.
15. Sōl est necessārius hortīs.	Sōl servat hortōs.

The Via Domitiana (first century A.D.) is one of
the many Roman roads still in use today. This section in Cumae is arched by another ancient road.

2. Produce the dative with adjectives as indicated in the examples:

D. The bridge was *near the temple.*   The bridge was *adjacent to the temple.*

16. Pōns erat prope templum.   Pōns erat fīnitimus templō.
17. Ager est prope cīvitātem.   Ager est fīnitimus cīvitātī.
18. Īnsula fuit prope Italiam.   Īnsula fuit fīnitima Italiae.
19. Sacra arbor erat prope urbem.   Sacra arbor erat fīnitima urbī.
20. Flūmen est prope castra.   Flūmen est fīnitimum castrīs.

E. The Romans *did not love kings.*   The Romans *were not friendly to kings.*

21. Rōmānī nōn amāvērunt rēgēs.   Rōmānī nōn fuērunt amīcī rēgibus.
22. Cōpiae amāvērunt ducem.   Cōpiae fuērunt amīcae ducī.
23. Poēta amāvit senem.   Poēta fuit amīcus senī.
24. Gladiātor amāvit tribūnum.   Gladiātor fuit amīcus tribūnō.
25. Pyrrhus amāvit Tarentīnōs.   Pyrrhus fuit amīcus Tarentīnīs.

F. The king *preserved the king-*   The king *was necessary for the kingdom.*
   dom.

26. Rēx servāvit rēgnum.   Rēx fuit necessārius rēgnō.
27. Auxilium servāvit urbēs.   Auxilium fuit necessārium urbibus.
28. Agrī servāvērunt agricolās.   Agrī fuērunt necessāriī agricolīs.
29. Magister servāvit scholam.   Magister fuit necessārius scholae.
30. Nāvēs servāvērunt īnsulam.   Nāvēs fuērunt necessāriae īnsulae.

CONVERSIŌ

1. The necessary letter was entrusted to the scouts.
2. The envoy was showing the laws to the people.
3. New consuls were being elected lawfully (by law).
4. They wanted to announce the victory to the envoys.
5. Numa succeeded the divine Romulus.
6. Elephants were being sent to the besieged camp.
7. The town was near the sacred territory.
8. The origin of the Roman race was said to be from Aeneas.
9. Pyrrhus harmed the Roman troops with elephants.
10. The wounded general surrendered (his) arms to the fierce officer.
11. The Romans used to bury the bodies of the enemy.
12. Finally on the third night the scouts reported the deeds of Pyrrhus.
13. Authority and honor are necessary for officers.
14. The tablets of rights were already being written by the consuls.
15. Injustices harm everyone (all).

NĀRRĀTIŌ

DĒ AUCTŌRIBUS LĒGUM

Mōȳsēs gentis Hebraicae prīmus omnium dīvīnās lēgēs sacrīs litterīs explicāvit. Phorōneus rēx Graecīs prīmus lēgēs cōnstituēbat. Mercurius Trimegistus prīmus lēgēs Aegyptiīs trādidit. Solōn prīmus lēgēs Athēniēnsibus dedit. Lycurgus prīmus Lacedaemoniīs iūra ex Apollinis auctōritāte cōnstituit.

Numa Pompilius, quī Rōmulō successit in rēgnō, prīmus lēgēs Rōmānīs dedit. Deinde populus Decemvirōs creāvit, quī lēgēs ex librīs Solōnis in Latīna verba captās in duodecim tabulīs posuērunt. Decemvirī erant hī:

Auctōribus: *authors.*
explicāvit: *explained.*
quī: *who.*
duodecim: *twelve;*

modifies **tabulīs.**
Decemvirōs: *decemvirs,* a
group of ten officers
commissioned in 451

B.C. to draw up a
comprehensive code
of laws for Rome.
hī: *these.*

Appius Claudius, Genucius, Veterius, Iūlius, Mānlius, Sulpicius, Sextus, Cūrātius, Rōmilius, Postumius.

Lēgēs legere in librīs prīmus cōnsul Pompeius dēsīderāvit sed nōn fēcit. Deinde Caesar incēpit id facere, sed interfectus est. Posteā antīquae lēgēs exolēvērunt, nōtitia tamen necessāria omnibus vidētur.

— Adapted from Īsidōrus of Seville, *Etymologiae*, V. 1.

id: *this.*	**nōtitia:** *knowledge*
exolēvērunt: *went out*	*(of them).*
of use.	

Respondē Latīnē:

1. Quis prīmus lēgēs dīvīnās explicāvit?
2. Eratne Mōȳsēs Rōmānus?
3. Quālibus litterīs lēgēs dīvīnae ā Mōȳse explicātae sunt?
4. Quibus rēx Phorōneus prīmus lēgēs cōnstituēbat?
5. Quibus Mercurius Trimegistus lēgēs trādēbat?
6. Quibus lēgēs ā Solōne datae sunt?
7. Quae cōnstituit Lycurgus Lacedaemoniīs?
8. Ex cuius auctōritāte cōnstituit Lycurgus iūra?

9. Cui Numa Pompilius in rēgnō successit?
10. Quibus Numa Pompilius lēgēs dedit?
11. Ā quō creātī sunt Decemvirī?
12. Ex cuius librīs captae sunt lēgēs ā Decemvirīs?
13. In quālia verba lēgēs Solōnis captae sunt?
14. Eratne Appius Claudius Decemvir?

15. Quid Pompeius agere dēsīderābat?
16. Eratne Pompeius cōnsul?
17. Quis occīsus est postquam lēgēs legere incēpit?
18. Quālēs lēgēs exolēvērunt?
19. Quibus nōtitia tamen lēgum antīquārum vidētur necessāria?

EPITOMA

1. Dative case:

	I — F	II — M, N	III — M, F, N	Interrogatives M, F, N
Singular	vi–ae	amīc–ō	mātr–ī	cui
		bell–ō	flūmin–ī	
	bon–ae	bon–ō	fort–ī	
Plural	vi–īs	amīc–īs	mātr–ibus	quibus
		bell–īs	flūmin-ibus	
	bon–īs	bon–īs	fort–ibus	

2. Uses of the dative case:

1. Indirect object — after *give, say, show*.

2. With certain verbs — e.g., **nocēre, succēdere.**

3. With adjectives — e.g., **fīnitimus, necessārius, amīcus.**

3. Summary of cases:

	I — F		II — M		II — N		III — M, F		III — N	
	SING.	PL.	SING.	PL.	SING.	PL.	SING.	PL.	SING.	PL.
Nom.	–a	–ae	–us (–er)	–ī	–um	–a	..	–ēs	..	–(i)a
Gen.	–ae	–ārum	–ī	–ōrum	–ī	–ōrum	–is	–(i)um	–is	–(i)um
Dat.	–ae	–īs	–ō	–īs	–ō	–īs	–ī	–ibus	–ī	–ibus
Acc.	–am	–ās	–um	–ōs	–um	–a	–em	–ēs	..	–(i)a
Abl.	–ā	–īs	–ō	–īs	–ō	–īs	–e	–ibus	–e(ī)	–ibus

4. Imperfect tense:

The imperfect tense is formed by adding **–bā–** and the personal endings to the present stem:

Active

he, she, it	vocābat	monēbat	dūcēbat	capiēbat	pūniēbat
they	vocābant	monēbant	dūcēbant	capiēbant	pūniēbant

Passive

he, she, it	vocābātur	monēbātur	dūcēbātur	capiēbātur	pūniēbātur
they	vocābantur	monēbantur	dūcēbantur	capiēbantur	pūniēbantur

Esse

he, she, it was **erat**
they were **erant**

INDEX VERBŌRUM

amīcus, amīca, friendly
  amīcum (dat.)
auctōritās, authority,
  auctōritātis, f. influence
committere, commīsī, begin, entrust
  commissus (3)
  (acc. and dat.)

cōnstituere, cōnstituī, decide, deter-
  cōnstitūtus (3) mine, establish
creāre, creāvī, elect, appoint,
  creātus (1) create
dēnique finally
dēsīderāre, dēsīderāvī, desire, want,
  dēsīderātus (1) need

dīmittere, dīmīsī, dīmissus (3)	send away, dismiss	necessāria, necessārium (dat.)	related
dīvīnus, dīvīna, dīvīnum	divine	nocēre, nocuī, nocitūrus (2) (dat.)	harm, injure
elephantus, elephantī, m.	elephant	nox, noctis, f.	night
explōrātor, explōrātōris, m.	scout, spy	nūntiāre, nūntiāvī, nūntiātus (1)	announce, report
fīnis, fīnis, m.	end, boundary; pl., territory	orīgō, orīginis, f.	origin, descent
		prīmum	for the first time; in the first place
genus, generis, n.	race, class, descent		
hodiē	today	prope	near
honor, honōris, m.	honor	sacer, sacra, sacrum	sacred
iam	now, already	sepelīre, sepelīvī, sepultus (4)	bury
iniūria, iniūriae, f.	injury, injustice		
iūs, iūris, n.	right, law	succēdere, successī, successūrus (3) (dat.)	succeed, follow
lēgātus, lēgātī, m.	officer, envoy, ambassador	tabula, tabulae, f.	tablet, board; painting
lēx, lēgis, f.	law		
littera, litterae, f.	letter (of the alphabet); pl., letter (epistle), records	tractāre, tractāvī, tractātus (1)	treat, manage
		trādere, trādidī, trāditus (3) (acc. and dat.)	hand over, surrender
mittere, mīsī, missus (3)	send		
necessārius,	necessary,	vulnerāre, vulnerāvī, vulnerātus (1)	wound

ROMAN ENGINEERING

The Romans were the greatest builders of ancient times. Using concrete, which they seem to have discovered, and the principle of the arch, which they received from the Etruscans, they built the world's finest aqueducts, roads, bridges, temples, public buildings, triumphal arches, theaters, amphitheaters, and stadia.

The first evidence of this engineering ability was shown in 312 B.C., when the censor Appius Claudius constructed the Via Appia and the Aqua Appia.

The early aqueducts bringing water to Rome were mostly underground and of short distance. The Aqua Appia was about eleven miles long. Later, as the population and its needs grew, the aqueducts became longer and were built in part above ground on lofty arches. A good example of this was the Aqua Claudia (about A.D. 40), which carried water some forty-six miles

The Via Appia, south of Rome, with ruins of tombs on the sides. The first great highway, it was some 360 miles long.

to Rome. That the city had an abundance of water is seen from the fact that whereas there were once eleven aqueducts, today there are only four. The sources and at times the channels of these are the same as in ancient days. Outside Italy many ruins of aqueducts can be seen, the most famous of which are the Pont du Gard in southern France and that at Segovia in central Spain.

The channel proper was made of stone and brick with a cement mortar lining. The water flowed at an easy pitch, tunneling through hills and bridging valleys. When it reached its destination, it was stored in huge reservoirs and thence piped to houses, buildings, and public fountains.

The best roads in the world until modern times were constructed by the Romans. The first great highway, the Via Appia, ran southeast from Rome to Capua and later was continued across the Apennines to Brundisium, some 360 miles in all. Over six hundred years later in the fourth century after Christ, nineteen roads entered the city through the fifteen gates of the Aurelian wall. In all the Roman world there were perhaps 50,000 miles of highways, stretching all the way from Britain to Asia Minor and Egypt.

These ancient expressways were first made for the fast movement of troops. They were very straight and always at an easy grade, cutting through hills and spanning valleys much like the aqueducts. The roadbed had about a two-foot stone and concrete base, topped by many-sided lava blocks one foot thick. There were curbs and walks, especially near the towns. The width was about fifteen feet, enough for two wagons to pass easily in opposite directions. Markers of stone were provided every mile. Some parts of these roads are still in use today!

In temples and public buildings (basilicas) the Romans borrowed somewhat from the Greeks. Columns were widely used but more for decoration than actual need, for stone and concrete were used for walls and ceilings. Although most temples had the Greek look, the Pantheon, begun by Agrippa, was the first to show how the arch could be exploited in constructing circular domes.

Triumphal arches were given to the world by the Romans. These stately masses of concrete, stone, and brick were beautifully embellished with marble and bas-reliefs. The most noted still stand today in and near the Forum: the Arch of Titus (c. A.D. 80), the Arch of Septimius Severus

The Arch of Titus commemorates this emperor's
victory over the Jews in the late first century A.D.

Ceiling of the outside of the temple of Bacchus at
Baalbek, Lebanon.

(A.D. 203), and the Arch of Constantine (after A.D. 312), the best preserved of all. Quite a few towns in Italy and the provinces were also
adorned with these monuments to conquering generals and emperors.

Theaters, amphitheaters, and stadia (circuses) were also products of
Roman talent. Theaters — semicircular stone edifices with several arched
stories — were large by modern standards, normally seating about 10,000;
the theater of Pompey (55 B.C.) sat 27,000 people. The most famous
amphitheater is the still-extant Colosseum. Built by the Flavian emperors
around A.D. 80, it was an oval mass with three arched stories, being 158
feet high and seating upwards of 50,000 spectators. Of the stadia, which
were primarily race tracks, the most illustrious was the Circus Maximus. This
long rectangular stadium, seating at least 250,000, was built into the valley
between the Aventine and Palatine hills. Started by King Tarquinius Priscus,
it was enlarged many times until it reached about 2000 feet in length and
600 in width.

LECTIŌ DECIMA

(X)

FĀBULA

Aqueducts

From the founding of the city throughout 441 years the Romans were satisfied with the waters which they drew either from the Tiber or from wells or from springs. The memory of springs is still observed with honor; they are said to bring health to sick bodies. But now many aqueducts flow into the city: the Appian aqueduct, the Old Anio, the Marcia, the Tepula, the Julia, the Virgo, the Alsietina, which is also called Augusta, the Claudia, and the New Anio.

When Marcus Valerius Maximus and Publius Decius Mus were consuls, in the thirtieth year after the beginning of the Samnite war, the Appian aqueduct was brought into the city by Appius Claudius Crassus, the censor, who afterward was called the Blind, and who built the Appian Way from the Capena gate to the city of Capua.

He had as colleague Gaius Plautius, to whom was given the name of the Hunter because of finding the springs of the aqueduct. But because Plautius, deceived by his colleague Appius, left his office within a year and six months, the aqueduct was named in honor of Appius.

Dē Aquīs

Ab urbe conditā[1] per annōs CDXLI (quadringentōs quadrāgintā ūnum) contentī fuērunt Rōmānī aquīs quās aut ex Tiberī aut ex puteīs aut ex fontibus hauriēbant. Fontium memoria cum honōre adhūc colitur; salūtem aegrīs corporibus ferre dīcuntur. Sed nunc in urbem fluunt multae aquae: aqua Appia, Aniō Antīquus, Mārcia, Tepula, Iūlia, Virgō, Alsietīna quae etiam vocātur Augusta, Claudia, Aniō Novus.

Mārcō Valeriō Maximō, Pūbliō Deciō Mūre cōnsulibus, annō XXX (trīcēsimō) post initium Samnīticī bellī, aqua Appia in urbem inducta est ab Appiō Claudiō Crassō cēnsōre, quī posteā Caecus vocābātur, quī et viam Appiam ā portā Capēnā ad urbem Capuam mūnīvit.

Collēgam habēbat Gāium Plautium, cui propter repertōs aquae fontēs[1] Vēnōcis nōmen datum est. Sed quia intrā annum et sex mēnsēs, dēceptus ā collēgā Appiō, Plautius officium relīquit, nōmen aquae ad Appiī honōrem datum est.

---

[1] **Ab urbe conditā; propter repertōs . . . fontēs:** see footnote 1, Lesson V.

Alinari

The Claudian Aqueduct brought fresh water from the mountains to the city of Rome.

Starting on the Lucullan farm, on the Praenestine Way, the Appian aqueduct is small. Flowing from its source to the Salinae, which is a place near the Trigemina gate, it has a length of 11.19 miles.

Aqua Appia, incipiēns in agrō Lūcullānō, in viā Praenestīnā, est parva. Fluēns ā capite ad Salīnās, quī locus est ad portam Trigeminam, habet longitūdinem passuum* XI (ūndecim) mīlium CLXXXX (centum nōnāgintā).[2]

— Adapted from Sextus Iūlius Frontīnus, *Dē Aquīs*, IV–V.

GRAMMATICA

1. Present active participle:

The present active participle (in English the adjective verb form ending in –*ing*, e.g., *calling*) is a third declension adjective of one nominative ending. The nominative is formed by adding –**ns** to the present stem; the genitive, by adding –**ntis.** Fourth conjugation verbs (and 3 –**iō**) will have –**iē** before these endings. All stem vowels are long before –**ns,** short before –**ntis.**

---

[2] **Passuum XI mīlium CLXXXX:** literally, *of 11,190 paces.*

	1	2	3	3 (–iō)	4
Nom.	vocāns	monēns	dūcēns	capiēns	pūniēns
Gen.	vocantis	monentis	dūcentis	capientis	pūnientis
	calling	*advising*	*leading*	*taking*	*punishing*

The present participle can be used anywhere an adjective can be used; e.g., *the fighting soldier* is translated **mīles pugnāns.** It may also be translated into English by a relative clause: **mīles pugnāns,** *the soldier who is fighting;* **vir veniēns,** *the man who is coming.*

The present participle may also be used in the Ablative Absolute construction:

> **Mīlitibus venientibus,** hostēs fugiunt.
> *Since the soldiers are coming,* the enemy is fleeing.

The verb **esse** (*to be*) has no present or perfect participle. When clauses with a noun + **esse** + a predicate noun or adjective are used in the Ablative Absolute, the verb **esse** is not expressed and the noun and the predicate word are in the ablative.

> **Rōmulō duce,** Rōma condita est.
> *With Romulus as leader,*
> *Romulus being the leader,*   ⎫ Rome was
> *Under the leadership of Romulus,*   ⎬ founded.
> *When (after, since, etc.) Romulus was leader,* ⎭

> **Valeriō et Deciō cōnsulibus,** aqua Appia in urbem inducta est.
> *When Valerius and Decius were consuls,* the Appian aqueduct
>   was brought into the city.

> **Fīliō aegrō,** familia vīllam nōn vīsitāvit.
> *Because the son was sick,* the family did not visit the villa.

2. Interrogative pronouns:

The various forms of the interrogative pronoun (*who? what?*) have been introduced in the previous lessons. The interrogative pronoun asks a question, e.g., *What* did Appius build? **"Quid" Appius mūnīvit?** The forms of the interrogative pronoun are:

	Singular		Plural		
	M, F	N	M	F	N
Nominative	quis	quid	quī	quae	quae
Genitive	cuius	cuius	quōrum	quārum	quōrum
Dative	cui	cui	quibus	quibus	quibus
Accusative	quem	quid	quōs	quās	quae
Ablative	quō	quō	quibus	quibus	quibus

3. Relative pronouns:

The relative pronoun (*who, which, that*) connects an adjective clause with a noun. "The road *which* Appius built is called the Via Appia." The main clause is *The road is called the Via Appia*. The relative clause, *which Appius built,* modifies *road*. The relative pronoun will usually refer to the noun nearest to it. The forms of the Latin relative pronoun are:

	Singular			Plural		
	M	F	N	M	F	N
Nominative	quī	quae	quod	quī	quae	quae
Genitive	cuius	cuius	cuius	quōrum	quārum	quōrum
Dative	cui	cui	cui	quibus	quibus	quibus
Accusative	quem	quam	quod	quōs	quās	quae
Ablative	quō	quā	quō	quibus	quibus	quibus

The relative pronoun agrees with its antecedent (the word to which it refers) in gender and number but takes its case from its own clause. In the sentence quoted above, *which* is feminine singular to agree with *road* but it is accusative case because it is the object of the verb *built*. In Latin the sentence is **Via "quam" Appius mūnīvit appellāta est Via Appia.**

4. Interrogative adjectives:

The interrogative adjective (*what? which?*) has the same forms as the relative pronoun. *What* road did Appius build? is **"Quam" viam Appius mūnīvit?**

5. Irregular verbs:

Latin has few irregular verbs. The irregular verbs are irregular only in the tenses formed from the present stem, i.e., present, imperfect, future. Most are irregular only in the present tense.

> **esse, fuī, futūrus** — *be*
>
> **posse, potuī** — *be able, can;* this is a compound of **pot–** (**pote,** *able*) and **esse.**
>
> **īre, īvī, itūrus** — *go;* this verb has an alternate second part, **iī.**
>
> **ferre, tulī, lātus** — *bear, carry, bring;* its present stem is **fere–.**

Of these verbs only **ferre** has both active and passive voice.

				Active	*Passive*
	esse	**posse**	**īre**	**ferre**	**ferrī**
Present, 3 sing.	**est**	**potest**	it	**fert**	**fertur**
pl.	**sunt**	**possunt**	**eunt**	ferunt	feruntur
Imperfect, 3 sing.	**erat**	**poterat**	**ībat**	ferēbat	ferēbātur
pl.	**erant**	**poterant**	**ībant**	ferēbant	ferēbantur
Perfect, 3 sing.	fuit	potuit	īvit	tulit	lātus est
pl.	fuērunt	potuērunt	īvērunt	tulērunt	lātī sunt
Present participle	...	...	iēns	ferēns	...
Genitive			**euntis**	ferentis	

Note: Compounds of these verbs (e.g., **abesse, exīre, differre**) have the same forms.

EXERCITIA

1. Present active participle:

	Present Active Participle				
	1	*2*	*3*	*3 (–iō)*	*4*
Nom.	**laudāns**	**monēns**	**dūcēns**	**capiēns**	**pūniēns**
Gen.	**laudantis**	**monentis**	**dūcentis**	**capientis**	**pūnientis**

1. Recognize the nominative of the present active participle by answering the question in the present tense:

A. If it is a *fighting* soldier, what does the soldier do? The soldier *fights*.

1. Sī est mīles pugnāns, quid mīles agit?   Mīles pugnat.
2. Sī est dux triumphāns, quid dux agit?   Dux triumphat.
3. Sī est fēmina ōrnāns, quid fēmina agit?   Fēmina ōrnat.
4. Sī sunt mīlitēs pugnantēs, quid mīlitēs agunt?   Mīlitēs pugnant.
5. Sī sunt ducēs triumphantēs, quid ducēs agunt?   Ducēs triumphant.
6. Sī sunt fēminae ōrnantēs, quid fēminae agunt?   Fēminae ōrnant.

7. Sī est custōs praevidēns, quid custōs agit?   Custōs praevidet.
8. Sī est magister prohibēns, quid magister agit?   Magister prohibet.
9. Sī est bellum dēlēns, quid bellum agit?   Bellum dēlet.
10. Sī sunt custōdēs praevidentēs, quid custōdēs agunt?   Custōdēs praevident.
11. Sī sunt magistrī prohibentēs, quid magistrī agunt?   Magistrī prohibent.
12. Sī sunt bella dēlentia, quid bella agunt?   Bella dēlent.

13. Sī est flūmen currēns, quid flūmen agit?   Flūmen currit.
14. Sī est victor restituēns, quid victor agit?   Victor restituit.
15. Sī est familia fugiēns, quid familia agit?   Familia fugit.
16. Sī sunt flūmina currentia, quid flūmina agunt?   Flūmina currunt.
17. Sī sunt victōrēs restituentēs, quid victōrēs agunt?   Victōrēs restituunt.
18. Sī sunt familiae fugientēs, quid familiae agunt?   Familiae fugiunt.

19. Sī est poēta reperiēns, quid poēta agit?   Poēta reperit.
20. Sī est cōnsul pūniēns, quid cōnsul agit?   Cōnsul pūnit.
21. Sī sunt poētae reperientēs, quid poētae agunt?   Poētae reperiunt.
22. Sī sunt cōnsulēs pūnientēs, quid cōnsulēs agunt?   Cōnsulēs pūniunt.

2. Produce the nominative of the present active participle by answering the question **Quālis? Quāle?:**

B. If the brother visits, *what kind* of a brother is he?   He is a *visiting* brother.

23. Sī frāter vīsitat, quālis frāter est?   Est frāter vīsitāns.
24. Sī imperātor dēsōlat, quālis imperātor est?   Est imperātor dēsōlāns.
25. Sī pater vocat, quālis pater est?   Est pater vocāns.
26. Sī magistrī ēducant, quālēs magistrī sunt?   Sunt magistrī ēducantēs.
27. Sī rēgēs rēgnant, quālēs rēgēs sunt?   Sunt rēgēs rēgnantēs.
28. Sī bibliothēcae servant, quālēs bibliothēcae sunt?   Sunt bibliothēcae servantēs.

29. Sī puella flet, quālis puella est?   Est puella flēns.
30. Sī imperātor iubet, quālis imperātor est?   Est imperātor iubēns.
31. Sī cōnsul obsidet, quālis cōnsul est?   Est cōnsul obsidēns.
32. Sī auguria monent, quālia auguria sunt?   Sunt auguria monentia.
33. Sī incolae vident, quālēs incolae sunt?   Sunt incolae videntēs.
34. Sī virī casās habent, quālēs virī sunt?   Sunt virī casās habentēs.

35. Sī puer currit, quālis puer est?   Est puer currēns.
36. Sī populus bellum gerit, quālis populus est?   Est populus bellum gerēns.
37. Sī custōs portam claudit, quālis custōs est?   Est custōs portam claudēns.
38. Sī fīliī patrēs repōnunt, quālēs fīliī sunt?   Sunt fīliī patrēs repōnentēs.
39. Sī uxor dōnum recipit, quālis uxor est?   Est uxor dōnum recipiēns.
40. Sī uxōrēs dōna recipiunt, quālēs uxōrēs sunt?   Sunt uxōrēs dōna recipientēs.

41. Sī dux venit, quālis dux est?   Est dux veniēns.
42. Sī ducēs veniunt, quālēs ducēs sunt?   Sunt ducēs venientēs.
43. Sī mīles reperit, quālis mīles est?   Est mīles reperiēns.
44. Sī mīlitēs reperiunt, quālēs mīlitēs sunt?   Sunt mīlitēs reperientēs.

2. Present active participle in the Ablative Absolute:

Ablative Absolute	
NOUN	PARTICIPLE
Mīlite	**pugnante**

1. Recognize the ablative of the present active participle by changing the Ablative Absolute to a **quia** clause:

A. *With the soldier fighting,* the enemy flees.

Because the soldier is fighting, the enemy flees.

1. Mīlite pugnante, hostis fugit.
Quia mīles pugnat, hostis fugit.

2. Mīlitibus pugnantibus, hostis fugit.
Quia mīlitēs pugnant, hostis fugit.

3. Puellā in viā ambulante, pater servum pūnīvit.
Quia puella in viā ambulāvit, pater servum pūnīvit.

4. Puellīs in viā ambulantibus, pater servum pūnīvit.
Quia puellae in viā ambulāvērunt, pater servum pūnīvit.

5. Deō monente, populus cūrātur.
Quia deus monet, populus cūrātur.

6. Deīs monentibus, populus cūrātur.
Quia deī monent, populus cūrātur.

7. Magistrō nōn docente, puerī lūsērunt.
Quia magister nōn docuit, puerī lūsērunt.

8. Magistrīs nōn docentibus, puerī lūsērunt.
Quia magistrī nōn docuērunt, puerī lūsērunt.

9. Cōnsule cōpiās dūcente, Rōmānī vincunt.

Quia cōnsul cōpiās dūcit, Rōmānī vincunt.

10. Cōnsulibus cōpiās dūcentibus, Rōmānī vincunt.

Quia cōnsulēs cōpiās dūcunt, Rōmānī vincunt.

11. Aquā fluente, urbs servāta est.

Quia aqua flūxit, urbs servāta est.

12. Aquīs fluentibus, urbs servāta est.

Quia aquae flūxērunt, urbs servāta est.

13. Fīliō aquam hauriente, māter vocāvit.

Quia fīlius aquam hausit, māter vocāvit.

14. Fīliīs aquam haurientibus, māter vocāvit.

Quia fīliī aquam hausērunt, māter vocāvit.

15. Flōre aperiente, mēnsis est Māius.

Quia flōs aperit, mēnsis est Māius.

16. Flōribus aperientibus, mēnsis est Māius.

Quia flōrēs aperiunt, mēnsis est Māius.

2. Produce the ablative of the present active participle by changing the **quod, quia,** or **sī** clause to the Ablative Absolute:

B. *Because the mother was calling, the boys were not playing.*

With the mother calling, the boys were not playing.

17. Quod māter vocābat, puerī nōn lūdēbant.

Mātre vocante, puerī nōn lūdēbant.

18. Quod mātrēs vocābant, puerī nōn lūdēbant.

Mātribus vocantibus, puerī nōn lūdēbant.

19. Quod Plautius officium relīquit, nōmen aquae Appiō datum est.

Plautiō officium relinquente, nōmen aquae Appiō datum est.

20. Quod cēnsōrēs officium relīquērunt, nōmen aquae Appiō datum est.

Cēnsōribus officium relinquentibus, nōmen aquae Appiō datum est.

21. Quia Appius opus fīnīvit, aqua bona ad urbem portāta est.

Appiō opus fīniente, aqua bona ad urbem portāta est.

22. Quia virī opus fīnīvērunt, aqua bona ad urbem portāta est.

Virīs opus fīnientibus, aqua bona ad urbem portāta est.

23. Sī imperātor dūcit, mīlitēs sunt fortēs.

Imperātōre dūcente, mīlitēs sunt fortēs.

24. Sī imperatōrēs dūcunt, mīlitēs sunt fortēs.

Imperātōribus dūcentibus, mīlitēs sunt fortēs.

25. Sī fīlius flet, pater est aeger.

Fīliō flente, pater est aeger.

26. Sī fīliī flent, pater est aeger.

Fīliīs flentibus, pater est aeger.

27. Quod hostis ducem vulnerābat, cōpiae fugiēbant.

Hoste ducem vulnerante, cōpiae fugiēbant.

28. Quod hostēs ducem vulnerābant, cōpiae fugiēbant.

Hostibus ducem vulnerantibus, cōpiae fugiēbant.

29. Quod Rōmānus auxilium petit, deī laudantur.

Rōmānō auxilium petente, deī laudantur.

30. Quod Rōmānī auxilium petunt, deī laudantur.

Rōmānīs auxilium petentibus, deī lau-dantur.

31. Quia Gallī casās dēlēbant, Rō-mānī cēdēbant.

Gallīs casās dēlentibus, Rōmānī cēdēbant.

32. Quia Gallus casās dēlēbat, Rō-mānī cēdēbant.

Gallō casās dēlente, Rōmānī cēdēbant.

3. The relative pronoun (nominative singular):

	Relative Pronoun		
	M	F	N
		SINGULAR	
Nom.	**quī**	**quae**	**quod**

1. Recognize the nominative singular of the relative pronoun (**quī, quae, quod**) by substituting the present participle for the relative clause:

A. If it is a mother *who announces,* it is an *announcing* mother.

1. Sī est māter quae nūntiat,   est māter nūntiāns.
2. Sī est puella quae tractat,   est puella tractāns.
3. Sī est fēmina quae vulnerat,   est fēmina vulnerāns.
4. Sī est iānua quae exclūdit,   est iānua exclūdēns.
5. Sī est nox quae fugit,   est nox fugiēns.
6. Sī est soror quae parat,   est soror parāns.
7. Sī est ōrātiō quae laudat,   est ōrātiō laudāns.

8. Sī est cēnsor quī mūnit,   est cēnsor mūniēns.
9. Sī est honor quī dēcipit,   est honor dēcipiēns.
10. Sī est vir quī dīvidit,   est vir dīvidēns.
11. Sī est pater quī docet,   est pater docēns.
12. Sī est cōnsul quī rēgnat.   est cōnsul rēgnāns.
13. Sī est amīcus quī amat,   est amīcus amāns.
14. Sī est ōrātor quī dīcit,   est ōrātor dīcēns.

15. Sī est initium quod aperit,   est initium aperiēns.
16. Sī est officium quod nocet,   est officium nocēns.
17. Sī est iūs quod prohibet.   est iūs prohibēns.
18. Sī est bellum quod dēlet,   est bellum dēlēns.
19. Sī est vāllum quod mūnit,   est vāllum mūniēns.
20. Sī est opus quod docet,   est opus docēns.

2. Produce the relative pronoun (**quī, quae, quod**) by describing the present participle as a relative clause:

B. If it is a *waiting* boy, it is a boy *who waits.*

21. Sī est puer exspectāns,	est puer quī exspectat.
22. Sī est prīnceps agitāns,	est prīnceps quī agitat.
23. Sī est annus incipiēns,	est annus quī incipit.
24. Sī est fōns fluēns,	est fōns quī fluit.
25. Sī est populus pugnāns,	est populus quī pugnat.
26. Sī est poēta scrībēns,	est poēta quī scrībit.
27. Sī est collēga committēns,	est collēga quī committit.
28. Sī est memoria monēns,	est memoria quae monet.
29. Sī est salūs cūrāns,	est salūs quae cūrat.
30. Sī est iniūria dēsōlāns,	est iniūria quae dēsōlat.
31. Sī est porta claudēns,	est porta quae claudit.
32. Sī est lupa ēducāns,	est lupa quae ēducat.
33. Sī est gēns dēsīderāns,	est gēns quae dēsīderat.
34. Sī est arbor ōrnāns,	est arbor quae ōrnat.
35. Sī est auxilium servāns,	est auxilium quod servat.
36. Sī est perīculum obsidēns,	est perīculum quod obsidet.
37. Sī est mare pūniēns,	est mare quod pūnit.
38. Sī est corpus interveniēns,	est corpus quod intervenit.
39. Sī est lūmen mōnstrāns,	est lūmen quod mōnstrat.
40. Sī est verbum aperiēns,	est verbum quod aperit.

4. Relative pronoun (accusative singular):

	Relative Pronoun		
	M	*F*	*N*
		SINGULAR	
Acc.	**quem**	**quam**	**quod**

1. Recognize the accusative singular of the relative pronoun by substituting the perfect passive participle for the relative clause:

A. He sees the girl *whom he loved.* He sees the *beloved* girl.

1. Videt puellam quam amāvit.	Videt puellam amātam.
2. Videt uxōrem quam laudāvit.	Videt uxōrem laudātam.
3. Videt fēminam quam cūrāvit.	Videt fēminam cūrātam.
4. Videt mātrem quam servāvit.	Videt mātrem servātam.

5. Videt ruīnam quam incendit.   Videt ruīnam incēnsam.
6. Videt aestātem quam exspectāvit.   Videt aestātem exspectātam.
7. Videt victimam quam dēdicāvit.   Videt victimam dēdicātam.

8. Videt puteum quem hausit.   Videt puteum haustum.
9. Videt prīncipem quem reposuit.   Videt prīncipem repositum.
10. Videt lēgātum quem mīsit.   Videt lēgātum missum.
11. Videt victōrem quem trādidit.   Videt victōrem trāditum.
12. Videt deum quem coluit.   Videt deum cultum.
13. Videt custōdem quem iussit.   Videt custōdem iussum.
14. Videt fīlium quem docuit.   Videt fīlium doctum.

15. Videt officium quod dēsīderāvit.   Videt officium dēsīderātum.
16. Videt iūs quod vulnerāvit.   Videt iūs vulnerātum.
17. Videt opus quod fēcit.   Videt opus factum.
18. Videt flūmen quod petīvit.   Videt flūmen petītum.
19. Videt forum quod aedificāvit.   Videt forum aedificātum.
20. Videt augurium quod cēpit.   Videt augurium captum.

2. Produce the accusative singular of the relative pronoun by changing the perfect passive participle to a relative clause:

    B. He sees the *fortified* city.   He sees the city *which he fortified*.

21. Videt urbem mūnītam.   Videt urbem quam mūnīvit.
22. Videt salūtem dēsīderātam.   Videt salūtem quam dēsīderāvit.
23. Videt familiam amātam.   Videt familiam quam amāvit.
24. Videt casam aedificātam.   Videt casam quam aedificāvit.
25. Videt viam mōnstrātam.   Videt viam quam mōnstrāvit.
26. Videt portam clausam.   Videt portam quam clausit.
27. Videt īnscrīptiōnem scrīptam.   Videt īnscrīptiōnem quam scrīpsit.

28. Videt servum pūnītum.   Videt servum quem pūnīvit.
29. Videt patrem monitum.   Videt patrem quem monuit.
30. Videt lēgātum abductum.   Videt lēgātum quem abdūxit.
31. Videt iuvenem doctum.   Videt iuvenem quem docuit.
32. Videt obsidem captum.   Videt obsidem quem cēpit.
33. Videt populum victum.   Videt populum quem vīcit.
34. Videt Remum interfectum.   Videt Remum quem interfēcit.

35. Videt dōnum datum.   Videt dōnum quod dedit.
36. Videt palātium ōrnātum.   Videt palātium quod ōrnāvit.
37. Videt rēgnum laudātum.   Videt rēgnum quod laudāvit.
38. Videt templum dēdicātum.   Videt templum quod dēdicāvit.
39. Videt corpus sepultum.   Videt corpus quod sepelīvit.
40. Videt opus factum.   Videt opus quod fēcit.

5. Relative pronoun (nominative plural):

	Relative Pronoun		
	M	*F*	*N*
		PLURAL	
Nom.	quī	quae	quae

1. Recognize the nominative plural of the relative pronoun by substituting the present participle for the relative clause:

A. If they are slaves *who save,*   they are *saving* slaves.

1. Sī sunt servī quī servant,   sunt servī servantēs.
2. Sī sunt puerī quī ambulant,   sunt puerī ambulantēs.
3. Sī sunt patrēs quī pugnant,   sunt patrēs pugnantēs.
4. Sī sunt prīncipēs quī bellum gerunt, sunt prīncipēs bellum gerentēs.
5. Sī sunt ducēs quī pācem petunt,   sunt ducēs pācem petentēs.
6. Sī sunt pontēs quī flūmen vincunt, sunt pontēs flūmen vincentēs.

7. Sī sunt puellae quae sedent,   sunt puellae sedentēs.
8. Sī sunt aquae quae fluunt,   sunt aquae fluentēs.
9. Sī sunt viae quae dūcunt,   sunt viae dūcentēs.
10. Sī sunt partēs quae montēs habent, sunt partēs montēs habentēs.
11. Sī sunt gentēs quae bellum agitant, sunt gentēs bellum agitantēs.
12. Sī sunt lēgēs quae pūniunt gladiātōrēs, sunt lēgēs pūnientēs gladiātōrēs.

13. Sī sunt initia quae aperiunt,   sunt initia aperientia.
14. Sī sunt officia quae iubent,   sunt officia iubentia.
15. Sī sunt genera quae rēgnant,   sunt genera rēgnantia.
16. Sī sunt iūra quae populum servant, sunt iūra populum servantia.
17. Sī sunt palātia quae custōdem habent, sunt palātia custōdem habentia.
18. Sī sunt maria quae terrās dīvidunt, sunt maria terrās dīvidentia.

2. Produce the relative pronoun by changing the present participle into a relative clause:

B. If they are *deceiving* friends,   they are friends *who deceive.*

19. Sī sunt amīcī dēcipientēs,   sunt amīcī quī dēcipiunt.
20. Sī sunt fīliī nūntiantēs,   sunt fīliī quī nūntiant.
21. Sī sunt magistrī docentēs,   sunt magistrī quī docent.
22. Sī sunt frātrēs patrem amantēs,   sunt frātrēs quī patrem amant.
23. Sī sunt puerī Rōmam vīsitantēs,   sunt puerī quī Rōmam vīsitant.
24. Sī sunt hortī vīllam ōrnantēs,   sunt hortī quī vīllam ōrnant.

25. Sī sunt pecūniae prohibentēs,	sunt pecūniae quae prohibent.
26. Sī sunt silvae claudentēs,	sunt silvae quae claudunt.
27. Sī sunt contentiōnēs dīvidentēs,	sunt contentiōnēs quae dīvidunt.
28. Sī sunt gentēs agrōs colentēs,	sunt gentēs quae agrōs colunt.
29. Sī sunt fēminae flōrēs habentēs,	sunt fēminae quae flōrēs habent.
30. Sī sunt victimae ārās dēdicantēs,	sunt victimae quae ārās dēdicant.
31. Sī sunt aedificia ōrnantia,	sunt aedificia quae ōrnant.
32. Sī sunt dōna salūtantia,	sunt dōna quae salūtant.
33. Sī sunt arma vincentia,	sunt arma quae vincunt.
34. Sī sunt castra oppidum obsidentia,	sunt castra quae oppidum obsident.
35. Sī sunt rēgna rēgēs habentia,	sunt rēgna quae rēgēs habent.
36. Sī sunt opera puerōs docentia,	sunt opera quae puerōs docent.

6. Relative pronoun (accusative plural):

	Relative Pronoun		
	M	F	N
		PLURAL	
Acc.	quōs	quās	quae

1. Recognize the accusative plural of the relative pronoun by substituting the perfect passive participle for the relative clause:

   A. They see the mothers *whom they loved.*   They see the *loved* mothers.

1. Vident mātrēs quās amāvērunt.	Vident mātrēs amātās.
2. Vident portās quās exspectāvērunt.	Vident portās exspectātās.
3. Vident arborēs quās coluērunt.	Vident arborēs cultās.
4. Vident litterās quās scrīpsērunt.	Vident litterās scrīptās.
5. Vident noctēs quās cōnstituērunt.	Vident noctēs cōnstitūtās.
6. Vident tabulās quās fēcērunt.	Vident tabulās factās.
7. Vident urbēs quās condidērunt.	Vident urbēs conditās.
8. Vident fēminās quās petīvērunt.	Vident fēminās petītās.
9. Vident flōrēs quōs coluērunt.	Vident flōrēs cultōs.
10. Vident prīncipēs quōs lēgērunt.	Vident prīncipēs lēctōs.
11. Vident lēgātōs quōs mīsērunt.	Vident lēgātōs missōs.
12. Vident imperātōrēs quōs vīcērunt.	Vident imperātōrēs victōs.
13. Vident cōnsulēs quōs exclūsērunt.	Vident cōnsulēs exclūsōs.
14. Vident vīcōs quōs incendērunt.	Vident vīcōs incēnsōs.
15. Vident ducēs quōs occīdērunt.	Vident ducēs occīsōs.
16. Vident puerōs quōs docuērunt.	Vident puerōs doctōs.

A shrine in a home at Herculaneum. It was common for wealthy families in the resort area to have a shrine dedicated to the gods.

17. Vident corpora quae sepelīvērunt.	Vident corpora sepulta.
18. Vident auxilia quae exspectāvērunt.	Vident auxilia exspectāta.
19. Vident templa quae dēdicāvērunt.	Vident templa dēdicāta.
20. Vident castra quae posuērunt.	Vident castra posita.
21. Vident lūmina quae portāvērunt.	Vident lūmina portāta.
22. Vident auguria quae cēpērunt.	Vident auguria capta.
23. Vident oppida quae incendērunt.	Vident oppida incēnsa.
24. Vident bella quae gessērunt.	Vident bella gesta.

2. Produce the relative pronoun in the accusative plural by changing the perfect passive participle to a relative clause:

B. They see the *dedicated* altars.   They see the altars *which they dedicated*.

25. Vident ārās dēdicātās.	Vident ārās quās dēdicāvērunt.
26. Vident iānuās clausās.	Vident iānuās quās clausērunt.
27. Vident urbēs cōnstitūtās.	Vident urbēs quās cōnstituērunt.

28. Vident lēgēs ā rēge scrīptās.
29. Vident nāvēs auxiliō aedificātās.
30. Vident uxōrēs ā virīs amātās.
31. Vident puellās ā mātre ēducātās.

32. Vident virōs ā cōnsule lēctōs.
33. Vident flōrēs ā servō cultōs.
34. Vident mīlitēs ā prīncipe occīsōs.
35. Vident servōs ā magistrō salūtātōs.
36. Vident geminōs ā rēge iactātōs.
37. Vident cēnsōrēs ā populō inductōs.
38. Vident puerōs ā patribus doctōs.

39. Vident initia ā Trōiānīs facta.
40. Vident opera ab ōrātōre scrīpta.
41. Vident lūmina ā servīs mōnstrāta.
42. Vident nōmina ā mātre data.
43. Vident bella ā prīncipe gesta.
44. Vident castra ā mīlitibus posita.

Vident lēgēs quās rēx scrīpsit.
Vident nāvēs quās auxilium aedificāvit.
Vident uxōrēs quās virī amāvērunt.
Vident puellās quās māter ēducāvit.

Vident virōs quōs cōnsul lēgit.
Vident flōrēs quōs servus coluit.
Vident mīlitēs quōs prīnceps occīdit.
Vident servōs quōs magister salūtāvit.
Vident geminōs quōs rēx iactāvit.
Vident cēnsōrēs quōs populus indūxit.
Vident puerōs quōs patrēs docuērunt.

Vident initia quae Trōiānī fēcērunt.
Vident opera quae ōrātor scrīpsit.
Vident lūmina quae servī mōnstrāvērunt.
Vident nōmina quae māter dedit.
Vident bella quae prīnceps gessit.
Vident castra quae mīlitēs posuērunt.

7. The irregular verb "īre":

	Īre, īvī(iī), itūrus	
	SING.	PL.
Present	it	eunt
Imperfect	ībat	ībant
Perfect	īvit (iit)	īvērunt (iērunt)

1. Recognize the forms of **īre** (*to go*) by substituting the corresponding forms of **prōcēdere** (*to go forth, proceed*):

A. The boy *goes* to the house.

The boy *proceeds* to the house.

1. Puer ad casam it.
2. Mīles ad urbem it.
3. Explōrātor ā nāve it.
4. Puella ab hortō it.
5. Custōs ā forō it.
6. Elephantus ā marī it.
7. Obses ad urbem it.
8. Lēgātus ad pontem it.

Puer ad casam prōcēdit.
Mīles ad urbem prōcēdit.
Explōrātor ā nāve prōcēdit.
Puella ab hortō prōcēdit.
Custōs ā forō prōcēdit.
Elephantus ā marī prōcēdit.
Obses ad urbem prōcēdit.
Lēgātus ad pontem prōcēdit.

9. Collēgae ā pugnā eunt.	Collēgae ā pugnā prōcēdunt.
10. Custōdēs ad puteum eunt.	Custōdēs ad puteum prōcēdunt.
11. Cēnsōrēs ad bibliothēcam eunt.	Cēnsōrēs ad bibliothēcam prōcēdunt.
12. Prīncipēs ad castra eunt.	Prīncipēs ad castra prōcēdunt.
13. Poētae ad montem eunt.	Poētae ad montem prōcēdunt.
14. Nāvēs ad mare eunt.	Nāvēs ad mare prōcēdunt.
15. Magistrī ad iānuam eunt.	Magistrī ad iānuam prōcēdunt.
16. Amīcī ad vīllam eunt.	Amīcī ad vīllam prōcēdunt.

2. Produce the proper forms of **īre** (*to go*) from the corresponding verbs of motion:

    B. The boy *walks* to the hut.   The boy *goes* to the hut.

17. Puer ad casam ambulat.	Puer ad casam it.
18. Mīles ad urbem prōcēdit.	Mīles ad urbem it.
19. Explōrātor ā nāve fugit.	Explōrātor ā nāve it.
20. Puella ab hortō cēdit.	Puella ab hortō it.
21. Custōdēs ā forō fugiunt.	Custōdēs ā forō eunt.
22. Elephantī ā marī prōcēdunt.	Elephantī ā marī eunt.
23. Obsidēs ad urbem ambulant.	Obsidēs ad urbem eunt.
24. Lēgātī ad pontem prōcēdunt.	Lēgātī ad pontem eunt.
25. Collēga ā pugnā fugiēbat.	Collēga ā pugnā ībat.
26. Custōs ad puteum prōcēdēbat.	Custōs ad puteum ībat.
27. Cēnsor ad forum prōcēdēbat.	Cēnsor ad forum ībat.
28. Prīnceps ad castra veniēbat.	Prīnceps ad castra ībat.
29. Poētae ad montem ambulābant.	Poētae ad montem ībant.
30. Nāvēs ad urbem prōcēdēbant.	Nāvēs ad urbem ībant.
31. Explōrātōrēs ā nāvibus fugiēbant.	Explōrātōrēs ā nāvibus ībant.
32. Magistrī ad iānuam ambulābant.	Magistrī ad iānuam ībant.
33. Elephantus ā castrīs prōcessit.	Elephantus ā castrīs īvit (iit).
34. Prīnceps ad mīlitēs vēnit.	Prīnceps ad mīlitēs īvit (iit).
35. Amīcus ad vīllam ambulāvit.	Amīcus ad vīllam īvit (iit).
36. Ōrātor ab urbe fūgit.	Ōrātor ab urbe īvit (iit).
37. Collēgae ad domicilia ambulā- vērunt.	Collēgae ad domicilia īvērunt (iērunt).
38. Incolae ad casās fūgērunt.	Incolae ad casās īvērunt (iērunt).
39. Patrēs ad puteōs prōcessērunt.	Patrēs ad puteōs īvērunt (iērunt).
40. Servī ā palātiō fūgērunt.	Servī ā palātiō īvērunt (iērunt).

8. Irregular verb "posse":

	Posse, potuī —	
	SING.	PL.
Present	**potest**	**possunt**
Imperfect	**poterat**	**poterant**
Perfect	**potuit**	**potuērunt**

1. Recognize the forms of **posse** (*to be able*) by changing the infinitive to the indicative and dropping **posse:**

    A. He *is able to draw* water from the well.   He *draws* water from the well.

    1. Aquam ex puteō haurīre potest.   Aquam ex puteō haurit.
    2. Aquam ex puteō haurīre poterat.   Aquam ex puteō hauriēbat.
    3. Aquam ex puteō haurīre potuit.   Aquam ex puteō hausit.
    4. Deī omnia spectāre possunt.   Deī omnia spectābant.
    5. Deī omnia spectāre poterant.   Deī omnia spectābant.
    6. Deī omnia spectāre potuērunt.   Deī omnia spectāvērunt.

    7. Viam Appiam mūnīre possunt.   Viam Appiam mūniunt.
    8. Aquam in urbem indūcere potest.   Aquam in urbem indūcit.
    9. September nōmen ā numerō habērī poterat.   September nōmen ā numerō habēbātur.
  10. Mēnsem Rōmānī dēdicāre potuērunt.   Mēnsem Rōmānī dēdicāvērunt.

2. Produce the forms of **posse** (*to be able*) by changing the verb to a complementary infinitive:

    B. The king *divides* the people.   The king *is able to divide* the people.

  11. Rēx populum dīvidit.   Rēx populum dīvidere potest.
  12. Rēx populum dīvidēbat.   Rēx populum dīvidere poterat.
  13. Rēx populum dīvīsit.   Rēx populum dīvidere potuit.
  14. Graecī Venerem Aphrodītem dīcunt.   Graecī Venerem Aphrodītem dīcere possunt.
  15. Graecī Venerem Aphrodītem dīcēbant.   Graecī Venerem Aphrodītem dīcere poterant.
  16. Graecī Venerem Aphrodītem dīxērunt.   Graecī Venerem Aphrodītem dīcere potuērunt.

  17. Fābulae memoriam dēcipiunt.   Fābulae memoriam dēcipere possunt.
  18. Māter flōrem pulchrum coluit.   Māter flōrem pulchrum colere potuit.
  19. Mīles oppidum parvum mūniēbat.   Mīles oppidum parvum mūnīre poterat.
  20. Iānuārius annum aperit.   Iānuārius annum aperīre potest.

9. Irregular verb "ferre":

Ferre, tulī, lātus			
Active		**Passive**	
SING.	PL.	SING.	PL.
Pres. fert	ferunt	fertur	feruntur
Imp. ferēbat	ferēbant	ferēbātur	ferēbantur
Perf. tulit	tulērunt	lātus est	lātī sunt

1. Recognize the forms of **ferre** (*bear, carry*) by substituting the corresponding forms of **portāre** (*to carry*):

A. The soldier *is bearing* arms.   The soldier *is carrying* arms.

1. Mīles arma fert.   Mīles arma portat.
2. Arma ā mīlite feruntur.   Arma ā mīlite portantur.
3. Mīlitēs arma ferunt.   Mīlitēs arma portant.
4. Auxilium ā mīlite fertur.   Auxilium ā mīlite portātur.

5. Mīles arma ferēbat.   Mīles arma portābat.
6. Auxilium ā mīlite ferēbātur.   Auxilium ā mīlite portābātur.
7. Mīlitēs arma ferēbant.   Mīlitēs arma portābant.
8. Arma ā mīlite ferēbantur.   Arma ā mīlite portābantur.

9. Victor salūtem tulit.   Victor salūtem portāvit.
10. Salūs ā victōre lāta est.   Salūs ā victōre portāta est.

2. Produce the forms of **ferre** (*to bear, carry*) by substituting them for the forms of the verbs in the sentences:

B. He *carries* injuries in his memory.   He *bears* injuries in his memory.

11. Iniūriās in memoriā portat.   Iniūriās in memoriā fert.
12. Iniūria in memoriā portātur.   Iniūria in memoriā fertur.
13. Iniūriās in memoriā portant.   Iniūriās in memoriā ferunt.
14. Iniūriae in memoriā portantur.   Iniūriae in memoriā feruntur.

15. Dōnum victor portābat.   Dōnum victor ferēbat.
16. Dōnum ā victōre portābātur.   Dōnum ā victōre ferēbātur.
17. Dōna victōrēs portābant.   Dōna victōrēs ferēbant.
18. Dōna ā victōribus portābantur.   Dōna ā victōribus ferēbantur.

19. Aquam mīlitibus portāvit.   Aquam mīlitibus tulit.
20. Aquae mīlitibus portātae sunt.   Aquae mīlitibus lātae sunt.

CONVERSIŌ

1. What duties is the censor dividing?
2. The doors which he has opened are the safety of the house.
3. The weeping woman is going to the city in which she lives.
4. The boy could not deceive (his) father's memory.
5. The six soldiers were sick because they drank the water flowing from the well.
6. A fighting man who is able to lead is called a leader.
7. The chiefs previously bore the duties which the censor now bears.
8. In the first months of the year the consul's colleague was able to deceive the city.
9. The farmers cultivate the flowers which they like.
10. The length of the road within the city was small.
11. Since the Romans are building a wall, Rome is therefore saved.
12. March was said to be the beginning of the year.
13. The farmers worshiping Venus went to the temple.
14. Appius brought water into the city.
15. Either Appius or (his) colleague finished the aqueduct.

NĀRRĀTIŌ

DĒ MĒNSIBUS

Iānuārius mēnsis ā deō Iānō dictus est, quī colēbātur ā gentibus, quia iānua est annī. Itaque bifrōns Iānus mōnstrātur, quia initium annī et fīnem spectāre potest.

Februārius vocātur ā Februō, quī est Plūtō, cui eō mēnse sacrificābātur. Nam Iānuārium deīs superīs, Februārium deīs Mānibus Rōmānī dēdicāvērunt.

Mārtius appellātus est propter Mārtem, Rōmānae gentis patrem. Appellātur etiam mēnsis novōrum, quia annī initium est mēnsis Mārtius.

Aprīlis prō Venere dīcitur, quae est Aphrodis, nam Graecī Venerem Aphrodītem dīcunt; vel quia eō mēnse omnia aperiuntur in flōrem, ut Aperīlis.

Māius dīctus est ā Māiā, mātre Mercuriī; vel ā maiōribus nātū, quī erant

---

bifrōns: *with two faces.*
eō: *this* (modifying mēnse).
sacrificābātur: literally,

it was sacrificed; freely, *the people sacrificed.*
superīs: *in the upper world* (modifying deīs).

Mānibus: *in the lower world.*
maiōribus nātū: *the elders.*

prīncipēs cīvitātis. Nam eum mēnsem maiōribus, succēdentem minōribus, Rōmānī dēdicāvērunt.

Itaque Iūnius sīc dīcitur, nam anteā populus in centuriās seniōrum et iūniōrum dīvīsus est.

Iūlius et Augustus dē honōribus virōrum, Iūliī et Augustī Caesaris, appellātī sunt. Nam anteā Quīntīlis et Sextīlis vocābantur; Quīntīlis, quia quīntus erat ā Mārtiō, quem prīmum mēnsem annī Rōmānī esse habēbant; Sextīlis, quod sextus.

September nōmen habet ā numerō et imbre, quia septimus est ā Mārtiō et imbrēs habet.

Sīc et Octōber, November atque December ex numerō et imbribus cēpērunt nōmina; quem numerum December fīnit.

— Adapted from Īsidōrus of Seville, *Etymologiae*, V. 34.

eum: *this* (modifying **mēnsem**).
maiōribus: *to the elders.*
minōribus: *to the younger ones.*

centuriās seniōrum et iūniōrum: *centuries of elders and juniors.*
quīntus: *fifth.*
sextus: *sixth.*

imbre, imbrēs, imbribus: *rain* (**imber, imbris,** m).
septimus: *seventh.*

Respondē Latīnē:

1. Ā quō deō appellātus est mēnsis Iānuārius?
2. Quis ā gentibus colēbātur?
3. Cūr Iānuārius mēnsis ā Iānō vocātus est?
4. Quae deus Iānus spectāre potest?
5. Ā quō deō Februārius vocātur?
6. Quibus ā Rōmānīs Februārius dēdicātus est?
7. Quibus ā Rōmānīs Iānuārius dēdicātus est?

8. Cūr mēnsis Mārtius sīc appellātus est?
9. Quis erat Mārs?
10. Quī mēnsis quoque vocātur mēnsis novōrum?

11. Prō quā deā Aprīlis appellātur?
12. Quem Graecī Venerem dīcunt?
13. Aperiuntne flōrēs mēnse Aprīlī?

14. Ā quā deā dīcēbātur mēnsis Māius?
15. Cuius māter erat Māia?
16. Quem mēnsem minōribus Rōmānī dēdicāvērunt?

17. Quis in centuriās dīvīsus est?

18. Quī mēnsēs dē honōribus Iūliī et Augustī Caesaris vocātī sunt?
19. Quod nōmen anteā habēbat mēnsis Iūlius?
20. Cūr mēnsis Augustus ōlim appellābātur Sextīlis?

21. Quō mēnse erant pluviae?
22. Cūr September sīc vocātur?

23. Quī mēnsis est ultimus annī?

EPITOMA

1. Present active participle:

Present stem + nominative **–ns**, genitive **–ntis**

	1	2	3	3 (–iō)	4
Nom.	vocāns	monēns	dūcēns	capiēns	pūniēns
Gen.	vocantis	monentis	dūcentis	capientis	pūnientis

2. Relative pronoun:

	SINGULAR			PLURAL		
	M	*F*	*N*	*M*	*F*	*N*
Nom.	quī	quae	quod	quī	quae	quae
Gen.	cuius	cuius	cuius	quōrum	quārum	quōrum
Dat.	cui	cui	cui	quibus	quibus	quibus
Acc.	quem	quam	quod	quōs	quās	quae
Abl.	quō	quā	quō	quibus	quibus	quibus

3. Interrogative adjective:

The interrogative adjective has the same forms as the relative pronoun.

4. Interrogative pronoun:

	SINGULAR		PLURAL		
	M, F	*N*	*M*	*F*	*N*
Nom.	quis	quid	The plural has the same forms		
Gen.	cuius	cuius	as the relative pronoun above.		
Dat.	cui	cui			
Acc.	quem	quid			
Abl.	quō	quō			

5. Irregular verbs:

	esse	posse	īre	ferre	ferrī
			Present		
				Active	Passive
SINGULAR	est	potest	it	fert	fertur
PLURAL	sunt	possunt	eunt	ferunt	feruntur
			Imperfect		
SINGULAR	erat	poterat	ībat	ferēbat	ferēbātur
PLURAL	erant	poterant	ībant	ferēbant	ferēbantur
			Perfect		
SINGULAR	fuit	potuit	īvit	tulit	lātus est
PLURAL	fuērunt	potuērunt	īvērunt	tulērunt	lātī sunt

Present participle

Nom.			iēns	ferēns
Gen.			euntis	ferentis

INDEX VERBŌRUM

aeger, aegra, aegrum — ill, sick, sad

aperīre, aperuī, apertus (4) — open, reveal

aut . . . aut — either . . . or

cēnsor, cēnsōris, m. — censor

colere, coluī, cultus (3) — cultivate, worship, observe

collēga, collēgae, m. — colleague

contentus, contenta, contentum — satisfied, contented

dēcipere, dēcēpī, dēceptus (3 –iō) — deceive, cheat

dīvidere, dīvīsī, dīvīsus (3) — separate, divide

ferre, tulī, lātus (3, irreg.) — bear, carry, bring

fīnīre, fīnīvī, fīnītus (4) — limit, assign, finish

flōs, flōris, m. — flower

fluere, fluxī, fluxus (3) — flow

haurīre, hausī, haustus (4) — drink, draw out

iānua, iānuae, f. — door

indūcere, indūxī, inductus (3) — lead into, bring into, persuade

initium, initiī, n. — beginning

intrā — within

īre, īvī, (iī), itūrus (4, irreg.) — go

longitūdō, longitūdinis, f. — length

memoria, memoriae, f. — memory

mēnsis, mēnsis, m. — month

mūnīre, mūnīvī, mūnītus (4) — build, fortify

nam — for

officium, officiī, n. — duty, office

prīnceps, prīncipis, m. — first man, leader, chief

puteus, puteī, m. — well

quī, quae, quod — who, which, that

quia — because, since

salūs, salūtis, f. — health, safety

sex — six

LECTIŌ ŪNDECIMA
(XI)
FĀBULA

Agrippa	Dē Agrippā

In the times of the consuls and senators the general Agrippa with four legions added to the Roman empire the Suebians and Saxons and other western nations. Upon his return the bell of the Persian statue which was on the Capitolium sounded in the temple of Jupiter. On the Capitolium there were statues, with bells, of all the kingdoms of the world. When the bell sounded, the Romans knew a kingdom was rebellious.

Hearing the bell of this one, the priest announced it to the senators. The senators gave the task to the general Agrippa. He asked for a deliberation period of three days.

On the third night he was sleeping. There appeared to him a woman who said to him, "If a temple is built to

Temporibus cōnsulum et senātōrum Agrippa imperātor cum quattuor legiōnibus addidit Rōmānō imperiō Suēbiōs et Saxōnēs et aliōs* occidentālēs* populōs. In eius reditū tintinnābulum* statuae Persicae quae erat in Capitōliō sonuit in templō Iovis. Omnium rēgnōrum orbis erant statuae in Capitōliō cum tintinnābulīs. Ubi sonābat tintinnābulum, Rōmānī cognōscēbant rēgnum rebelle.

Tintinnābulum eius audiēns sacerdos nūntiāvit senātōribus. Senātōrēs opus imperātōrī Agrippae dedērunt. Is petīvit cōnsilium trium diērum.

Tertiā nocte dormiēbat. Apparuit eī fēmina quae dīxit eī: Sī templum aedificātur ad mē* et Neptūnum, certē

Marcus Agrippa
(63–12 B.C.).

Alinari

A floor mosaic of Neptune, the god of the sea, uncovered at Ostia. Beautiful mosaics are commonly
found in excavations of Roman buildings.

me and Neptune, certainly the Romans can conquer." The woman was the goddess Cybele, mother of the gods.

On the last day Agrippa announced this thing in the senate and set out with a great retinue of ships and with five legions. He defeated all the Persians and added them to the rule of the Roman senate. Returning home, he built this temple and consecrated it to the honor of Cybele, mother of the gods, and of Neptune, the god of the sea, and to the honor of all the gods. He gave to this temple the name Pantheon. To the honor of Cybele he made a gold statue which he put on the pinnacle of the temple.

Rōmānī vincere possunt. Fēmina fuit dea Cybela, māter deōrum.

Ultimō diē Agrippa eam rem nūntiāvit in senātū et cum magnō apparātū nāvium atque cum quīnque legiōnibus īvit. Vīcit omnēs Persās et addidit imperiō Rōmānī senātūs. Rediēns domum fēcit id templum et dēdicāvit ad honōrem Cybelae, mātris deōrum, et Neptūnī, deī maris, et omnium deōrum. Dedit eī templō nōmen Panthēon. Ad honōrem Cybelae fēcit statuam auream quam posuit in fastīgiō* templī.

— Adapted from *Mīrābilia Rōmae.*

GRAMMATICA

1. Fourth declension:

Fourth declension nouns are usually masculine; some, including **domus** (*home*) and **manus** (*hand, band*), are feminine.[1] The endings of the fourth declension are:

---

[1] There are three neuter nouns of the fourth declension. Their forms will be noted when these words are used.

	Singular			Plural	
Nominative	–us	senātus		–ūs	senātūs
Genitive	–ūs	senātūs		–uum	senātuum
Dative	–uī	senātuī		–ibus	senātibus
Accusative	–um	senātum		–ūs	senātūs
Ablative	–ū	senātū		–ibus	senātibus

2. Fifth declension:

Fifth declension nouns are feminine with the exception of **diēs** (*day*), which is usually masculine. The endings of the fifth declension are:

	Singular			Plural	
Nominative	–ēs	diēs		–ēs	diēs
Genitive	–ēī[2]	diēī		–ērum	diērum
Dative	–ēī[2]	diēī		–ēbus	diēbus
Accusative	–em	diem		–ēs	diēs
Ablative	–ē	diē		–ēbus	diēbus

3. Personal pronoun (third person):

Latin has no specific word for *he, she,* or *it*. Instead, the adjective **is, ea, id** (meaning *this* or *that*) is used as the pronoun, for instance, *this man = he*. The forms are:

	Singular			Plural		
	M	*F*	*N*	*M*	*F*	*N*
Nominative	is	ea	id	eī	eae	ea
Genitive	eius	eius	eius	eōrum	eārum	eōrum
Dative	eī	eī	eī	eīs	eīs	eīs
Accusative	eum	eam	id	eōs	eās	ea
Ablative	eō	eā	eō	eīs	eīs	eīs

---

[2] The **–e–** is long if preceded by a vowel, short if preceded by a consonant — **diēī**, but **reī**.

When used alone and not modifying a noun, the form of **is, ea, id** is translated as the third person pronoun — *he, she, it:*

Ea eum vīdit.   *She* saw *him.*

If the form used is modifying a noun, it is translated *this* or *that:*

Ea eum virum vīdit.   *She* saw *that* man.

EXERCITIA

1. Nouns of the fourth and fifth declensions (nominative):

	IV — M (F)		V — F (M)	
	SING.	PL.	SING.	PL.
Nom.	–us	–ūs	–ēs	–ēs

1. Recognize the nominative case of the fourth and fifth declensions by answering the questions:

A. If the Roman *senate* hears Agrippa, *who* hears Agrippa?

The Roman *senate* hears Agrippa.

1. Sī senātus Rōmānus Agrippam audit, quis Agrippam audit?

Senātus Rōmānus Agrippam audit.

2. Sī senātūs Rōmānī Agrippam audiunt, quī Agrippam audiunt?

Senātūs Rōmānī Agrippam audiunt.

3. Sī domus parva iānuam habet, quid iānuam habet?

Domus parva iānuam habet.

4. Sī domūs parvae iānuās habent, quae iānuās habent?

Domūs parvae iānuās habent.

5. Sī aquaeductus magnus ad urbem fluit, quid ad urbem fluit?

Aquaeductus magnus ad urbem fluit.

6. Sī aquaeductūs magnī ad urbem fluunt, quae ad urbem fluunt?

Aquaeductūs magnī ad urbem fluunt.

7. Sī diēs dēsīderātus additur, quid additur?

Diēs dēsīderātus additur.

8. Sī diēs dēsīderātī adduntur, quae adduntur?

Diēs dēsīderātī adduntur.

9. Sī rēs bona appāret, quid appāret?

Rēs bona appāret.

10. Sī rēs bonae appārent, quae appārent?

Rēs bonae appārent.

Alinari

The Pantheon was built by Marcus Agrippa in 27 B.C. It became
a Christian Church in 609.

2. Produce the nominative of the fourth and fifth declensions by answering
   the questions:

B. If Agrippa is heard by the senate, *who* hears Agrippa?	The *senate* hears Agrippa.
11. Sī Agrippa ā senātū audītur, quis Agrippam audit?	Senātus Agrippam audit.
12. Sī Agrippa ā senātibus audītur, quī Agrippam audiunt?	Sēnātūs Agrippam audiunt.
13. Sī mīles ūsū armōrum docētur, quid mīlitem docet?	Ūsus armōrum mīlitem docet.
14. Sī mīles ūsibus armōrum docētur, quae mīlitem docent?	Ūsūs armōrum mīlitem docent.
15. Sī iānuae domibus habentur, quae iānuās habent?	Domūs iānuās habent.
16. Sī iānua domū habētur, quid iānuam habet?	Domus iānuam habet.
17. Sī senātor reditū virōrum agitātur, quid senātōrem agitat?	Reditus virōrum senātōrem agitat.
18. Sī senātor reditibus virōrum agitātur, quae senātōrem agitant?	Reditūs virōrum senātōrem agitant.

19. Sī nox diē fīnītur, quid noctem fīnit?

Diēs noctem fīnit.

20. Sī noctēs diēbus fīniuntur, quae noctēs fīniunt?

Diēs noctēs fīniunt.

21. Sī legiō rē sōlā prohibētur, quid legiōnem prohibet?

Rēs sōla legiōnem prohibet.

22. Sī legiō rēbus sōlīs prohibētur, quae legiōnem prohibent?

Rēs sōlae legiōnem prohibent.

2. Fourth and fifth declensions (accusative):

	IV — M (F)		V — F (M)	
	SING.	PL.	SING.	PL.
Acc.	–um	–ūs	–em	–ēs

1. Recognize the accusative of the fourth and fifth declensions by answering the questions:

A. If the goddesses were going to *the Roman senate,* to what were they going?

To the Roman senate they were going.

1. Sī deae ad senātum Rōmānum ībant, ad quem ībant?

Ad senātum Rōmānum ībant.

2. Sī deae ad senātūs Rōmānōs ībant, ad quōs ībant?

Ad senātūs Rōmānōs ībant.

3. Sī imperātor ante domum parvam erat, ubi erat?

Ante domum parvam erat.

4. Sī imperātor ante domūs parvās erat, ubi erat?

Ante domūs parvās erat.

5. Sī legiō ad apparātum nāvium redībat, ad quid redībat?

Ad apparātum nāvium redībat.

6. Sī legiō ad apparātūs nāvium redībat, ad quae redībat?

Ad apparātūs nāvium redībat.

7. Sī senātor post diem tertium perveniēbat, quandō perveniēbat?

Post diem tertium perveniēbat.

8. Sī senātor post diēs trēs perveniēbat, quandō perveniēbat?

Post diēs trēs perveniēbat.

9. Sī dux rem bonam nūntiābat, quid nūntiābat?

Rem bonam nūntiābat.

10. Sī dux rēs bonās nūntiābat, quae nūntiābat?

Rēs bonās nūntiābat.

2. Produce the accusative by inserting the given word in place of the interrogative pronoun:

B. *Senate.*	To *whom* was the tribune coming?	*To the senate* the tribune was coming.
11. Senātus.	Ad quem veniēbat tribūnus?	Ad senātum veniēbat tribūnus.
12. Senātus.	Ad quōs veniēbat tribūnus?	Ad senātūs veniēbat tribūnus.
13. Apparātus.	Post quid perveniēbant legiōnēs?	Post apparātum perveniēbant legiōnēs.
14. Apparātus.	Post quae perveniēbant legiōnēs?	Post apparātūs perveniēbant legiōnēs.
15. Aquaeductus.	Per quid fluēbat aqua?	Per aquaeductum fluēbat aqua.
16. Aquaeductus.	Per quae fluēbat aqua?	Per aquaeductūs fluēbat aqua.
17. Ūsus.	Quid cognoscēbat senātor?	Ūsum cognoscēbat senātor.
18. Ūsus.	Quae cognoscēbat senātor?	Ūsūs cognoscēbat senātor.
19. Rēs.	Quid faciēbat collēga?	Rem faciēbat collēga.
20. Rēs.	Quae faciēbat collēga?	Rēs faciēbat collēga.
21. Diēs.	Quid cōnstituēbat sacerdos?	Diem cōnstituēbat sacerdos.
22. Diēs.	Quae cōnstituēbat sacerdos?	Diēs cōnstituēbat sacerdos.

3. Fourth and fifth declensions (ablative):

	IV — M (F)		V — F (M)	
	SING.	PL.	SING.	PL.
Abl.	–ū	–ibus	–ē	–ēbus

1. Recognize the ablative by answering the questions:

A. If Agrippa is heard *by the Roman senate,* by whom is Agrippa heard?

By the Roman senate Agrippa is heard.

1. Sī ā senātū Rōmānō Agrippa audītur, ā quō Agrippa audītur?

Ā senātū Rōmānō Agrippa audītur.

2. Sī ā senātibus Rōmānīs Agrippa audītur, ā quibus Agrippa audītur?

Ā senātibus Rōmānīs Agrippa audītur.

3. Sī cum magnō apparātū nāvium īvit, quōcum īvit?

Cum magnō apparātū nāvium īvit.

4. Sī cum magnīs apparātibus nāvium īvit, quibuscum īvit?

Cum magnīs apparātibus nāvium īvit.

5. Sī sub domū corpus sepelītur, ubi corpus sepelītur?

Sub domū corpus sepelītur.

6. Sī sub domibus corpora sepeliuntur, ubi corpora sepeliuntur?

Sub domibus corpora sepeliuntur.

7. Sī diē ultimō Agrippa factum nūntiāvit, quandō Agrippa factum nūntiāvit?

Diē ultimō Agrippa factum nūntiāvit.

8. Sī diēbus ultimīs Agrippa factum nūntiāvit, quandō Agrippa factum nūntiāvit?

Diēbus ultimīs Agrippa factum nūntiāvit.

9. Sī in rē pūblicā ōrātor habitābat, ubi ōrātor habitābat?

In rē pūblicā ōrātor habitābat.

10. Sī in rēbus pūblicīs ōrātor habitābat, ubi ōrātor habitābat?

In rēbus pūblicīs ōrātor habitābat.

2. Produce the ablative by changing the sentence from active to passive voice:

B. The Roman senate hears the senator.

The senator is heard *by the Roman senate.*

11. Senātus Rōmānus senātōrem audit.

Ā senātū Rōmānō senātor audītur.

12. Senātūs Rōmānī senātōrem audiunt.

Ā senātibus Rōmānīs senātor audītur.

13. Aquaeductus magnus aquam portābat.

Aquaeductū magnō aqua portābātur.

14. Aquaeductūs magnī aquam portābant.

Aquaeductibus magnīs aqua portābātur.

15. Reditus sōlus populum agitāvit.

Reditū sōlō populus agitātus est.

16. Reditūs sōlī populum agitāvērunt.

Reditibus sōlīs populus agitātus est.

17. Ūsus bonus armōrum mīlitēs docuit.

Ūsū bonō armōrum mīlitēs doctī sunt.

18. Ūsūs bonī armōrum mīlitēs docuērunt.

Ūsibus bonīs armōrum mīlitēs doctī sunt.

19. Diēs sōlus noctem expellit.

Diē sōlō nox expellitur.

20. Diēs sōlī noctēs expellunt.

Diēbus sōlīs noctēs expelluntur.

21. Rēs pūblica prīncipēs petit.

Ā rē pūblicā prīncipēs petuntur.

22. Rēs pūblicae prīncipēs petunt.

Ā rēbus pūblicīs prīncipēs petuntur.

4. Fourth and fifth declensions (genitive):

	IV — M (F)		V — F (M)	
	SING.	PL.	SING.	PL.
Gen.	–ūs	–uum	–ēī(–eī)	–ērum

1. Recognize the genitive by answering the questions:

A. If it is the *senate's* plan, whose plan is it?   It is the *senate's* plan.

1. Sī est senātūs cōnsilium, cuius cōnsilium est?   Senātūs cōnsilium est.
2. Sī est senātuum cōnsilium, quōrum cōnsilium est?   Senātuum cōnsilium est.
3. Sī erat aquaeductūs aqua, cuius aqua erat?   Aquaeductūs aqua erat.
4. Sī erat aquaeductuum aqua, quōrum aqua erat?   Aquaeductuum aqua erat.
5. Sī fuit domūs pulchritūdō, cuius pulchritūdō fuit?   Domūs pulchritūdō fuit.
6. Sī fuit redituum annus, quōrum annus fuit?   Redituum annus fuit.
7. Sī erat diēī historia, cuius historia erat?   Diēī historia erat.
8. Sī erat diērum historia, quōrum historia erat?   Diērum historia erat.
9. Sī est reī initium, cuius initium est?   Reī initium est.
10. Sī est rērum initium, quārum initium est?   Rērum initium est.

2. Produce the genitive by answering the questions:

B. If the senate has guards, whose guards are they?   They are the *senate's* guards.

11. Sī senātus custōdēs habet, cuius custōdēs sunt?   Senātūs custōdēs sunt.
12. Sī senātūs custōdēs habent, quōrum custōdēs sunt?   Senātuum custōdēs sunt.
13. Sī domus ātrium habet, cuius ātrium est?   Domūs ātrium est.
14. Sī domūs ātrium habent, quārum ātrium est?   Domuum ātrium est.
15. Sī aquaeductus aquam habēbat, cuius aqua erat?   Aquaeductūs aqua erat.
16. Sī aquaeductūs aquam habēbant, quōrum aqua erat?   Aquaeductuum aqua erat.
17. Sī rēs pūblica cōnsulēs habuit, cuius cōnsulēs fuērunt?   Reī pūblicae cōnsulēs fuērunt.
18. Sī rēs pūblicae cōnsulēs habuērunt, quārum cōnsulēs fuērunt?   Rērum pūblicārum cōnsulēs fuērunt.
19. Sī diēs noctem habet, cuius nox est?   Diēī nox est.
20. Sī diēs noctem habent, quōrum nox est?   Diērum nox est.

5. Fourth and fifth declensions (dative):

	IV — M (F)		V — F (M)	
	SING.	PL	SING.	PL
Dat.	–uī	–ibus	–ēī(eī)	–ēbus

1. Recognize the dative by answering the questions:

A. If the consul showed the laws *to the senate,* to whom did the consul show the laws?

To the senate the consul showed the laws.

1. Sī cōnsul senātuī lēgēs mōnstrāvit, cui cōnsul lēgēs mōnstrāvit?

Senātuī cōnsul lēgēs mōnstrāvit.

2. Sī cōnsul senātibus lēgēs mōnstrāvit, quibus cōnsul lēgēs mōnstrāvit?

Senātibus cōnsul lēgēs mōnstrāvit.

3. Sī hostēs aquaeductuī nocuērunt, cui hostēs nocuērunt?

Aquaeductuī hostēs nocuērunt.

4. Sī hostēs aquaeductibus nocuērunt, quibus hostēs nocuērunt?

Aquaeductibus hostēs nocuērunt.

5. Sī tēctum domuī necessārium est, cui tēctum necessārium est?

Domuī tēctum necessārium est.

6. Sī tēcta domibus necessāria sunt, quibus tēcta necessāria sunt?

Domibus tēcta necessāria sunt.

7. Sī nōmen reī dabātur, cui nōmen dabātur?

Reī nōmen dabātur.

8. Sī nōmen rēbus dabātur, quibus nōmen dabātur?

Rēbus nōmen dabātur.

9. Sī nox diēī fīnitima est, cui nox fīnitima est?

Diēī nox fīnitima est.

10. Sī noctēs diēbus fīnitimae sunt, quibus noctēs fīnitimae sunt?

Diēbus noctēs fīnitimae sunt.

2. Produce the dative by inserting the given word into the sentence:

B. Senate

The people showed the plan to the ....

The people showed the plan to the *senate.*

11. Senātus.

Populus ...... cōnsilium mōnstrāvit.

Populus senātuī cōnsilium mōnstrāvit.

12. Senātūs (pl.).

Populus ...... cōnsilium mōnstrāvit.

Populus senātibus cōnsilium mōnstrāvit.

13. Aquaeductus.	Explōrātor ...... nocēbat.	Explōrātor aquaeductuī nocēbat.
14. Aquaeductūs (pl.).	Explōrātor ...... nocēbat.	Explōrātor aquaeductibus nocēbat.
15. Domus.	Vir ...... tēctum dedit.	Vir domuī tēctum dedit.
16. Domūs (pl.).	Vir ...... tēcta dedit.	Vir domibus tēcta dedit.
17. Rēs pūblica.	Salūs ...... necessāria erat.	Salūs reī pūblicae necessāria erat.
18. Rēs pūblicae (pl.).	Salūs ...... necessāria erat.	Salūs rēbus pūblicīs necessāria erat.
19. Diēs.	Nox ...... successit.	Nox diēī successit.
20. Diēs (pl.).	Noctēs ...... successērunt.	Noctēs diēbus successērunt.

6. Demonstrative and personal pronoun "is, ea, id" (nominative):

		Is, Ea, Id					
	M	*F*	*N*		*M*	*F*	*N*
		SING.				PL.	
Nom.	is	ea	id		eī	eae	ea

1. Recognize the nominative case of **is, ea, id** by changing the demonstrative use to the personal pronoun:

　　A. *This* (*that*) father saw the son. 　　*He* saw the son.

1. Is pater fīlium vīdit. 　　　　　　　Is fīlium vīdit.
2. Eī patrēs fīlium vīdērunt. 　　　　　Eī fīlium vīdērunt.
3. Ea māter legiōnem spectat. 　　　　Ea legiōnem spectat.
4. Eae mātrēs legiōnem spectant. 　　 Eae legiōnem spectant.
5. Id templum erat Graecum. 　　　　Id erat Graecum.
6. Ea templa erant Graeca. 　　　　　Ea erant Graeca.

7. Ea domus est antīqua. 　　　　　　Ea est antīqua.
8. Is servus saepe dormit. 　　　　　　Is saepe dormit.
9. Id initium bellum incēpit. 　　　　　Id bellum incēpit.
10. Eī senātūs rem audiēbant. 　　　　 Eī rem audiēbant.
11. Ea opera ab omnibus laudāta sunt. 　Ea ab omnibus laudāta sunt.
12. Ea fīlia ā patre laudāta est. 　　　　Ea ā patre laudāta est.
13. Eae deae nocte semper appārent. 　Eae nocte semper appārent.
14. Is diēs dēdicātur. 　　　　　　　　Is dēdicātur.
15. Eī apparātūs cernuntur. 　　　　　Eī cernuntur.

2. Produce the nominative of **is, ea, id** as a personal pronoun by substituting for the subject:

B. The fatherland was saved by war.   *It* was saved by war.

16. Patria bellō servāta est.   Ea bellō servāta est.
17. Patriae bellō servātae sunt.   Eae bellō servātae sunt.
18. Tribūnus legiōnem dūcit.   Is legiōnem dūcit.
19. Tribūnī legiōnem dūcunt.   Eī legiōnem dūcunt.
20. Dōnum ab amīcīs dabātur.   Id ab amīcīs dabātur.
21. Dōna ab amīcīs dabantur.   Ea ab amīcīs dabantur.

22. Legiō prōvinciās dēsōlāvit.   Ea prōvinciās dēsōlāvit.
23. Senātor cōnsilium nūntiābat.   Is cōnsilium nūntiābat.
24. Diēs fuērunt sacrī.   Eī fuērunt sacrī.
25. Oppidum captum est ā mīlite.   Id captum est ā mīlite.
26. Agricolae agrōs colunt.   Eī agrōs colunt.
27. Aquaeductus in urbem dūcēbātur.   Is in urbem dūcēbātur.
28. Salūs in bellō nōn praevidētur.   Ea in bellō nōn praevidētur.
29. Opera cōnsulis urbem ōrnant.   Ea cōnsulis urbem ōrnant.
30. Flōrēs in hortō coluntur.   Eī in hortō coluntur.

7. "Is, ea, id" (accusative):

		Is, Ea, Id				
	M	*F*	*N*	*M*	*F*	*N*
		SING.			PL.	
Acc.	eum	eam	id	eōs	eās	ea

1. Recognize the accusative of **is, ea, id** by changing the demonstrative use to the personal pronoun:

A. The consul liked *this* (*that*) senator.   The consul liked *him*.

1. Cōnsul eum senātōrem amābat.   Cōnsul eum amābat.
2. Cōnsul eōs senātōrēs amābat.   Cōnsul eōs amābat.
3. Mīlitēs eam fēminam occīdērunt.   Mīlitēs eam occīdērunt.
4. Mīlitēs eās fēminās occīdērunt.   Mīlitēs eās occīdērunt.
5. Diogenēs id templum ōrnāvit.   Diogenēs id ōrnāvit.
6. Diogenēs ea templa ōrnāvit.   Diogenēs ea ōrnāvit.

7. Prīnceps eōs amīcōs vīsitat.   Prīnceps eōs vīsitat.
8. Agrippa eam rem nūntiābat.   Agrippa eam nūntiābat.
9. Cicerō id opus facit.   Cicerō id facit.

10. Cēnsor eum sacerdōtem laudat.   Cēnsor eum laudat.
11. Hostēs eās legiōnēs dēlēbant.   Hostēs eās dēlēbant.
12. Dux ea officia relinquit.   Dux ea relinquit.
13. Ea opera Cicerō faciēbat.   Ea Cicerō faciēbat.
14. Eōs amīcōs prīnceps vīsitābat.   Eōs prīnceps vīsitābat.
15. Eās historīas Tullius scrīpsit.   Eās Tullius scrīpsit.

2. Produce the accusative by substituting the personal pronoun **is, ea, id** for the object:

    B. Septimius Severus restored *the temple.*   Septimius Severus restored *it.*

16. Septimius Sevērus templum restituit.   Septimius Sevērus id restituit.
17. Septimius Sevērus templa restituit.   Septimius Sevērus ea restituit.
18. Appius Claudius aquam dūxit.   Appius Claudius eam dūxit.
19. Appius Claudius aquās dūxit.   Appius Claudius eās dūxit.
20. Virī montem cernunt.   Virī eum cernunt.
21. Virī montēs cernunt.   Virī eōs cernunt.

22. Mārcus Agrippa opus faciēbat.   Mārcus Agrippa id faciēbat.
23. Amīcī urbem ōrnāvērunt.   Amīcī eam ōrnāvērunt.
24. Cōnsul templa fēcit.   Cōnsul ea fēcit.
25. Appius Claudius aquaeductum dūxit.   Appius Claudius eum dūxit.
26. Agrippa aquaeductūs addidit.   Agrippa eōs addidit.
27. Imperātor rēs nūntiābat.   Imperātor eās nūntiābat.
28. Prīnceps rēgna addit.   Prīnceps ea addit.
29. Sacerdos fābulam audiēbat.   Sacerdos eam audiēbat.
30. Cōnsilium Agrippa petīvit.   Id Agrippa petīvit.

8. "Is, ea, id" (ablative):

	Is, Ea, Id					
	M	*F*	*N*	*M*	*F*	*N*
		SING.			PL.	
Abl.	eō	eā	eō	eīs	eīs	eīs

1. Recognize the ablative of **is, ea, id** by changing the demonstrative use to the personal pronoun:

    A. The soldiers were praised *by this (that)* senator.   The soldiers were praised *by him.*

1. Mīlitēs ab eō senātōre laudātī sunt.   Mīlitēs ab eō laudātī sunt.
2. Mīlitēs ab eīs senātōribus laudātī sunt.   Mīlitēs ab eīs laudātī sunt.

This drinking fountain in Pompeii was capable of
accommodating people and animals.

3. Īnscrīptiō dē eā rē est.
4. Īnscrīptiō dē eīs rēbus est.
5. Statua in eō templō sonuit.
6. Statua in eīs templīs sonuit.

Īnscrīptiō dē eā est.
Īnscrīptiō dē eīs est.
Statua in eō sonuit.
Statua in eīs sonuit.

7. Cum eō apparātū Agrippa īvit.
8. Nāvēs in eīs flūminibus sunt.
9. Hostis eā iānuā prohibitus est.
10. Prīnceps dē eīs mēnsibus scrībēbat.
11. Agrippa eīs operibus urbem ōrnāvit.
12. Eō opere nāvēs ōrnātae sunt.
13. Dē eīs mēnsibus prīnceps audit.
14. In eō templō statua sedet.
15. Explorātor eīs cōnsiliīs dūcēbātur.

Cum eō Agrippa īvit.
Nāvēs in eīs sunt.
Hostis eā prohibitus est.
Prīnceps dē eīs scrībēbat.
Agrippa eīs urbem ōrnāvit.
Eō nāvēs ōrnātae sunt.
Dē eīs prīnceps audit.
In eō statua sedet.
Explorātor eīs dūcēbātur.

2. Produce the ablative by substituting the personal pronoun **is, ea, id** for the word in the ablative:

B. Agrippa fought *for the thing.* — Agrippa fought *for it.*

16. Agrippa prō rē pugnāvit.	Agrippa prō eā pugnāvit.
17. Agrippa prō rēbus pugnāvit.	Agrippa prō eīs pugnāvit.
18. Aqua ex aquaeductū fluit.	Aqua ex eō fluit.
19. Aqua ex aquaeductibus fluit.	Aqua ex eīs fluit.
20. In palātiō rēx occīditur.	In eō rēx occīditur.
21. In palātiīs rēx occīditur.	In eīs rēx occīditur.
22. Pulchritūdō in parte cernitur.	Pulchritūdō in eā cernitur.
23. Īnscrīptiō in tabulīs facta est.	Īnscrīptiō in eīs facta est.
24. Senātor cum honōre dīmittitur.	Senātor cum eō dīmittitur.
25. Urbem operibus ōrnāvērunt.	Urbem eīs ōrnāvērunt.
26. Aqua ab Appiō Claudiō ducta est.	Aqua ab eō ducta est.
27. In partibus pulchritūdō cernitur.	In eīs pulchritūdō cernitur.
28. Liber litterīs scrīptus est.	Liber eīs scrīptus est.
29. Ex iānuā dea vēnit.	Ex eā dea vēnit.
30. Flōribus fēmina ōrnātur.	Eīs fēmina ōrnātur.

9. "Is, ea, id" (genitive):

	Is, Ea, Id					
	M	*F*	*N*	*M*	*F*	*N*
		SING.			PL.	
Gen.	**eius**	**eius**	**eius**	**eōrum**	**eārum**	**eōrum**

1. Recognize the genitive of **is, ea, id** by changing the demonstrative use to the personal pronoun:

A. The slaves built the end *of this* (*that*) aqueduct. — The slaves built the end *of it.*

1. Servī fīnem eius aquaeductūs aedificāvērunt.	Servī fīnem eius aedificāvērunt.
2. Servī fīnem eōrum aequaeductuum aedificāvērunt.	Servī fīnem eōrum aedificāvērunt.
3. Quīntus est pater eius puellae.	Quīntus est pater eius.
4. Quīntus est pater eārum puellārum.	Quīntus est pater eārum.
5. Cōnsul longitūdinem eius flūminis mōnstrat.	Cōnsul longitūdinem eius mōnstrat.

6. Cōnsul longitūdinem eōrum flūminum mōnstrat.

Cōnsul longitūdinem eōrum mōnstrat.

7. Puer historiam eōrum populōrum cognoscit.

Puer historiam eōrum cognoscit.

8. Memoria eārum rērum erat magna.

Memoria eārum erat magna.

9. Sunt ūsūs variī eius operis.

Sunt ūsūs variī eius.

10. Sacerdos initium eius ārae vīdit.

Sacerdos initium eius vīdit.

11. Ibi fuērunt iānuae eōrum domiciliōrum.

Ibi fuērunt iānuae eōrum.

12. Pulchritūdinem eōrum flōrum amat.

Pulchritūdinem eōrum amat.

13. Obsidēs prope statuam eius deae sunt.

Obsidēs prope statuam eius sunt.

14. Verba eius deī audiuntur.

Verba eius audiuntur.

15. Historiam eius populī puer cognōscit.

Historiam eius puer cognōscit.

2. Produce the genitive of **is, ea, id** by substituting it as a personal pronoun for the word in the genitive:

B. A poet wrote the history *of the war*.

A poet wrote the history *of it*.

16. Poēta historiam bellī scrīpsit.

Poēta historiam eius scrīpsit.

17. Poēta historiam bellōrum scrīpsit.

Poēta historiam eōrum scrīpsit.

18. Caput statuae ōrnātur.

Caput eius ōrnātur.

19. Capita statuārum ōrnantur.

Capita eārum ōrnantur.

20. In templō deī sacerdos cōnstituitur.

In templō eius sacerdos cōnstituitur.

21. In templō deōrum īnscrīptiō fuit.

In templō eōrum īnscrīptiō fuit.

22. Officia senātōrum necessāria fuērunt.

Officia eōrum necessāria fuērunt.

23. In reditū ducis triumphābat.

In reditū eius triumphābat.

24. Ad honōrem deārum templum dēdicātur.

Ad honōrem eārum templum dēdicātur.

25. Nōmen templī fuit Panthēon.

Nōmen eius fuit Panthēon.

26. Rēgna hostium vincuntur.

Rēgna eōrum vincuntur.

27. Opus agricolārum dēlēbātur.

Opus eōrum dēlēbātur.

28. Vīcit terram Graecōrum.

Vīcit terram eōrum.

29. Cum magnō apparātū nāvium īvit.

Cum magnō apparātū eārum īvit.

30. Neptūnus est deus maris.

Neptūnus est deus eius.

10. "Is, ea, id" (dative):

			Is, Ea, Id			
	M	*F*	*N*	*M*	*F*	*N*
		SING.			PL.	
Dat.	eī	eī	eī	eīs	eīs	eīs

1. Recognize the dative of **is, ea, id** by changing the demonstrative use to the personal pronoun:

    A. A woman appeared *to this* (*that*) general.   A woman appeared *to him*.

1. Appāruit eī imperātōrī fēmina.	Appāruit eī fēmina.
2. Appāruit eīs imperātōribus fēmina.	Appāruit eīs fēmina.
3. Mīles eī familiae nocēbat.	Mīles eī nocēbat.
4. Mīles eīs familiīs nocēbat.	Mīles eīs nocēbat.
5. Agrippa dedit eī templō nōmen.	Agrippa dedit eī nōmen.
6. Agrippa dedit eīs templīs nōmen.	Agrippa dedit eīs nōmen.
7. Senātōrēs opus eīs ducibus dedērunt.	Senātōrēs opus eīs dedērunt.
8. Hostēs erant fīnitimī eī urbī.	Hostēs erant fīnitimī eī.
9. Eīs imperiīs Persās dux addidit.	Eīs Persās dux addidit.
10. Eī ducī senātōrēs opus dedērunt.	Eī senātōrēs opus dedērunt.
11. Eīs urbibus fīnitimī erant hostēs.	Eīs fīnitimī erant hostēs.
12. Eī imperiō Persās dux addidit.	Eī Persās dux addidit.
13. Vīlla eīs flūminibus fīnitima fuit.	Vīlla eīs fīnitima fuit.
14. Māter Cybela eī virō dīxit verba.	Māter Cybela eī dīxit verba.
15. Tēctum necessārium est eīs domibus.	Tēctum necessārium est eīs.

2. Produce the dative of **is, ea, id** by substituting it as a personal pronoun for the noun in the dative:

    B. The general added the Suebians *to the empire*.   The general added the Suebians *to it*.

16. Imperātor Suēbiōs addidit imperiō.	Imperātor Suēbiōs addidit eī.
17. Imperātor Suēbiōs addidit imperiīs.	Imperātor Suēbiōs addidit eīs.
18. Sacerdos rem nūntiāvit senātōrī.	Sacerdos rem nūntiāvit eī.
19. Sacerdos rem nūntiāvit senātōribus.	Sacerdos rem nūntiāvit eīs.
20. Māter opus dabat patrī.	Māter opus dabat eī.
21. Māter opus dabat patribus.	Māter opus dabat eīs.
22. Appāruit Agrippae dea Cybela.	Appāruit eī dea Cybela.
23. Omnibus virīs honor nōn datur.	Omnibus eīs honor nōn datur.

24. Cēnsōrī officium committitur.	Eī officium committitur.
25. Deae templum dēdicātum est.	Eī templum dēdicātum est.
26. Victor obsidibus nōn nocuit.	Victor eīs nōn nocuit.
27. Rēx populīs lēgem dedit.	Rēx eīs lēgem dedit.
28. Custōdēs pontem hostibus trādidērunt.	Custōdēs pontem eīs trādidērunt.
29. Poētae historia commissa est.	Eī historia commissa est.
30. Prīncipibus rēgnāre est necessārium.	Eīs rēgnāre est necessārium.

CONVERSIŌ

1. The safety of the senate was added to the duties of Agrippa.
2. The beauty of these temples can still be seen.
3. On the third day the priests came to the senate and warned this senator.
4. Agrippa spoke to them about the state and various things.
5. These tribunes were not able to sleep because of the things done by this enemy.
6. The inscription praised the beauty of the aqueduct built by Appius Claudius.
7. The returning general's retinue appeared in the forum.
8. The world could not be conquered before the time of Augustus.
9. He built a beautiful home near the golden house.
10. The only plan was to learn the plans of those neighboring tribes.
11. This goddess also appeared to Agrippa.
12. All these legions which were fighting with them were rebellious.
13. What could be learned about public duties?
14. Because of this experience the state listened to Agrippa.
15. The senate could not hear the words of the senator.

NĀRRĀTIŌ

COMPLŪRA DĒ AGRIPPĀ

Mārcus Agrippa prō rē pūblicā in omnibus orbis partibus pugnābat. Tempore pācis Agrippa amīcīque Augustī urbem variīs operibus ōrnāvērunt. Panthēon, templum Cybelae, est Mārcī Agrippae opus illūstre. Īnscrīptiō dē eā rē est — Mārcus Agrippa, Lūciī fīlius, cōnsul tertium fēcit.

Id templum ōrnāvit Diogenēs Athēniēnsis, ut Plīnius dīcit. In fastīgiō templī erat pīnea aurea quae nunc est ante portam Sanctī Petrī et quae tōta

---

tertium: *for the third time.*   **fastīgiō:** *the top.*   **Sanctī Petrī:** *Saint Peter's.*
pīnea: *pinecone.*

Alinari

This pinecone at one time was on the Pantheon.
It was later removed to form the chief ornament of
a fountain near the Vatican.

facta est tabulīs aureīs. Longē quasi mōns vidēbātur Panthēon, cuius pulchritūdō in parte adhūc cernitur. Lūcius Septimius Sevērus et Mārcus Aurēlius et Antōnīnus Pius templum restituērunt, ut in īnscrīptiōnibus scrīptum est.

Aquaeductus prīmus in urbem ab Appiō Claudiō ductus est. Mārcus Agrippa omnēs aquaeductūs restituit et quoque duōs novōs ūsibus antīquae urbis addidit. Temporibus antīquīs aquaeductūs novem fuērunt. Sōla ex eīs Virgō nunc in urbem fluit.

— Adapted from the *Mīrābilia Rōmae.*

Longē: *from afar.*   **novem:** *nine.*

Respondē Latīnē:

1. Quis in omnibus partibus orbis pugnābat?
2. Prō quā rē pugnāvit Mārcus Agrippa?
3. Ubi Agrippa pugnābat?
4. Quandō Agrippa Rōmam ōrnāvit?
5. Quibus rēbus urbs ōrnāta est ab Agrippā et amīcīs Augustī?
6. Quis templum Panthēon aedificāvit?
7. Cuius templum erat Panthēon?
8. Cuius fīlius erat Mārcus Agrippa?

9. Quis id templum ōrnāvit?
10. Eratne Diogenēs Rōmānus?
11. Quālis pīnea erat in fastīgiō templī?
12. Ubi nunc est pīnea aurea?
13. Quasi quid longē vidēbātur Panthēon?
14. Estne id Panthēon adhūc pulchrum?
15. Ā quibus virīs templum restitūtum est?
16. Ubi scrīpta sunt nōmina virōrum quī templum restituērunt?

17. Quis prīmum aquaeductum in urbem dūxit?
18. Ā quō virō restitūtī sunt omnēs aquaeductūs?
19. Quās rēs Mārcus Agrippa restituit?
20. Quibus addidit Agrippa duōs novōs aquaeductūs?
21. Quandō erant novem aquaeductūs?
22. Quī aquaeductus sōlus nunc in urbem fluit?

EPITOMA

1. Declension IV: **2. Declension V:**

| | M (F) | | | F (M) | |
	SINGULAR	PLURAL		SINGULAR	PLURAL
Nom.	senāt–us	senāt–ūs		di–ēs	di–ēs
Gen.	senāt–ūs	senāt–uum		di–ēī	di–ērum
Dat.	senāt–uī	senāt–ibus		di–ēī	di–ēbus
Acc.	senāt–um	senāt–ūs		di–em	di–ēs
Abl.	senāt–ū	senāt–ibus		di–ē	di–ēbus

3. "Is, ea, id" (*He, she, it; this, that*):

	M	F	N		M	F	N
	SINGULAR				PLURAL		
Nom.	is	ea	id		eī	eae	ea
Gen.	eius	eius	eius		eōrum	eārum	eōrum
Dat.	eī	eī	eī		eīs	eīs	eīs
Acc.	eum	eam	id		eōs	eās	ea
Abl.	eō	eā	eō		eīs	eīs	eīs

INDEX VERBŌRUM

addere, addidī, additus (3) (acc. and dat.)	add to
apparātus, apparātūs, m.	provision, retinue
appārēre, appāruī, appāritūrus (2) (dat.)	appear
aquaeductus, aquaeductūs, m.	aqueduct
audīre, audīvī, audītus (4)	hear, listen to
cernere, crēvī, crētus (3)	see, distinguish
cognōscere, cognōvī, cognitus (3)	learn, understand; *perf.* know
cōnsilium, cōnsiliī, n.	plan, advice, deliberation
dea, deae, f.[3]	goddess
diēs, diēī, m. (f.)	day
domus, domūs, f.	home, house
dormīre, dormīvī, dormītus (4)	sleep
is, ea, id	this, that; he, she, it
legiō, legiōnis, f.	legion
pūblicus, pūblica, pūblicum	public
pulchritūdō, pulchritūdinis, f.	beauty
quasi	as if
rebellis, rebelle	rebellious
redīre, redīvī, reditūrus	return, go back
reditus, reditūs, m.	return
rēs, reī, f.	thing
rēs pūblica, reī pūblicae, f.	republic, state
sacerdos, sacerdōtis, c.	priest, priestess
senātor, senātōris, m.	senator
senātus, senātūs, m.	senate
sōlus, sōla, sōlum	only, alone
sonāre, sonuī, sonitus (1)	sound, ring
ūsus, ūsūs, m.	use, practice, experience
varius, varia, varium	varied, various

---

[3] The dative and ablative plural form of this noun is **deābus** to distinguish it from the corresponding forms of **deus**. The same is true of **fīlia**.

LECTIŌ DUODECIMA
(XII)
RESPECTUS

EXERCITIA

1. Lege et respondē Latīnē:

Scīpiō Barbātus, Gnaeō patre nātus, fortis vir, sapiēns cōnsul, cēnsor ācer fuit. Multa illūstria oppida cēpit, Tūscōs vīcit.

1. Quis oppida cēpit?	Sapientī ā cōnsule victī sunt Tūscī.
2. Quō nātus est Scīpiō Barbātus?	Gnaeō patre nātus est Scīpiō Barbātus.
3. Quālis vir fuit Scīpiō?	Fortis vir fuit Scīpiō.
4. Quālis cōnsul fuit Scīpiō?	Sapiēns cōnsul fuit Scīpiō.
5. Quālis cēnsor fuit Scīpiō?	Cēnsor ācer fuit Scīpiō.
6. Quae capta sunt ā Scīpiōne?	Multa illūstria oppida capta sunt ā Scīpiōne.
7. Quālia oppida cēpit Scīpiō?	Illūstria oppida cēpit Scīpiō.
8. Quōs vīcit Scīpiō?	Tūscōs vīcit Scīpiō.
9. Quālī ā cōnsule victī sunt Tūscī?	Sapiēntī ā cōnsule victī sunt Tūscī.
10. Quālī ā cēnsōre victī sunt Tūscī?	Ācrī ā cēnsōre victī sunt Tūscī.

Agricola sollers et magnus dux et probābilis ōrātor fuit Catō. Iuvenis facere potuit ōrātiōnēs illūstrēs; senex historiās incēpit scrībere.

11. Quis fuit agricola sollers?	Catō fuit agricola sollers.
12. Quis ōrātiōnēs illūstrēs facere potuit?	Catō ōrātiōnēs illūstrēs facere potuit.
13. Quis historiās scrībere incēpit?	Catō historiās scrībere incēpit.
14. Quālis agricola fuit Catō?	Sollers agricola fuit Catō.
15. Quālis dux fuit Catō?	Magnus dux fuit Catō.
16. Quālis ōrātor fuit Catō?	Probābilis ōrātor fuit Catō.
17. Quālis Catō ōrātiōnēs potuit facere?	Iuvenis Catō ōrātiōnēs potuit facere.
18. Quālis Catō historiās scrībere incēpit?	Senex Catō historiās scrībere incēpit.
19. Quālēs ōrātiōnēs fēcit Catō iuvenis?	Illūstrēs ōrātiōnēs fēcit Catō iuvenis.
20. Quid Catō senex scrībere incēpit?	Historiās Catō senex scrībere incēpit.

Finished by the Emperor Hadrian, the temple of Olympian Zeus (Jupiter) stands massively beneath the Acropolis in Athens.

Contrā Tarentīnōs bellum gestum est quod lēgātīs Rōmānōrum iniūriam fēcērunt. Tarentīnī erant Graecī in Italiā.

21. Quid gestum est contrā Tarentīnōs?	Bellum gestum est contrā Tarentīnōs.
22. Contrā quōs bellum gestum est?	Contrā Tarentīnōs bellum gestum est.
23. Quī fēcērunt iniūriam?	Tarentīnī fēcērunt iniūriam.
24. Quī erant Tarentīnī?	Graecī erant Tarentīnī.
25. Ubi habitāvērunt Tarentīnī?	In Italiā habitāvērunt Tarentīnī.
26. Quōrum lēgātīs iniūriam fēcērunt?	Rōmānōrum lēgātīs iniūriam fēcērunt.
27. Quibus Tarentīnī iniūriam fēcērunt?	Lēgātīs Rōmānōrum Tarentīnī iniūriam fēcērunt.
28. Quī bellum gessērunt?	Rōmānī bellum gessērunt.
29. Cūr contrā Tarentīnōs bellum gestum est?	Quod lēgātīs Rōmānōrum iniūriam fēcērunt.
30. Cūr Rōmānī bellum contrā Tarentīnōs gessērunt?	Quod lēgātīs Rōmānōrum iniūriam fēcērunt.

Mōȳsēs gentis Hebraicae prīmus omnium dīvīnās lēgēs sacrīs litterīs explicāvit. Solōn prīmus lēgēs Athēniēnsibus dedit.

31. Quis prīmus omnium lēgēs explicāvit?	Mōȳsēs prīmus omnium lēgēs explicāvit.
32. Quis Athēniēnsibus lēgēs dedit prīmus?	Solōn Athēniēnsibus lēgēs dedit prīmus.
33. Cuius gentis fuit Mōȳsēs?	Hebraicae gentis fuit Mōȳsēs.

34. Quibus auxiliīs Mōȳsēs lēgēs ex-   Sacrīs litterīs Mōȳsēs lēgēs explicāvit.
plicāvit?
35. Quibus Solōn lēgēs prīmus dedit?   Athēniēnsibus Solōn lēgēs prīmus dedit.
36. Quid ēgit Mōȳsēs?   Explicāvit dīvīnās lēgēs Mōȳsēs.
37. Quid ēgit Solōn?   Dedit lēgēs Solōn.
38. Quae gēns recēpit lēgēs ā Mōȳse?   Gēns Hebraica recēpit lēgēs ā Mōȳse.
39. Quī recēpērunt lēgēs ā Solōne?   Athēniēnsēs recēpērunt lēgēs ā Solōne.
40. Quae rēs datae sunt Athēniēnsi-   Lēgēs datae sunt Athēniēnsibus.
bus?

2. Modify the subject with "omnis, –e":

1. Amīcus est bonus.   Omnis amīcus est bonus.
2. Māter est bona.   Omnis māter est bona.
3. Flūmen est bonum.   Omne flūmen est bonum.
4. Lēgātus est bonus.   Omnis lēgātus est bonus.
5. Statua est bona.   Omnis statua est bona.
6. Templum est bonum.   Omne templum est bonum.
7. Servus est bonus.   Omnis servus est bonus.
8. Fēmina est bona.   Omnis fēmina est bona.
9. Dōnum est bonum.   Omne dōnum est bonum.
10. Honor est bonus.   Omnis honor est bonus.

11. Librī sunt bonī.   Omnēs librī sunt bonī.
12. Portae sunt bonae.   Omnēs portae sunt bonae.
13. Rēgna sunt bona.   Omnia rēgna sunt bona.
14. Gentēs sunt bonae.   Omnēs gentēs sunt bonae.
15. Poētae sunt bonī.   Omnēs poētae sunt bonī.
16. Castra sunt bona.   Omnia castra sunt bona.
17. Corpora sunt bona.   Omnia corpora sunt bona.
18. Pāstōrēs sunt bonī.   Omnēs pāstōrēs sunt bonī.
19. Ōrātōrēs sunt bonī.   Omnēs ōrātōrēs sunt bonī.
20. Verba sunt bona.   Omnia verba sunt bona.

3. Modify the object with "omnis, –e":

1. Bonum oppidum rēx mūnit.   Omne bonum oppidum rēx mūnit.
2. Contentam gentem imperātor dīvidit.   Omnem contentam gentem imperātor dīvidit.
3. Bonum verbum ōrātor cognōscit.   Omne bonum verbum ōrātor cognōscit.
4. Bonam silvam dea coluit.   Omnem bonam silvam dea coluit.
5. Bonum flōrem hortus habet.   Omnem bonum flōrem hortus habet.

6. Bonam lēgem populus laudat.
7. Bonum custōdem victor amat.
8. Bonum iuvenem pater amat.
9. Bonum lūmen domicilium dēsīderat.

Omnem bonam lēgem populus laudat.
Omnem bonum custōdem victor amat.
Omnem bonum iuvenem pater amat.
Omne bonum lūmen domicilium dēsīderat.

10. Bonam nārrātiōnem puer amat.

Omnem bonam nārrātiōnem puer amat.

11. Bonōs senātōrēs populī amant.
12. Bonās mātrēs familiae amant.
13. Bona officia cōnsulēs amant.
14. Bonōs flōrēs fēminae amant.
15. Bonās victimās sacerdōtēs amant.

Omnēs bonōs senātōrēs populī amant.
Omnēs bonās mātrēs familiae amant.
Omnia bona officia cōnsulēs amant.
Omnēs bonōs flōrēs fēminae amant.
Omnēs bonās victimās sacerdōtēs amant.

16. Bona verba ōrātōrēs amant.
17. Bonās nāvēs ducēs amant.
18. Bonōs cēnsōrēs prōvinciae amant.

Omnia bona verba ōrātōrēs amant.
Omnēs bonās nāvēs ducēs amant.
Omnēs bonōs cēnsōrēs prōvinciae amant.

19. Bona flūmina agricolae amant.
20. Bonās puellās puerī amant.

Omnia bona flūmina agricolae amant.
Omnēs bonās puellās puerī amant.

4. Produce the proper form of the given adjective by modifying (describing) both subject and object:

1. Ācer: Oppidum rēx mūnit.
2. Cīvīlis: Bellum dux dūcit.
3. Fortis: Verbum ōrātor cognōscit.
4. Illūstris: Silvam dea incoluit.
5. Probābilis: Lēgem iūs habet.
6. Omnis: Flōrem hortus colit.
7. Sapiēns: Custōdem victor amat.
8. Senex: Fīlium pater audit.
9. Sollers: Nārrātiōnem puer legit.
10. Rebellis: Gentem auxilium dīvidit.

Ācre oppidum ācer rēx mūnit.
Cīvīle bellum cīvīlis dux dūcit.
Forte verbum fortis ōrātor cognōscit.
Illūstrem silvam illūstris dea incoluit.
Probābilem lēgem probābile iūs habet.
Omnem flōrem omnis hortus colit.
Sapientem custōdem sapiēns victor amat.
Senem fīlium senex pater audit.
Sollertem nārrātiōnem sollers puer legit.
Rebellem gentem rebelle auxilium dīvidit.

11. Ācer: Fīliōs mātrēs dīmittunt.
12. Cīvīlis: Bella ducēs agitant.
13. Fortis: Cōnsilia servī cognōscunt.
14. Illūstris: Poētās patriae habent.
15. Probābilis: Ōrātiōnēs ōrātōrēs scrībunt.

Ācrēs fīliōs ācrēs mātrēs dīmittunt.
Cīvīlia bella cīvīlēs ducēs agitant.
Fortia cōnsilia fortēs servī cognōscunt.
Illūstrēs poētās illūstrēs patriae habent.
Probābilēs ōrātiōnēs probābilēs ōrātōrēs scrībunt.

16. Omnis: Virī honōrēs cernunt.   Omnēs virī omnēs honōrēs cernunt.
17. Sapiēns: Senātōrēs capita   Sapientēs senātōrēs sapientia capita capiunt.
    capiunt.
18. Senex: Cōnsulēs mīlitēs cūrant. Senēs cōnsulēs senēs mīlitēs cūrant.
19. Sollers: Verba ōrātōrēs dīcunt. Sollertia verba sollertēs ōrātōrēs dīcunt.
20. Omnis: Gēntēs iūra colunt.   Omnēs gentēs omnia iūra colunt.

5. Change from active to passive voice, substituting the genitive for the relative clause:

The family *which the father has* is building a cottage.

By the family *of the father* a cottage is (being) built.

1. Familia quam pater habet casam aedificat.

   Ā familiā patris casa aedificātur.

2. Lupa quam silva habet geminōs reperit.

   Ā lupā silvae geminī reperiuntur.

3. Flōs quem hortus habet domicilium ōrnat.

   Flōre hortī domicilium ōrnātur.

4. Victima quam sacerdos habet āram dēdicat.

   Victimā sacerdōtis āra dēdicātur.

5. Iānua quam casa habet pluviam prohibet.

   Iānuā casae pluvia prohibētur.

6. Diēs quam deus habet noctem vincit.

   Diē deī nox vincitur.

7. Iniūria quam hostis facit honōrem vulnerat.

   Iniūriā hostis honor vulnerātur.

8. Templum quod Jupiter habet montem ōrnat.

   Templō Iovis mōns ōrnātur.

9. Pulchritūdō quam fēmina habet virum capit.

   Pulchritūdine fēminae vir capitur.

10. Legiō quam imperātor habet oppidum obsidet.

    Legiōne imperātōris oppidum obsidētur.

11. Domūs quās gentēs habent salūtem addunt.

    Domibus gentium salūs additur.

12. Cōnsilia quae cēnsōrēs habent bellum incipiunt.

    Cōnsiliīs cēnsōrum bellum incipitur.

13. Lēgātī quōs senātōrēs mittunt pācem petunt.

    Ā lēgātīs senātōrum pāx petitur.

14. Deae quās Graecī habent auxilium portant.

    Ā deābus Graecōrum auxilium portātur.

15. Aquaeductūs quōs Rōmānī habent aquam portant.

    Aquaeductibus Rōmānōrum aqua portātur.

16. Mīlitēs quōs rēgna habent rēgem audiunt.

Ā mīlitibus rēgnōrum rēx audītur.

17. Lēgēs quās senātus habent urbem mūniunt.

Lēgibus senātuum urbs mūnītur.

18. Palātia quae prīncipēs habent populum dēcipiunt.

Palātiīs prīncipum populus dēcipitur.

19. Īnscrīptiōnēs quās templa habent fīnem nūntiant.

Īnscrīptiōnibus templōrum fīnis nūntiātur.

20. Verba quae librī habent puerōs ēducant.

Verbīs librōrum puerī ēducantur.

6. Change the tense of the verb from past to present, and change the whole to a part:

A. If the senator *did not know the whole plan,*

he *does know a part of the plan.*

1. Sī senātor nōn cognōvit tōtum cōnsilium, cognōscit partem cōnsiliī.
2. Sī collēga nōn dēcēpit tōtam gentem, dēcipit partem gentis.
3. Sī orīgō nōn cōnstituit tōtum honōrem, cōnstituit partem honōris.
4. Sī imperātor nōn dedit tōtum dōnum, dat partem dōnī.
5. Sī dux nōn dīxit tōtam nārrātiōnem, dīcit partem nārrātiōnis.
6. Sī cōnsul nōn pepulit tōtum hostem, ɒellit partem hostis.
7. Sī iuvenis nōn abdūxit tōtam pecūniam, abdūcit partem pecūniae.
8. Sī augurium nōn fēcit tōtam pācem, facit partem pācis.
9. Sī lūmen nōn mōnstrāvit tōtam viam, mōnstrat partem viae.
10. Sī ōrātiō nōn dīvīsit tōtum populum, dīvidit partem populī.

B. If the cities *were not conquered* by *all the soldiers,*

they *are conquered* by *a part of the soldiers.*

11. Sī urbēs nōn victae sunt ab omnibus mīlitibus, vincuntur ā parte mīlitum.
12. Sī vālla nōn aedificāta sunt ab omnibus servīs, aedificantur ā parte servōrum.
13. Sī magistrī nōn audītī sunt ab omnibus puellīs, audiuntur ā parte puellārum.
14. Sī iānuae nōn apertae sunt ab omnibus custōdibus, aperiuntur ā parte custōdum.
15. Sī cibī nōn parātī sunt ab omnibus mātribus, parantur ā parte mātrum.
16. Sī lēgēs nōn servātae sunt ab omnibus terrīs, servantur ā parte terrārum.

17. Sī ātria nōn habita sunt ab omnibus domibus,	habentur ā parte domuum.
18. Sī librī nōn scrīptī sunt dē omnibus rēbus,	scrībuntur dē parte rērum.
19. Sī honōrēs nōn captī sunt ab omnibus virīs,	capiuntur ā parte virōrum.
20. Sī corpora nōn sepulta sunt ab omnibus populīs,	sepeliuntur ā parte populōrum.

7. Change the infinitive (by eliminating the form of "posse") to the tense suggested by "ōlim" (in the past), "herī" (yesterday), "hodiē" (today):

A. *Yesterday* the man *was able to love.*   *Yesterday* the man *loved.*
B. *In the past* the girl *was able to walk.*   *In the past* the girl *was walking.*
C. *Today* the mother *is able to wait.*   *Today* the mother *waits.*

1. Herī vir potuit amāre.	Herī vir amāvit.
2. Ōlim puella poterat ambulāre.	Ōlim puella ambulābat.
3. Hodiē māter potest exspectāre.	Hodiē māter exspectat.
4. Herī dux potuit vulnerārī.	Herī dux vulnerātus est.
5. Ōlim terra poterat dēsōlārī.	Ōlim terra dēsōlābātur.
6. Hodiē oppidum potest agitārī.	Hodiē oppidum agitātur.
7. Herī magister potuit docēre.	Herī magister docuit.
8. Ōlim sacerdos poterat habēre.	Ōlim sacerdos habēbat.
9. Hodiē cēnsor potest vidēre.	Hodiē cēnsor videt.
10. Hodiē arx potest obsidērī.	Hodiē arx obsidētur.
11. Herī cōnsul potuit monērī.	Herī cōnsul monitus est.
12. Ōlim Italia poterat dēlērī.	Ōlim Italia dēlēbātur.
13. Herī senātus potuit mittere.	Herī senātus mīsit.
14. Ōlim dux poterat dūcere.	Ōlim dux dūcēbat.
15. Hodiē prīnceps potest cognōscere.	Hodiē prīnceps cognōscit.
16. Herī auxilium potuit addī.	Herī auxilium additum est.
17. Ōlim imperium poterat dīvidī.	Ōlim imperium dīvidēbātur.
18. Hodiē lēx potest cōnstituī.	Hodiē lēx cōnstituitur.
19. Herī pater potuit facere.	Herī pater fēcit.
20. Ōlim mīles poterat capere.	Ōlim mīles capiēbat.
21. Hodiē gladiātor potest interficere.	Hodiē gladiātor interficit.
22. Ōlim bellum poterat incipī.	Ōlim bellum incipiēbātur.
23. Herī dōnum potuit recipī.	Herī dōnum receptum est.
24. Hodiē populus potest dēcipī.	Hodiē populus dēcipitur.
25. Herī servus potuit pūnīre.	Herī servus pūnīvit.
26. Ōlim familia poterat venīre.	Ōlim familia veniēbat.

27. Hodiē pāstor potest reperīre.	Hodiē pāstor reperit.
28. Herī corpus potuit sepelīrī.	Herī corpus sepultum est.
29. Hodiē opus potest fīnīrī.	Hodiē opus fīnītur.
30. Ōlim iānua poterat aperīrī.	Ōlim iānua aperiēbātur.

8. Change the verb from active to passive, substituting "darī" for "recipere," thereby producing the dative of the active voice subject:

The good farmer receives land.　　Land is given *to the good farmer.*

1. Bonus agricola recipit agrum.	Ager datur bonō agricolae.
2. Sollers poēta recipit librum.	Liber datur sollertī poētae.
3. Sapiēns senātus recipit cōnsilium.	Cōnsilium datur sapientī senātuī.
4. Bonus cōnsul recipit honōrem.	Honor datur bonō cōnsulī.
5. Omnis legiō recipit ducem.	Dux datur omnī legiōnī.
6. Pulchra puella recipit flōrem.	Flōs datur pulchrae puellae.
7. Fortis gēns recipit pācem.	Pāx datur fortī gentī.
8. Ācer imperātor recipit obsidem.	Obses datur ācrī imperātōrī.
9. Pōns pūblicus recipit custōdem.	Custōs datur pontī pūblicō.
10. Aureum templum recipit īnscrīptiōnem.	Īnscrīptiō datur aureō templō.
11. Senēs rēgēs recipiēbant dōna.	Dōna dabantur senibus rēgibus.
12. Oppida fīnitima recipiēbant ducēs.	Ducēs dabantur oppidīs fīnitimīs.
13. Magnī prīncipēs recipiēbant pecūniās.	Pecūniae dabantur magnīs prīncipibus.
14. Parvae statuae recipiēbant locum.	Locus dabātur parvīs statuīs.
15. Pulchrae fēminae recipiēbant flōrēs.	Flōrēs dabantur pulchrīs fēminīs.
16. Rōmānae legiōnēs recipiēbant cōnsilia.	Cōnsilia dabantur Rōmānīs legiōnibus.
17. Trōiānī populī recipiēbant lēgēs.	Lēgēs dabantur Trōiānīs populīs.
18. Antīquī aquaeductūs recipiēbant ūsūs.	Ūsūs dabantur antīquīs aquaeductibus.
19. Sōlī puteī recipiēbant aquās.	Aquae dabantur sōlīs puteīs.
20. Variae rēs recipiēbant cōnsilia.	Cōnsilia dabantur variīs rēbus.

9. Change the relative clause to a present participial phrase:

1. Legiō quae ducem habet pugnat.	Legiō ducem habēns pugnat.
2. Rēs quae fīnem habet creātur.	Rēs fīnem habēns creātur.
3. Dea quae urbem amat relinquit.	Dea urbem amāns relinquit.
4. Pulchritūdō quae fēminam ōrnat dēcipit.	Pulchritūdō fēminam ōrnāns dēcipit.

5. Salūs quae pācem portat petitur.   Salūs pācem portāns petitur.
6. Memoria quae virum ēducat fugit.   Memoria virum ēducāns fugit.
7. Iānua quae casam mūnit aperītur.   Iānua casam mūniēns aperītur.
8. Mēnsis quī diēs habet prōcēdit.   Mēnsis diēs habēns prōcēdit.
9. Fēmina quae flōrem colit hortum amat.   Fēmina flōrem colēns hortum amat.
10. Māter quae fīliōs vocat bona est.   Māter fīliōs vocāns bona est.

11. Puer quī amīcōs servat illūstris est.   Puer amīcōs servāns illūstris est.
12. Pater quī familiam cūrat laudātur.   Pater familiam cūrāns laudātur.
13. Frāter quī sorōrem dīmittit nōn amātur.   Frāter sorōrem dīmittēns nōn amātur.
14. Aquaeductus quī aquam portat necessārius est.   Aquaeductus aquam portāns necessārius est.
15. Collēga quī cōnsulem dēcipit occīditur.   Collēga cōnsulem dēcipiēns occīditur.
16. Cēnsōrēs quī lēgēs mūniunt urbem servant.   Cēnsōrēs lēgēs mūnientēs urbem servant.
17. Prīncipēs quī populum recipiunt amantur.   Prīncipēs populum recipientēs amantur.
18. Honōrēs quī iniūriam prohibent petuntur.   Honōrēs iniūriam prohibentēs petuntur.
19. Lēgātī quī cōnsilium cognōscunt mittuntur.   Lēgātī cōnsilium cognōscentēs mittuntur.
20. Hostēs quī oppidum obsident pelluntur.   Hostēs oppidum obsidentēs pelluntur.

21. Cōnsilium quod salūtem fert bonum est.   Cōnsilium salūtem ferēns bonum est.
22. Initium quod opus incipit magnum est.   Initium opus incipiēns magnum est.
23. Officium quod iūra docet fīnītur.   Officium iūra docēns fīnītur.
24. Opus quod urbem aedificat fīnītur.   Opus urbem aedificāns fīnītur.
25. Iūs quod senātum dīvidit indūcitur.   Iūs senātum dīvidēns indūcitur.
26. Genera quae rēgnum condunt sunt fortia.   Genera rēgnum condentia sunt fortia.
27. Maria quae nāvēs vincunt nōn petuntur.   Maria nāvēs vincentia nōn petuntur.
28. Arma quae terram dēsōlant parantur.   Arma terram dēsōlantia parantur.

29. Castra quae legiōnem servant re-   Castra legiōnem servantia relinquuntur.
    linquuntur.
30. Imperia quae iūra nōn habent   Imperia iūra nōn habentia cēdunt.
    cēdunt.

10. Change the subordinate clause to an Ablative Absolute with a present participle:

1. Quia fēmina flet, vir exspectat.   Fēminā flente, vir exspectat.
2. Quia fēminae flent, virī ex-   Fēminīs flentibus, virī exspectant.
   spectant.
3. Ut mīles terram dēsōlat, urbs   Mīlite terram dēsōlante, urbs capitur.
   capitur.
4. Ut mīlitēs terram dēsōlant, urbs   Mīlitibus terram dēsōlantibus, urbs
   capitur.   capitur.
5. Quod Caesar dūxit, oppida cēpē-   Caesare dūcente, oppida cēpērunt.
   runt.
6. Quod cōnsulēs iussērunt, pāx pe-   Cōnsulibus iubentibus, pāx petīta est.
   tīta est.
7. Ut Catō est cōnsul, aqua dūcitur.   Catōne cōnsule, aqua dūcitur.
8. Ut Catō et Valerius sunt cōnsulēs,   Catōne et Valeriō cōnsulibus, aqua
   aqua dūcitur.   dūcitur.
9. Quia Fabius et Claudius sunt   Fabiō et Claudiō ducibus, hostēs
   ducēs, hostēs vincuntur.   vincuntur.
10. Quia nārrātiō incipit, poēta   Nārrātiōne incipiente, poēta dormit.
    dormit.

11. Answer the questions with the present active and perfect passive participles:

If the king burns the city,
            what kind of a king is he?   He is a king *burning* the city.
            what kind of a city is it?   It is a *burned* city.

1. Sī rēx urbem incendit,
            quālis rēx est?   Rēx urbem incendēns est.
            quālis urbs est?   Urbs incēnsa est.
2. Sī senātor cōnsilium cognōscit,
            quālis senātor est?   Senātor cōnsilium cognōscēns est.
            quāle cōnsilium est?   Cōnsilium cognitum est.
3. Sī mēnsis habet flōrem,
            quālis mēnsis est?   Mēnsis flōrem habēns est.
            quālis flōs est?   Flōs habitus est.

A geometric floor mosaic at Ostia; note the older floor beneath at the right.

4. Sī populus aquam haurit,
        quālis populus est?   Populus aquam hauriēns est.
        quālis aqua est?   Aqua hausta est.

5. Sī puer patrem audit,
        quālis puer est?   Puer patrem audiēns est.
        quālis pater est?   Pater audītus est.

6. Sī Rōmānī imperia cōnstituunt,
        quālēs Rōmānī sunt?   Rōmānī imperia cōnstituentēs sunt.
        quālia imperia sunt?   Imperia cōnstitūta sunt.

7. Sī portae hostēs exclūdunt,
        quālēs portae sunt?   Portae hostēs exclūdentēs sunt.
        quālēs hostēs sunt?   Hostēs exclūsī sunt.

8. Sī familiae domūs aedificant,
        quālēs familiae sunt?   Familiae domūs aedificantēs sunt.
        quālēs domūs sunt?   Domūs aedificātae sunt.

9. Sī cōnsulēs rēs indūcunt,
        quālēs cōnsulēs sunt?   Cōnsulēs rēs indūcentēs sunt.
        quālēs rēs sunt?   Rēs inductae sunt.

10. Sī imperātōrēs castra pōnunt,
        quālēs imperātōrēs sunt?   Imperātōrēs castra pōnentēs sunt.
        quālia castra sunt?   Castra posita sunt.

12. Substitute "is, ea, id" for the subject; change the present participle to a relative clause:

The triumphing man is praised.   *He who triumphs* is praised.

1. Vir triumphāns laudātur.   Is quī triumphat laudātur.
2. Fēmina flēns nōn amātur.   Ea quae flet nōn amātur.

3. Bellum dēsōlāns āctum est.   Id quod dēsōlat āctum est.
4. Senātus cōnsilium audiēns bonus   Is quī cōnsilium audit bonus est.
est.
5. Māter flōrēs colēns sapiēns est.   Ea quae flōrēs colit sapiēns est.
6. Iūs lēgēs cōnstituēns neces-   Id quod lēgēs cōnstituit necessārium
sārium est.   est.
7. Prīncipēs pācem petentēs multī   Eī quī pācem petunt multī sunt.
sunt.
8. Rēs bellum fīnientēs variae sunt.   Eae quae bellum fīniunt variae sunt.
9. Vālla oppidum mūnientia fortia   Ea quae oppidum mūniunt fortia sunt.
sunt.
10. Collēgae populōs dēcipientēs   Eī quī populōs dēcipiunt aegrī sunt.
aegrī sunt.
11. Lēgēs dē iūre tractantēs cōn-   Eae quae dē iūre tractant cōnstitūtae
stitūtae sunt.   sunt.
12. Auxilia appārentia nōn semper   Ea quae appārent nōn semper cer-
cernuntur.   nuntur.

EPITOMA

VERBS

1. Personal endings:

Active	*he, she, it* **–t**	*they*	**–nt**
Passive	*he, she, it* **–tur**	*they*	**–ntur**

2. Present tense:

The present tense is formed by adding the personal endings to the present stem.

3. Imperfect tense:

The imperfect tense is formed by adding **–bā** plus personal endings to the present stem.

4. Perfect tense:

1. Active: The perfect tense active is formed by adding the special endings (*he, she, it:* **–it;** *they:* **–ērunt**) to the perfect stem.

2. Passive: The perfect tense passive is formed by using the perfect participle with the present tense of **esse** (**est, sunt**).

VERB FORMS

			Present Tense		Imperfect Tense	
			Active	**Passive**	**Active**	**Passive**
he, she, it	1		vocat	vocātur	vocābat	vocābātur
	2		monet	monētur	monēbat	monēbātur
	3		dūcit	dūcitur	dūcēbat	dūcēbātur
	3 (–iō)	capit	capitur	capiēbat	capiēbātur
	4		audit	audītur	audiēbat	audiēbātur
they	1		vocant	vocantur	vocābant	vocābantur
	2		monent	monentur	monēbant	monēbantur
	3		dūcunt	dūcuntur	dūcēbant	dūcēbantur
	3 (–iō)	capiunt	capiuntur	capiēbant	capiēbantur
	4		audiunt	audiuntur	audiēbant	audiēbantur

Perfect Tense

			Active	Passive
he, she, it	1		vocāvit	vocātus est
	2		monuit	monitus est
	3		dūxit	ductus est
	3 (–iō)		cēpit	captus est
	4		audīvit	audītus est
they	1		vocāvērunt	vocātī sunt
	2		monuērunt	monitī sunt
	3		dūxērunt	ductī sunt
	3 (–iō)		cēpērunt	captī sunt
	4		audīvērunt	audītī sunt

5. Participles:

Present Active: present stem plus **–ns**; gen., **–ntis**: **vocāns, monēns, dūcēns, capiēns, aūdiēns.**

Perfect Passive: third part of verb: **vocātus, monitus, ductus, captus, audītus.**

6. Infinitives:

Present Active: first part of verb: **vocāre, monēre, dūcere, capere, audīre.**

Present Passive: change **–e** of active to **–ī**; in third conjugation change **–ere** to **–ī: vocārī, monērī, dūcī, capī, audīrī.**

7. Irregular verbs:

	Present		Imperfect		Perfect	
	Active	Passive	Active	Passive	Active	Passive
he, she, it	potest		poterat		potuit	
	it		ībat		īvit (iit)	
	fert	fertur	ferēbat	ferēbātur	tulit	lātus est
they	possunt		poterant		potuērunt	
	eunt		ībant		īvērunt (iērunt)	
	ferunt	feruntur	ferēbant	ferēbantur	tulērunt	lātī sunt

NOUNS

8. Declensions:

	I	II — M	II — N	III — M, F	III — N	IV	V

SINGULAR

	I	II — M	II — N	III — M, F	III — N	IV	V
Nominative	–a	–us, –er	–um	..	..	–us	–ēs
Genitive	–ae	–ī	–ī	–is	–is	–ūs	–ēī (eī)
Dative	–ae	–ō	–ō	–ī	–ī	–uī	–ēī (eī)
Accusative	–am	–um	–um	–em	..	–um	–em
Ablative	–ā	–ō	–ō	–e	–e (ī)	–ū	–ē

PLURAL

	I	II — M	II — N	III — M, F	III — N	IV	V
Nominative	–ae	–ī	–a	–ēs	–a (–ia)	–ūs	–ēs
Genitive	–ārum	–ōrum	–ōrum	–um (–ium)	–um (–ium)	–uum	–ērum
Dative	–īs	–īs	–īs	–ibus	–ibus	–ibus	–ēbus
Accusative	–ās	–ōs	–a	–ēs	–a (–ia)	–ūs	–ēs
Ablative	–īs	–īs	–īs	–ibus	–ibus	–ibus	–ēbus

9. Uses of cases:

1. *Nominative:*
   The nominative case is used as the subject of a sentence and as a predicate nominative.

2. *Genitive:*

The genitive case is used to indicate possession and phrases with *of*.

3. *Dative:*

The dative case is used to indicate an indirect object and the object of certain verbs and adjectives.

4. *Accusative:*

The accusative case is used to indicate the direct object and the object of certain prepositions.

5. *Ablative:*

The ablative case is used in adverbial phrases and as the object of certain prepositions.

10. Demonstrative and personal pronouns:

	he, she, it; this, that			*they; these, those*		
	M	**F**	**N**	**M**	**F**	**N**
Nom.	is	ea	id	eī	eae	ea
Gen.	eius	eius	eius	eōrum	eārum	eōrum
Dat.	eī	eī	eī	eīs	eīs	eīs
Acc.	eum	eam	id	eōs	eās	ea
Abl.	eō	eā	eō	eīs	eīs	eīs

11. Interrogative pronoun (who? what?):

	M, F	**N**	**M**	**F**	**N**
	SINGULAR			PLURAL	
Nom.	quis	quid	quī	quae	quae
Gen.	cuius	cuius	quōrum	quārum	quōrum
Dat.	cui	cui	quibus	quibus	quibus
Acc.	quem	quid	quōs	quās	quae
Abl.	quō	quō	quibus	quibus	quibus

12. Relative pronoun (who, which, that):

	M	F	N	
	SINGULAR			PLURAL
Nom.	quī	quae	quod	(same as the interrogative)
Gen.	cuius	cuius	cuius	
Dat.	cui	cui	cui	
Acc.	quem	quam	quod	
Abl.	quō	quā	quō	

13. Interrogative adjective (which? what?):

The forms of the interrogative adjective are the same as those of the relative pronoun.

14. Adjectives:

Declension III

	SINGULAR		PLURAL	
	M, F	N	M, F	N
Nom.	. .	. .	–ēs	–ia (–a)
Gen.	–is	–is	–ium	–ium (–um)
Dat.	–ī	–ī	–ibus	–ibus
Acc.	–em	. .	–ēs	–ia (–a)
Abl.	–ī (e)	–ī (e)	–ibus	–ibus

STUDIUM VERBŌRUM

From what Latin words are these English words derived — *intramural, abduct, apparition, memorial, pulchritude, primary, domestic, current, admirable, legal, deceptive, vulnerable, possible, general, fluent, sole, cognition, fortify, custody, final?* What do the English words mean?

Use these words in sentences which show that you understand the meaning of each word — *sonar, nocturnal, aquatic, dual, sacerdotal, munitions, desolate, library, simile, ornate, sedentary, literate, amicable, marine, innocuous.*

What is *a dormitory, a legation, a recipe, an audition, a session, a florist, a constitution, a pontoon, a tricycle, an edifice, a sepulcher, a civilian, a janitor, a rebel, an orb?*

Explain the meaning of each of these sentences with the help of the Latin words you know:

1. The principal inducement was sufficient apparatus.
2. His great-grandparents' chairs are real antiques.
3. He arranged the papers in numerical order.
4. His acrimonious attitude offended many.
5. He claimed omniscient powers.
6. They were forced to make restitution.
7. He was motivated by patriotism.
8. The judge was illustrious for his knowledge of jurisprudence.
9. The initial aperture was too small.
10. Outer space is being explored with missiles.

INDEX VERBŌRUM

abdūcere	audīre	creāre	duo
ācer	aureus	currere	dux
addere	aut . . . aut	custōs	
adhūc			elephantus
aedificium	bibliothēca	dea	ēvertere
aeger		dēcipere	explōrātor
agricola	caput	dēnique	
amīcus	cēnsor	dēsīderāre	ferre
anteā	cernere	dēsōlāre	fīnīre
antīquus	cīvīlis	deus	fīnis
aperīre	cognōscere	diēs	fīnitimus
apparātus	colere	dīmittere	flēre
appārēre	collēga	dīversus	flōs
appellāre	committere	dīvidere	fluere
aqua	complūrēs	dīvīnus	fortis
aquaeductus	cōnsilium	domus	
arma	cōnstituere	dōnum	genus
auctōritās	contentus	dormīre	gerere

haurīre	mare	pōns	sapiēns
herī	medius	posse	sedēre
historia	memoria	praevidēre	senātor
hodiē	mēnsis	prīmum	senātus
honor	mīlitāris	prīnceps	senex
	mīrābilis	probābilis	sepelīre
iam	mittere	prohibēre	sex
iānua	mūnīre	prope	sollers
illūstris		prōvincia	sōlus
imperātor	nam	pūblicus	sonāre
incipere	nārrātiō	pulchritūdō	spolium
indūcere	nāvis	puteus	statua
initium	necessārius		succēdere
iniūria	nocēre	quasi	
īnscrīptiō	nox	quī	tabula
intrā	numerus	quia	terra
īre	nūntiāre		tractāre
is		rebellis	trādere
iubēre	obses	recipere	trēs
iūs	officium	redīre	tribūnus
	omnis	reditus	triumphāre
	orbis	rēs	
lēgātus	orīgō	restituere	usque
legiō	ōrnāre	ruīna	ūsus
lēx			ut
liber	palātium	sacer	
littera	patria	sacerdos	varius
longitūdō	poēta	salūs	vulnerāre

LECTIŌ TERTIA DECIMA
(XIII)

FĀBULA

Roman Kings

Romulus ruled for thirty-seven years, Numa forty-three. The state was not only strong, but also well organized in the arts both of war and of peace. At Numa's death the state returned to an interregnum.

Then the people declared Tullus Hostilius king. Tullus ruled for thirty-two years with great renown in war. When Tullus died, the state, as already set up then from the start, returned to the Fathers and these named an interrex. When he held an assembly, the people elected Ancus Marcius king. Ancus Marcius was a grandson, on his mother's side, of king Numa Pompilius. Ancus reigned twenty-four years.

Next the Roman people ordered Tarquinius to reign. In the thirty-eighth year after Tarquinius began to rule, Servius Tullius was held in the very greatest honor not only by the king but by the Fathers and the common people. After Tarquinius had been killed, Servius, strengthened with

Rēgēs Rōmānī

Rōmulus septem et trīgintā rēgnāvit annōs, Numa trēs et quadrāgintā. Nōn modo valida sed etiam temperāta et bellī et pācis artibus erat cīvitās. Numae morte ad interrēgnum*, ¹ rēs pūblica rediit.

Inde Tullum Hostīlium rēgem populus iussit. Tullus magnā cum glōriā bellī rēgnāvit annōs duōs et trīgintā. Mortuō Tullō rēs, ut īnstitūtum iam inde ab initiō, ad patrēs² rediit eīque interrēgem*, ¹ nōmināvērunt. Eō comitia*, ³ habente, Ancum Mārcium rēgem populus creāvit. Numae Pompiliī rēgis nepōs, fīliā nātus, Ancus Mārcius erat. Rēgnāvit Ancus annōs quattuor et vīgintī.

Deinde Tarquinium populus Rōmānus rēgnāre iussit. Duodēquadrāgēsimō annō ex quō rēgnāre incēpit Tarquinius, nōn apud rēgem modo sed apud patrēs plēbemque longē maximō honōre Servius Tullius erat. Tarquiniō occīsō, Servius praesidiō fīrmō mūnītus, prīmus iniussū*, ⁴ populī, volun-

---

¹ **Interrēgnum, interrēgem:** the period between the kings was called an interregnum; the official who temporarily ruled the country until a new king was chosen was an interrex.

² **Patrēs:** *Fathers* or *Senators*.

³ **Comitia:** the meeting or assembly of all the people, in contrast to the senate, the other main body of government.

⁴ **Iniussū:** literally, *with no order* (in + iussus).

The Via Aurelia in Tuscany. This was the homeland of the ancient Etruscans.

a strong guard, was the first to rule without the authorization of the people, but with the consent of the Fathers. Servius Tullius ruled forty-four years.

Then Lucius Tarquinius, whose deeds gave him the surname the Proud, began to rule. Lucius Tarquinius the Proud reigned for twenty-five years. The royal period of Rome, from the founding of the city to its liberation, lasted two hundred and forty-four years. Two consuls were then elected, Lucius Iunius Brutus and Lucius Tarquinius Collatinus.

tāte patrum rēgnāvit. Servius Tullius rēgnāvit annōs quattuor et quadrāgintā.

Inde Lūcius Tarquinius rēgnāre incēpit, cui Superbō cognōmen*, 5 facta dedērunt. Lūcius Tarquinius Superbus rēgnāvit annōs quīnque et vīgintī. Rēgnātum est Rōmae[6] ab conditā urbe ad līberātam annōs ducentōs quadrāgintā quattuor. Duo cōnsulēs inde creātī sunt, Lūcius Iūnius Brūtus et Lūcius Tarquinius Collātīnus.

— Adapted from Titus Līvius, *Ab Urbe Conditā*, I.

---

[5] **Cognōmen:** *surname* or *family name*, sometimes given by reason of some attribute or characteristic (Appius Claudius *Caecus*, Pūblius Cornēlius *Scīpiō*).

[6] **Rēgnātum est Rōmae:** literally, *it was ruled at Rome.*

GRAMMATICA

1. Numerals:

In Latin most cardinal numbers (*one, two, three,* etc.) are indeclinable adjectives. Only *one* (**ūnus, ūna, ūnum**), *two* (**duo, duae, duo**), and *three* (**trēs, tria**), and the plurals of *hundreds* (**ducentī, –ae, –a; trecentī, –ae, –a;** etc.) are declined adjectives. The plural of *thousand* (**mīlia**) is a third declension neuter noun.

The ordinal numbers (*first, second,* etc.) are first and second declension adjectives.

NUMERALS

		Cardinal	*Ordinal*
1	I	ūnus, ūna, ūnum	prīmus, prīma, prīmum
2	II	duo, duae, duo	secundus, –a, –um
3	III	trēs, tria	tertius
4	IV, IIII	quattuor	quārtus
5	V	quīnque	quīntus
6	VI	sex	sextus
7	VII	septem	septimus
8	VIII	octō	octāvus
9	IX, VIIII	novem	nōnus
10	X	decem	decimus
11	XI	ūndecim	ūndecimus
12	XII	duodecim	duodecimus
13	XIII	tredecim	tertius decimus
14	XIV, XIIII	quattuordecim	quārtus decimus
15	XV	quīndecim	quīntus decimus
16	XVI	sēdecim	sextus decimus
17	XVII	septendecim	septimus decimus
18	XVIII	duodēvīgintī	duodēvīcēsimus
19	XIX, XVIIII	ūndēvīgintī	ūndēvīcēsimus
20	XX	vīgintī	vīcēsimus
21	XXI	vīgintī ūnus, ūnus et vīgintī	vīcēsimus prīmus
28	XXVIII	duodētrīgintā	duodētrīcēsimus

29	XXIX, XXVIIII	ūndētrīgintā	ūndētrīcēsimus
30	XXX	trīgintā	trīcēsimus
40	XL, XXXX	quadrāgintā	quadrāgēsimus
50	L	quīnquāgintā	quīnquāgēsimus
60	LX	sexāgintā	sexāgēsimus
70	LXX	septuāgintā	septuāgēsimus
80	LXXX	octōgintā	octōgēsimus
90	XC, LXXXX	nōnāgintā	nōnāgēsimus
100	C	centum	centēsimus
101	CI	centum (et) ūnus	centēsimus (et) prīmus
200	CC	ducentī, –ae, –a	ducentēsimus
300	CCC	trecentī	trecentēsimus
400	CCCC	quadringentī	quadringentēsimus
500	D	quīngentī	quīngentēsimus
600	DC	sescentī	sescentēsimus
700	DCC	septingentī	septingentēsimus
800	DCCC	octingentī	octingentēsimus
900	DCCCC	nōngentī	nōngentēsimus
1000	M	mīlle	mīllēsimus
2000	MM	duo mīlia	bis mīllēsimus

2. Irregular case forms of "ūnus" and "duo":

The cardinal numbers **ūnus** and **duo** are adjectives of the first and second declension and therefore are declined like **bonus, –a, –um.** They have, however, certain irregular forms. **Ūnus** has **ūnīus** in the genitive, **ūnī** in the dative. **Duo** is used for both masculine and neuter nominative (**duae** being the regular feminine nominative); **duōbus, duābus, duōbus** are used in the dative and ablative. **Trēs, tria** is a regular third declension adjective of the plural.

	M	F	N	M	F	N
Nom.	ūnus	ūna	ūnum	duo	duae	duo
Gen.	ūnīus	ūnīus	ūnīus	duōrum	duārum	duōrum
Dat.	ūnī	ūnī	ūnī	duōbus	duābus	duōbus
Acc.	ūnum	ūnam	ūnum	duōs (duo)	duās	duo
Abl.	ūnō	ūnā	ūnō	duōbus	duābus	duōbus

3. Time constructions:

As seen in Lesson V, phrases indicating *when* something happened (*in the summer, in the second year, at night*) or *within what time* it happened (*in six days, within four years*) are expressed in Latin by the ablative case without a preposition. This construction is called the Ablative of Time When or Within Which:

aestāte, in summer	**secundō annō,** in the second year
nocte, at night	**sex diēbus,** within six days
	quattuor annīs, within four years

Phrases indicating *how long* something lasted (*for two days, for twelve years*) are expressed in Latin by the accusative case without a preposition. This construction is called the Accusative of Duration of Time:

duōs diēs, for two days   **duodecim annōs,** for twelve years

EXERCITIA

1. The cardinal numbers, "ūnus, duo, trēs":

ūnus	ūna	ūnum
duo	duae	duo
trēs	trēs	tria

1. Recognize the cardinal numbers by answering the question **Quot?** (*How many?*):

A. One boy discerns art. How many boys?   *One* boy.

1. Ūnus puer artem cernit. Quot puerī?   Ūnus puer.
2. Ūna puella hortum cūrat. Quot puellae?   Ūna puella.
3. Ūnum bellum pācem non creat. Quot bella?   Ūnum bellum.
4. Ūnum fīlium māter habet. Quot fīliōs?   Ūnum fīlium.
5. Ūnam fīliam pater habet. Quot fīliās?   Ūnam fīliam.
6. Ūnum opus poēta scrībit. Quot opera?   Ūnum opus.
7. Dōnum ab ūnō virō capitur. Ā quot virīs?   Ab ūnō virō.
8. Cōnsilium ūnā rē cernitur. Quot rēbus?   Ūnā rē.
9. Pāx ūnō bellō vincitur. Quot bellīs?   Ūnō bellō.

10. Duo virī oppidum capiunt. Quot virī?   Duo virī.
11. Duae mātrēs domum cūrant. Quot mātrēs?   Duae mātrēs.
12. Duo bella imperium dīvidunt. Quot bella?   Duo bella.

The Colosseum or Flavian Amphitheater (built by the Emperor Vespasian), seen through the temple of Venus and Roma.

13. Dux duōs virōs līberat. Quot virōs?	Duōs virōs.
14. Frāter duās sorōrēs amat. Quot sorōrēs?	Duās sorōrēs.
15. Rēx duo oppida dēlet. Quot oppida?	Duo oppida.
16. Trēs stellae appārent. Quot stellae?	Trēs stellae.
17. Trēs mīlitēs castra pōnunt. Quot mīlitēs?	Trēs mīlitēs.
18. Tria opera poēta scrībit. Quot opera?	Tria opera.
19. Trium hōrārum pars est. Quot hōrārum?	Trium hōrārum.
20. Ā tribus lēgātīs audītur. Ā quot lēgātīs?	A tribus lēgātīs.

2. Produce the proper cardinal number for the given numeral:

B. I boy sleeps.	*One* boy sleeps.
21. I puer dormit.	Ūnus puer dormit.
22. I puella ad mātrem currit.	Ūna puella ad mātrem currit.
23. I palātium ōrnātur.	Ūnum palātium ōrnātur.
24. II virī honōrēs dēsīderant.	Duo virī honōrēs dēsīderant.
25. II mātrēs cibum parant.	Duae mātrēs cibum parant.
26. II praesidia urbem mūniunt.	Duo praesidia urbem mūniunt.
27. Pater II nepōtēs habet.	Pater duōs nepōtēs habet.
28. Senātus II lēgēs cōnstituit.	Senātus duās lēgēs cōnstituit.
29. Imperātor II praesidia committit.	Imperātor duo praesidia committit.

30. III frātrēs in hortō lūdunt. | Trēs frātrēs in hortō lūdunt.
31. III prōvinciae in imperiō sunt. | Trēs prōvinciae in imperiō sunt.
32. III spatia inter arborēs cōnsti- | Tria spatia inter arborēs cōnstituunt.
tuunt.

33. Casam III pāstōrum reperiunt. | Casam trium pāstōrum reperiunt.
34. Dux III legiōnum est. | Dux trium legiōnum est.
35. Gladiātor III bellōrum est. | Gladiātor trium bellōrum est.
36. Rēx III lēgātōs mittit. | Rēx trēs lēgātōs mittit.
37. Nox III stellās habet. | Nox trēs stellās habet.
38. Cōnsul III palātia aedificat. | Cōnsul tria palātia aedificat.
39. Urbs ā III mīlitibus capitur. | Urbs ā tribus mīlitibus capitur.
40. Bellum ā III nepōtibus īnstituitur. | Bellum ā tribus nepōtibus īnstituitur.

2. Cardinal numbers:

Cardinal Numbers
ūnus, duo, trēs, quattuor, quīnque, sex, septem, octō, novem, decem, ūndecim, duodecim, tredecim, quattuordecim, quīndecim, sēdecim, septendecim, duodēvīgintī, ūndē-vīgintī, vīgintī, centum, mīlle

Produce the proper cardinal number by giving the correct addition:

One and *one* are | *two.*

1. Ūnum et ūnum sunt | duo.
2. Duo et ūnum sunt | tria.
3. Tria et ūnum sunt | quattuor.
4. Quattuor et ūnum sunt | quīnque.
5. Quīnque et ūnum sunt | sex.
6. Quīnque et duo sunt | septem.
7. Sex et duo sunt | octō.
8. Septem et duo sunt | novem.
9. Octō et duo sunt | decem.
10. Ūnum et decem sunt | ūndecim.

11. Duo et decem sunt | duodecim.
12. Tria et decem sunt | tredecim.
13. Quattuor et decem sunt | quattuordecim.
14. Quīnque et decem sunt | quīndecim.

15. Sex et decem sunt	sēdecim.
16. Septem et decem sunt	septendecim.
17. Octō et decem sunt	duodēvīgintī.
18. Novem et decem sunt	ūndēvīgintī.
19. Decem et decem sunt	vīgintī.
20. Vīgintī et decem sunt	trīgintā.
21. Vīgintī et vīgintī sunt	quadrāgintā.
22. Vīgintī et trīgintā sunt	quīnquāgintā.
23. Trīgintā et trīgintā sunt	sexāgintā.
24. Quadrāgintā et trīgintā sunt	septuāgintā.
25. Quadrāgintā et quadrāgintā sunt	octōgintā.
26. Quīnquāgintā et quadrāgintā sunt	nonāgintā.
27. Sexāgintā et quadrāgintā sunt	centum.
28. Septuāgintā et trīgintā sunt	centum.
29. Octōgintā et vīgintī sunt	centum.
30. Nōnāgintā et decem sunt	centum.
31. Centum et centum sunt	ducenta.
32. Centum virī et centum virī sunt	ducentī.
33. Centum fēminae et centum fēminae sunt	ducentae.
34. Centum et ducenta sunt	trecenta.
35. Centum virī et ducentī virī sunt	trecentī.
36. Centum fēminae et ducentae fēminae sunt	trecentae.
37. Ducenta et trecenta sunt	quīngenta.
38. Centum et quadringenta sunt	quīngenta.
39. Quīngenta et quīngenta sunt	mīlle.
40. Mīlle et mīlle sunt	duo mīlia.

3. Ordinal numbers:

---

prīmus, secundus, tertius, quārtus, quīntus, sextus, septimus, octāvus, nōnus, decimus, vīcēsimus, centēsimus, mīllēsimus

---

1. Recognize the ordinal numbers, as in the examples:

A. If the book has a *first* page,   the book has *one* page.

1. Sī liber prīmam pāginam habet,	liber ūnam pāginam habet.
2. Sī liber secundam pāginam habet,	liber duās pāginās habet.
3. Sī liber tertiam pāginam habet,	liber trēs pāginās habet.
4. Sī liber quārtam pāginam habet,	liber quattuor pāginās habet.
5. Sī liber quīntam pāginam habet,	liber quīnque pāginās habet.

6. Sī liber sextam pāginam habet,   liber sex pāginās habet.
7. Sī liber septimam pāginam habet,   liber septem pāginās habet.
8. Sī liber octāvam pāginam habet,   liber octō pāginās habet.
9. Sī liber nōnam pāginam habet,   liber novem pāginās habet.
10. Sī liber decimam pāginam habet,   liber decem pāginās habet.

    B. If it is the *eleventh* thing,   there must be *eleven* things.

11. Sī est rēs ūndecima,   dēbent esse ūndecim rēs.
12. Sī est statua duodecima,   dēbent esse duodecim statuae.
13. Sī est stella tertia decima,   dēbent esse tredecim stellae.
14. Sī est diēs quārtus decimus,   dēbent esse quattuordecim diēs.
15. Sī est senātor quīntus decimus,   dēbent esse quīndecim senātōrēs.
16. Sī est elephantus sextus decimus,   dēbent esse sēdecim elephantī.
17. Sī est liber septimus decimus,   dēbent esse septendecim librī.
18. Sī est gladiātor duodēvīcēsimus,   dēbent esse duodēvīgintī gladiātōrēs.
19. Sī est rēx ūndēvīcēsimus,   dēbent esse ūndēvīgintī rēgēs.
20. Sī est lēx vīcēsima,   dēbent esse vīgintī lēgēs.

2. Produce the ordinal numbers, as in the examples:

    C. If there are *ten* things,   the last thing is the *tenth*.

21. Sī sunt decem rēs,   ultima rēs est decima.
22. Sī sunt novem puerī,   ultimus puer est nōnus.
23. Sī sunt octō puellae,   ultima puella est octāva.
24. Sī sunt septem bella,   ultimum bellum est septimum.
25. Si sunt sex hōrae,   ultima hōra est sexta.
26. Sī sunt quīnque ōrātiōnēs,   ultima ōrātiō est quīnta.
27. Sī sunt quattuor templa,   ultimum templum est quārtum.
28. Sī sunt tria verba,   ultimum verbum est tertium.
29. Sī sunt duo cursūs,   ultimus cursus est secundus.
30. Sī sunt vīgintī praesidia,   ultimum praesidium est vīcēsimum.

    D. After the *second* thing is   the *third* thing.
    E. Before the *second* thing is   the *first* thing.

31. Post secundam rem est   tertia rēs.
32. Post decimam hōram est   ūndecima hōra.
33. Post duodēvīcēsimum annum est   ūndēvīcēsimus annus.
34. Post ūndētrīcēsimam domum est   trīcēsima domus.
35. Post centēsimam nāvem est   centēsima prīma nāvis.
36. Ante octōgēsimum mīlitem est   ūndēoctōgēsimus mīles.
37. Ante vīcēsimum prīmum cōnsilium   vīcēsimum cōnsilium.
    est

38. Ante decimum mēnsem est	nōnus mēnsis.
39. Ante septimum decimum diem est	sextus decimus diēs.
40. Ante octāvum iuvenem est	septimus iuvenis.

4. Ablative and Accusative of Time:

Ablative of Time When (Within Which?)
aestāte, secundō annō; sex diēbus

Accusative of Duration of Time (How Long?)
duōs diēs, multōs annōs, ūnam hōram

---

1. Translate into English:

1. Quīntō annō	In the fifth year
2. Octāvō diē	On the eighth day
3. Ūndecimā aestāte	In the eleventh summer
4. Prīmō mēnse	In the first month
5. Decimā hōrā	At the tenth hour
6. Sextā nocte	On the sixth night
7. Decimō diē	On the tenth day
8. Tertiō mēnse	In the third month
9. Septimō annō	In the seventh year
10. Quārtā aestāte	In the fourth summer

11. Octō hōrās	For eight hours
12. Quīnque annōs	For five years
13. Duodecim mēnsēs	For twelve months
14. Septuāgintā diēs	For seventy days
15. Octōgintā noctēs	For eighty nights
16. Quadrāgintā trēs aestātēs	For forty-three summers
17. Centum et decem annōs	For one hundred and ten years
18. Mīlle et decem diēs	For a thousand and ten days
19. Noctēs trecentās et ūnam	For three hundred and one nights
20. Sex mēnsēs	For six months

2. Translate into Latin:

21. In two years	Duōbus annīs
22. In eleven hours	Ūndecim hōrīs
23. In thirteen summers	Tredecim aestātibus
24. Within twenty days	Vīgintī diēbus
25. In forty nights	Quadrāgintā noctibus

26. At the tenth hour	Decimā hōrā
27. On the thirteenth day	Tertiō decimō diē
28. On the twelfth night	Duodecimā nocte
29. In the ninth month	Nōnō mēnse
30. In the sixteenth year	Sextō decimō annō
31. For twelve months	Duodecim mēnsēs
32. For thirty years	Trīgintā annōs
33. For seventy days	Septuāgintā diēs
34. For forty-three summers	Quadrāgintā trēs aestātēs
35. For three hundred and one hours	Trecentās hōrās et ūnam
36. For ninety days	Nōnāgintā diēs
37. For a thousand years	Mīlle annōs
38. For sixty nights	Sexāgintā noctēs
39. For three months	Trēs mēnsēs
40. For two summers	Duās aestātēs

5. Time uses:

Ablative of Time When (Within Which?)
aestāte,   secundō annō;   sex diēbus

Accusative of Duration of Time (How Long?)
duōs diēs,   multōs annōs,   ūnam hōram

Prepositional Time Uses
ante bellum,   post sex annōs

---

1. Recognize the time uses by answering the question **Quandō?** (*When?*) or **Quam diū?** (*How long?*):

If the family left the city *in summer,* **when** did it leave?	It left *in summer.*
1. Sī familia urbem aestāte relīquit, quandō relīquit?	Aestāte relīquit.
2. Sī Aenēās post bellum Trōiam relīquit, quandō relīquit?	Post bellum relīquit.
3. Sī Pīcus duodēquadrāgintā annōs rēgnāvit, quam diū rēgnāvit?	Duodēquadrāgintā annōs rēgnāvit.
4. Sī Faunus rēgnāvit quadrāgintā trēs annōs, quam diū rēgnāvit?	Quadrāgintā trēs annōs rēgnāvit.
5. Sī secundō annō bellum Tarquinius fēcit, quandō bellum fēcit?	Secundō annō bellum fēcit.

6. Sī tertiō annō Porsena pācem fēcit, quandō pācem fēcit?

Tertiō annō pācem fēcit.

7. Sī ibi quattuordecim annōs habitāvit, quam diū ibi habitāvit?

Quattuordecim annōs ibi habitāvit.

8. Sī post septuāgēsimum annum expulsus est, quandō expulsus est?

Post septuāgēsimum annum expulsus est.

9. Sī ab urbe conditā quadrīngentōs annōs contentī fuērunt Rōmānī aquīs, quam diū contentī fuērunt?

Quadringentōs annōs contentī fuērunt.

10. Sī trīcēsimō annō aqua inducta est, quandō aqua inducta est?

Trīcēsimō annō aqua inducta est.

2. Translate into English:

11. Ab urbe conditā annō septingentēsimō quadrāgēsimō quārtō

In the year 744 from the founding of the city

12. Ab urbe conditā annō quīngentēsimō trīcēsimō nōnō

In the year 539 from the founding of the city

13. Ab urbe conditā annō mīllēsimō quadrāgēsimō quīntō

In the year 1045 from the founding of the city

14. Ab urbe conditā annō octingentēsimō sexāgēsimō septimō

In the year 867 from the founding of the city

15. Ab urbe conditā annō sescentēsimō sexāgēsimo sextō

In the year 666 from the founding of the city

16. Annō Dominī mīllēsimō sescentēsimō quadrāgēsimō septimō

In the year of the Lord 1647

17. Annō Dominī mīllēsimō septingentēsimō septuāgēsimō tertiō

In the year of the Lord 1773

18. Annō Dominī mīllēsimō octingentēsimō sexāgēsimō quīntō

In the year of the Lord 1865

19. Annō Dominī mīllēsimō nōngentēsimō decimō quārtō

In the year of the Lord 1914

20. Annō Dominī mīllēsimō nōngentēsimō sexāgēsimō quīntō

In the year of the Lord 1965

CONVERSIŌ

1. The third year the Romans conquered the enemy.
2. The soldiers fought for many hours.
3. On the fourth evening the leader set up a strong defense.
4. Within two days the dead general was found.
5. The memory of this one man is very great.

6. The planet (star) nearest to the earth is the moon.
7. Glory gave one senator a good name.
8. He believed not only one boy but also two girls.
9. The grandsons are looking at a star of the first magnitude.
10. Then there were many deaths among the common people.
11. At the first return of the ships, the city was freed from danger.
12. The people's will triumphed in the seventh month.
13. Within two nights they buried a thousand dead.
14. At dawn (first light) the king was named.
15. According to the king a hundred men finished the course in one day.

NĀRRĀTIŌ

DĒ DIĒBUS

Diēs secundum Aegyptiōs incipit ab occāsū sōlis; secundum Persās ab ortū sōlis; secundum Athēniēnsēs ā sextā hōrā diēī; secundum Rōmānōs ā mediā nocte.

Diēs dictī sunt ā deīs, quōrum nōmina Rōmānī quibusdam stellīs dedērunt. Nam prīmum diem ā Sōle appellāvērunt, quī prīnceps est omnium stellārum, sīcut et is diēs caput est omnium diērum.

Secundum ā Lūnā, quae Sōlī et splendōre et magnitūdine proxima est, et ex eō mūtuat lūmen. Tertium ab stellā Mārtis, quae Vesper vocātur. Quārtum ab stellā Mercuriī, quam quīdam candidum circulum habēre crēdunt.

Quīntum ab stellā Iovis, quam Phaethōntem appellant. Sextum ā Veneris stellā, quam Lūciferum vocant, quae inter omnēs stellās plūs lūcis habet. Septimum ab stellā Sāturnī, quae trīgintā annīs fertur explēre cursum.

— Adapted from Īsidōrus of Seville, *Etymologiae,* V. 30.

occāsū: *setting.*	**quīdam** (nom. pl.):	**fertur:** *is said.*
ortū: *rising.*	*certain people.*	**explēre:** *to complete.*
quibusdam (dat. pl.):	**candidum circulum** (acc.	
certain.	sing.): *a white circle.*	
sīcut et: *just as.*	**plūs lūcis:** *more (of)*	
mūtuat: *reflects.*	*light.*	

Respondē Latīnē:

1. Quī dīcunt initium diēī esse ab occāsū sōlis?
2. Quō tempore secundum Athēniēnsēs est initium diēī?
3. Quandō ā Rōmānīs diēs incipere dīcitur?

The temple of Saturn at the base of the Capitoline hill overshadows the Rostra, where orators like Cicero once held Roman citizens spellbound.

4. Quae rēs appellātae sunt ā deīs?
5. Ā quibus diēs nōminātī sunt?
6. Quōrum nōmina ā Rōmānīs quibusdam stellīs dabantur?
7. Ā quō prīmum diem Rōmānī appellāvērunt?
8. Quae stella est prīnceps omnium?

9. Cuius est diēs secundus?
10. Cui Lūna est proxima splendōre magnitūdineque?
11. Quibus rēbus est Lūna proxima Sōlī?
12. Ex quō Lūna mūtuat lūcem?
13. Quae stella nōmen diēī tertiō dat?
14. Quam stellam multī candidum circulum habēre crēdunt?

15. Quem diem ab stellā Iovis Rōmānī nōmināvērunt?
16. Quem diem ā Veneris stellā populus Rōmānus vocāvit?

17. Ā cuius stellā appellātur diēs sextus?
18. Quō nōmine Venerem quoque vocant Rōmānī?
19. Cūr Veneris stella Lūcifer vocātur?
20. Ā cuius stellā diēs septimus nōminātur?
21. Quot annīs Sāturnus dīcitur fīnīre cursum?

EPITOMA

1. Time uses:

Time when and *time within which* are expressed by the ablative without a preposition:

aestāte, *in the summer*

tribus annīs, *within three years*

Time for how long is expressed by the Accusative of Duration, usually without a preposition (the preposition **per** is sometimes used for emphasis):

duōs diēs, *for two days*

2. Numerals:

I	ūnus	prīmus
II	duo	secundus
III	trēs	tertius
IV	quattuor	quārtus
V	quīnque	quīntus
VI	sex	sextus
VII	septem	septimus
VIII	octō	octāvus
IX	novem	nōnus
X	decem	decimus
XI	ūndecim	ūndecimus
XII	duodecim	duodecimus
XIII	tredecim	tertius decimus
XIV	quattuordecim	quārtus decimus
XV	quīndecim	quīntus decimus
XVI	sēdecim	sextus decimus
XVII	septendecim	septimus decimus
XVIII	duodēvīgintī	duodēvīcēsimus
XIX	ūndēvīgintī	ūndēvīcēsimus
XX	vīgintī	vīcesimus
C	centum	centēsimus
M	mīlle	mīllēsimus

Irregular Cases

	M	F	N	M	F	N
Nom.				duo	duae	duo
Gen.	ūnīus	ūnīus	ūnīus			
Dat.	ūnī	ūnī	ūnī	duōbus	duābus	duōbus
Abl.				duōbus	duābus	duōbus

INDEX VERBŌRUM

apud	with, at, by, near, among
ars, artis, f.	skill, art
crēdere, crēdidī, crēditūrus (3) (dat.)	believe, trust
cursus, cursūs, m.	course
diū	long, for a long time
fīrmus, fīrma, fīrmum	strong, firm
glōria, glōriae, f.	glory, fame
hōra, hōrae, f.	hour
inde	then, from this, thence
īnstituere, īnstituī, īnstitūtus (3)	set up, establish
līberāre, līberāvī, līberātus (1)	set free, free
lūna, lūnae, f.	moon
lūx, lūcis, f.	light
magnitūdō, magnitūdinis, f.	greatness, size
maximus, maxima, maximum	greatest, largest, very great
mors, mortis, f.	death
mortuus, mortua, mortuum	dead

nepōs, nepōtis, m.	grandson
nōmināre, nōmināvī, nōminātus (1)	name
nōn modo . . . sed etiam	not only . . . but also
plēbs, plēbis, f.	common people, plebeians
praesidium, praesidiī, n.	defense, protection, aid
proximus, proxima, proximum (dat.)	nearest, next
quot	how many?
secundum	according to
splendor, splendōris, m.	brightness, splendor
stella, stellae, f.	star
temperātus, temperāta, temperātum	moderate, temperate, well arranged
validus, valida, validum	strong, well
vesper, vesperī, m.	evening
voluntās, voluntātis, f.	will, desire, goodwill

AMUSEMENTS

Amusements, both public and private, were a very important part of Roman living, especially among the lower classes of society. Private amusements were not much different than in modern times. Children had their dolls, marbles, tops, hoops, games, and the like. Adults played ball (some-

The larger theater at Pompeii, looking toward the stage. Native Roman drama failed to match the other achievements of the Empire.

thing like tennis and handball), boards (like chess or checkers), and dice; they engaged in swimming, hunting, fishing, and other sports.

Public amusements were the theater, the races, and the gladiator shows. All three were originally religious in origin and sponsored free either by private persons or the state, usually the latter.

The theater was the least popular of the big three, mainly because it demanded a more select audience. Although Greek-type tragedies and comedies of deep emotion and meaning were common in the second century B.C., later productions amounted to quite a bit less, almost to gigantic buffoonery with the accent on humor and action; soldiers, chariots, even ships paraded across the stage. True drama in Rome was thereby ruined. In addition to these gaudy spectaculars there were the more popular mimes and pantomimes. The mimes with just two actors were in general vulgar and spicy with hilarious bits of nonsense and satire on everyday life. The pantomimes, done by one actor helped by a chorus and music, told a story in dance and rhythm. Quite often excerpts from genuine tragedies were done. The actors were greatly admired even by the rich and had a good income.

The real pastimes were the games and the shows — the circus races and the gladiatorial fights. The games in the ring or circus were the oldest public entertainment in Rome. These **lūdī circensēs** began in the days of the kings

Chariot races sometimes covered a distance of more than three miles, depending on the length of the course. As many as seven horses were used by a driver.

or even before, when the Circus, later called Maximus to distinguish it from others, was built. Although there could be gladiator combats, acrobatics, wild beast hunts, and equestrian exhibitions, the chariot races were the usual fare.

The course was a straight and slim sand-based track with a sharp turn at each end. In the middle of the arena lay the spina which separated the course into halves and was decorated with shrines, altars, statues, obelisks, and other adornments. Chariots were drawn by two, four, even up to seven horses, though the four-horse chariot (**quadrīga**) was the most common. Usually four or eight chariots engaged in a race of seven laps — a distance of over three miles in the Circus Maximus. The drivers, who belonged to rival companies wearing different colors (red, white, blue, and green normally), were slaves or freedmen, seldom citizens. Their clothing was light — just a colored tunic and cap with straps of leather around the chest and thighs and padded protection for the shoulders and legs. Speed was not as essential as clever and courageous maneuvering, for danger lurked at each turn — something the crowd eagerly awaited. Fouling tactics were considered

There were various types of gladiatorial combat, one of the favorite amusements of the Romans. Here a Thracian fights with a netter.

fair game and drivers were often bribed and horses drugged. Before the race, betting on favorites took place, sometimes with reckless abandon, and in the actual progress of the race cheers, groans, and boos for the teams were voiced with great gusto.

Certain holiday games were solemnly opened by a glorious procession (**pompa**) from the Capitoline, through the Forum, to the Circus. They were led by the donor of the games (sometimes the emperor himself) who was followed by important persons, priests, statues of deities carried on litters or wagons, and finally the charioteers themselves. After entering the stadium and assuming his box, the giver dropped his **mappa** (handkerchief) and the games were on!

Even though greater numbers of the idle mobs could be packed into the different circuses (there were six within the immediate vicinity of Rome), more popular than the races were the gladiatorial contests (**mūnera gladiātōria**). Their origin was Etruscan and they were first seen in Rome at funerals — probably an outgrowth of the ancient custom of human sacrifice.

The victims were war captives, originally given a chance at freedom if they won. It was not until the turn of the first century B.C., however, that they became common in Rome. Politicians like Sulla and Caesar and later the emperors used them to win the favor of the people.

The Colosseum was the main arena for these combats. There would have been more amphitheaters for the eager mobs but the supply of gladiators was limited. Outside of animal hunts and fights, the sole use of the Colosseum was for this human butchering. At times it was even filled with water and great naval battles ensued with gladiators as the combatants. Of the several kinds of fighters, the net man and the heavy-armed warrior (Thracian, Samnite, or hoplomachus) were the most common. The netter had no armor but was equipped with a thick net, a three-pronged lance, and a small dagger. With the net he tried to entangle his foe and then dispatch him with either his dagger or lance. The Thracian wore heavy armor, helmet, shield, and sword — the traditional gladiator. Normally only a pair engaged in single combat, but it was not unusual for many pairs to be matched in mass combat. Most contestants were war captives, slaves, prisoners condemned for the worst crimes (murder, treason, and arson), and at times citizen volunteers.

Before the actual fights, the fresh gladiators paraded in front of the donor's box to be inspected. When they stood before the emperor in later times, they shouted the words: **"Avē, Imperātor! Moritūrī tē salūtant!"** (*Hail, O Emperor! They who are about to die salute you!*) The fights began and, as time wore on, the smell of gore and carnage permeated the air in this the world's greatest butcher shop!

Most educated Romans looked down upon these brutalities, and even emperors themselves tried to introduce other games such as athletic contests. Sometimes victims were persecuted here for political or religious beliefs. Christians, of course, were good game for the animals, for their crime was treason! As Christianity became stronger, these massacres were softened and finally ended forever.

LECTIŌ QUĀRTA DECIMA
(XIV)
FĀBULA

The Emperor Tiberius Caesar

Velleius Paterculus has written this episode about a famous Roman emperor.

At this time I, who previously had been a tribune, became a soldier in the camp of Tiberius Caesar. For I was sent with him to Germany as a commander of the cavalry and followed my father in that position. For nine years as a prefect of the cavalry or as a commander of the troops I watched his mighty achievements.

No man, it seems to me, has been allowed to behold those sights seen by me. Throughout the entire region of Italy and all the provinces of Gaul the people upon seeing once again their old commander congratulated themselves more than they did him. Neither can it be expressed in words nor believed. But truly, when Tiberius was seen, the soldiers wept for joy. They even wanted to touch his hand. Words like these were heard: "Have we (actually) seen you, commander? Have you really returned? Have we received you safely among us?" And then "I was with you in Armenia, commander, I in Raetia; I was decorated by you among the Vindelici, I in Pannonia, and I in Germany."

Dē Imperātōre Tiberiō Caesare

Vellēius Paterculus eam historiam dē Rōmānō imperātōre illūstrī scrīpsit.

Eō tempore ego, anteā tribūnus, castrōrum Tiberiī Caesaris mīles factus sum. Nam missus sum cum eō praefectus equitum in Germāniam et officiō patris meī successī. Maxima eius opera per annōs novem praefectus equitum aut lēgātus mīlitum spectāvī.

Nec homō, vidētur mihi, permissus est ea spectācula ā mē vīsa spectāre. Per tōtam partem Italiae et omnēs prōvinciās Galliae veterem imperātōrem iterum videntēs plēbēs sē magis quam eum laudāvērunt. Nec verbīs dīcī nec crēdī potest. At vērō, Tiberiō vīsō, mīlitēs gaudiō flēvērunt. Manum eius tangere etiam dēsīderāvērunt. Ea verba audīta sunt: "Vīdimus tē, imperātor? Tū vērō redīvistī? Salvum inter nōs recēpimus?" Atque deinde "Ego tēcum, imperātor, in Armeniā, ego in Raetiā fuī; ego ā tē in Vindelicīs, ego in Pannoniā, ego in Germāniā dōnātus sum."

— Adapted from Vellēius Paterculus, *Historiae Rōmānae*, II. 104.

243

GRAMMATICA

1. Perfect tense, all persons:

The rules for the formation of the perfect tense and the endings for third person have already been studied. There are, in all, three persons: the first person (*I*, *we*) represents the speaker; the second person (*you*), the person addressed; and the third person (*he, she, it, they*), the person or thing spoken about.

The perfect active tense is formed from the perfect stem and the special perfect endings. For the three persons these endings are:

Singular			Plural		
–ī	laudāvī	*I praised*	–imus	laudāvimus	*we praised*
–istī	laudāvistī	*you praised*	–istis	laudāvistis	*you praised*
–it	laudāvit	*he (she, it) praised*	–ērunt	laudāvērunt	*they praised*

The perfect passive is formed from the perfect passive participle (third part of verb) and the present tense of **sum**:

Singular		Plural	
laudātus sum	*I was praised*	laudātī sumus	*we were praised*
laudātus es	*you were praised*	laudātī estis	*you were praised*
laudātus est	*he was praised*	laudātī sunt	*they were praised*

2. Personal Pronouns:

The pronouns corresponding to the persons are:

	I	*we*	*you*	*you*	*he, she, it*	*they*
	Sing.	Pl.	Sing.	Pl.	Sing.	Pl.
Nom.	ego	nōs	tū	vōs	is, ea, id	eī, eae, ea
Gen.	meī	nostrum	tuī	vestrum	etc.	etc.
Dat.	mihi	nōbīs	tibi	vōbīs		
Acc.	mē	nōs	tē	vōs		
Abl.	mē	nōbīs	tē	vōbīs		

Note:

1. English uses the same word *you* to express the second person singular and plural. Latin has separate forms.

2. The nominative will usually be used only for emphasis.

3. When the first and second person pronouns are used with the preposition **cum,** the pronoun is added to the preposition making one word:

mēcum, tēcum, nōbīscum, vōbīscum.

4. The genitives **meī, tuī, nostrum, vestrum, suī** (below) are not ordinarily used to indicate possession.

3. Reflexive Pronouns:

A reflexive pronoun refers back to the subject:

    I saw *myself*.   He saw *himself*.

The reflexive pronouns for the first and second persons (*myself, ourselves, yourself, yourselves*) have the same forms as the personal pronouns except that the nominative is never used. The third person reflexive pronoun (*himself, herself, itself, themselves*) has a separate form which is the same for singular and plural. The forms are:

Nom.	. . .
Gen.	**suī**
Dat.	**sibi**
Acc.	**sē**
Abl.	**sē**

Mē vīdī.   I saw *myself*.
Sē vīdit.   He saw *himself*.

EXERCITIA

1. Perfect active tense; personal pronouns:

Perfect Active Endings Personal Pronouns			
ego	–ī	nōs	–imus
tū	–istī	vōs	–istis
is	–it	eī	–ērunt

1. Recognize the personal pronoun and the perfect active ending by stating the English:

A. ego –ī   I

1. ego   –ī   I
2. tū   –istī   you (*sing.*)
3. is   –it   he

4. nōs   –imus   we
5. vōs   –istis   you (*pl.*)
6. eī   –ērunt   they

7. vōs   –istis   you (*pl.*)
8. tū   –istī   you (*sing.*)
9. is   –it   he

10. nōs   –imus   we
11. ego   –ī   I
12. eī   –ērunt   they

13. Ego fuī.   I was.
14. Tū fuistī.   You (*sing.*) were.
15. Is fuit.   He was.

16. Nōs fuimus.   We were.
17. Vōs fuistis.   You (*pl.*) were.
18. Eī fuērunt.   They were.

2. Produce the personal pronoun and the corresponding perfect active ending from the English:

B. I   ego   –ī

19. I   ego   –ī
20. you (*sing.*)   tū   –istī
21. he   is   –it

22. we   nōs   –imus
23. you (*pl.*)   vōs   –istis
24. they   eī   –ērunt

25. you (*pl.*)   vōs   –istis
26. you (*sing.*)   tū   –istī
27. he   is   –it

28. we   nōs   –imus
29. I   ego   –ī
30. they   eī   –ērunt

31. I was.   Ego fuī.
32. You (*sing.*) were.   Tū fuistī.
33. He was.   Is fuit.

34. We were.   Nōs fuimus.
35. You (*pl.*) were.   Vōs fuistis.
36. They were.   Eī fuērunt.

Perfect Active	Personal Pronouns
ego laudāvī	nōs laudāvimus
tū laudāvistī	vōs laudāvistis
is laudāvit	eī laudāvērunt

3. Recognize the personal ending of the perfect active by supplying the proper personal pronoun as subject:

    A. I decorated the soldier.   *I (ego) decorated the soldier.*

1. Mīlitem dōnāvī.   Ego mīlitem dōnāvī.
2. Mīlitem dōnāvistī.   Tū mīlitem dōnāvistī.
3. Mīlitem dōnāvit.   Is mīlitem dōnāvit.
4. Mīlitem dōnāvimus.   Nōs mīlitem dōnāvimus.
5. Mīlitem dōnāvistis.   Vōs mīlitem dōnāvistis.
6. Mīlitem dōnāvērunt.   Eī mīlitem dōnāvērunt.

7. Hominī nocuī.   Ego hominī nocuī.
8. Hominī nocuit.   Is hominī nocuit.
9. Hominī nocuistī.   Tū hominī nocuistī.
10. Hominī nocuistis.   Vōs hominī nocuistis.
11. Hominī nocuērunt.   Eī hominī nocuērunt.
12. Hominī nocuimus.   Nōs hominī nocuimus.

13. Spectāculum permīsistī.   Tū spectāculum permīsistī.
14. Spectāculum permīsistis.   Vōs spectāculum permīsistis.
15. Spectāculum permīsī.   Ego spectāculum permīsī.
16. Spectāculum permīsimus.   Nōs spectāculum permīsimus.
17. Spectāculum permīsērunt.   Eī spectāculum permīsērunt.
18. Spectāculum permīsit.   Is spectāculum permīsit.

19. Ōrātiōnēs audīvit.   Is ōrātiōnēs audīvit.
20. Ōrātiōnēs audīvērunt.   Eī ōrātiōnēs audīvērunt.
21. Ōrātiōnēs audīvistis.   Vōs ōrātiōnēs audīvistis.
22. Ōrātiōnēs audīvistī.   Tū ōrātiōnēs audīvistī.
23. Ōrātiōnēs audīvī.   Ego ōrātiōnēs audīvī.
24. Ōrātiōnēs audīvimus.   Nōs ōrātiōnēs audīvimus.

4. With the given verb produce the proper perfect active form for the given
   pronoun subject:

to name:

B. You ...... the game.   You (*have*) *named* the game.

nōmināre:

25. Tū lūdum ....   Tū lūdum nōmināvistī.
26. Vōs lūdum ....   Vōs lūdum nōmināvistis.
27. Is lūdum ....   Is lūdum nōmināvit.
28. Eī lūdum ....   Eī lūdum nōmināvērunt.
29. Ego lūdum ....   Ego lūdum nōmināvī.
30. Nōs lūdum ....   Nōs lūdum nōmināvimus.

appārēre:

31. Ea populō ....   Ea populō appāruit.
32. Eae populō ....   Eae populō appāruērunt.
33. Ego populō ....   Ego populō appāruī.
34. Nōs populō ....   Nōs populō appāruimus.
35. Tū populō ....   Tū populō appāruistī.
36. Vōs populō ....   Vōs populō appāruistis.

tangere:

37. Nōs manum ....   Nōs manum tetigimus.
38. Ego manum ....   Ego manum tetigī.
39. Vōs manum ....   Vōs manum tetigistis.
40. Tū manum ....   Tū manum tetigistī.

2. Perfect passive tense:

Perfect Passive	
laudātus sum	laudātī sumus
laudātus es	laudātī estis
laudātus est	laudātī sunt

1. Recognize the perfect passive personal endings by supplying the proper pronoun as subject:

A. ...... was named by the people.   *I* was named by the people.

1. Ā populō nōminātus sum.   Ego ā populō nōminātus sum.
2. Ā populō nōminātus es.   Tū ā populō nōminātus es.
3. Ā populō nōminātus est.   Is ā populō nōminātus est.
4. Ā populō nōminātī sumus.   Nōs ā populō nōminātī sumus.
5. Ā populō nōminātī estis.   Vōs ā populō nōminātī estis.
6. Ā populō nōminātī sunt.   Eī ā populō nōminātī sunt.

7. Ā praefectīs iussa sum.   Ego ā praefectīs iussa sum.
8. Ā praefectīs iussa es.   Tū ā praefectīs iussa es.
9. Ā praefectīs iussa est.   Ea ā praefectīs iussa est.
10. Ā praefectīs iussae sumus.   Nōs ā praefectīs iussae sumus.
11. Ā praefectīs iussae estis.   Vōs ā praefectīs iussae estis.
12. Ā praefectīs iussae sunt.   Eae ā praefectīs iussae sunt.

2. Give the personal pronoun as subject and indicate the gender with **puer** or **puella:**

B. ...... was heard by the father.   *I, a boy,* was heard by the father.

13. Ā patre audītus sum.   Ego puer ā patre audītus sum.
14. Ā patre audīta sum.   Ego puella ā patre audīta sum.
15. Ā patre audīta es.   Tū puella ā patre audīta es.
16. Ā patre audītus es.   Tū puer ā patre audītus es.
17. Ā patre audītae sumus.   Nōs puellae ā patre audītae sumus.
18. Ā patre audītī estis.   Vōs puerī ā patre audītī estis.
19. Ā patre audītī sumus.   Nōs puerī ā patre audītī sumus.
20. Ā patre audītae estis.   Vōs puellae ā patre audītae estis.

3. With the given verb produce the perfect passive personal endings for the given subject:

to send:

   C. I, a man, ... to battle.   I, a man, *was sent* to battle.

mittere:

21. Ego vir ad proelium	Ego vir ad proelium missus sum.
22. Tū vir ad proelium	Tū vir ad proelium missus es.
23. Is vir ad proelium	Is vir ad proelium missus est.
24. Nōs virī ad proelium	Nōs virī ad proelium missī sumus.
25. Vōs virī ad proelium	Vōs virī ad proelium missī estis.
26. Eī virī ad proelium	Eī virī ad proelium missī sunt.

vīsitāre:

27. Ego fēmina ab equite	Ego fēmina ab equite vīsitāta sum.
28. Tū fēmina ab equite	Tū fēmina ab equite vīsitāta es.
29. Ea fēmina ab equite	Ea fēmina ab equite vīsitāta est.
30. Nōs fēminae ab equite	Nōs fēminae ab equite vīsitātae sumus.
31. Vōs fēminae ab equite	Vōs fēminae ab equite vīsitātae estis.
32. Eae fēminae ab equite	Eae fēminae ab equite vīsitātae sunt.

īnstituere:

33. Tū puer ā magistrō	Tū puer ā magistrō īnstitūtus es.
34. Is puer ā magistrō	Is puer ā magistrō īnstitūtus est.
35. Ego māter ā magistrō	Ego māter ā magistrō īnstitūta sum.
36. Vōs hominēs ā magistrō	Vōs hominēs ā magistrō īnstitūtī estis.
37. Nōs fēminae ā magistrō	Nōs fēminae ā magistrō īnstitūtae sumus.
38. Eī lūdī ā magistrō	Eī lūdī ā magistrō īnstitūtī sunt.
39. Ego pater ā magistrō	Ego pater ā magistrō īnstitūtus sum.
40. Tū puella ā magistrō	Tū puella ā magistrō īnstitūta es.

Personal Pronouns					Perfect Passive	
	SING.	PL.	SING.	PL.	**laudātus sum**	**laudātī sumus**
Nom.	**ego**	**nōs**	**tū**	**vōs**	**laudātus es**	**laudātī estis**
Acc.	**mē**	**nōs**	**tē**	**vōs**	**laudātus est**	**laudātī sunt**

4. Change the passive to the active, preserving the sense:

   A. I *was made* a soldier by Tiberius.   Tiberius *made* me a soldier.

1. Ego ā Tiberiō mīles factus sum.	Tiberius mē mīlitem fēcit.
2. Tū ā Tiberiō mīles factus es.	Tiberius tē mīlitem fēcit.
3. Is ā Tiberiō mīles factus est.	Tiberius eum mīlitem fēcit.

4. Nōs ā Tiberiō mīlitēs factī sumus.   Tiberius nōs mīlitēs fēcit.
5. Vōs ā Tiberiō mīlitēs factī estis.   Tiberius vōs mīlitēs fēcit.
6. Eī ā Tiberiō mīlitēs factī sunt.   Tiberius eōs mīlitēs fēcit.

7. Ego ā mātre amāta sum.   Māter mē amāvit.
8. Tū ā mātre amāta es.   Māter tē amāvit.
9. Ea ā mātre amāta est.   Māter eam amāvit.
10. Nōs ā mātre amātae sumus.   Māter nōs amāvit.
11. Vōs ā mātre amātae estis.   Māter vōs amāvit.
12. Eae ā mātre amātae sunt.   Māter eās amāvit.

13. Ego ā Deō creāta sum.   Deus mē creāvit.
14. Tū ā Deō creātus es.   Deus tē creāvit.
15. Is ā Deō creātus est.   Deus eum creāvit.
16. Nōs ā Deō creātī sumus.   Deus nōs creāvit.
17. Vōs ā Deō creātae estis.   Deus vōs creāvit.
18. Ea ā Deō creāta sunt.   Deus ea creāvit.

5. Change the active to the passive, preserving the sense:

B. The law *led* me.   I *was led* by the law.

(masculine)

19. Lēx mē dūxit.   Lēge ego ductus sum.
20. Lēx tē dūxit.   Lēge tū ductus es.
21. Lēx eum dūxit.   Lēge is ductus est.
22. Lēx nōs dūxit.   Lēge nōs ductī sumus.
23. Lēx vōs dūxit.   Lēge vōs ductī estis.
24. Lēx eōs dūxit.   Lēge eī ductī sunt.

(feminine)

25. Flōrēs mē ōrnāvērunt.   Flōribus ego ōrnāta sum.
26. Flōrēs tē ōrnāvērunt.   Flōribus tū ōrnāta es.
27. Flōrēs eam ōrnāvērunt.   Flōribus ea ōrnāta est.
28. Flōrēs nōs ōrnāvērunt.   Flōribus nōs ōrnātae sumus.
29. Flōrēs vōs ōrnāvērunt.   Flōribus vōs ōrnātae estis.
30. Flōrēs eās ōrnāvērunt.   Flōribus eae ōrnātae sunt.

(masculine)

31. Prīnceps mē dīmīsit.   Ā prīncipe ego dīmissus sum.
32. Prīnceps tē dīmīsit.   Ā prīncipe tū dīmissus es.
33. Prīnceps eum dīmīsit.   Ā prīncipe is dīmissus est.
34. Prīnceps nōs dīmīsit.   Ā prīncipe nōs dīmissī sumus.
35. Prīnceps vōs dīmīsit.   Ā prīncipe vōs dīmissī estis.
36. Prīnceps eōs dīmīsit.   Ā prīncipe eī dīmissī sunt.

3. Reflexive pronouns:

Reflexive Pronouns					
Gen.	meī	nostrum	tuī	vestrum	suī
Dat.	mihi	nōbīs	tibi	vōbīs	sibi
Acc.	mē	nōs	tē	vōs	sē
Abl.	mē	nōbīs	tē	vōbīs	sē

1. Recognize the reflexive pronoun by changing from the active to passive:

A. I saw *myself*.   I was seen by *myself*.

1. Ego mē vīdī.   Ego ā mē vīsus sum.
2. Tū tē vīdistī.   Tū ā tē vīsus es.
3. Is sē vīdit.   Is ā sē vīsus est.
4. Nōs nōs vīdimus.   Nōs ā nōbīs vīsī sumus.
5. Vōs vōs vīdistis.   Vōs ā vōbīs vīsī estis.
6. Eī sē vīdērunt.   Eī ā sē vīsī sunt.

7. Homō sē audīvit.   Homō ā sē audītus est.
8. Praefectus sē audīvit.   Praefectus ā sē audītus est.
9. Ōrātor sē audīvit.   Ōrātor ā sē audītus est.
10. Poēta sē audīvit.   Poēta ā sē audītus est.
11. Fēmina sē audīvit.   Fēmina ā sē audīta est.
12. Dea sē audīvit.   Dea ā sē audīta est.

13. Āthlēta sē cognōvit.   Āthlēta ā sē cognitus est.
14. Nepōs sē cognōvit.   Nepōs ā sē cognitus est.
15. Plēbs sē cognōvit.   Plēbs ā sē cognita est.
16. Senātōrēs sē cognōvērunt.   Senātōrēs ā sē cognitī sunt.
17. Fēminae sē cognōvērunt.   Fēminae ā sē cognitae sunt.
18. Collēgae sē cognōvērunt.   Collēgae ā sē cognitī sunt.
19. Prīncipēs sē cognōvērunt.   Prīncipēs ā sē cognitī sunt.
20. Explōrātōrēs sē cognōvērunt.   Explōrātōrēs ā sē cognitī sunt.

2. Produce the reflexive by supplying the proper reflexive object:

B. He saw . . . . . .   *himself.*

21. Is vīdit . . . .   sē.
22. Ego līberāvī . . . .   mē.
23. Tū nōmināvistī . . . . . .   tē.
24. Fēminae ōrnāvērunt . . . . sē.
25. Puer gessit . . . .   sē.
26. Vōs commīsistis . . . . . .   vōs.
27. **Nōs īnstituimus** . . . . **nōs.**

Alinari

Roman warships, propelled by oars, destroyed the enemy by ramming or boarding tactics.

28. Tū spectāvistī	tē.
29. Victor laudāvit	sē.
30. Custōdēs servāvērunt	sē.
31. Ego in cōnsiliō dēcēpī	mē.
32. Patrēs veterēs ēducāvērunt	sē.
33. Tū vīesitāre permīsistī	tē.
34. Homō in perīculō servāvit	sē.
35. Nōs ad honōrem laudāvimus	nōs.
36. Urbs ad bellum mūnīvit	sē.
37. Vōs in partēs dīvīsistis	vōs.
38. Iānuae nōn semper clausērunt	sē.
39. Ego deīs dēdicāvī	mē.
40. Sabīnī Rōmānīs trādidērunt	sē.

CONVERSIŌ

1. I touched the man's hands.
2. The games were allowed because of the strong gladiators.
3. The general gave us three shows.
4. We were all athletes.

5. You (*pl.*) sent me to foreign lands.
6. In the fourth game I was wounded.
7. You (*sing.*) gave me all twelve beasts.
8. They could not see themselves.
9. They named you (*sing.*) but you did not name them.
10. You (*pl.*) were warned by me about the battle.
11. The old games were given by the kings; the new games are given by us, the consuls.
12. We liked games more than battles.
13. The joy of us gladiators was greatest because we could not be killed.
14. The cavalrymen were defeated by you Romans because you were the greatest soldiers.
15. The kings did not permit games with foreign tribes.

NĀRRĀTIŌ

RĒS GESTAE DĪVĪ AUGUSTĪ

Rērum gestārum dīvī Augustī, quibus orbem terrārum imperiō populī Rōmānī addidit, et impēnsārum quās in rem pūblicam populumque Rōmānum fēcit, exemplar est.

Annōs ūndēvīgintī nātus exercitum prīvātō cōnsiliō et prīvātā impēnsā parāvī, per quem rem pūblicam līberāvī. Quī patrem meum interfēcērunt, eōs in exilium expulī.

Bella terrā et marī cīvīlia externaque tōtō in orbe terrārum saepe gessī. Quīnquiēns triumphāvī et appellātus sum vīciēns et semel imperātor.

Ter mūnus gladiātōrum dedī meō nōmine et quīnquiēns fīliōrum meōrum aut nepōtum nōmine; quibus mūneribus pugnāvērunt hominum circiter decem mīlia. Bis āthlētārum spectāculum populō dedī meō nōmine et tertium nepōtis meī nōmine. Lūdōs fēcī meō nōmine quater, aliōrum nōmine ter et vīciēns. Cōnsul XIII (decimum tertium) lūdōs Mārtiālēs prīmus fēcī, quōs post id tempus mēcum fēcērunt cōnsulēs. Vēnātiōnēs bēstiārum Africānārum

---

Rēs Gestae Dīvī Augustī: *The Deeds of the Deified Augustus.*
impēnsārum: *of the expenses.*
exemplar est: *this is a copy.*

Quīnquiēns: *five times.*
vīciēns et semel: *twenty-one times.*
Ter: *three times.*
Bis: *twice.*
tertium: *a third time.*
quater: *four times.*

aliōrum: *of others.*
ter et vīciēns: *twenty-three times.*
Cōnsul XIII: *as consul for the thirteenth time.*
Vēnātiōnēs: *hunts.*

Alinari

After defeating Antony in the Battle of Actium in
31 B.C., Augustus became the sole ruler of the
Roman world. He was careful not to abuse his
tremendous powers.

meō nōmine aut fīliōrum meōrum et nepōtum in circō aut in forō aut in
amphitheātrīs populō dedī sexiēns et vīciēns, quibus occīsa sunt bēstiārum
circiter tria mīlia et quīngentae.

Nāvālis proeliī spectāculum populō dedī in quō trīgintā nāvēs trirēmēs
aut bīrēmēs pugnāvērunt. Quibus in nāvibus pugnāvērunt praeter rēmigēs
mīlia hominum tria circiter.

— Adapted from *Rēs Gestae Dīvī Augustī*.

circō: *the Circus Maximus.*	**sexiēns et vīciēns:** *twenty-six times.*	oars) *or biremes* (two tiers of oars).
amphitheātrīs: *amphitheaters,*	**trirēmēs aut bīrēmēs:** *triremes* (three tiers of	**praeter rēmigēs:** *in addition to the oarsmen.*

The ruined Roman theater at Orange in southern France is still used today.

Respondē Latīnē:

1. Quis rēs in eā nārrātiōne scrīptās gessit?
2. Quid imperiō populī Rōmānī Augustus addidit?
3. In quem populum Augustus impēnsās fēcit?

4. Quid parāvit Augustus?
5. Quot annōs nātus fuit Augustus ubi exercitum parāvit?
6. Quibus auxiliīs exercitum Augustus parāvit?
7. Quid per eum exercitum līberāvit?
8. Cuius pater occīsus est?
9. Quid ēgit Augustus, patre interfectō?

10. Quālia bella in tōtō orbe terrārum saepe gessit?
11. Quid quīnquiēns ēgit?

12. Quōrum nōmine dedit mūnera gladiātōrum?
13. Pugnāvēruntne multī gladiātōrēs in eīs mūneribus?
14. Quot gladiātōrēs in eīs mūneribus pugnābant?
15. Quōrum spectāculum populō bis dedit Augustus?
16. Quās rēs quater fēcit Augustus nōmine suō (his own)?
17. Quis lūdōs Mārtiālēs prīmus fēcit?
18. Quī cum Augustō lūdōs Mārtiālēs post id tempus fēcērunt?
19. Quālium bēstiārum vēnātiōnēs Augustus dedit?
20. In quibus locīs erant vēnātiōnēs bēstiārum? Quot bēstiae interfectae sunt?

21. Quot nāvēs et hominēs pugnāvērunt in spectāculō nāvālis proeliī?

EPITOMA

1. Perfect tense:

Active (formed by the perfect stem and special endings)

vocāv –ī	vocāv –imus
vocāv –istī	vocāv –istis
vocāv –it	vocāv –ērunt

Passive (formed by the perfect passive participle and the present tense of **esse**)

vocātus sum	vocātī sumus
vocātus es	vocātī estis
vocātus est	vocātī sunt

2. Personal pronouns:

Nom.	ego	nōs	tū	vōs	. . . .
Gen.	meī	nostrum	tuī	vestrum	suī
Dat.	mihi	nōbīs	tibi	vōbīs	sibi
Acc.	mē	nōs	tē	vōs	sē
Abl.	mē	nōbīs	tē	vōbīs	sē

3. Reflexive pronoun (third person):

(shown in table above)

INDEX VERBŌRUM

at — but
āthlēta, āthlētae, c. — athlete
bēstia, bēstiae, f. — animal, wild animal
circiter — about
dōnāre, dōnāvī, dōnātus (1) — give, present; decorate
ego, meī — I
eques, equitis, m. — horseman, cavalryman; (*pl.*): *cavalry*
exercitus, exercitūs, m. — army
exilium, exiliī, n. — exile
externus, externa, externum — external, foreign
gaudium, gaudiī, n. — joy
homō, hominis, m. — human being, man
lūdus, lūdī, m. — game, show; school
magis — more
manus, manūs, f. — hand; band, group
meus, mea, meum — my
mūnus, mūneris, n. — duty; gift; public show, function

nāvālis, nāvāle — naval, nautical
nōs, nostrum (nostrī) — we
permittere, permīsī, permissus (3) — allow, permit
praefectus, praefectī, m. — superintendent, commander
prīvatus, prīvāta, prīvātum — personal, private
proelium, proeliī, n. — battle
quam — than; how?
salvus, salva, salvum — safe
spectāculum, spectāculī, n. — show, spectacle
suī — (of) himself, herself, itself, themselves
tangere, tetigī, tāctus (3) — touch, reach
tū, tuī — you (*sing.*)
vērō — truly, in fact, indeed
vetus; gen., veteris (*not* i–stem) — old, former
vōs, vestrum (vestrī) — you (*pl.*)

LECTIŌ QUĪNTA DECIMA
(XV)

FĀBULA

"This Man Has the Horse of Seius"	"Is Homō Habet Equum Sēiānum"

Gavius Bassus in his *Commentaries,* and also Julius Modestus in his second book of *Miscellaneous Questions,* tell the history of the horse of Seius. They say that there was a clerk Gnaeus Seius and that he had a horse born in the city of Argos in the land of Greece.

Men thought that this horse had been born from the breed of horses which Diomedes owned and which Hercules, after slaying Diomedes, led from Thrace to the city of Argos. They say this horse was very large and that it also far surpassed all horses. But they also bring up the fact that every one owning this horse, all his house and family and belongings came to ruin and death.

Thus they tell that first this Gnaeus Seius, its master, was punished and put to death by Marc Antony. At that time they say that the consul Cornelius Dolabella, on his way to Syria, was attracted by the fame of this horse, went to the city of Argos, and bought it at a great price. But they report that Dolabella too was besieged and killed in a civil war in Syria.

It is said that soon Gaius Cassius, who besieged Dolabella, carried off this horse of Dolabella. It is a known fact that afterward this Cassius, when

Gavius Bassus in *Commentāriīs* suīs, etiam Iūlius Modestus in secundō librō *Quaestiōnum Cōnfūsārum,* historiam dē equō Sēiānō trādunt. Dīcunt Gnaeum Sēium scrībam fuisse eumque habuisse equum nātum in cīvitāte Argīs in terrā Graeciā.

Hominēs putāvērunt eum equum nātum fuisse dē genere equōrum quōs Diomēdēs habuit et quōs Herculēs, Diomēde occīsō, ē Thrāciā ad urbem Argōs dūxit. Eum equum fuisse dīcunt maximum omnēsque equōs quoque longē superāvisse. Sed etiam ferunt omnem habentem eum equum et omnem domum et familiam et rēs ad calamitātem mortemque vēnisse.

Itaque nārrant prīmum eum Gnaeum Sēium, dominum eius, ā Mārcō Antōniō pūnītum et occīsum esse. Eō tempore dīcunt Cornēlium Dolābellam cōnsulem, in Syriam prōcēdentem, glōriā eius equī ductum esse et ad urbem Argōs cessisse cēpisseque eum magnō pretiō. At quoque Dolābellam in Syriā bellō cīvīlī obsessum atque interfectum esse.

Dīcitur mox Gaium Cassium, quī Dolābellam obsēdit, abdūxisse eum equum Dolābellae. Posteā cognitum est eum Cassium, victīs partibus

his party had been defeated and his army destroyed, came to a wretched death. Then they believe that later Antony, who defeated Cassius, sought the famous horse. They say that Antony, after receiving this horse, was afterward also beaten and deserted and came to a miserable death.

Hence there is the proverb said about men who suffer misfortunes: "This fellow has the horse of Seius."

dēlētōque exercitū suō, in miseram mortem vēnisse. Crēdunt deinde posteā Antōnium, quī Cassium vīcit, equum illūstrem petīvisse. Eō equō receptō, Antōnium quoque posteā victum atque dēsōlātum esse et ad mortem miseram pervēnisse.

Inde prōverbium dē hominibus quī calamitātēs ferunt dīcitur: "Is homō habet equum Sēiānum."

— Adapted from Aulus Gellius, *Noctēs Atticae*, III. 9.

GRAMMATICA

1. Infinitive forms:

The present active infinitive is the first part of the verb, as **pugnāre** (*to fight*). The present passive infinitive is the active infinitive with the –e changed to –ī, except in the third conjugation where the –ere is changed to –ī, as **pugnārī** (*to be fought*), **dūcī** (*to be led*).

The perfect active infinitive is formed by the perfect stem plus –isse, as **pugnāvisse** (*to have fought*), **dūxisse** (*to have led*). The perfect passive infinitive is formed by the perfect passive participle and **esse**, as **pugnātus (–a, –um) esse** (*to have been fought*), **ductus (–a, –um) esse** (*to have been led*).

2. Indirect statement:

Many verbs require an infinitive to complete their meaning, as **īre potest** (*he is able to go*). Other verbs require an accusative and an infinitive, as **Eum īre iussī** (*I ordered him to go*). This same construction, namely the accusative and infinitive, is used in Latin to express indirect statements.

The sentence, *He says, "The soldiers are fighting,"* directly quotes the words of the speaker. But the sentence, *He says that the soldiers are fighting,* gives the same thought but not the exact words of the speaker. This is called an indirect statement. Indirect statements are expressed in Latin by the accusative case for the English subject and by the infinitive for the verb form, for example, **Dīcit mīlitēs pugnāre.** Thus in Latin the construction is the same for *I ordered him to go* and for *I said he was going*, namely, **Iussī eum īre; Dīxī eum īre.**

In Latin the subject of the indirect statement should be expressed. If the subject is a pronoun and is the same person as the subject of the main verb, the reflexive pronoun is used:

He says he is fighting.   **Dīcit sē pugnāre.**

In Latin any verb of the senses (*see, hear, feel, say*) or of mental action (*think, know*) can be followed by the accusative and the infinitive.

3. Tenses in indirect statements:

The infinitive does not represent time of itself but only time in relation to the main verb. The present infinitive indicates the *same* time as the main verb:

He says (that) the soldiers *are fighting.*   **Dīcit** mīlitēs **pugnāre.**
He said (that) the soldiers *were fighting.*   **Dīxit** mīlitēs **pugnāre.**

The perfect infinitive indicates an action that happened *before* the time of the main verb, that is, past time in relation to the main verb:

He says (that) the soldiers *fought.*   **Dīcit** mīlitēs **pugnāvisse.**
He said (that) the soldiers *had fought.*   **Dīxit** mīlitēs **pugnāvisse.**

The future infinitive (to be discussed in Lesson XVII) indicates action that happened *after* the main verb, that is, future time in relation to the main verb:

He says (that) the soldiers *will fight.*
He said (that) the soldiers *would fight.*

4. Third person possessives:

In Latin there are two ways of expressing *his, her, its, their.* **Eius** (*his, her, its*) and **eōrum** or **eārum** (*their*) are used when the possessive does not refer to the subject:

Librum **eius** habuī.	I had *his* book.
Magister librum **eius** habuit.	The teacher had *his* (another's) book.
Puella librum **eōrum** (**eārum**) habuit.	The girl had *their* book.

When the possessive refers to the subject, the reflexive adjective **suus, –a, –um** is used, meaning *his (own), her (own), its (own), their (own).*

Magister librum **suum** habuit.	The teacher had *his (own)* book.
Puella librum **suum** habuit.	The girl had *her (own)* book.
Puellae librum **suum** habuērunt.	The girls had *their (own)* book.

Note that **suus, –a, –um,** just as all adjectives do, agrees in gender, number, and case with its own noun (as **librum suum**) and not with the subject of the sentence to which it refers. **Suus, –a, –um** is often omitted in sentences; **eius** and **eōrum (eārum)** are not omitted.

EXERCITIA

1. Perfect active infinitive:

Perfect Active Infinitive			
1	**2**	**3**	**4**
laudāvisse	**monuisse**	**dūxisse**	**pūnīvisse**

1. Recognize the *perfect* active infinitive by changing it to the *present* active infinitive:

A. The man seems *to have called.* — The man seems *to call.*

1. Vir vidētur vocāvisse.	Vir vidētur vocāre.
2. Poēta vidētur nārrāvisse.	Poēta vidētur nārrāre.
3. Victor vidētur superāvisse.	Victor vidētur superāre.
4. Dux vidētur putāvisse.	Dux vidētur putāre.
5. Imperātor vidētur dōnāvisse.	Imperātor vidētur dōnāre.
6. Puer vidētur studuisse.	Puer vidētur studēre.
7. Stella vidētur appāruisse.	Stella vidētur appārēre.
8. Amīcus nōn vidētur nocuisse.	Amīcus nōn vidētur nocēre.
9. Fēmina nōn vidētur flēvisse.	Fēmina nōn vidētur flēre.
10. Dominus vidētur iussisse.	Dominus vidētur iubēre.
11. Mīlitēs videntur dēfendisse.	Mīlitēs videntur dēfendere.
12. Patrēs videntur permīsisse.	Patrēs videntur permittere.
13. Custōdēs videntur crēvisse.	Custōdēs videntur cernere.
14. Equī videntur cucurrisse.	Equī videntur currere.
15. Animī videntur cognōvisse.	Animī videntur cognōscere.

16. Servī videntur audīvisse.

17. Fīliī videntur sepelīvisse.

18. Ōrātōrēs videntur fīnīvisse.

19. Elephantī videntur hausisse.

20. Calamitātēs videntur vēnisse.

Servī videntur audīre.

Fīliī videntur sepelīre.

Ōrātōrēs videntur fīnīre.

Elephantī videntur haurīre.

Calamitātēs videntur venīre.

2. Produce the *perfect* active infinitive from the *present* active infinitive:

B. The army seems *to conquer* the enemy.

The army seems *to have conquered* the enemy.

21. Exercitus vidētur hostēs superāre.

22. Scrība vidētur prōverbium nārrāre.

23. Tiberius vidētur mīlitem laudāre.

24. Pater vidētur fīlium nōmināre.

25. Lēgātus vidētur lēgem nūntiāre.

Exercitus vidētur hostēs superāvisse.

Scrība vidētur prōverbium nārrāvisse.

Tiberius vidētur mīlitem laudāvisse.

Pater vidētur fīlium nōmināvisse.

Lēgātus vidētur lēgem nūntiāvisse.

26. Miserī equī videntur movēre.

27. Tuī inimīcī videntur praevidēre.

28. Grātae laudēs videntur docēre.

29. Veterēs gladiātōrēs videntur monēre.

30. Omnēs senātōrēs videntur studēre.

Miserī equī videntur mōvisse.

Tuī inimīcī videntur praevīdisse.

Grātae laudēs videntur docuisse.

Veterēs gladiātōrēs videntur monuisse.

Omnēs senātōrēs videntur studuisse.

31. Rēx vidētur prīvātōs obsidēs remittere.

32. Exercitus vidētur miserum populum dēfendere.

33. Imperātor vidētur pūblicōs lūdōs permittere.

34. Senātus vidētur bonās lēgēs cōnstituere.

35. Aquaeductus vidētur aquās validās indūcere.

Rēx vidētur prīvātōs obsidēs remīsisse.

Exercitus vidētur miserum populum dēfendisse.

Imperātor vidētur pūblicōs lūdōs permīsisse.

Senātus vidētur bonās lēgēs cōnstituisse.

Aquaeductus vidētur aquās validās indūxisse.

36. Custōdēs fortēs nōn videntur dormīre.

37. Fīliī sapientēs videntur audīre.

38. Gentēs proximae videntur mūnīre.

39. Lēgātī probābilēs videntur intervenīre.

Custōdēs fortēs nōn videntur dormīvisse.

Fīliī sapientēs videntur audīvisse.

Gentēs proximae videntur mūnīvisse.

Lēgātī probābilēs videntur intervēnisse.

2. Perfect passive infinitive:

Perfect Passive Infinitive	
1 laudātus (–a, –um) esse	*2* monitus esse
3 ductus esse	*4* pūnītus esse

1. Recognize the *perfect* passive infinitive by changing it to the *present* passive infinitive:

A. The kingdom seems *to have been conquered.*

The kingdom seems *to be conquered.*

1. Rēgnum vidētur superātum esse.
   Rēgnum vidētur superārī.
2. Mīles vidētur vulnerātus esse.
   Mīles vidētur vulnerārī.
3. Patria mea vidētur amāta esse.
   Patria mea vidētur amārī.
4. Poēta sollers vidētur ēducātus esse.
   Poēta sollers vidētur ēducārī.
5. Templum sacrum vidētur aedificātum esse.
   Templum sacrum vidētur aedificārī.
6. Animī hominum videntur mōtī esse.
   Animī hominum videntur movērī.
7. Exilia praefectōrum videntur prohibita esse.
   Exilia praefectōrum videntur prohibērī.
8. Ruīnae urbium videntur praevīsae esse.
   Ruīnae urbium videntur praevidērī.
9. Castra hostium videntur dēlēta esse.
   Castra hostium videntur dēlērī.
10. Nepōtēs rēgum videntur doctī esse.
    Nepōtēs rēgum videntur docērī.
11. Servus vidētur lēge exclūsus esse.
    Servus vidētur lēge exclūdī.
12. Littera vidētur manū scrīpta esse.
    Littera vidētur manū scrībī.
13. Praemium vidētur cum laude receptum esse.
    Praemium vidētur cum laude recipī.
14. Amīcus vidētur grātiā petītus esse.
    Amīcus vidētur grātiā petī.
15. Porta vidētur proeliō clausa esse.
    Porta vidētur proeliō claudī.
16. Corpora videntur ab amīcīs sepulta esse.
    Corpora videntur ab amīcīs sepelīrī.
17. Ōrātiōnēs videntur ā populīs audītae esse.
    Ōrātiōnēs videntur ā populīs audīrī.
18. Vālla videntur ā mīlitibus mūnīta esse.
    Vālla videntur ā mīlitibus mūnīrī.
19. Aquae videntur ā Rōmānīs haustae esse.
    Aquae videntur ā Rōmānīs haurīrī.
20. Hostēs videntur ā victōribus pūnītī esse.
    Hostēs videntur ā victōribus pūnīrī.

2. Produce the *perfect* passive infinitive from the *present* passive infinitive:

B. The story seems *to be told.*	The story seems *to have been told.*
21. Fābula vidētur nārrārī.	Fābula vidētur nārrāta esse.
22. Honor ultimus vidētur dōnārī.	Honor ultimus vidētur dōnātus esse.
23. Magnum cōnsilium vidētur putārī.	Magnum cōnsilium vidētur putātum esse.
24. Bēstia misera vidētur vulnerārī.	Bēstia misera vidētur vulnerāta esse.
25. Senātus proximus vidētur appellārī.	Senātus proximus vidētur appellātus esse.
26. Castra antīqua videntur movērī.	Castra antīqua videntur mōta esse.
27. Calamitātēs maximae videntur praevidērī.	Calamitātēs maximae videntur praevīsae esse.
28. Oppida rebellia videntur obsidērī.	Oppida rebellia videntur obsessa esse.
29. Dolī miserī videntur prohibērī.	Dolī miserī videntur prohibitī esse.
30. Cōnsulēs senēs videntur monērī.	Cōnsulēs senēs videntur monitī esse.
31. Obses vidētur grātiā remittī.	Obses vidētur grātiā remissus esse.
32. Āra ā servō nōn vidētur tangī.	Āra ā servō nōn vidētur tācta esse.
33. Cōnsilium ā senātōre vidētur cernī.	Cōnsilium ā senātōre vidētur crētum esse.
34. Flōs ā puellā vidētur colī.	Flōs ā puellā vidētur cultus esse.
35. Prīnceps nōn vidētur dēcipī.	Prīnceps nōn vidētur dēceptus esse.
36. Prōverbium ā puerō vidētur audīrī.	Prōverbium ā puerō vidētur audītum esse.
37. Pecūnia ā servīs nōn vidētur sepelīrī.	Pecūnia ā servīs nōn vidētur sepulta esse.
38. Pāx bellō vidētur fīnīrī.	Pāx bellō vidētur fīnīta esse.
39. Hostis iūre vidētur pūnīrī.	Hostis iūre vidētur pūnītus esse.
40. Stella nocte vidētur reperīrī.	Stella nocte vidētur reperta esse.

3. Indirect statement with the present active infinitive:

Indirect Statement With Present Active Infinitive
Dīcit virum vocāre

1. Recognize the indirect statement (Accusative With Infinitive) by giving the subject (nominative case) and the finite verb of the original statement:

A. He says (*that*) *the master is calling.*   *The master is calling.*

1. Dīcit dominum vocāre.   Dominus vocat.
2. Dīcit poētam nārrāre.   Poēta nārrat.
3. Dīcit patrem līberāre.   Pater līberat.
4. Dīcit mātrem appellāre.   Māter appellat.
5. Dīcit prīncipem ambulāre.   Prīnceps ambulat.

6. Putant exercitūs movēre.   Exercitūs movent.
7. Putant mīlitēs obsidēre.   Mīlitēs obsident.
8. Putant magistrōs docēre.   Magistrī docent.
9. Putant inimīcōs vidēre.   Inimīcī vident.
10. Putant auguria monēre.   Auguria monent.

11. Audit amīcum fugere.   Amīcus fugit.
12. Audit nepōtem vincere.   Nepōs vincit.
13. Audit gladiātōrem lūdere.   Gladiātor lūdit.
14. Audit ōrātōrem dīcere.   Ōrātor dīcit.
15. Audit rēgem cēdere.   Rēx cēdit.

16. Cernunt custōdēs dormīre.   Custōdēs dormiunt.
17. Cernunt hostēs audīre.   Hostēs audiunt.
18. Cernunt bēstiās haurīre.   Bēstiae hauriunt.
19. Cernunt equōs venīre.   Equī veniunt.
20. Cernunt bella fīnīre.   Bella fīniunt.

2. Produce the indirect statement (Accusative With Infinitive) by using the given verb with the original statement:

They say:

B. *The poet is narrating.*   They say (*that*) *the poet is narrating.*

Dīcunt:

21. Poēta nārrat.   Dīcunt poētam nārrāre.
22. Homō putat.   Dīcunt hominem putāre.
23. Caesar superat.   Dīcunt Caesarem superāre.
24. Tiberius dōnat.   Dīcunt Tiberium dōnāre.
25. Ars mōnstrat.   Dīcunt artem mōnstrāre.

Putat:

26. Fābricius studet.   Putat Fābricium studēre.
27. Nāvis movet.   Putat nāvem movēre.
28. Cōnsul iubet.   Putat cōnsulem iubēre.
29. Lūx appāret.   Putat lūcem appārēre.
30. Bēstia nocet.   Putat bēstiam nocēre.

Audiunt:

31. Dominī remittunt.	Audiunt dominōs remittere.
32. Patrēs dēfendunt.	Audiunt patrēs dēfendere.
33. Āthlētae īnstituunt.	Audiunt āthlētās īnstituere.
34. Annī addunt.	Audiunt annōs addere.
35. Flūmina fluunt.	Audiunt flūmina fluere.

Cernit:

36. Equus audit.	Cernit equum audīre.
37. Plēbs mūnit.	Cernit plēbem mūnīre.
38. Custōs aperit.	Cernit custōdem aperīre.
39. Iūlius reperit.	Cernit Iūlium reperīre.
40. Praefectī interveniunt.	Cernit praefectōs intervenīre.

4. Indirect statement with the present passive infinitive:

**Indirect Statement
With Present Passive Infinitive**

Putat virum vocārī.

---

1. Recognize the indirect statement (Accusative With Infinitive) by giving the subject and the verb as in the original statement:

A. They say (*that*) *a bitter battle is* (*being*) *fought.*

A bitter battle is (*being*) *fought.*

1. Dīcunt proelium ācre pugnārī.	Proelium ācre pugnātur.
2. Dīcunt historiam antīquam nārrārī.	Historia antīqua nārrātur.
3. Dīcunt exercitum Rōmānum superārī.	Exercitus Rōmānus superātur.
4. Dīcunt urbem pulchram nōminārī.	Urbs pulchra nōminātur.
5. Dīcunt gladiātōrem magnum putārī.	Gladiātor magnus putātur.
6. Docent stellās omnēs movērī.	Stellae omnēs moventur.
7. Docent honōrēs maximōs dēbērī.	Honōrēs maximī dēbentur.
8. Docent multa oppida obsidērī.	Multa oppida obsidentur.
9. Docent patrēs veterēs monērī.	Patrēs veterēs monentur.
10. Docent rēgna externa habērī.	Rēgna externa habentur.
11. Putant familiam tuam relinquī.	Familia tua relinquitur.
12. Putant patrem meum dēfendī.	Pater meus dēfenditur.
13. Putant portam antīquam claudī.	Porta antīqua clauditur.
14. Putant urbem novam condī.	Urbs nova conditur.
15. Putant cōnsulem rebellem nōn occīdī.	Cōnsul rebellis nōn occīditur.

16. Audiunt equitem fortem sepelīrī.
17. Audiunt praesidium validum mūnīrī.
18. Audiunt aquam salvam haurīrī.
19. Audiunt opus maximum fīnīrī.
20. Audiunt servum aegrum pūnīrī.

Eques fortis sepelītur.
Praesidium validum mūnītur.
Aqua salva haurītur.
Opus maximum fīnītur.
Servus aeger pūnītur.

2. Produce the indirect statement (Accusative With Infinitive) by using the given verb with the original statement:

He thinks:

B. *The wretched show is (being) watched.*

He thinks (*that*) *the wretched show is (being) watched.*

Putat:

21. Spectāculum miserum spectātur.
22. Cursus maximus mōnstrātur.
23. Domus prīvāta cūrātur.
24. Ars dīvīna servātur.
25. Mēnsis grātus datur.

Putat spectāculum miserum spectārī.
Putat cursum maximum mōnstrārī.
Putat domum prīvātam cūrārī.
Putat artem dīvīnam servārī.
Putat mēnsem grātum darī.

Docet:

26. Praemium maximum habētur.
27. Vetus rēgnum vidētur.
28. Homō miser monētur.
29. Proxima prōvincia dēlētur.
30. Praefectus fortis iubētur.

Docet praemium maximum habērī.
Docet vetus rēgnum vidērī.
Docet hominem miserum monērī.
Docet proximam prōvinciam dēlērī.
Docet praefectum fortem iubērī.

Dīcit:

31. Proelium ācre committitur.
32. Mūnus illūstre mittitur.
33. Lūx magna cernitur.
34. Ars nova cognōscitur.
35. Hostis cīvīlis pellitur.

Dīcit proelium ācre committī.
Dīcit mūnus illūstre mittī.
Dīcit lūcem magnam cernī.
Dīcit artem novam cognōscī.
Dīcit hostem cīvīlem pellī.

Audit:

36. Iānua externa aperītur.
37. Aedificium pulchrum fīnītur.
38. Legiō rebellis pūnītur.
39. Puella amāta reperītur.
40. Templum deōrum mūnītur.

Audit iānuam externam aperīrī.
Audit aedificium pulchrum fīnīrī.
Audit legiōnem rebellem pūnīrī.
Audit puellam amātam reperīrī.
Audit templum deōrum mūnīrī.

5. Indirect statement with the perfect active infinitive:

Indirect Statement With Perfect Active Infinitive
Audit virum vocāvisse.

1. Recognize the indirect statement with action prior to the main verb by giving the original statement:

    A. He thinks (that) mother (has) prepared food.   Mother (has) prepared food.

1. Putat mātrem cibum parāvisse.	Māter cibum parāvit.
2. Putat Catōnem historiam nārrāvisse.	Catō historiam nārrāvit.
3. Putat imperātōrem praemium dōnāvisse.	Imperātor praemium dōnāvit.
4. Putat artem hominem ēducāvisse.	Ars hominem ēducāvit.
5. Putat magistrum servum līberāvisse.	Magister servum līberāvit.
6. Docet cōnsulem pecūniae studuisse.	Cōnsul pecūniae studuit.
7. Docet lūnam magnitūdinem habuisse.	Lūna magnitūdinem habuit.
8. Docet stellam victōrī appāruisse.	Stella victōrī appāruit.
9. Docet bēstiam gladiātōrī nocuisse.	Bēstia gladiātōrī nocuit.
10. Docet exercitum templum dēlēvisse.	Exercitus templum dēlēvit.
11. Dīcit rēgem laudem permīsisse.	Rēx laudem permīsit.
12. Dīcit proelium calamitātem īnstituisse.	Proelium calamitātem īnstituit.
13. Dīcit scrībam patriam relīquisse.	Scrība patriam relīquit.
14. Dīcit sorōrem frātrem dūxisse.	Soror frātrem dūxit.
15. Dīcit Rōmulum Rōmam condidisse.	Rōmulus Rōmam condidit.
16. Audit plēbem aquās hausisse.	Plēbs aquās hausit.
17. Audit poētam opus fīnīvisse.	Poēta opus fīnīvit.
18. Audit Caesarem castra mūnīvisse.	Caesar castra mūnīvit.
19. Audit puellam flōrēs reperisse.	Puella flōrēs reperit.
20. Audit dominum servōs pūnīvisse.	Dominus servōs pūnīvit.

2. Produce the indirect statement with prior action by using the given verb:

They think:

    B. The leader waited for the summer.   They think (that) the leader waited for the summer.

Putant:

21. Dux aestātem exspectāvit.	Putant ducem aestātem exspectāvisse.
22. Pluvia templum intrāvit.	Putant pluviam templum intrāvisse.

23. Is plēbem agitāvit.
24. Ea virum amāvit.
25. Id bēstiam vulnerāvit.

Putant eum plēbem agitāvisse.
Putant eam virum amāvisse.
Putant id bēstiam vulnerāvisse.

Docent:

26. Lēx honōrem habuit.
27. Nox nihil vīdit.
28. Ego senātum monuī.
29. Tū glōriae studuistī.
30. Is in monte appāruit.

Docent lēgem honōrem habuisse.
Docent noctem nihil vīdisse.
Docent mē senātum monuisse.
Docent tē glōriae studuisse.
Docent eum in monte appāruisse.

Dīcunt:

31. Scrība orīginem cognōvit.
32. Lūna splendōrem addidit.
33. Nōs arborēs incendimus.
34. Vōs nihil ēgistis.
35. Eī calamitātem ēvertērunt.

Dīcunt scrībam orīginem cognōvisse.
Dīcunt lūnam splendōrem addidisse.
Dīcunt nōs arborēs incendisse.
Dīcunt vōs nihil ēgisse.
Dīcunt sē calamitātem ēvertisse.

Audiunt:

36. Legiō ad urbem vēnit.
37. Amīcus inimīcum sepelīvit.
38. Custōs portam aperuit.
39. Māter fīlium pūnīvit.
40. Poēta artem reperit.

Audiunt legiōnem ad urbem vēnisse.
Audiunt amīcum inimīcum sepelīvisse.
Audiunt custōdem portam aperuisse.
Audiunt mātrem fīlium pūnīvisse.
Audiunt poētam artem reperisse.

6. Indirect statement with the perfect passive infinitive:

Indirect Statement With Perfect Passive Infinitive
Nārrat virum vocātum esse.

1. Recognize the indirect statement with action prior to the main verb by giving the original statement:

A. They suppose (that) the enemy was (has been) overcome.

The enemy was (has been) overcome.

1. Putant inimīcum superātum esse.
2. Putant fēminam salūtātam esse.
3. Putant palātium aedificātum esse.
4. Putant plēbem agitātam esse.
5. Putant eum iussum esse.

Inimīcus superātus est.
Fēmina salūtāta est.
Palātium aedificātum est.
Plēbs agitāta est.
Is iussus est.

6. Docent casās habitās esse.   Casae habitae sunt.
7. Docent auguria vīsa esse.   Auguria vīsa sunt.
8. Docent cōnsulēs monitōs esse.   Cōnsulēs monitī sunt.
9. Docent prōvinciās dēlētās esse.   Prōvinciae dēlētae sunt.
10. Docent eās prohibitās esse.   Eae prohibitae sunt.

11. Dīcunt laudem additam esse.   Laus addita est.
12. Dīcunt praemium remissum esse.   Praemium remissum est.
13. Dīcunt prōverbium scrīptum esse.   Prōverbium scrīptum est.
14. Dīcunt lēgem īnstitūtam esse.   Lēx īnstitūta est.
15. Dīcunt iānuam clausam esse.   Iānua clausa est.

16. Audiunt aquās haustās esse.   Aquae haustae sunt.
17. Audiunt arcēs mūnītās esse.   Arcēs mūnītae sunt.
18. Audiunt dōna aperta esse.   Dōna aperta sunt.
19. Audiunt arma sepulta esse.   Arma sepulta sunt.
20. Audiunt geminōs repertōs esse.   Geminī repertī sunt.

2. Produce the indirect statement with prior action by using the given verb:

They think:

    B. *The battle was fought.*   They think (*that*) *the battle was fought.*

Putant:

21. Proelium pugnātum est.   Putant proelium pugnātum esse.
22. Fābula nārrāta est.   Putant fābulam nārrātam esse.
23. Servus līberātus est.   Putant servum līberātum esse.
24. Lēgātus nūntiātus est.   Putant lēgātum nūntiātum esse.
25. Pecūnia servāta est.   Putant pecūniam servātam esse.

Docet:

26. Animī arte mōtī sunt.   Docet animōs arte mōtōs esse.
27. Pecūniae dēlētae sunt.   Docet pecūniās dēlētās esse.
28. Cōnsilia praevīsa sunt.   Docet cōnsilia praevīsa esse.
29. Lēgātī prohibitī sunt.   Docet lēgātōs prohibitōs esse.
30. Mīlitēs iussī sunt.   Docet mīlitēs iussōs esse.

Dīcunt:

31. Exercitus inductus est.   Dīcunt exercitum inductum esse.
32. Ego dēceptus sum.   Dīcunt mē dēceptum esse.
33. Ea dīmissa est.   Dīcunt eam dīmissam esse.
34. Tū exclūsus es.   Dīcunt tē exclūsum esse.
35. Rēs facta est,   Dīcunt rem factam esse.

Audit:

36. Gentēs pūnītae sunt.	Audit gentēs pūnītās esse.
37. Vōs repertī estis.	Audit vōs repertōs esse.
38. Nōs audītae sumus.	Audit nōs audītās esse.
39. Viae apertae sunt.	Audit viās apertās esse.
40. Ea fīnīta sunt.	Audit ea fīnīta esse.

7. Third person possessives:

Third Person Possessives	
Nonreflexive (Does not refer to the subject.) **eius:** *his* (*of him*), *her*(*s*) (*of her*), *its* (*of it*) **eōrum, eārum:** *their* (*of them*)	**Reflexive** (Refers to the subject of the main clause.) **suus, –a, –um:** *his* (*own*), *her* (*own*), *its* (*own*), *their* (*own*)

1. Recognize the third person possessives by answering the question **Cuius?** or **Quōrum (Quārum)?**:

A. If the master has *his* (*own*) slave, whose slave is it?   It is the *master's* slave.

1. Sī dominus servum suum habet, cuius servus est?	Dominī servus est.
2. Sī dominī servōs suōs habent, quōrum servī sunt?	Dominōrum servī sunt.
3. Sī vir habet uxōrem suam, cuius uxor est?	Virī uxor est.
4. Sī virī habent uxōrēs suās, quōrum uxōrēs sunt?	Virōrum uxōrēs sunt.
5. Sī laus praemium suum habet, cuius praemium est?	Laudis praemium est.
6. Sī laudēs praemia sua habent, quārum praemia sunt?	Laudum praemia sunt.
7. Sī pāstor habet fīlium suum, cuius fīlius est?	Pāstōris fīlius est.
8. Sī pāstor habet fīlium eius, cuius fīlius est?	Eius fīlius est.
9. Sī pāstōrēs fīliōs suōs habent, quōrum fīliī sunt?	Pāstōrum fīliī sunt.
10. Sī pāstōrēs fīliōs eōrum habent, quōrum fīliī sunt?	Eōrum fīliī sunt.
11. Sī māter cūrat fīliam suam, cuius fīlia est?	Mātris fīlia est.
12. Sī māter cūrat fīliam eius, cuius fīlia est?	Eius fīlia est.
13. Sī mātrēs fīliās suās cūrant, quārum fīliae sunt?	Mātrum fīliae sunt.
14. Sī mātrēs fīliās eārum cūrant, quārum fīliae sunt?	Eārum fīliae sunt.
15. Sī bellum habet pretium suum, cuius pretium est?	Bellī pretium est.
16. Sī bellum habet pretium eius, cuius pretium est?	Eius pretium est.
17. Sī bella habent pretia sua, quōrum pretia sunt?	Bellōrum pretia sunt.
18. Sī bella habent pretia eōrum, quōrum pretia sunt?	Eōrum pretia sunt.

2. Produce the third person possessive by answering the question with a form of either **suus** or **eius, eōrum (eārum):**

B. If the master has a slave, whose slave does he have?	The master has *his own* slave.
C. If the master has the slave of the friend, whose slave does he have?	The master has *his* slave.
D. If the masters have slaves, whose slaves do they have?	The masters have *their own* slaves.
E. If the masters have the slaves of the friends, whose slaves do they have?	The masters have *their* slaves.
19. Sī dominus servum habet, cuius servum dominus habet?	Servum suum dominus habet.
20. Sī dominus servum amīcī habet, cuius servum dominus habet?	Servum eius dominus habet.
21. Sī dominī servōs habent, quōrum servōs dominī habent?	Servōs suōs dominī habent.
22. Sī dominī servōs amīcōrum habent, quōrum servōs dominī habent?	Servōs eōrum dominī habent.
23. Sī pater fīliam laudat, cuius fīliam pater laudat?	Fīliam suam pater laudat.
24. Sī pater fīliam scrībae laudat, cuius fīliam pater laudat?	Fīliam eius pater laudat.
25. Sī patrēs fīliās laudant, quōrum fīliās patrēs laudant?	Fīliās suās patrēs laudant.
26. Sī patrēs fīliās scrībārum laudant, quōrum fīliās patrēs laudant?	Fīliās eōrum patrēs laudant.
27. Sī Mārcus videt equum Terentiae, cuius equum Mārcus videt?	Equum eius Mārcus videt.
28. Sī Mārcus videt equum, cuius equum Mārcus videt?	Equum suum Mārcus videt.
29. Sī puerī vident equōs, quōrum equōs puerī vident?	Equōs suōs puerī vident.
30. Sī puerī vident equōs puellārum, quārum equōs puerī vident?	Equōs eārum puerī vident.
31. Sī Bassus in librō scrībit, in cuius librō Bassus scrībit?	In librō suō Bassus scrībit.
32. Sī Bassus in librō Modestī scrībit, in cuius librō Bassus scrībit?	In librō eius Bassus scrībit.

33. Sī Bassus in librīs Modestī et Sēiī scrībit, in quōrum librīs Bassus scrībit?   In librīs eōrum Bassus scrībit.

34. Sī Bassus in librīs scrībit, in cuius librīs Bassus scrībit?   In librīs suīs Bassus scrībit.

35. Sī Pyrrhus cōpīas Rōmānōrum superat, quōrum cōpiās Pyrrhus superat?   Cōpiās eōrum Pyrrhus superat.

36. Sī Antōnius rēs Cassiī dēsīderat, cuius rēs Antōnius dēsīderat?   Rēs eius Antōnius dēsīderat.

37. Sī Terentia hortum Tulliae spectat, cuius hortum Terentia spectat?   Hortum eius Terentia spectat.

38. Sī Cicerō ōrātiōnem habet, cuius ōrātiōnem Cicerō habet?   Ōrātiōnem suam Cicerō habet.

39. Sī oppidum ā mīlitibus rēgis dēfenditur, ā cuius mīlitibus oppidum dēfenditur?   Ā mīlitibus eius oppidum dēfenditur.

40. Sī hominēs verbīs fēminārum moventur, quārum verbīs hominēs moventur?   Verbīs eārum hominēs moventur.

41. Sī ōrātor verba dīcit, cuius verba ōrātor dīcit?   Verba sua ōrātor dīcit.

42. Sī mīles fābulam dē patriā nārrat, dē cuius patriā fābulam mīles nārrat?   Dē patriā suā fābulam mīles nārrat.

CONVERSIŌ

1. The minds of the men were not moved by the calamity.
2. I thought that the cavalrymen of the enemy had been conquered by the Roman army.
3. He promised his men many things but did nothing.
4. The general ordered his men to fight.
5. The gladiator said that the animal had not touched him.
6. He said that we ought to defend the city.
7. The secretary thought that he had killed the king.
8. The proverb says that this man has Seius' horse.
9. A human being ought not to fight with animals.
10. She tells about the games given by her father.
11. You (*sing.*) were not moved by your enemy's tricks.
12. After the battle the general said that he was very glad (had great joy).
13. We said that the reward was pleasing to us.
14. Men who fight for their country are truly brave.
15. He heard that we were wretched because of your tricks.

NĀRRĀTIŌ

DĒ LITTERĪS AD PYRRHUM

Ubi Pyrrhus rēx erat in terrā Italiā et paene tōta Italia ā rēge superāta est, tum Tīmocharēs, rēgis Pyrrhī amīcus, ad Gaium Fābricium cōnsulem fūrtim vēnit. Praemium petīvit et prōmīsit rēgem venēnīs interficere. Id esse facile dīxit, quia fīlius suus pōcula in convīviō rēgis cūrābat. Eam rem Fābricius ad senātum scrīpsit. Senātus ad rēgem lēgātōs mīsit sed iussit eōs dē Tīmochare nihil dīcere. Lēgātī nūntiāvērunt Pyrrhum ā proximōrum īnsidiīs sē dēfendere dēbēre.

Id ita, ut dīximus, in Valeriī Antiātis *Historiā* scrīptum est. At Quādrīgārius in librō tertiō nōn Tīmocharem sed Nīciam ad cōnsulem īvisse scrīpsit. Etiam scrīpsit lēgātōs nec ā senātū missōs esse, sed ā cōnsulibus. Quādrīgārius quoque dīxit Pyrrhum, hīs rēbus audītīs, populō Rōmānō laudēs atque grātiās scrīpsisse et captīvōs omnēs quōs tum habuit remīsisse.

Cōnsulēs tum fuērunt Gaius Fābricius et Quīntus Aemilius. Litterās, quās ad rēgem Pyrrhum dē eā rē mīsērunt, Claudius Quādrīgārius scrīpsit fuisse eō exemplō:

"Cōnsulēs Rōmānī salūtem dīcunt Pyrrhō rēgī. Nōs propter tuās iniūriās mōtī sumus atque tēcum inimīcō bellum gerere studuimus. Sed vīsum est nōs tē salvum dēsīderāre dēbēre, quia tē armīs vincere studuimus. Ad nōs vēnit Nīcias amīcus tuus, quī sibi praemium ā nōbīs petīvit et dīxit sē tē interficere in animō habēre. Nec id nōs dēsīderāre dīximus, nec eum propter eam rem praemium exspectāre dēbēre. Necessārium est id tibi nūntiāre, quia nōbīs nōn grātum est pretiō aut praemiō aut dolīs pugnāre."

— Adapted from Aulus Gellius, *Noctēs Atticae*, III. 8.

---

fūrtim: *secretly.*	**convīviō:** *dinner table.*	**eō exemplō:** *of this type.*
venēnīs: *with poison.*	**īnsidiīs:** *treachery.*	
pōcula: *cups.*	**captīvōs:** *captives.*	

Respondē Latīnē:

1. Quis erat in terrā Italiā?
2. Ubi fuit rēx Pyrrhus?
3. Quae terra ā Pyrrhō superāta est?
4. Quis ad cōnsulem fūrtim vēnit?
5. Cuius amīcus erat Tīmocharēs?
6. Quī vir eō tempore fuit cōnsul Rōmānus?

7. Quid Tīmocharēs petīvit?
8. Quid Tīmocharēs facere prōmīsit?
9. Cūr Tīmocharēs putāvit id (occīdere rēgem) esse facile?
10. Ad quem Fābricius eam rem scrīpsit?
11. Quōs ad Pyrrhum senātus mīsit?
12. Dē quō senātus iussit lēgātōs nihil dīcere?
13. Ā quōrum īnsidiīs Pyrrhus sē dēfendere dēbuit?

14. Quō nōmine liber Valeriī Antiātis vocātus est?
15. Dīxitne Quādrīgārius Tīmocharem ad Fābricium cōnsulem īvisse?
16. Ā quibus secundum Quādrīgārium lēgātī ad Pyrrhum missī sunt?
17. Quandō Pyrrhus populō Rōmānō laudēs atque grātiās scrīpsit?
18. Quōs captīvōs Pyrrhus rēx remīsit?

19. Quī eō tempore erant cōnsulēs?
20. Quid mīsērunt cōnsulēs ad Pyrrhum?

21. Quī salūtem Pyrrhō rēgī dīcēbant?
22. Propter quās rēs mōtī sunt cōnsulēs?
23. Quid cum Pyrrhō inimīcō cōnsulēs gerere studuērunt?
24. Cūr Rōmānī dēsīderāvērunt Pyrrhum salvum esse?
25. Quid Nīcias in animō habēbat?
26. Putāvēruntne Rōmānī Nīciam praemium habēre dēbēre?
27. Quibus auxiliīs nōn grātum est Rōmānīs pugnāre?

EPITOMA
1. Infinitives:

	Active		Passive	
	Present	Perfect	Present	Perfect
1	vocāre	vocāvisse	vocārī	vocātus esse
2	monēre	monuisse	monērī	monitus esse
3	dūcere	dūxisse	dūcī	ductus esse
4	pūnīre	pūnīvisse	pūnīrī	pūnītus esse

King Pyrrhus of
Epirus (318?–
272 B.C.).

Alinari

2. Indirect statement:

A clause used as the object of a verb of the senses (*seeing, hearing, feeling, saying,* etc.) and of the mind (*thinking, knowing,* etc.) has its subject in the accusative and its verb in the infinitive:

Putat puerum vidēre virum.	*He thinks the boy sees the man.*
Putat puerum vīdisse virum.	*He thinks the boy saw the man.*
Putāvit puerum vidēre virum.	*He thought the boy saw the man.*
Putāvit puerum vīdisse virum.	*He thought the boy had seen the man.*

3. Third person possessives:

eius — *his, her, its;*   **eōrum** or **eārum** —*their:*   Does not refer to the subject.

suus, –a, –um — *his* (*own*), *her* (*own*), *its* (*own*), *their* (*own*):*   Refers to the subject.

INDEX VERBŌRUM

animus, animī, m.	mind, feelings, courage	**movēre, mōvī, mōtus** (2)	move, stir up, alarm
calamitās, calamitātis, f.	calamity, misfortune, ruin	**nārrāre, nārrāvī, nārrātus** (1)	tell, narrate
dēbēre, dēbuī, dēbitus (2)	owe, ought	**nihil,** n. (indeclinable)	nothing
		praemium, praemiī, n.	reward, prize
dēfendere, dēfendī, dēfēnsus (3)	protect, defend	**pretium, pretiī,** n.	price
dolus, dolī, m.	trick, deceit	**prōmittere, prōmīsī, prōmissus** (3)	promise
dominus, dominī, m.	master, lord	**prōverbium, prōverbiī,** n.	proverb
equus, equī, m.	horse		
facilis, facile	easy	**putāre, putāvī, putātus** (1)	think, consider
grātia, grātiae, f.	favor, grace, thanks	**remittere, remīsī, remissus** (3)	send back, return
grātus, grāta, grātum (dat.)	pleasing (to)	**scrība, scrībae,** m.	clerk, secretary
inimīcus, inimīca, inimīcum (dat.)	unfriendly (to)	**studēre, studuī, —** (2) (dat.)	be eager for, strive, study
inimīcus, inimīcī, m.	enemy	**superāre, superāvī, superātus** (1)	be above, surpass, conquer
ita	so, thus, in such a way	**suus, sua, suum**	his, her, its, their (*reflexive*)
laus, laudis, f.	praise	**tuus, tua, tuum**	your (*sing.*)
miser, misera, miserum	wretched, miserable		

LECTIŌ SEXTA DECIMA
(XVI)
FĀBULA

A Letter of Cicero

(This letter was written at the city of Formiae, where Marcus Tullius Cicero had a villa.)

Tullius sends greetings to his Terentia and as a father to his daughter; Cicero says hello to his mother and sister.

I seriously think that you ought to think over this affair again and again, my dear ones. What do you intend to do? Do you wish to stay in Rome or be in a safe place with me? This is not only my problem, but yours also.

These things come to my mind: that you can be safe in Rome through Dolabella's influence, and this situation can be a help to us. But this also moves me, the fact that I see all the good people are leaving Rome and that they have their women with them. However, this place, in which I am, has not only towns friendly to us, but

Cicerōnis Epistula[1]

(Ea epistula in urbe Formiīs, ubi Mārcus Tullius Cicerō villam habēbat, scrīpta est.)

Tullius Terentiae suae et pater fīliae, Cicerō[2] mātrī et sorōrī salūtem dīcit.

Vōs eam rem cōnsīderāre dēbēre etiam atque etiam, animae meae, dīligenter putō. Quid in animō facere habētis? In urbe Rōmā esse aut mēcum in salvō locō dēsīderātis? Id nōn solum meum cōnsilium est, sed etiam vestrum.

Mihi veniunt in animum[3] ea: in urbe Rōmā vōs esse salvās posse per Dolābellam,[4] eamque rem posse nōbīs auxiliō[5] esse. Sed id quoque mē movet, quod[6] videō omnēs bonōs relinquere Rōmam et eōs fēminās suās sēcum habēre. Is autem locus, in quō ego sum, habet nōn solum oppida amīca nōbīs, sed etiam vīllās nostrās. Itaque

---

[1] This letter by Cicero (also in the name of his young son) was written to his wife and daughter at the beginning of the Civil War between Caesar and Pompey. Cicero was undecided at the time whether to join Caesar or Pompey; therefore he remained neutral. Since he well knew the rioting and turmoil that would soon explode in the capital city, he was anxious about his wife and daughter and wanted them to close up the house and hurry south to where he and the boy Marcus were.

[2] **Cicerō:** the young boy, Marcus.

[3] **Mihi . . . in animum:** literally, *into the mind to me.*

[4] **Dolābellam:** *Dolabella,* Cicero's son-in-law, who belonged to Caesar's side.

[5] **Auxiliō:** literally, *for a help.*

[6] **Quod:** *the fact that,* introduces the noun clause which explains the **id** of the main clause.

The Via Sacra, flanked by ruins of the Roman Forum. Down this road
came generals in triumph, emperors in glory, captives in chains, and
barbarians in conquest.

also our own estates. Therefore you can be with me much and, if you want to visit others, you can be at our estates.

What are the other women doing? See to it. I want you diligently to consider this again and again with yourselves and your friends.

Have the house fortified with a guard. And we want to receive a letter daily from you. But especially take care of yourselves, if you wish us to be well.

multum esse mēcum et, sī aliōs vīsitāre cupitis, in nostrīs vīllīs esse potestis.

Quid aliae fēminae faciunt? Vōs vidēte. Id dēsīderō vōs dīligenter etiam atque etiam vōbīscum et cum amīcīs vestrīs cōnsīderāre.

Domum praesidiō mūnītam habēte. Et nōs dēsīderāmus litterās ā vōbīs cotīdiē accipere. Maximē autem vōs cūrāte, sī nōs cupitis valēre.

— Adapted from Cicerō, *Ad Familiārēs*, XIV. 18.

GRAMMATICA

1. Present tense:

The third person of the present tense has already been treated in Lesson VIII. To form the present tense the personal endings are added to the present stem. In the active voice the endings are:

	Singular			Plural	
–ō	laudō	*I praise*	–mus	laudāmus	*we praise*
–s	laudās	*you praise*	–tis	laudātis	*you praise*
–t	laudat	*he, she, it praises*	–nt	laudant	*they praise*

1	2	3	3 (–iō)	4
laudō	moneō	dūcō	capiō	audiō
laudās	monēs	dūcis	capis	audīs
laudat	monet	dūcit	capit	audit
laudāmus	monēmus	dūcimus	capimus	audīmus
laudātis	monētis	dūcitis	capitis	audītis
laudant	monent	dūcunt	capiunt	audiunt

In the passive voice the endings are:

	Singular			Plural	
–or	laudor	*I am praised*	–mur	laudāmur	*we are praised*
–ris	laudāris	*you are praised*	–minī	laudāminī	*you are praised*
–tur	laudātur	*he, she, it is praised*	–ntur	laudantur	*they are praised*

1	2	3	3 (–iō)	4
laudor	moneor	dūcor	capior	audior
laudāris	monēris	dūceris	caperis	audīris
laudātur	monētur	dūcitur	capitur	audītur
laudāmur	monēmur	dūcimur	capimur	audīmur
laudāminī	monēminī	dūciminī	capiminī	audīminī
laudantur	monentur	dūcuntur	capiuntur	audiuntur

Note: In the first conjugation the –a of the stem is dropped before –o (laudō, laudor). In the third conjugation the –e is dropped before the –o (dūcō, dūcor) or becomes an –i or –u (dūcis, dūcunt, etc.), but remains –e before –ris.

2. Imperfect tense:

The third person of the imperfect tense has already been seen in Lesson IX. The imperfect tense has the same personal endings as the present tense, except that –ō becomes –m and –or becomes –r. The endings are added to –bā plus the present stem: laudā–ba–m — *I praised, was praising;* laudā–ba–r — *I was (being) praised.*

Active Voice

1	2	3	3 (–iō)	4
laudābam	monēbam	dūcēbam	capiēbam	audiēbam
laudābās	monēbās	dūcēbās	capiēbās	audiēbās
laudābat	monēbat	dūcēbat	capiēbat	audiēbat
laudābāmus	monēbāmus	dūcēbāmus	capiēbāmus	audiēbāmus
laudābātis	monēbātis	dūcēbātis	capiēbātis	audiēbātis
laudābant	monēbant	dūcēbant	capiēbant	audiēbant

Passive Voice

1	2	3	3 (–iō)	4
laudābar	monēbar	dūcēbar	capiēbar	audiēbar
laudābāris	monēbāris	dūcēbāris	capiēbāris	audiēbāris
laudābātur	monēbātur	dūcēbātur	capiēbātur	audiēbātur
laudābāmur	monēbāmur	dūcēbāmur	capiēbāmur	audiēbāmur
laudābāminī	monēbāminī	dūcēbāminī	capiēbāminī	audiēbāminī
laudābantur	monēbantur	dūcēbantur	capiēbantur	audiēbantur

3. Present and imperfect of "esse":

The present and imperfect tenses of **esse** are irregular:

Present				Imperfect			
sum	*I am*	**sumus**	*we are*	**eram**	*I was*	**erāmus**	*we were*
es	*you are*	**estis**	*you are*	**erās**	*you were*	**erātis**	*you were*
est	*he is*	**sunt**	*they are*	**erat**	*he was*	**erant**	*they were*

4. Imperative mood:

The imperative mood is used for direct commands. In English the imperative is the simple verb form, for example, *Come! Run!* In Latin the singular imperative (a command to one person) is the present stem: **laudā, monē, curre, venī.** The plural (a command to more than one person) is the stem plus **–te: laudāte, monēte, currite, venīte.** In third conjugation plurals the **–e** is changed to **–i** before **–te.**

Dīcere, dūcere, facere, and **ferre** have irregular imperatives:

Singular	**dīc**	**dūc**	**fac**	**fer**
Plural	**dīcite**	**dūcite**	**facite**	**ferte**

EXERCITIA

1. Present tense, active voice:

Present Active	
–ō	–mus
–s	–tis
–t	–nt

1. Recognize the personal endings of the present active by supplying the proper personal pronoun to the given sentence:

A. . . . . . . am considering my health.

I am considering my health.

1. Cōnsīderō valētūdinem meam.
Ego cōnsīderō valētūdinem meam.

2. Cōnsīderās valētūdinem tuam.
Tū cōnsīderās valētūdinem tuam.

3. Cōnsīderat valētūdinem suam.
Is cōnsīderat valētūdinem suam.

4. Cōnsīderāmus valētūdinem nostram.
Nōs cōnsīderāmus valētūdinem nostram.

5. Cōnsīderātis valētūdinem vestram.
Vōs cōnsīderātis valētūdinem vestram.

6. Cōnsīderant valētūdinem suam.
Eī cōnsīderant valētūdinem suam.

7. Valeō virtūte meā.
Ego valeō virtūte meā.

8. Valēs virtūte tuā.
Tū valēs virtūte tuā.

9. Valet virtūte suā.
Is valet virtūte suā.

10. Valēmus virtūte nostrā.
Nōs valēmus virtūte nostrā.

11. Valētis virtūte vestrā.
Vōs valētis virtūte vestrā.

12. Valent virtūte suā.
Eī valent virtūte suā.

13. Cupiō mūnera mea.
Ego cupiō mūnera mea.

14. Cupis mūnera tua.
Tū cupis mūnera tua.

15. Cupit mūnera sua.
Is cupit mūnera sua.

16. Cupimus mūnera nostra.
Nōs cupimus mūnera nostra.

17. Cupitis mūnera vestra.
Vōs cupitis mūnera vestra.

18. Cupiunt mūnera sua.
Eī cupiunt mūnera sua.

19. Dormiō in casā meā.
Ego dormiō in casā meā.

20. Dormīs in casā tuā.
Tū dormīs in casā tuā.

21. Dormit in casā suā.
Is dormit in casā suā.

22. Dormīmus in casā nostrā.
Nōs dormīmus in casā nostrā.

23. Dormītis in casā vestrā.
Vōs dormītis in casā vestrā.

24. Dormiunt in casā suā.
Eī dormiunt in casā suā.

2. Produce the present active verb form from the perfect active form:

B. *I hoped* for a pleasing gift.   *I am hoping* for a pleasing gift.

25. Ego spērāvī dōnum grātum.   Ego spērō dōnum grātum.
26. Tū cōnsīderāvistī eam rem.   Tū cōnsīderās eam rem.
27. Is superāvit inimīcōs suōs.   Is superat inimīcōs suōs.
28. Nōs dōnāvimus laudem brevem.   Nōs dōnāmus laudem brevem.
29. Vōs mōnstrāvistis dolōrem ves- Vōs mōnstrātis dolōrem vestrum.
    trum.
30. Eī nōmināvērunt collēgās suōs. Eī nōminant collēgās suōs.

31. Ego studuī novīs rēbus.   Ego studeō novīs rēbus.
32. Tū mōvistī ā domiciliō tuō.   Tū movēs ā domiciliō tuō.
33. Ea dēbuit redīre ad urbem.   Ea dēbet redīre ad urbem.
34. Nōs appāruimus in Forō.   Nōs appārēmus in Forō.
35. Vōs nocuistis bēstiīs.   Vōs nocētis bēstiīs.
36. Eae flēvērunt dē exiliō.   Eae flent dē exiliō.

37. Ego remīsī epistulam meam.   Ego remittō epistulam meam.
38. Tū dēfendistī arcem oppidī.   Tū dēfendis arcem oppidī.
39. Id īnstituit maximum bellum.   Id īnstituit maximum bellum.
40. Nōs crēvimus aliam viam.   Nōs cernimus aliam viam.

2. Imperfect tense, active voice:

Imperfect Active	
–bam	–bāmus
–bās	–bātis
–bat	–bant

1. Recognize the personal endings of the imperfect active by supplying the proper personal pronoun:

A. ...... was overcoming my   *I* was overcoming my sorrow.
   sorrow.

1. Superābam dolōrem meum.   Ego superābam dolōrem meum.
2. Superābās dolōrem tuum.   Tū superābās dolōrem tuum.
3. Superābat dolōrem suum.   Is superābat dolōrem suum.
4. Superābāmus dolōrem nostrum. Nōs superābāmus dolōrem nostrum.
5. Superābātis dolōrem vestrum. Vōs superābātis dolōrem vestrum.
6. Superābant dolōrem suum.   Eī superābant dolōrem suum.

7. Studēbam valētūdinī meae.
8. Studēbās valētūdinī tuae.
9. Studēbat valētūdinī suae.
10. Studēbāmus valētūdinī nostrae.
11. Studēbātis valētūdinī vestrae.
12. Studēbant valētūdinī suae.

Ego studēbam valētūdinī meae.
Tū studēbās valētūdinī tuae.
Is studēbat valētūdinī suae.
Nōs studēbāmus valētūdinī nostrae.
Vōs studēbātis valētūdinī vestrae.
Eī studēbant valētūdinī suae.

13. Remittēbam epistulam meam.
14. Remittēbās epistulam tuam.
15. Remittēbat epistulam suam.
16. Remittēbāmus epistulam nostram.
17. Remittēbātis epistulam vestram.
18. Remittēbant epistulam suam.

Ego remittēbam epistulam meam.
Tū remittēbās epistulam tuam.
Is remittēbat epistulam suam.
Nōs remittēbāmus epistulam nostram.
Vōs remittēbātis epistulam vestram.
Eī remittēbant epistulam suam.

19. Hauriēbam aquās dē fonte.
20. Hauriēbās aquās dē fonte.
21. Hauriēbat aquās dē fonte.
22. Hauriēbāmus aquās dē fonte.
23. Hauriēbātis aquās dē fonte.
24. Hauriēbant aquās dē fonte.

Ego hauriēbam aquās dē fonte.
Tū hauriēbās aquās dē fonte.
Is hauriēbat aquās dē fonte.
Nōs hauriēbāmus aquās dē fonte.
Vōs hauriēbātis aquās dē fonte.
Eī hauriēbant aquās dē fonte.

2. Produce the imperfect active verb form from the present tense:

B. We *are considering* the affair.   We *were considering* the affair.

25. Cōnsīderāmus eam rem.
26. Valētis animīs vestrīs.
27. Dēfendunt virtūtem suam.
28. Dormiō in pāce.

Cōnsīderābāmus eam rem.
Valēbātis animīs vestrīs.
Dēfendēbant virtūtem suam.
Dormiēbam in pāce.

29. Pugnās contrā magnum exercitum.
30. Appāret stella nocte.
31. Petimus laudem ab amīcīs.
32. Mūnītis vāllum ante oppidum.

Pugnābās contrā magnum exercitum.
Appārēbat stella nocte.
Petēbāmus laudem ab amīcīs.
Mūniēbātis vāllum ante oppidum.

33. Līberō omnēs servōs meōs.
34. Nocēs mihi dolō tuō.
35. Īnstituit mūnera in urbe.
36. Aperīmus librōs nostrōs.

Līberābam omnēs servōs meōs.
Nocēbās mihi dolō tuō.
Īnstituēbat mūnera in urbe.
Aperiēbāmus librōs nostrōs.

37. Nūntiātis calamitātem rēgī.
38. Prohibent populum ā spectāculīs.
39. Vincō omnēs hostēs rebellēs.
40. Monēs amīcum tuum dē perīculō.

Nūntiābātis calamitātem rēgī.
Prohibēbant populum ā spectāculīs.
Vincēbam omnēs hostēs rebellēs.
Monēbās amīcum tuum dē perīculō.

3. Present tense, passive voice:

Present Passive	
−or	−mur
−ris	−minī
−tur	−ntur

1. Recognize the personal endings of the present passive by supplying the proper personal pronoun:

A. ...... am overcome by my grief.   *I* am overcome by my grief.

1. Superor dolōre meō.	Ego superor dolōre meō.
2. Superāris dolōre tuō.	Tū superāris dolōre tuō.
3. Superātur dolōre suō.	Is superātur dolōre suō.
4. Superāmur dolōre nostrō.	Nōs superāmur dolōre nostrō.
5. Superāminī dolōre vestrō.	Vōs superāminī dolōre vestrō.
6. Superantur dolōre suō.	Eī superantur dolōre suō.
7. Moveor calamitāte tuā.	Ego moveor calamitāte tuā.
8. Movēris calamitāte tuā.	Tū movēris calamitāte tuā.
9. Movētur calamitāte tuā.	Is movētur calamitāte tuā.
10. Movēmur calamitāte tuā.	Nōs movēmur calamitāte tuā.
11. Movēminī calamitāte tuā.	Vōs movēminī calamitāte tuā.
12. Moventur calamitāte tuā.	Eī moventur calamitāte tuā.
13. Afficior magnō dolōre.	Ego afficior magnō dolōre.
14. Afficeris magnō dolōre.	Tū afficeris magnō dolōre.
15. Afficitur magnō dolōre.	Is afficitur magnō dolōre.
16. Afficimur magnō dolōre.	Nōs afficimur magnō dolōre.
17. Afficiminī magnō dolōre.	Vōs afficiminī magnō dolōre.
18. Afficiuntur magnō dolōre.	Eī afficiuntur magnō dolōre.
19. Pūnior prō iniūriā aliōrum.	Ego pūnior prō iniūriā aliōrum.
20. Pūnīris prō iniūriā aliōrum.	Tū pūnīris prō iniūriā aliōrum.
21. Pūnītur prō iniūriā aliōrum.	Is pūnītur prō iniūriā aliōrum.
22. Pūnīmur prō iniūriā aliōrum.	Nōs pūnīmur prō iniūriā aliōrum.
23. Pūnīminī prō iniūriā aliōrum.	Vōs pūnīminī prō iniūriā aliōrum.
24. Pūniuntur prō iniūriā aliōrum.	Eī pūniuntur prō iniūriā aliōrum.

2. Produce the present passive by dropping the form of **dēsīderāre, cupere, studēre:**

B. I wish to be freed.   *I am (being) freed.*

25. Ego dēsīderō līberārī.   Ego līberor.

26. Tū dēsīderās nūntiārī.   Tū nūntiāris.
27. Nōs dēsīderāmus appellārī.   Nōs appellāmur.
28. Vōs dēsīderātis ēducārī.   Vōs ēducāminī.

29. Ego cupiō movērī.   Ego moveor.
30. Tū cupis monērī.   Tū monēris.
31. Nōs cupimus docērī.   Nōs docēmur.
32. Vōs cupitis vidērī.   Vōs vidēminī.

33. Ego studeō dūcī.   Ego dūcor.
34. Tū studēs vincī.   Tū vinceris.
35. Nōs studēmus accipī.   Nōs accipimur.
36. Vōs studētis capī.   Vōs capiminī.

37. Ego studeō audīrī.   Ego audior.
38. Tū studēs pūnīrī.   Tū pūnīris.
39. Nōs studēmus audīrī.   Nōs audīmur.
40. Vōs studētis pūnīrī.   Vōs pūnīminī.

4. Imperfect tense, passive voice:

Imperfect Passive	
–bar	–bāmur
–bāris	–bāminī
–bātur	–bantur

1. Recognize the personal endings of the imperfect passive by changing the verb to the present tense:

A. For a long time *I was being considered.*   Today *I am (being) considered.*

1. Diū ego cōnsīderābar.   Hodiē ego cōnsīderor.
2. Diū tū cōnsīderābāris.   Hodiē tū cōnsīderāris.
3. Diū is cōnsīderābātur.   Hodiē is cōnsīderātur.
4. Diū nōs cōnsīderābāmur.   Hodiē nōs cōnsīderāmur.
5. Diū vōs cōnsīderābāminī.   Hodiē vōs cōnsīderāminī.
6. Diū eī cōnsīderābantur.   Hodiē eī cōnsīderantur.

7. Diū ego vidēbar.   Hodiē ego videor.
8. Diū tū vidēbāris.   Hodiē tū vidēris.
9. Diū ea vidēbātur.   Hodiē ea vidētur.
10. Diū nōs vidēbāmur.   Hodiē nōs vidēmur.
11. Diū vōs vidēbāminī.   Hodiē vōs vidēminī.
12. Diū eae vidēbantur.   Hodiē eae videntur.

The amphitheater at Pompeii, which held about 15,000 spectators.
A violent riot led to the closing of the arena by Nero.

13. Diū ego mittēbar.	Hodiē ego mittor.
14. Diū tū mittēbāris.	Hodiē tū mitteris.
15. Diū id mittēbātur.	Hodiē id mittitur.
16. Diū nōs mittēbāmur.	Hodiē nōs mittimur.
17. Diū vōs mittēbāminī.	Hodiē vōs mittiminī.
18. Diū ea mittēbantur.	Hodiē ea mittuntur.
19. Diū ego audiēbar.	Hodiē ego audior.
20. Diū tū audiēbāris.	Hodiē tū audīris.
21. Diū is audiēbātur.	Hodiē is audītur.
22. Diū nōs audiēbāmur.	Hodiē nōs audīmur.
23. Diū vōs audiēbāminī.	Hodiē vōs audīminī.
24. Diū eī audiēbantur.	Hodiē eī audiuntur.

2. Produce the imperfect passive by dropping **dēbēre:**

     B. I ought to have been visited.   *I was being visited.*

25. Ego dēbēbam vīsitārī.	Ego vīsitābar.
26. Tū dēbēbās vīsitārī.	Tū vīsitābāris.
27. Nōs dēbēbāmus vīsitārī.	Nōs vīsitābāmur.
28. Vōs dēbēbātis vīsitārī.	Vōs vīsitābāminī.
29. Ego dēbēbam monērī.	Ego monēbar.
30. Tū dēbēbās monērī.	Tū monēbāris.
31. Nōs dēbēbāmus monērī.	Nōs monēbāmur.
32. Vōs dēbēbātis monērī.	Vōs monēbāminī.

33. Ego dēbēbam vincī.   Ego vincēbar.
34. Tū dēbēbās vincī.   Tū vincēbāris.
35. Nōs dēbēbāmus vincī.   Nōs vincēbāmur.
36. Vōs dēbēbātis vincī.   Vōs vincēbāminī.

37. Ego dēbēbam pūnīrī.   Ego pūniēbar.
38. Tū dēbēbās pūnīrī.   Tū pūniēbāris.
39. Nōs dēbēbāmus pūnīrī.   Nōs pūniēbāmur.
40. Vōs dēbēbātis pūnīrī.   Vōs pūniēbāminī.

5. Present and imperfect of "esse":

Esse			
Present		*Imperfect*	
sum	**sumus**	**eram**	**erāmus**
es	**estis**	**erās**	**erātis**
est	**sunt**	**erat**	**erant**

1. Recognize the present forms of **esse** (*to be*) by supplying the proper personal pronoun:

     A. (I) *am* safe in the city of Rome.   *I am* safe in the city of Rome.

1. In urbe Rōmā salvus sum.   Ego in urbe Rōmā salvus sum.
2. In urbe Rōmā salvus es.   Tū in urbe Rōmā salvus es.
3. In urbe Rōmā salvus est.   Is in urbe Rōmā salvus est.
4. In urbe Rōmā salvī sumus.   Nōs in urbe Rōmā salvī sumus.
5. In urbe Rōmā salvī estis.   Vōs in urbe Rōmā salvī estis.
6. In urbe Rōmā salvī sunt.   Eī in urbe Rōmā salvī sunt.

7. In vīllīs es.   Tū in vīllīs es.
8. In vīllīs estis.   Vōs in vīllīs estis.
9. In vīllīs sumus.   Nōs in vīllīs sumus.
10. In vīllīs sum.   Ego in vīllīs sum.

2. Produce the present forms of **esse** (*to be*) by dropping **dēbēre** and making **esse** agree with the pronoun subject:

     B. I *ought to be* safe in the city of Rome.   I *am* safe in the city of Rome.

11. Ego in urbe Rōmā salvus esse dēbeō.   Ego in urbe Rōmā salvus sum.
12. Tū in urbe Rōmā salvus esse dēbēs.   Tū in urbe Rōmā salvus es.

13. Is in urbe Rōmā salvus esse dēbet. Is in urbe Rōmā salvus est.
14. Nōs in urbe Rōmā salvī esse dēbēmus. Nōs in urbe Rōmā salvī sumus.
15. Vōs in urbe Rōmā salvī esse dēbētis. Vōs in urbe Rōmā salvī estis.
16. Eī in urbe Rōmā salvī esse dēbent. Eī in urbe Rōmā salvī sunt.

17. Tū in vīllīs esse dēbēs. Tū in vīllīs es.
18. Vōs in vīllīs esse dēbētis. Vōs in vīllīs estis.
19. Nōs in vīllīs esse dēbēmus. Nōs in vīllīs sumus.
20. Ego in vīllīs esse dēbeō. Ego in vīllīs sum.

3. Recognize the forms of **esse** in the imperfect by changing to the present forms:

   C. I *was* short on words. I *am* short on words.

21. Eram verbīs brevis. Sum verbīs brevis.
22. Erās verbīs brevis. Es verbīs brevis.
23. Erat verbīs brevis. Est verbīs brevis.
24. Erāmus verbīs brevēs. Sumus verbīs brevēs.
25. Erātis verbīs brevēs. Estis verbīs brevēs.
26. Erant verbīs brevēs. Sunt verbīs brevēs.

27. Magnō animō erās. Magnō animō es.
28. Magnō animō erātis. Magnō animō estis.
29. Magnō animō erāmus. Magnō animō sumus.
30. Magnō animō eram. Magnō animō sum.

4. Produce the forms of **esse** in the imperfect by substituting for the present forms:

   D. You *are* first of all. You *were* first of all.

31. Tū prīmus omnium es. Tū prīmus omnium erās.
32. Ego prīmus omnium sum. Ego prīmus omnium eram.
33. Is prīmus omnium est. Is prīmus omnium erat.
34. Nōs prīmī omnium sumus. Nōs prīmī omnium erāmus.
35. Vōs prīmī omnium estis. Vōs prīmī omnium erātis.
36. Eī prīmī omnium sunt. Eī prīmī omnium erant.

37. Tū in Italiā es. Tū in Italiā erās.
38. Nōs in Italiā sumus. Nōs in Italiā erāmus.
39. Vōs in Italiā estis. Vōs in Italiā erātis.
40. Ego in Italiā sum. Ego in Italiā eram.

6. Imperative mood, active voice:

Active Imperative					
Sing.	vocā	monē	mitte	cape	audī
Pl.	vocāte	monēte	mittite	capite	audīte

1. Recognize the singular and plural imperative by introducing the imperative clause with **dēsīderō**:

A. *Tell* your story.

1. Nārrā fābulam tuam.
2. Nārrāte fābulam vestram.
3. Amā mātrem tuam.
4. Amāte mātrem vestram.

5. Monē frātrem tuum.
6. Monēte frātrem vestrum.
7. Docē puellam tuam.
8. Docēte puellam vestram.

9. Mitte lēgātum tuum.
10. Mittite lēgātum vestrum.
11. Cape prōverbium tuum.
12. Capite prōverbium vestrum.

13. Audī lēgem tuam.
14. Audīte lēgem vestram.
15. Dormī in casā tuā.
16. Dormīte in casā vestrā.

I wish you to tell your story.

Dēsīderō tē nārrāre fābulam tuam.
Dēsīderō vōs nārrāre fābulam vestram.
Dēsīderō tē amāre mātrem tuam.
Dēsīderō vōs amāre mātrem vestram.

Dēsīderō tē monēre frātrem tuum.
Dēsīderō vos monēre frātrem vestrum.
Dēsīderō tē docēre puellam tuam.
Dēsīderō vōs docēre puellam vestram.

Dēsīderō tē mittere lēgātum tuum.
Dēsīderō vōs mittere lēgātum vestrum.
Dēsīderō tē capere prōverbium tuum.
Dēsīderō vōs capere prōverbium vestrum.

Dēsīderō tē audīre lēgem tuam.
Dēsīderō vōs audīre lēgem vestram.
Dēsīderō tē dormīre in casā tuā.
Dēsīderō vōs dormīre in casā vestrā.

2. Produce the singular and plural imperative from the clause introduced by **cupiō**:

B. I wish you to love your mother.

17. Cupiō tē amāre mātrem tuam.
18. Cupiō vōs amāre mātrem vestram.
19. Cupiō tē occupāre arcem.
20. Cupiō vōs occupāre arcem.
21. Cupiō tē valēre.
22. Cupiō vōs bene valēre.
23. Cupiō tē ex urbe fugere.
24. Cupiō vōs ex urbe fugere.

Love your mother.

Amā mātrem tuam.
Amāte mātrem vestram.
Occupā arcem.
Occupāte arcem.
Valē.
Bene valēte.
Ex urbe fuge.
Ex urbe fugite.

25. Cupiō tē vidēre lūnae splendōrem.	Vidē lūnae splendōrem.
26. Cupiō vōs vidēre lūnae splendōrem.	Vidēte lūnae splendōrem.
27. Cupiō tē iānuam claudere.	Iānuam claude.
28. Cupiō vōs iānuam claudere.	Iānuam claudite.
29. Cupiō tē in pāce dormīre.	In pāce dormī.
30. Cupiō vōs in pāce dormīre.	In pāce dormīte.
31. Cupiō tē librōs multōs legere.	Librōs multōs lege.
32. Cupiō vōs multōs librōs legere.	Multōs librōs legite.
33. Cupiō tē praemium accipere.	Praemium accipe.
34. Cupiō vōs praemium accipere.	Praemium accipite.
35. Cupiō vōs eam rem cōnsīderāre.	Eam rem cōnsīderāte.
36. Cupiō tē dīligenter putāre.	Dīligenter putā.
37. Cupiō tē congregāre in Italiā.	Congregā in Italiā.
38. Cupiō vōs valētūdinem cūrāre.	Valētūdinem cūrāte.
39. Cupiō vōs litterās accipere.	Litterās accipite.
40. Cupiō vōs Rōmam relinquere.	Rōmam relinquite.

CONVERSIŌ

1. We were not affected by the letter.
2. Name (*sing.*) all the kings of Rome.
3. You (*pl.*) ought to consider your health.
4. I know that we ought to defend our homes.
5. He knew grief because of the letter.
6. You (*sing.*) hoped for health.
7. Move (*pl.*) the horses from the field as soon as possible.
8. Do you (*sing.*) think that the athletes hope for a short show?
9. We do not free the enemies from others.
10. I had courage but the other athletes were running well.
11. We Romans are loved by all our friends.
12. Love (*pl.*) your mother and father especially.
13. Because you (*sing.*) are not liked, defend your things.
14. As I was walking with my brother, I was listening to a story.
15. Lead (*sing.*) the troops well and hope for strength.
16. Every day I think that life is short.
17. We were being praised, however, as if we were gods.
18. This I believe, because I am being punished.
19. Take care of yourself.
20. Come (*sing.*) to Italy and see Rome.

NĀRRĀTIŌ

MĀRCĪ TULLIĪ CICERŌNIS EPISTULA AD TERENTIAM

Tullius salūtem dīcit Terentiae suae. Sī valēs, bene est; valeō. Tullia nostra vēnit ad mē prīdiē Īdūs Iūniās. Cuius maximā virtūte magnō etiam dolōre afficior.

Nōbīs erat in animō Cicerōnem ad Caesarem mittere et cum eō Gnaeum Sallustium. Valētūdinem tuam cūrā dīligenter. Valē.

— Adapted from Cicerō, *Ad Familiārēs*, XIV. 11.

LITTERAE AD TERENTIAM ET TULLIAM

Tullius Terentiae suae et pater suāvissimae fīliae, Cicerō mātrī et sorōrī salūtem dīcit. Sī tū et Tullia, lūx nostra, valētis, ego et suāvissimus Cicerō valēmus. Prīdiē Īdūs Octōbrēs ad urbem Athēnās vēnimus.

Accēpī tuās litterās. Omnēs mihi sunt datae, dīligenterque ā tē scrīpta sunt omnia, idque mihi maximē grātum fuit. Neque sum admīrātus eam epistulam quam Acastus tulit brevem fuisse. Iam enim mē exspectās, vel nōs, quī vērō quam prīmum ad vōs venīre cupimus. Cognōvī enim ex multōrum amīcōrum litterīs, quās tulit Acastus, ad arma rem pūblicam spectāre.

Nōs, sī deī adiuvābunt, circiter Īdūs Novembrēs in Italiā spērāmus futūrōs esse. Vōs, mea suāvissima Terentia, sī nōs amātis, valētūdinem cūrāte. Valē.

— Adapted from Cicerō, *Ad Familiārēs*, XIV. 5.

---

prīdiē Īdūs Iūniās: *June 12.*
Cicerōnem: in these letters the word **Cicerō** refers to the young son.

suāvissimae (suāvissimus, –a, –um): *dearest.*
Prīdiē Īdūs Octōbrēs: *October 14.*
sum admīrātus: *I wondered.*

Acastus: Cicero's slave.
adiuvābunt: *will help.*
Īdūs Novembrēs: *November 13.*
futūrōs esse: *will be.*

Respondē Latīnē:

1. Quis dīcit salūtem Terentiae?
2. Cui salūs dīcitur?
3. Quis ad Tullium Cicerōnem prīdiē Īdūs Iūniās vēnit?
4. Afficiturne Tullius Cicerō magnō dolōre propter maximam virtūtem Tulliae?

5. Ad quem Tullius puerum Cicerōnem mittere cupit?
6. Quōs Tullius ad Caesarem mittere dēsīderat?
7. Dēbetne Terentia valētūdinem suam dīligenter cūrāre?
8. Quod verbum dīcit Tullius, epistulā fīnītā?

When Cicero visited Athens and its acropolis, there were no ruins like these in the first city of Greece.

9. Quibus (in epistulā ad Terentiam et Tulliam) Tullius salūtem dīcit?
10. Quae fēminae ā puerō Cicerōne salūtātae sunt?
11. Valentne Tullius atque puer Cicerō, sī Terentia et Tullia valent?
12. Quō nōmine Tullia ā patre Cicerōne appellātur?
13. Ad quam urbem vēnērunt Tullius et puer prīdiē Īdūs Octōbrēs?

14. Quid pater Cicerō accēpit?
15. Ā quō omnia dīligenter scrīpta sunt?
16. Cui id fuit maximē grātum?
17. Quis epistulam tulit?
18. Quālem epistulam tulit Acastus?
19. Quandō Terentia Cicerōnem exspectat?
20. Quōs Terentia exspectat?
21. Quandō Tullius et puer ad Terentiam Tulliamque venīre cupiunt?
22. Quid cognōvit Tullius ex multōrum amīcōrum litterīs?
23. Ex quōrum litterīs Cicerō id cognōvit?
24. Spectābatne rēs pūblica ad arma?

25. Ubi Tullius et fīlius circiter Īdūs Novembrēs spērant sē futūrōs esse?
26. Quid cupit Cicerō Terentiam cūrāre?

EPITOMA

1. Present tense:

Active				Passive			
(Present stem plus active endings)				(Present stem plus passive endings)			
–ō	*I*	**–mus**	*we*	**–or**	*I*	**–mur**	*we*
–s	*you*	**–tis**	*you*	**–ris**	*you*	**–minī**	*you*
–t	*he, she, it*	**–nt**	*they*	**–tur**	*he, she, it*	**–ntur**	*they*

2. Imperfect tense:

Active				Passive			
(Present stem plus **–bā** plus active endings)				(Present stem plus **–bā** plus passive endings)			
–bam	*I*	**–bāmus**	*we*	**–bar**	*I*	**–bāmur**	*we*
–bās	*you*	**–bātis**	*you*	**–bāris**	*you*	**–bāminī**	*you*
–bat	*he, she, it*	**–bant**	*they*	**–bātur**	*he, she, it*	**–bantur**	*they*

3. Esse:

Present		Imperfect	
sum	sumus	eram	erāmus
es	estis	erās	erātis
est	sunt	erat	erant

4. Imperative mood:

Sing.	**laudā**	**monē**	**dūc**[7]	**cape**	**audī**
Pl.	**laudāte**	**monēte**	**dūcite**	**capite**	**audīte**

INDEX VERBŌRUM

accipere, accēpī, acceptus (3 –iō)	receive, accept
afficere, affēcī, affectus (3 –iō)	influence, affect
alius, alia, aliud[8]	other, another
anima, animae, f.	spirit, soul, air
autem	however, but
bene	well, successfully
brevis, breve	short, brief
cōnsīderāre, cōnsīderāvī, cōnsīderātus (1)	inspect, consider

[7] Irregular for **dūce**.
[8] Gen., **alīus** or **alterīus;** dat., **alīī;** other forms regular.

cotīdiē	daily, everyday
cupere, cupīvī, cupītus (3 –iō)	want, desire
dīligenter	seriously, diligently
dolor, dolōris, m.	pain, sorrow
enim	for, indeed
epistula, epistulae, f.	letter
maximē	especially, very greatly
noster, nostra, nostrum	our

quam prīmum	as soon as possible
spērāre, spērāvī, spērātus (1)	hope, hope for
valēre, valuī, valitūrus (2)[9]	be strong, be well
valētūdō, valētūdinis, f.	health; ill-health
vester, vestra, vestrum	your (pl.)
virtūs, virtūtis, f.	courage, strength, virtue

SOCIETY AND REPUBLICAN GOVERNMENT

The earliest inhabitants of Rome were all of the same social status and class. These simple shepherds and farmers chose a king as a leader. For help and advice the king often called in the heads or fathers (**patrēs**) of the families. The members of their families, therefore, were called *patricians*. Since the fathers were usually older men (**senēs**), the advisory group was named the senate (**senātus**).

With the passing of time outsiders came to settle in the city. Such foreigners, of course, were not citizens and were given the name *plebeians* (**plēbs**) or common people.

These two groups were the main social classes of Rome. The patricians were known also as nobles or the senatorial class. When the kings were expelled and the republic was established with elected officials, the plebeians had no voice in the government because they held no citizenship. They soon rebelled, however, and were made citizens, although it took additional time and struggle for them to achieve full and equal rights with the patricians.

A third class, the *equestrians* (**equitēs**) also arose early in the republic. These were the merchants of the city — the bankers, buyers, industrialists, and the like — and they were always rich. In time a person had to possess a fixed sum before he could be properly judged an equestrian. In politics the equestrians usually sided with the patricians.

With the departure of the kings the people set up their own government — a republic. The senate remained as before. Although it was still meant

---

[9] The imperative forms of this verb are used to mean *good-bye*.

The Capitoline hill looks down upon the Arch of Septimius Severus (center), the Senate House (right center), and the temple and grounds of the Vestal Virgins (foreground).

to be only an advisory group in that it merely proposed and did not enact laws, because of its great influence it became in effect the real power in the land. The assemblies (**comitia**) were comprised of all citizens with the right to vote. They elected all officials and enacted laws.

To replace the kings and their helpers several offices had to be created for the efficient operation of the republic. Because politics was for the educated and one of the main occupations, a Roman aspired to these offices, which had to be held in succession. Hence to get to the top, one had to be, in order, quaestor, aedile or tribune, praetor, and finally consul. This was called the grade of honors (**cursus honōrum**). The quaestor, the lowest official, was in charge of treasury and finance. In Cicero's time the number of these had increased to twenty. Aediles, of which there were four in Cicero's time, took care of trade and commerce, foods, streets and buildings, health regulations, circus games, and festivals. Tribunes (there were ten in the days of Cicero) guarded the rights of the plebeians and possessed the veto power whereby they could stop the action of any official (except the dictator), of the senate, and of the **comitia.** This power in effect gave tribunes great control and

Gaius Julius Caesar (100–44 B.C.).

near the end of the republic its misuse caused anarchy and almost total collapse. The eight praetors were the judges in most legal matters.

The two consuls were the heads of the government with supreme civil and military authority. They put laws into effect and even proposed them if necessary. They called and presided over sessions of the senate and assemblies and were the supreme commanders-in-chief of the army. Their authority was restricted only by the rare office of dictator, or by the citizen's right to appeal, or by the veto of the tribunes. Because the Romans had so distrusted a king or any one ruler, they elected two consuls, who changed duties each month. In war the command changed each day if they were together in the same place.

All these offices lasted for one year and each had a minimum age set by law. There was no salary, for it was a privilege to serve the fatherland.

Under the republic, the Senate became the most important governing body in Rome. It came to be composed of men with extensive
experience in government.

But money could be obtained indirectly and praetors and consuls after theii
term of office normally obtained an income as provincial governors.

Another important position was that of censorship. Every five years two
censors were elected for a year and a half. Their responsibilities included
taking the census, checking property lists, safeguarding morals and conduct,
making contracts for tax collections, and supervising the construction and
repair of public buildings, temples, bridges, sewers, aqueducts, streets, and
monuments. Most of these men had already served as consuls and were very
experienced in the workings of government.

In time of grave emergency a dictator was appointed who had power over
all and against whom there was no appeal by anyone. His job was primarily
military, intended for one particular emergency, and lasted a maximum of
six months. This position was not often made use of and disappeared about
200 B.C. Later, so-called dictators like Marius, Sulla, and Julius Caesar had
seized their positions by force and against the Roman constitution.

When the republic died, all offices gradually faded out, since the emperor himself took on these duties or channeled them down to lesser officials.

LECTIŌ SEPTIMA DECIMA
(XVII)
FĀBULA

A Speech of Cicero

Once Marcus Tullius Cicero de-livered four famous orations against Lucius Catiline. Catiline was a man who strove to destroy the republic by a civil war and who wanted to seize the government. Cicero, as consul, wished to defend and save the state. With these words in the voice of the fatherland he blames himself, because he has not yet acted against Catiline.

The fatherland speaks thus: "Mar-cus Tullius, what are you doing? Have you found out that this Catiline is an enemy? Do you see that he will be the leader of a war? Do you realize that he is being waited for as a general in the camp of the enemy? Will you allow this chief of slaves and evil citizens to leave? Will you not order him to be led into chains, to be seized for death, to be punished with the greatest penalty?

"What then stops you? The custom of our ancestors? But even private citizens in this republic have often punished wicked citizens with death.

"Or is it the laws, which have been given about the punishment of Roman citizens? But never in this city have those who abandoned the republic had the rights of citizens.

Ōrātiō Cicerōnis

Ōlim Mārcus Tullius Cicerō quattuor ōrātiōnēs illūstrēs in Lūcium Catilīnam habuit. Catilīna erat vir quī rem pūb-licam bellō cīvīlī dēlēre studuit atque imperium occupāre cupīvit. Cicerō cōnsul cīvitātem dēfendere et servāre dēsīderāvit. Eīs verbīs vōce patriae sē culpat, quia contrā Catilīnam nōndum ēgit.

Patria sīc dīcit: "Mārce Tullī, quid agis? Tūne eum Catilīnam esse hostem reperistī? Tūne eum ducem bellī futūrum esse vidēs? Tūne eum exspec-tārī imperātōrem in castrīs hostium sentīs? Tūne prīncipem servōrum et cīvium malōrum exīre permittēs? Nōnne eum in vincula dūcī, nōnne ad mortem rapī, nōnne maximō suppliciō pūnīrī iubēbis?

"Quid tandem tē prohibet? Mōsne patrum? At saepe etiam prīvātī in eā rē pūblicā malōs cīvēs morte pūnīvērunt.

"An lēgēs, quae dē cīvium Rō-mānōrum suppliciō datae sunt?[1] At numquam in eā urbe eī, quī rem pūbli-cam relīquērunt, cīvium iūra habu-ērunt.

---

[1] Such laws put certain restrictions on the death penalty for citizens and ultimately eliminated it.

Marcus   Tullius
Cicero (106—43
B.C.).

Allnari

"Or do you fear the dislike of posterity? You certainly show fine gratitude to the Roman people, who have brought you, a man known (only) through yourself, to the greatest power through all the public offices, if because of a fear of unpopularity or of danger you abandon the welfare of your citizens.

"But, if there is any fear of unpopularity, unpopularity arising from courage ought not to be feared, ought it? Or, when Italy will be destroyed by war, when cities will be damaged, when homes will be burned, then don't you think that you will burn with the fire of unpopularity?"

"An invidiam posteritātis timēs? Bonam vērō grātiam populō Rōmānō agis, quī tē, hominem per tē cognitum,[2] ad maximum imperium per omnēs honōrēs[3] tulit, sī propter invidiae aut perīculī metum salūtem cīvium tuōrum relinquis.

"Sed, sī est invidiae metus, num virtūtis invidia timērī dēbet? An, ubi bellō dēlēbitur Italia, vexābuntur urbēs, tēcta incendentur, nōnne tum putās tē invidiae incendiō ārsūrum esse?"

— Adapted from Cicero, *In L. Catilīnam Ōrātiō Prīma.*

[2] Cicero was a self-made man and had had no help politically from his relatives.
[3] **Honōrēs:** a term used in reference to the highest public offices, namely the quaestorship, aedileship, praetorship, and consulship.

GRAMMATICA

1. Future tense:

The future tense is expressed in English by *shall* or *will*. In Latin there are two forms for the future tense: one used with first and second conjugation verbs and the other used with third and fourth conjugation verbs. The future tense of the first and second conjugations is formed by the present stem plus –**bi**–[4] plus the personal endings: **laudā–bi–t** — *he will praise;* **laudā–bi–tur** — *he will be praised.*

Active		Passive	
1	2	1	2
laudābō	docēbō	laudābor	docēbor
laudābis	docēbis	laudāberis	docēberis
laudābit	docēbit	laudābitur	docēbitur
laudābimus	docēbimus	laudābimur	docēbimur
laudābitis	docēbitis	laudābiminī	docēbiminī
laudābunt	docēbunt	laudābuntur	docēbuntur

The future tense of the third and fourth conjugations is expressed by –**ē** and the personal endings, except for the first person singular where –**a** is used. The –**e** of the stem of the third conjugation is dropped and –**iō** verbs of the third have the same form as the fourth conjugation: **dūc–e–t** — *he will lead;* **dūc–ē–tur** — *he will be led.*

Active			Passive		
3	3 (–iō)	4	3	3 (–iō)	4
dūcam	capiam	audiam	dūcar	capiar	audiar
dūcēs	capiēs	audiēs	dūcēris	capiēris	audiēris
dūcet	capiet	audiet	dūcētur	capiētur	audiētur
dūcēmus	capiēmus	audiēmus	dūcēmur	capiēmur	audiēmur
dūcētis	capiētis	audiētis	dūcēminī	capiēminī	audiēminī
dūcent	capient	audient	dūcentur	capientur	audientur

2. Future of "esse":

The forms of the future of **esse** are irregular. They are:

erō	*I shall be*	erimus	*we shall be*
eris	*you will be*	eritis	*you will be*
erit	*he, she, it will be*	erunt	*they will be*

---

[4] Since this is a short –**i**, it is subject to change; it is dropped before –**ō** and **or;** it is changed to –**e** before –**ris** and to –**u** before –**nt** and –**ntur.**

3. Future active infinitive:

The future active infinitive is used to indicate future time in relation to the main verb. It is formed by the future active participle (the third part of the verb ending in **–ūrus** instead of **–us**) and **esse: amātūrus esse** (*to be about to love*), **monitūrus esse** (*to be about to warn*):

I feel that they *will* (*are about to*) *leave*. Sentiō eōs **exitūrōs esse.**

4. Interrogative sentences:

Questions are indicated in Latin by interrogative words or particles at the beginning of the sentence or of the main clause. If an interrogative pronoun (**quis?**), adjective (**quod?**), or adverb (**cūr?**) is used, no other indication of a question is needed. Otherwise **–ne, nōnne,** or **num** must be used. The particle **–ne,** which is attached to the first word in the sentence, simply means that a question is being asked:

Do you see the boy? **Vidēsne puerum?**

Sometimes the **–ne** is even dropped:

Do you fear the dislike of posterity? **Invidiam posteritātis timēs?**

If the sentence is introduced by **nōnne,** it means that a *yes* answer is expected:

Don't you see the boy? **Nōnne puerum vidēs?**
You do see the boy, don't you?

If the sentence is introduced by **num,** it means that a *no* answer is expected:

You don't see the boy, do you? **Num puerum vidēs?**

5. Vocative case:

The vocative case is used for the person addressed, for example, *Boys, come here.* The forms of the vocative are the same as the nominative except for second declension masculine singular nouns ending in **–us** and **–ius.** Those ending in **–us** have **–e** for the vocative form, for example, **Mārce.** Those ending in **–ius** have **–ī,** as, **Antōnī, Tullī.** The vocative word is normally not the first in the sentence.

EXERCITIA

1. Future tense, active voice:

Future Active			
1–2		*3–4*	
–bō	–bimus	–am	–ēmus
–bis	–bitis	–ēs	–ētis
–bit	–bunt	–et	–ent

1. Recognize the future active with **crās** (*tomorrow*) by changing to the present active with **nunc** (*now*):

A. Tomorrow *I will blame* myself.   Now *I blame* myself.

1. Ego crās mē culpābō.
   Ego nunc mē culpō.
2. Tū crās tē culpābis.
   Tū nunc tē culpās.
3. Tullius crās sē culpābit.
   Tullius nunc sē culpat.
4. Nōs crās nōs culpābimus.
   Nōs nunc nōs culpāmus.
5. Vōs crās vōs culpābitis.
   Vōs nunc vōs culpātis.
6. Ōrātōrēs crās sē culpābunt.
   Ōrātōrēs nunc sē culpant.

7. Ego ōrātiōnem illūstrem crās habēbō.
   Ego ōrātiōnem illūstrem nunc habeō.
8. Tū ōrātiōnem illūstrem crās habēbis.
   Tū ōrātiōnem illūstrem nunc habēs.
9. Cicerō ōrātiōnem illūstrem crās habēbit.
   Cicerō ōrātiōnem illūstrem nunc habet.
10. Nōs ōrātiōnem illūstrem crās habēbimus.
    Nōs ōrātiōnem illūstrem nunc habēmus.
11. Vōs ōrātiōnem illūstrem crās habēbitis.
    Vōs ōrātiōnem illūstrem nunc habētis.
12. Cīvēs ōrātiōnem illūstrem crās habēbunt.
    Cīvēs ōrātiōnem illūstrem nunc habent.

13. Ego in vinculīs crās vīvam.
    Ego in vinculīs nunc vīvō.
14. Tū in vinculīs crās vīvēs.
    Tū in vinculīs nunc vīvis.
15. Omnis in vinculīs crās vīvet.
    Omnis in vinculīs nunc vīvit.
16. Nōs in vinculīs crās vīvēmus.
    Nōs in vinculīs nunc vīvimus.
17. Vōs in vinculīs crās vīvētis.
    Vōs in vinculīs nunc vīvitis.
18. Omnēs in vinculīs crās vīvent.
    Omnēs in vinculīs nunc vīvunt.

19. Ego invidiam malam crās sentiam.
    Ego invidiam malam nunc sentiō.
20. Tū invidiam malam crās sentiēs.
    Tū invidiam malam nunc sentīs.

21. Posteritās invidiam malam crās sentiet.

Posteritās invidiam malam nunc sentit.

22. Nōs invidiam malam crās sentiēmus.

Nōs invidiam malam nunc sentīmus.

23. Vōs invidiam malam crās sentiētis.

Vōs invidiam malam nunc sentītis.

24. Fīliī invidiam malam crās sentient.

Fīliī invidiam malam nunc sentiunt.

2. Produce the future active with **crās** by changing from the present tense:

B. Now *I am adorning* with eloquence.

Tomorrow *I will adorn* with eloquence.

25. Ego ēloquentiā nunc illūminō.

Ego ēloquentiā crās illūminābō.

26. Tū ēloquentiā nunc illūminās.

Tū ēloquentiā crās illūminābis.

27. Cicerō ēloquentiā nunc illūminat.

Cicerō ēloquentiā crās illūminābit.

28. Nōs ēloquentiā nunc illūmināmus.

Nōs ēloquentiā crās illūminābimus.

29. Vōs ēloquentiā nunc illūminātis.

Vōs ēloquentiā crās illūminābitis.

30. Ōrātōrēs ēloquentiā nunc illūminant.

Ōrātōrēs ēloquentiā crās illūminābunt.

31. Ego perīculum cīvitātis nunc timeō.

Ego perīculum cīvitātis crās timēbō.

32. Tū perīculum cīvitātis nunc timēs.

Tū perīculum cīvitātis crās timēbis.

33. Nēmō perīculum cīvitātis nunc timet.

Nēmō perīculum cīvitātis crās timēbit.

34. Nōs perīculum cīvitātis nunc timēmus.

Nōs perīculum cīvitātis crās timēbimus.

35. Vōs perīculum cīvitātis nunc timētis.

Vōs perīculum cīvitātis crās timēbitis.

36. Cīvēs perīculum cīvitātis nunc timent.

Cīvēs perīculum cīvitātis crās timēbunt.

37. Ego oppidum inimīcum nunc rapiō.

Ego oppidum inimīcum crās rapiam.

38. Tū oppidum inimīcum nunc rapis.

Tū oppidum inimīcum crās rapiēs.

39. Imperātor oppidum inimīcum nunc rapit.

Imperātor oppidum inimīcum crās rapiet.

40. Nōs oppidum inimīcum nunc rapimus.

Nōs oppidum inimīcum crās rapiēmus.

41. Vōs oppidum inimīcum nunc rapitis.

Vōs oppidum inimīcum crās rapiētis.

42. Ducēs oppidum inimīcum nunc rapiunt.

Ducēs oppidum inimīcum crās rapient.

43. Ego vōcēs posteritātis nunc audiō.   Ego vōcēs posteritātis crās audiam.
44. Tū vōcēs posteritātis nunc audīs.   Tū vōcēs posteritātis crās audiēs.
45. Eī vōcēs posteritātis nunc audiunt.   Eī vōcēs posteritātis crās audient.

2. Future tense, passive voice:

Future Passive			
1–2		*3–4*	
–bor	–bimur	–ar	–ēmur
–beris	–biminī	–ēris	–ēminī
–bitur	–buntur	–ētur	–entur

1. Recognize the future passive by changing to the present passive with **hodiē** (*today*):

   A. Tomorrow *I will be shaken* by war.   Today *I am* (*being*) *shaken* by war.

1. Ego bellō crās vexābor.   Ego bellō hodiē vexor.
2. Tū bellō crās vexāberis.   Tū bellō hodiē vexāris.
3. Urbs bellō crās vexābitur.   Urbs bellō hodiē vexātur.
4. Nōs bellō crās vexābimur.   Nōs bellō hodiē vexāmur.
5. Vōs bellō crās vexābiminī.   Vōx bellō hodiē vexāminī.
6. Urbēs bellō crās vexābuntur.   Urbēs bellō hodiē vexantur.

7. Ego fāmā crās movēbor.   Ego fāmā hodiē moveor.
8. Tū fāmā crās movēberis.   Tū fāmā hodiē movēris.
9. Homō fāmā crās movēbitur.   Homō fāmā hodiē movētur.
10. Nōs fāmā crās movēbimur.   Nōs fāmā hodiē movēmur.
11. Vōs fāmā crās movēbiminī.   Vōs fāmā hodiē movēminī.
12. Hominēs fāmā crās movēbuntur.   Hominēs fāmā hodiē moventur.

13. Ego mōribus amīcōrum crās afficiar.   Ego mōribus amīcōrum hodiē afficior.
14. Tū mōribus amīcōrum crās afficiēris.   Tū mōribus amīcōrum hodiē afficeris.
15. Vir mōribus amīcōrum crās afficiētur.   Vir mōribus amīcōrum hodiē afficitur.
16. Nōs mōribus amīcōrum crās afficiēmur.   Nōs mōribus amīcōrum hodiē afficimur.
17. Vōs mōribus amīcōrum crās afficiēminī.   Vōs mōribus amīcōrum hodiē afficiminī.
18. Cīvēs mōribus amīcōrum crās afficientur.   Cīvēs mōribus amīcōrum hodiē afficiuntur.

19. Ego laude mātris crās mūniar.   Ego laude mātris hodiē mūnior.
20. Tū laude mātris crās mūniēris.   Tū laude mātris hodiē mūnīris.
21. Fīlia laude mātris crās mūniētur.   Fīlia laude mātris hodiē mūnītur.
22. Nōs laude mātris crās mūniēmur.   Nōs laude mātris hodiē mūnīmur.
23. Vōs laude mātris crās mūniēminī.   Vōs laude mātris hodiē mūnīminī.
24. Fīliae laude mātris crās mūnien-   Fīliae laude mātris hodiē mūniuntur.
tur.

2. Produce the future passive with **mox** (*soon*) by changing from the present tense:

    B. I *am* now (*being*) *named* king.   I *will* soon *be named* king.

25. Ego rēx nunc nōminor.   Ego rēx mox nōminābor.
26. Tū rēx nunc nōmināris.   Tū rēx mox nōmināberis.
27. Is rēx nunc nōminātur.   Is rēx mox nōminābitur.
28. Nōs rēgēs nunc nōmināmur.   Nōs rēgēs mox nōminābimur.
29. Vōs rēgēs nunc nōmināminī.   Vōs rēgēs mox nōminābiminī.
30. Eī rēgēs nunc nōminantur.   Eī rēgēs mox nōminābuntur.

31. Ego auguriō nunc moneor.   Ego auguriō mox monēbor.
32. Tū auguriō nunc monēris.   Tū auguriō mox monēberis.
33. Senātus auguriō nunc monētur.   Senātus auguriō mox monēbitur.
34. Nōs auguriō nunc monēmur.   Nōs auguriō mox monēbimur.
35. Vōs auguriō nunc monēminī.   Vōs auguriō mox monēbiminī.
36. Senātōrēs auguriō nunc monentur.   Senātōrēs auguriō mox monēbuntur.

37. Ego dolīs nunc dēcipior.   Ego dolīs mox dēcipiar.
38. Tū dolīs nunc dēciperis.   Tū dolīs mox dēcipiēris.
39. Nēmō dolīs nunc dēcipitur.   Nēmō dolīs mox dēcipiētur.
40. Nōs dolīs nunc dēcipimur.   Nōs dolīs mox dēcipiēmur.
41. Vōs dolīs nunc dēcipiminī.   Vōs dolīs mox dēcipiēminī.
42. Animī dolīs nunc dēcipiuntur.   Animī dolīs mox dēcipientur.

43. Ego prō cīvibus nunc pūnior.   Ego prō cīvibus mox pūniar.
44. Tū prō cīvibus nunc pūnīris.   Tū prō cīvibus mox pūniēris.
45. Cūstōs prō cīvibus nunc pūnītur.   Cūstōs prō cīvibus mox pūniētur.

3. Future tense of "esse":

Future of Esse	
erō	erimus
eris	eritis
erit	erunt

1. Recognize the future tense of **esse** by changing to the present:

A. I *shall be* good.   I *am* good.

1. Ego erō bonus.   Ego sum bonus.
2. Tū eris mīles.   Tū es mīles.
3. Fīlia erit bona.   Fīlia est bona.
4. Nōs erimus bonī.   Nōs sumus bonī.
5. Vōs eritis mīlitēs.   Vōs estis mīlitēs.
6. Fīliī erunt bonī.   Fīliī sunt bonī.

7. Cōnsulēs erunt sapientēs.   Cōnsulēs sunt sapientēs.
8. Vōs puerī eritis cīvēs.   Vōs puerī estis cīvēs.
9. Rēx erit magnus.   Rēx est magnus.
10. Ego erō fortis.   Ego sum fortis.
11. Tū eris sōlus.   Tū es sōlus.
12. Nōs sacerdōtēs erimus sacrī.   Nōs sacerdōtēs sumus sacrī.
13. Ego erō illūstris.   Ego sum illūstris.
14. Aquaeductus erit antīquus.   Aquaeductus est antīquus.
15. Gaudia erunt brevia.   Gaudia sunt brevia.

2. Produce the future tense of **esse** by changing from the present:

B. I *am* a citizen of Rome.   I *shall be* a citizen of Rome.

16. Ego sum cīvis Rōmānus.   Ego erō cīvis Rōmānus.
17. Tū es vir mīlitāris.   Tū eris vir mīlitāris.
18. Is homō est aeger.   Is homō erit aeger.
19. Nōs agricolae sumus senēs.   Nōs agricolae erimus senēs.
20. Vōs ducēs estis contentī.   Vōs ducēs eritis contentī.
21. Eī lēgātī sunt senātōrēs.   Eī lēgātī erunt senātōrēs.

22. Bella sunt necessāria.   Bella erunt necessāria.
23. Iānua est aurea.   Iānua erit aurea.
24. Vōs imperātōrēs estis dīvīnī.   Vōs imperātōrēs eritis dīvīnī.
25. Ego sum puer miser.   Ego erō puer miser.
26. Nōs pugnantēs sumus fīrmī.   Nōs pugnantēs erimus fīrmī.
27. Tū es poēta malus.   Tū eris poēta malus.
28. Proelia sunt ācria.   Proelia erunt ācria.
29. Glōria est mihi grāta.   Glōria erit mihi grāta.
30. Viae sunt domuī proximae.   Viae erunt domuī proximae.
31. Nōs amīcī sumus novī.   Nōs amīcī erimus novī.
32. Vōs patrēs estis veterēs.   Vōs patrēs eritis veterēs.
33. Porta est aperta.   Porta erit aperta.
34. Tū nōn es dominus validus.   Tū nōn eris dominus validus.
35. Nōs omnēs sumus pulchrae fēminae. Nōs omnēs erimus pulchrae fēminae.

4. Future infinitive, active voice:

Future Active Infinitive
_1_   laudātūrus, –a, –um esse
_2_   monitūrus, –a, –um esse
_3_   ductūrus, –a, –um esse
_4_   audītūrus, –a, –um esse

1. Recognize the future active infinitive by changing from the indirect statement to the original (direct) statement:

A. I hope (that) _I will blame_ no one.   _I will blame_ no one.

1. Spērō mē culpātūrum esse nēminem.   Culpābō nēminem.
2. Spērō tē tōtam patriam illūminātūrum esse.   Tōtam patriam illūminābis.
3. Spērō exercitum nōn vexātūrum urbem.   Exercitus nōn vexābit urbem.
4. Spērō fēminam cōnsīderātūram esse familiam.   Fēmina cōnsīderābit familiam.
5. Spērat fāmam auctūram esse.   Fāma augēbit.
6. Spērat amīcum valitūrum esse.   Amīcus valēbit.
7. Spērat ēloquentiam mōtūram esse populum.   Ēloquentia movēbit populum.
8. Spērat rēgem iussūrum esse lēgātōs.   Rēx iubēbit lēgātōs.

9. Spērāmus nōs in pāce vīctūrōs esse.   Nōs in pāce vīvēmus.
10. Spērāmus eōs nōs receptūrōs esse.   Eī nōs recipient.
11. Spērāmus hostem bellum nōn gestūrum esse.   Hostis bellum nōn geret.
12. Spērāmus virōs dēfensūrōs esse.   Virī dēfendent.
13. Spērant senātum sēnsūrum esse.   Senātus sentiet.
14. Spērant portās apertūrās esse.   Portae aperient.
15. Spērant fīliōs dormītūrōs esse.   Fīliī dormient.
16. Spērant deōs audītūrōs esse.   Deī audient.

2. Produce the future active infinitive by changing the indirect statement from present to future:

B. They think (that) he _is praising_.   They think (that) he _will praise_.

17. Putant eum laudāre.   Putant eum laudātūrum esse.
18. Putant eam culpāre.   Putant eam culpātūram esse.
19. Putant id vexāre.   Putant id vexātūrum esse.
20. Putant eōs congregāre.   Putant eōs congregātūrōs esse.

21. Docent eās ārdēre.   Docent eās ārsūrās esse.
22. Docent ea movēre.   Docent ea mōtūra esse.

23. Docent mīlitem obsidēre.   Docent mīlitem obsessūrum esse.
24. Docent praemium nocēre.   Docent praemium nocitūrum esse.

25. Dīcunt nōs permittere.   Dīcunt nōs permissūrōs esse.
26. Dīcunt vōs tangere.   Dīcunt vōs tāctūrōs esse.
27. Dīcunt iuvenēs remittere.   Dīcunt iuvenēs remissūrōs esse.
28. Dīcunt dominum fugere.   Dīcunt dominum fugitūrum esse.

29. Audiunt flōrēs aperīre.   Audiunt flōrēs apertūrōs esse.
30. Audiunt rēgem pūnīre servum.   Audiunt rēgem pūnītūrum esse servum.
31. Audiunt lēgātōs venīre.   Audiunt lēgātōs ventūrōs esse.
32. Audiunt pāstōrem reperīre ge-   Audiunt pāstōrem repertūrum esse geminōs.
    minōs.

5. Vocative case:

Vocative Case
The vocative case is used for direct address. It is the same as the nominative, except second declension masculine singulars in –us: **servus — serve** **fīlius — fīlī**

1. Recognize the vocative by giving the nominative form:

   A. What are you doing, *son?*   son
   1. Quid agis, fīlī?   fīlius
   2. Quid agitis, fīliī?   fīliī
   3. Cūr curris, Mārce?   Mārcus
   4. Quid dīxistī, Tullī?   Tullius
   5. Quem mīsistī, rēx?   rēx
   6. Quem occīdistis, rēgēs?   rēgēs
   7. Quem amās, fīlia?   fīlia
   8. Quem amātis, fīliae?   fīliae
   9. Parāvistīne cibum, serve?   servus
   10. Parāvistisne cibum, servī?   servī

2. Produce the vocative for the given words:

   B. mother   *O mother*
   11. māter   māter
   12. fīlius   fīlī
   13. Mārcus   Mārce
   14. servus   serve

15. Antōnius	Antōnī
16. puer	puer
17. dux	dux
18. puerī	puerī
19. fīliī	fīliī
20. amīcus	amīce

6. Interrogative words:

Interrogatives
Nōnne (expects *yes*)
Num (expects *no*)

1. Recognize the interrogative particles **nōnne** and **num** by giving the expected answer:

A. The fatherland is blaming you, isn't it? | The fatherland is blaming me.

B. The fatherland isn't blaming you, is it? | The fatherland is not blaming me.

1. Nōnne patria tē culpat?	Patria mē culpat.
2. Num patria tē culpat?	Patria mē nōn culpat.
3. Num maximum supplicium iubēbis?	Maximum supplicium nōn iubēbō.
4. Nōnne maximum supplicium iubēbis?	Maximum supplicium iubēbō.
5. Nōnne mōs patrum tē prohibet?	Mōs patrum mē prohibet.
6. Num mōs patrum tē prohibet?	Mōs patrum mē nōn prohibet.
7. Num abstulistī fāmam glōriamque?	Fāmam glōriamque nōn abstulī.
8. Nōnne abstulistī fāmam glōriamque?	Fāmam glōriamque abstulī.
9. Nōnne is in vincula dūcitur?	Is in vincula dūcitur.
10. Num is in vincula dūcitur?	Is in vincula nōn dūcitur.
11. Num Tullius prō patriā semper pugnāvit?	Tullius prō patriā nōn semper pugnāvit.
12. Nōnne Tullius prō patriā semper pugnāvit?	Tullius prō patriā semper pugnāvit.
13. Nōnne eum exīre permittēs?	Eum exīre permittam.
14. Num eum exīre permittēs?	Eum exīre nōn permittam.
15. Num ad mortem Catilīna rapitur?	Ad mortem Catilīna nōn rapitur.
16. Nōnne ad mortem Catilīna rapitur?	Ad mortem Catilīna rapitur.
17. Nōnne Rōmam ēloquentia illūmināvit?	Rōmam ēloquentia illūmināvit.
18. Num Rōmam ēloquentia illūmināvit?	Rōmam ēloquentia nōn illūmināvit.
19. Num eum hostem reperistī?	Eum hostem nōn reperī.
20. Nōnne eum hostem reperistī?	Eum hostem reperī.

CONVERSIŌ

1. We will not take away your bonds.
2. You (*pl.*) will not be bad, will you?
3. Illuminate the world by your deeds, citizens.
4. The fame of Rome was increased by the voice of Cicero.
5. Won't we hope for a good life?
6. The enemy will fear the Roman customs.
7. You (*pl.*) will be eager to leave.
8. No one wants to be seized.
9. Mark Antony, you will not live in the memories of men.
10. The greatest shows will not free us from fear.
11. I feel that the punishment of the citizens will increase the fear.
12. The orator's eloquence will move all the Romans.
13. The chains will not annoy me.
14. You (*sing.*) ought never to remove unpopularity by fear.
15. We will be blamed because of the fire, won't we?
16. Tell me a story, father.
17. Men, listen well.
18. Finish your work, son.
19. Write a letter, clerk.
20. Move your books, friend.

NĀRRĀTIŌ

LAUS PRŌ CICERŌNE, INVIDIA IN MĀRCUM ANTŌNIUM

Mārcus Tullius Cicerō per vītam suam prō patriā et salūte cīvium semper pugnāvit. Quia putāvit Mārcum Antōnium esse hostem reī pūblicae, Cicerō multās ōrātiōnēs in eum habuit. Dēnique, mīlitibus Antōniī missīs, ōrātor ad mare fugiēns occīsus est.

Per multōs annōs historiae scrīptōrēs Rōmānī cum laude et honōre glōriam nōminī Cicerōnis addidērunt. Vellēius Paterculus ea verba laudis scrīpsit:

Scelere Antōniī vōx pūblica ablāta est, ubi Cicerōnis salūtem nēmō dēfendit, quī per tot annōs et salūtem pūblicam cīvitātis et prīvātam cīvium dēfendit.

Nihil tamen ēgistī, Mārce Antōnī, nihil, dīcō, ēgistī, ubi rapuistī tū

scrīptōrēs: *writers.*   Scelere: *by the crime.*   tot: *so many.*

Marcus Antonius
(83–30 B.C.).

Alinari

Mārcō Cicerōnī lūcem et vītam. Fāmam vērō glōriamque factōrum atque verbōrum nōn abstulistī sed augēbis.

Vīvit vīvetque per omnem saeculōrum memoriam et is paene sōlus Rōmānōrum animō vīdit, ēloquentiā illūmināvit. Omnis posteritās eius in tē scrīpta laudābit, tuum in eum factum execrābitur, citiusque ē mundō genus hominum quam Cicerōnis nōmen cēdet.

— Adapted from Vellēius Paterculus, *Historiae Rōmānae,* II. 66.

saeculōrum: *of the ages.*   citius: *more quickly.*
execrābitur: *will curse.*   mundō: *world.*

Respondē Latīnē:

1. Quis prō patriā semper pugnāvit?
2. Prō quibus rēbus semper pugnāvit?
3. Prō quōrum hominum salūte semper pugnāvit?
4. Quandō Cicerō pugnāvit?
5. Quis fuit Mārcus Antōnius secundum Cicerōnem?
6. Nōnne Cicerō multās ōrātiōnēs contrā Antōnium habuit?
7. Num Antōnius multās ōrātiōnēs in Cicerōnem habuit?
8. Ā quibus interfectus est ōrātor illūstris?
9. Ad quem locum fugiēbat Cicerō tempore mortis?
10. Quid agēbat ōrātor, ubi occīsus est?
11. Quis mīlitēs suōs contrā Cicerōnem mīsit?

12. Quam diū historiae scrīptōrēs Rōmānī Cicerōnem laudāvērunt?
13. Cum quibus mōribus Rōmānī gloriam Cicerōnī addidērunt?
14. Quī fāmam Cicerōnis nōminī addidērunt?
15. Nōnne Vellēius Paterculus vōcēs laudis dē Cicerōne dīxit?
16. Num Paterculus Antōnium laudāvit?

17. Quae rēs ablāta est factō malō Antōniī?
18. Quis Cicerōnem dēfendit?
19. Quōrum salūtem pūblicam et prīvātam per tot annōs Cicerō dēfendit?

20. Ēgistīne nihil, Mārce Antōnī, morte Mārcī Cicerōnis?
21. Antōnī, num rapuistī glōriam factōrum atque verbōrum ā Cicerōne?
22. Nōnne vērō fāmam Cicerōnis augēbis, Antōnī?

23. Quam diū vīvet Cicerō?
24. Quis paene sōlus Rōmānōrum animō vīdit?
25. Quid aget posteritās dē rēbus in Antōnium scrīptīs?
26. Num ex orbe terrārum nōmen Cicerōnis cēdet?

EPITOMA

1. Future tense:

Active

1	2	3	3 (–iō)	4
vocābō	monēbō	dūcam	capiam	pūniam
vocābis	monēbis	dūcēs	capiēs	pūniēs
vocābit	monēbit	dūcet	capiet	pūniet
vocābimus	monēbimus	dūcēmus	capiēmus	pūniēmus
vocābitis	monēbitis	dūcētis	capiētis	pūniētis
vocābunt	monēbunt	dūcent	capient	pūnient

Passive

vocābor	monēbor	dūcar	capiar	pūniar
vocāberis	monēberis	dūcēris	capiēris	pūniēris
vocābitur	monēbitur	dūcētur	capiētur	pūniētur
vocābimur	monēbimur	dūcēmur	capiēmur	pūniēmur
vocābiminī	monēbiminī	dūcēminī	capiēminī	pūniēminī
vocābuntur	monēbuntur	dūcentur	capientur	pūnientur

2. Future active infinitive:

vocātūrus esse   monitūrus esse   ductūrus esse   captūrus esse   pūnitūrus esse

3. Future of "esse":

erō	erimus
eris	eritis
erit	erunt

4. Interrogative sentences:

Interrogative sentences may be introduced by:

1. An interrogative pronoun, adjective, adverb.
2. **–ne** (any answer is possible).
3. **Nōnne** (*yes* answer is expected).
4. **Num** (*no* answer is expected).

5. Vocative case:

The vocative case is used for direct address. It is the same as the nominative, except the second declension masculine singulars ending in **us:**

–us has –e: **Mārce**
–ius has –ī: **Antōnī**

INDEX VERBŌRUM

an	or
ārdēre, ārsī, ārsūrus (2)	burn, be on fire
auferre, abstulī, ablātus	take away, remove
augēre, auxī, auctus (2)	increase, strengthen
cīvis, cīvis, c.	citizen
crās	tomorrow
culpāre, culpāvī, culpātus (1)	blame, condemn
ēloquentia, ēloquentiae, f.	eloquence
exīre, exiī (–īvī), exitūrus	go out, leave
fāma, fāmae, f.	rumor; reputation, fame
illūmināre, illūmināvī, illūminātus (1)	illuminate, adorn
incendium, incendiī, n.	fire
invidia, invidiae, f.	envy, unpopularity, dislike
malus, mala, malum	bad
metus, metūs, m.	fear
mōs, mōris, m.	custom, habit, way
mox	soon
nēmō, nēminis, c.	no one
nōndum	not yet
nōnne	(Indicates a *yes* answer is expected.)
num	(Indicates a *no* answer is expected.)
numquam	never
posteritās, posteritātis, f.	the future, posterity
rapere, rapuī, raptus (3 –iō)	seize, snatch, take away
sentīre, sēnsī, sēnsus (4)	feel, see, think
supplicium, supplíciī, n.	punishment
tandem	finally
timēre, timuī, — (2)	fear
vexāre, vexāvī, vexātus (1)	annoy, shake, disturb
vinculum, vinculī, n.	chain, bond
vīta, vītae, f.	life
vīvere, vīxī, vīctus (3)	live
vōx vōcis, f.	voice, word

LECTIŌ DUODĒVĪCĒSIMA
(XVIII)
RESPECTUS
EXERCITIA

1. Lege et respondē Latīnē:

Tarquiniō occīsō, Servius, praesidiō fīrmō mūnītus, voluntāte patrum rēgnāvit. Servius Tullius rēgnāvit annōs quattuor et quadrāgintā.

1. Quandō Servius rēgnāvit?   Tarquiniō occīsō, Servius rēgnāvit.
2. Quis occīsus est?   Tarquinius occīsus est.
3. Quis mūnītus est?   Servius mūnītus est.
4. Quō modō mūnītus est Servius?   Praesidiō fīrmō mūnītus est Servius.
5. Quī dēsīderāvērunt Servium rēgnāre?   Patrēs dēsīderāvērunt Servium rēgnāre.
6. Quot annōs rēgnāvit Servius Tullius?   Quattuor et quadrāgintā annōs rēgnāvit Servius Tullius.

Diēs secundum Aegyptiōs incipit ab occāsū sōlis; secundum Persās ab ortū sōlis; secundum Athēniēnsēs ā sextā hōrā diēī; secundum Rōmānōs ā mediā nocte.

7. Quid incipit ab occāsū sōlis secundum Aegyptiōs?   Diēs incipit ab occāsū sōlis secundum Aegyptiōs.
8. Quī dīxērunt diem incipere ab ortū sōlis?   Persae dīxērunt diem incipere ab ortū sōlis.
9. Quī dīxērunt diem incipere ā sextā hōrā?   Athēniēnsēs dīxērunt diem incipere ā sextā hōrā.
10. Quī dīxērunt diem incipere ā mediā nocte?   Rōmānī dīxērunt diem incipere ā mediā nocte.
11. Quandō incipit diēs secundum Aegyptiōs?   Ab occāsū sōlis incipit diēs secundum Aegyptiōs.
12. Quandō incipit diēs secundum Persās?   Ab ortū sōlis incipit diēs secundum Persās.
13. Quandō incipit diēs secundum Athēniēnsēs?   Ā sextā hōrā diēī incipit diēs secundum Athēniēnsēs.
14. Quandō incipit diēs secundum Rōmānōs?   Ā mediā nocte incipit diēs secundum Rōmānōs.

"Vīdimus tē, imperātor? Tū vērō redīvistī? Salvum inter nōs recēpimus?" Atque deinde "Ego tēcum, imperātor, in Armeniā; ego in Raetiā fuī."

15. Quī vīdērunt?   Nōs vīdimus.

16. Quem vīdimus?	Tē imperātōrem vīdimus.
17. Quis redīvit?	Tū redīvistī.
18. Quī recēpērunt?	Nōs recēpimus.
19. Quis fuit cum imperātōre in Armeniā?	Ego fuī cum imperātōre in Armeniā.
20. Quis in Raetiā?	Ego in Raetiā.

Annōs ūndēvīgintī nātus exercitum prīvātō cōnsiliō et prīvātā impēnsā parāvī, per quem rem pūblicam līberāvī. Quī patrem meum interfēcērunt, eōs in exilium expulī.

21. Quis parāvit exercitum prīvātō cōnsiliō?	Ego parāvī exercitum prīvātō cōnsiliō.
22. Quot annōs habuit quī exercitum parāvit?	Annōs ūndēvīgintī habuit quī exercitum parāvit.
23. Cuius impēnsā exercitum parāvī?	Prīvātā impēnsā exercitum parāvī.
24. Per quid līberāvī rem pūblicam?	Per exercitum līberāvī rem pūblicam.
25. Quis eōs in exilium expulit?	Ego eōs in exilium expulī.
26. Quōs in exilium expulī?	Eōs in exilium expulī.
27. Quī fuērunt eī quōs in exilium expulī?	Quī patrem meum interfēcērunt fuērunt eī quōs in exilium expulī.

Eō tempore dīcunt Cornēlium Dolābellam cōnsulem, in Syriam prōcēdentem, gloriā eius equī ductum esse et ad urbem Argōs cessisse cēpisseque eum magnō pretiō.

28. Quis prōcessit in Syriam?	Cornēlius Dolābella prōcessit in Syriam.
29. Quis ductus est?	Cornēlius Dolābella ductus est.
30. Quis cessit ad urbem Argōs?	Cornēlius Dolābella cessit ad urbem Argōs.
31. Quis fuit Cornēlius Dolābella?	Cōnsul fuit Cornēlius Dolābella.
32. Quid cēpit magnō pretiō Cornēlius Dolābella?	Equum cēpit magnō pretiō Cornēlius Dolābella.

Crēdunt posteā Antōnium equum illūstrem petīvisse. Eō equō receptō, Antōnium quoque dēsōlātum esse et ad mortem miseram pervēnisse.

33. Quem crēdunt equum petīvisse?	Antōnium crēdunt equum petīvisse.
34. Quālem equum Antōnius petīvit?	Illūstrem equum Antōnius petīvit.
35. Quandō Antōnius quoque dēsōlātus est?	Eō equō receptō, Antōnius quoque dēsōlātus est.
36. Quis ad mortem miseram pervēnit?	Antōnius ad mortem miseram pervēnit.
37. Quandō Antōnius ad mortem pervēnit?	Eō equō receptō, Antōnius ad mortem pervēnit.

The six Corinthian columns of the temple of Jupiter at Baalbek, Lebanon, are all that remain of the original fifty-four. Sixty-five feet high, they supported the largest Corinthian temple of antiquity.

Ad nōs vēnit Nīcias amīcus tuus, quī sibi praemium ā nōbīs petīvit et dīxit sē tē interficere in animō habēre.

38. Quis ad nōs vēnit?   Nīcias amīcus tuus ad nōs vēnit.
39. Quid petīvit Nīcias ā nōbis?   Praemium petīvit Nīcias ā nōbīs.
40. Cui praemium Nīcias petīvit?   Sibi praemium Nīcias petīvit.
41. Quis dīxit?   Nīcias dīxit.
42. Quid habet in animō Nīcias?   Interficere tē habet in animō Nīcias.
43. Quid dīxit Nīcias?   Sē tē interficere in animō habēre dīxit Nīcias.

Accēpī litterās tuās. Omnēs mihi sunt datae, dīligenterque ā tē scrīpta sunt omnia, idque mihi maximē grātum fuit.

44. Quis litterās accēpit?   Ego litterās accēpī.
45. Quae omnia data sunt mihi?   Litterae omnēs datae sunt mihi.
46. Cui litterae datae sunt?   Mihi litterae datae sunt.
47. Ā quō scrīpta sunt omnia?   Ā tē scrīpta sunt omnia.
48. Cui maximē id grātum fuit?   Mihi maximē id grātum fuit.

Domum praesidiō mūnītam habēte. Et nōs dēsīderāmus litterās ā vōbis cotīdiē accipere. Maximē autem vōs cūrāte, sī nōs cupitis valēre.

49. Quid dēbētis mūnītum habēre?   Domum dēbētis mūnītam habēre.
50. Quī dēsīderant litterās ā vōbīs?   Nōs dēsīderāmus litterās ā vōbīs.
51. Ā quibus litterās dēsīderāmus?   Ā vōbīs litterās dēsīderāmus.
52. Quid nōs dēsīderāmus?   Litterās (accipere) nōs dēsīderāmus.
53. Quid dēbētis agere, sī cupitis nōs valēre?   Cūrāre vōs dēbētis.

2. Recognize the difference between the Ablative of Time and the Accusative of Time by changing the given form to its opposite and translating:

1. duōbus diēbus (*in two days*) duōs diēs (*for two days*)
2. vīgintī mēnsibus (*in 20 months*) vīgintī mēnsēs (*for 20 months*)
3. multīs noctibus (*on many nights*) multās noctēs (*for many nights*)
4. duodētrīgintā annīs (*in 28 years*) duodētrīgintā annōs (*for 28 years*)
5. tredecim hōrīs (*in 13 hours*) tredecim hōrās (*for 13 hours*)
6. ūnum annum (*for one year*) ūnō annō (*in one year*)
7. quīnque hōrās (*for five hours*) quīnque hōrīs (*in five hours*)
8. ūndecim mēnsēs (*for 11 months*) ūndecim mēnsibus (*in 11 months*)
9. ducentōs diēs (*for 200 days*) ducentīs diēbus (*in 200 days*)
10. mīlle annōs (*for 1000 years*) mīlle annīs (*in 1000 years*)

11. septem aestātibus (*in seven summers*) septem aestātēs (*for seven summers*)
12. quattuordecim annōs (*for 14 years*) quattuordecim annīs (*in 14 years*)
13. quīnquāgintā diēs (*for 50 days*) quīnquāgintā diēbus (*in 50 days*)
14. octō hōrīs (*in eight hours*) octō hōrās (*for eight hours*)
15. centum mēnsēs (*for 100 months*) centum mēnsibus (*in 100 months*)
16. tribus mīlibus annōrum (*in 3000 years*) tria mīlia annōrum (*for 3000 years*)
17. nōnāgintā sex diēbus (*in 96 days*) nōnāgintā sex diēs (*for 96 days*)
18. ūnā aestāte (*in one summer*) unam aestātem (*for one summer*)
19. novem diēs (*for nine days*) novem diēbus (*in nine days*)
20. quadringentōs quadrāgintā quattuor annōs (*for 444 years*) quadringentīs quadrāgintā quattuor annīs (*in 444 years*)

3. Complete each sentence with the proper ordinal adjective:

1. Diēs post quārtum diem est quīntus diēs.
2. Post septimum equum est octāvus equus.
3. Post vīcēsimum prīmum hominem est vīcēsimus secundus homō.
4. Post tertiam stellam est quārta stella.
5. Post centēsimum praemium est centēsimum prīmum praemium.
6. Ante ūndēvīcēsimam epistulam est duodēvīcēsima epistula.
7. Ante duodecimam aestātem est ūndecima aestās.
8. Ante quīntum diem est quārtus diēs.
9. Ante secundum nepōtem est prīmus nepōs.
10. Ante decimam hōram est nōna hōra.

11. Post trīcēsimam tertiam vīllam est trīcēsima quārta vīlla.
12. Ante septimum lūdum est sextus lūdus.
13. Post quīntum incendium est sextum incendium.

14. Post octāvum athlētam est   nōnus athlēta.
15. Ante quārtam calamitātem est   tertia calamitās.
16. Post millēsimum spectāculum est   millēsimum prīmum spectāculum.
17. Post prīmum mūnus est   secundum mŭnus.
18. Ante nōnam bēstiam est   octāva bēstia.
19. Ante sextum decimum equitem est   quīntus decimus eques.
20. Post ūndecimum vesperum est   duodecimus vesper.

4. Change the pronoun from singular to plural and change the verb from present to perfect tense:

1. Ego veniō.   Nōs vēnimus.
2. Is accipit.   Eī accēpērunt.
3. Tū dēbēs.   Vōs dēbuistis.
4. Id dormit.   Ea dormīvērunt.
5. Tū sentīs.   Vōs sēnsistis.
6. Ego spērō.   Nōs spērāvimus.
7. Ea fugit.   Eae fūgērunt.
8. Tū vīvis.   Vōs vīxistis.
9. Id vulnerat.   Ea vulnerāvērunt.
10. Is auget.   Eī auxērunt.

5. Change the pronoun from plural to singular and the verb from perfect to present:

11. Vōs īnstituistis.   Tū īnstituis.
12. Eī studuērunt.   Is studet.
13. Nōs cōnsīderāvimus.   Ego cōnsīderō.
14. Nōs permīsimus.   Ego permittō.
15. Eae cognōvērunt.   Ea cognōscit.
16. Vōs pugnāvistis.   Tū pugnās.
17. Nōs cupīvimus.   Ego cupiō.
18. Ea clausērunt.   Id claudit.
19. Eī iactāvērunt.   Is iactat.
20. Vōs scrīpsistis.   Tū scrībis.

6. Change the number of the subject (singular to plural or vice versa) and the tense of the verb (present to perfect or vice versa):

21. Vōs timētis.   Tū timuistī.
22. Ego dōnō.   Nōs dōnāvimus.

23. Is pūnīvit.   Eī pūniunt.
24. Nōs habitāmus.   Ego habitāvī.
25. Eī ardent.   Is arsit.
26. Tū cessistī.   Vōs cēditis.
27. Id portāvit.   Ea portant.
28. Nōs crēdimus.   Ego crēdidī.
29. Ego hausī.   Nōs haurīmus.
30. Eae putant.   Ea putāvit.

7. Change the voice from active to passive and the tense from present to perfect:

1. Is mē vocat.   Ego ab eō vocātus sum.
2. Ego tē superō.   Tū ā mē superātus es.
3. Ea sē videt.   Ea ā sē vīsa est.
4. Vōs nōs vexātis.   Nōs ā vōbīs vexātī sumus.
5. Is eās iubet.   Eae ab eō iussae sunt.
6. Id eum tangit.   Is ab eō tāctus est.
7. Nōs ea aedificāmus. Ea ā nōbīs aedificāta sunt.
8. Eī vōs rapiunt.   Vōs ab eīs raptī estis.
9. Tū id nārrās.   Id ā tē nārrātum est.
10. Ea eōs dēlent.   Eī ab eīs dēlētī sunt.

8. Change from passive to active and from perfect to present:

11. Eī ab eō dēfēnsī sunt. Is eōs dēfendit.
12. Is ā sē expulsus est. Is sē expellit.
13. Ego ā tē nōminātus sum. Tū mē nōminās.
14. Tū ā nōbīs ōrnātus es. Nōs tē ōrnāmus.
15. Ea ā nōbīs parāta sunt. Nōs ea parāmus.
16. Nōs ab eā mōtī sumus. Ea nōs movet.
17. Ea ā mē cōnstitūta sunt. Ego ea cōnstituō.
18. Vōs ā mē remissī estis. Ego vōs remittō.
19. Eae ā sē servātae sunt. Eae sē servant.
20. Id ā vōbīs illūminātum est. Vōs id illūminātis.

9. Change the voice (active to passive or vice versa) and the tense (present to perfect or vice versa):

21. Tū ā tē missus es.   Tū tē mittis.
22. Is eam recēpit.   Ea ab eō recipitur.
23. Vōs nōs culpātis.   Nōs ā vōbīs culpātī sumus.

24. Ego ā vōbīs cūror.
25. Ea eum salūtāvit.
26. Id ā mē lēctum est.
27. Nōs eam relinquimus.
28. Eī ā nōbīs līberantur.
29. Eae mē dūxērunt.
30. Is ab eā afficitur.

Vōs mē cūrāvistis.
Is ab eā salūtātur.
Ego id legō.
Ea ā nōbīs relicta est.
Nōs eōs līberāvimus.
Ego ab eīs dūcor.
Ea eum affēcit.

10. Change these sentences to indirect statements by prefixing the indicated verbs:

putant:

1. Cīvēs miserī cīvitātem nōn dēfendunt.
2. Cīvēs miserī cīvitātem nōn dēfendērunt.
3. Cīvēs miserī cīvitātem nōn dēfendent.
4. Cīvitās ā cīvibus miserīs nōn dēfenditur.
5. Cīvitās ā cīvibus miserīs nōn dēfēnsa est.

Putant cīvēs miserōs cīvitātem nōn dēfendere.
Putant cīvēs miserōs cīvitātem nōn dēfendisse.
Putant cīvēs miserōs cīvitātem nōn dēfēnsūrōs esse.
Putant cīvitātem ā cīvibus miserīs nōn dēfendī.
Putant cīvitātem ā cīvibus miserīs nōn dēfēnsam esse.

dīximus:

6. Dē salūte exercitūs spērāmus.
7. Dē salūte exercitūs spērāvimus.

8. Dē salūte exercitūs spērābimus.

9. Salūs exercitūs ā nōbīs spērātur.
10. Salūs exercitūs ā nōbīs spērāta est.

Dīximus nōs dē salūte exercitūs spērāre.
Dīximus nōs dē salūte exercitūs spērāvisse.
Dīximus nōs dē salūte exercitūs spērātūrōs esse.
Dīximus salūtem exercitūs ā nōbīs spērārī.
Dīximus salūtem exercitūs ā nōbīs spērātam esse.

dīcit:

11. Dux mūnera nepōtibus dabit.

12. Cīvēs propter incendium rēgem culpāvērunt.
13. Splendor stellārum est magnus.
14. Prīvātus cīvis vincula timēre nōn dēbet.
15. Plēbs voluntātem suam vōcibus mōnstrābit.

Dīcit ducem mūnera nepōtibus datūrum esse.
Dīcit cīvēs propter incendium rēgem culpāvisse.
Dīcit splendōrem stellārum esse magnum.
Dīcit prīvātum cīvem vincula timēre nōn dēbēre.
Dīcit plēbem voluntātem suam vōcibus mōnstrātūram esse.

audīvī:

16. Praefectī praesidium īnstituērunt.
17. Metus glōriam aufert.
18. Inimīcus propter metum nōn prōcēdet.
19. Virtūs validum dēfendit.
20. Validus vir mortem nōn timet.

Audīvī praefectōs praesidium īnstituisse.
Audīvī metum glōriam auferre.
Audīvī inimīcum propter metum nōn prōcessūrum esse.
Audīvī virtūtem validum dēfendere.
Audīvī validum virum mortem nōn timēre.

ea putat:

21. Nōs propter incendium culpātī sumus.
22. Ea dē rē pūblicā cōnsīderāvit.
23. Eī ad urbem remittuntur.
24. Tū lūdum fīniēs.
25. Ego equitem dēfendō.

Ea putat nōs propter incendium culpātōs esse.
Ea putat sē dē rē pūblicā cōnsīderāvisse.
Ea putat eōs ad urbem remittī.
Ea putat tē lūdum fīnītūrum esse.
Ea putat mē equitem dēfendere.

11. Complete each sentence by substituting the correct form of "suus, eius, eōrum (eārum)" for the noun in the genitive case:

1. Sī Iūlius librum Iūliī habet, Iūlius habet   suum librum.
2. Sī puer dōna puellārum habet, puer habet   eārum dōna.
3. Sī eques equum ducis habet, eques habet   eius equum.
4. Sī ōrātor ōrātiōnem ōrātōris habet, ōrātōr habet   suam ōrātiōnem.
5. Sī prōvincia oppida prōvinciae habet, prōvincia habet   sua oppida.
6. Sī frātrēs exercitum frātrum habent, frātrēs habent   suum exercitum.
7. Sī pater epistulam fīliī habet, pater habet   eius epistulam.
8. Sī pater epistulam patris habet, pater habet   suam epistulam.
9. Sī rēx palātia rēgis habet, rēx habet   sua palātia.
10. Sī lūna lūcem sōlis habet, lūna habet   eius lūcem.
11. Sī mīlitēs pecūniam hostium habent, mīlitēs habent   eōrum pecūniam.
12. Sī gēns ducem gentis habet, gēns habet   suum ducem.
13. Sī corpus caput corporis habet, corpus habet   suum caput.
14. Sī homō auxilium bēstiārum habet, homō habet   eārum auxilium.
15. Sī familia domum familiae habet, familia habet   suam domum.

12. Change the verbs from present to future tense:

1. Tū miserōs servōs pūnīs.
2. Praefectus officium cognōscit.
3. Sanguis tribūnī rem Rōmānam servat.

Tū miserōs servōs pūniēs.
Praefectus officium cognōscet.
Sanguis tribūnī rem Rōmānam servābit.

4. Omnēs spectācula spectant.   Omnēs spectācula spectābunt.
5. Nōs calamitātem prohibēmus.   Nōs calamitātem prohibēbimus.
6. Iānua aperītur.   Iānua aperiētur.
7. Ego ad castra remittor.   Ego ad castra remittar.
8. Pulchritūdō lūnae vidērī potest.   Pulchritūdō lūnae vidērī poterit.
9. Pāx ā victōre restituitur.   Pāx ā victōre restituētur.
10. Vōs cōnsulēs creāminī.   Vōs cōnsulēs creābiminī.
11. Hostēs ā validō mīlite pelluntur.   Hostēs ā validō mīlite pellentur.
12. Ego litterās mittō.   Ego litterās mittam.
13. Rēx palātium ōrnat.   Rēx palātium ōrnābit.
14. Nōs silvās relinquimus.   Nōs silvās relinquēmus.
15. Victima ā sacerdōte dēdicātur.   Victima ā sacerdōte dēdicābitur.
16. Ego sum mīles bonus.   Ego erō mīles bonus.
17. Valētūdō mea est mala.   Valētūdō mea erit mala.

13. Complete each sentence with the proper tense of the indicated verb in the voice directed:

Hodiē indicates present tense.

Diū indicates imperfect tense.

Crās indicates future tense.

Herī indicates perfect tense.

valēre — active voice

1. Hodiē ego   valeō.
2. Diū ego   valēbam.
3. Crās ego   valēbō.
4. Herī ego   valuī.

līberāre — passive voice

5. Hodiē tū   līberāris.
6. Diū tū   līberābāris.
7. Crās tū   līberāberis.
8. Herī tū   līberātus es.

cēdere — active voice

9. Hodiē is   cēdit.
10. Diū is   cēdēbat.
11. Crās is   cēdet.
12. Herī is   cessit.

audīre — passive voice

13. Hodiē nōs   audīmur.
14. Diū nōs   audiēbāmur.
15. Crās nōs   audiēmur.
16. Herī nōs   audītī sumus.

fugere — active voice

17. Hodiē vōs   fugitis.
18. Diū vōs   fugiēbātis.
19. Crās vōs   fugiētis.
20. Herī vōs   fūgistis.

pervenīre — active voice

21. Crās ōrātor   perveniet.
22. Hodiē tū   pervenis.
23. Herī prīnceps   pervēnit.
24. Crās ego   perveniam.
25. Diū gladiātōrēs   perveniēbant.

cōnstituere — passive voice

26. Hodiē vōs   cōnstituiminī.
27. Herī historia   cōnstitūta est.
28. Herī proelium   cōnstitūtum est.
29. Hodiē nōs   cōnstituimur.
30. Diū castra   cōnstituēbantur.

parāre — active voice

31. Herī dominus   parāvit.
32. Hodiē eques   parat.
33. Diū vōs   parābātis.
34. Crās praefectus   parābit.
35. Diū ego   parābam.

14. Change these sentences to direct commands by omitting "iubet" and using instead the imperative and vocative:

1. Iubet virōs īre.   Īte, virī!
2. Iubet gentem crēdere.   Crēde, gēns!
3. Iubet agricolam colere.   Cole, agricola!
4. Iubet fīlium putāre.   Putā, fīlī!

5. Iubet imperātōrem dūcere.   Dūc, imperātor!
6. Iubet populum spērāre.   Spērā, popule!
7. Iubet fēminās dormīre.   Dormīte, fēminae!
8. Iubet cīvēs movēre.   Movēte, cīvēs!
9. Iubet magistrum opus facere.   Opus fac, magister!
10. Iubet amīcōs perīculum pellere.   Perīculum pellite, amīcī!
11. Iubet patrēs mōrēs īnstituere.   Mōrēs īnstituite, patrēs!
12. Iubet senātōrem cēdere.   Cēde, senātor!
13. Iubet scrībās scrībere.   Scrībite, scrībae!
14. Iubet flūmen fluere.   Flue, flūmen!
15. Iubet servum intrāre.   Intrā, serve!

EPITOMA

1. Verb forms:

Present Tense

Active

1	2	3	3 (–iō)	4
vocō	moneō	dūcō	capiō	pūniō
vocās	monēs	dūcis	capis	pūnīs
vocat	monet	dūcit	capit	pūnit
vocāmus	monēmus	dūcimus	capimus	pūnīmus
vocātis	monētis	dūcitis	capitis	pūnītis
vocant	monent	dūcunt	capiunt	pūniunt

Passive

vocor	moneor	dūcor	capior	pūnior
vocāris	monēris	dūceris	caperis	pūnīris
vocātur	monētur	dūcitur	capitur	pūnītur
vocāmur	monēmur	dūcimur	capimur	pūnīmur
vocāminī	monēminī	dūciminī	capiminī	pūnīminī
vocantur	monentur	dūcuntur	capiuntur	pūniuntur

Imperfect Tense

Active

vocābam	monēbam	dūcēbam	capiēbam	pūniēbam
vocābās	monēbās	dūcēbās	capiēbās	pūniēbās
vocābat	monēbat	dūcēbat	capiēbat	pūniēbat
vocābāmus	monēbāmus	dūcēbāmus	capiēbāmus	pūniēbāmus
vocābātis	monēbātis	dūcēbātis	capiēbātis	pūniēbātis
vocābant	monēbant	dūcēbant	capiēbant	pūniēbant

Passive

vocābar	monēbar	dūcēbar	capiēbar	pūniēbar
vocābāris	monēbāris	dūcēbāris	capiēbāris	pūniēbāris
vocābātur	monēbātur	dūcēbātur	capiēbātur	pūniēbātur
vocābāmur	monēbāmur	dūcēbāmur	capiēbāmur	pūniēbāmur
vocābāminī	monēbāminī	dūcēbāminī	capiēbāminī	pūniēbāminī
vocābantur	monēbantur	dūcēbantur	capiēbantur	pūniēbantur

Future Tense

Active

vocābō	monēbō	dūcam	capiam	pūniam
vocābis	monēbis	dūcēs	capiēs	pūniēs
vocābit	monēbit	dūcet	capiet	pūniet
vocābimus	monēbimus	dūcēmus	capiēmus	pūniēmus
vocābitis	monēbitis	dūcētis	capiētis	pūniētis
vocābunt	monēbunt	dūcent	capient	pūnient

Passive

vocābor	monēbor	dūcar	capiar	pūniar
vocāberis	monēberis	dūcēris	capiēris	pūniēris
vocābitur	monēbitur	dūcētur	capiētur	pūniētur
vocābimur	monēbimur	dūcēmur	capiēmur	pūniēmur
vocābiminī	monēbiminī	dūcēminī	capiēminī	pūniēminī
vocābuntur	monēbuntur	dūcentur	capientur	pūnientur

Perfect Tense

Active

vocāvī	monuī	dūxī	cēpī	pūnīvī
vocāvistī	monuistī	dūxistī	cēpistī	pūnīvistī
vocāvit	monuit	dūxit	cēpit	pūnīvit
vocāvimus	monuimus	dūximus	cēpimus	pūnīvimus
vocāvistis	monuistis	dūxistis	cēpistis	pūnīvistis
vocāvērunt	monuērunt	dūxērunt	cēpērunt	pūnīvērunt

Passive

vocātus sum	monitus sum	ductus sum	captus sum	pūnītus sum
vocātus es	monitus es	ductus es	captus es	pūnītus es
vocātus est	monitus est	ductus est	captus est	pūnītus est
vocātī sumus	monitī sumus	ductī sumus	captī sumus	pūnītī sumus
vocātī estis	monitī estis	ductī estis	captī estis	pūnītī estis
vocātī sunt	monitī sunt	ductī sunt	captī sunt	pūnītī sunt

Infinitives

Present Active

vocāre	monēre	dūcere	capere	pūnīre

Present Passive

vocārī	monērī	dūcī	capī	pūnīrī

Perfect Active

vocāvisse	monuisse	dūxisse	cēpisse	pūnīvisse

Perfect Passive

vocātus esse	monitus esse	ductus esse	captus esse	pūnītus esse

Future Active

vocātūrus esse	monitūrus esse	ductūrus esse	captūrus esse	pūnītūrus esse

Imperative

SINGULAR

vocā	monē	dūc[1]	cape	pūnī

PLURAL

vocāte	monēte	dūcite	capite	pūnīte

Future Tense of Esse

erō	erimus
eris	eritus
erit	erunt

2. Numerals:

			M	F	N
I	ūnus	prīmus	ūnus	ūna	ūnum
II	duo	secundus	ūnīus	ūnīus	ūnīus
III	trēs	tertius	ūnī	ūnī	ūnī
IV	quattuor	quārtus	ūnum	ūnam	ūnum
V	quīnque	quīntus	ūnō	ūnā	ūnō
VI	sex	sextus			
VII	septem	septimus	duo	duae	duo
VIII	octō	octāvus	duōrum	duārum	duōrum
IX	novem	nōnus	duōbus	duābus	duōbus
X	decem	decimus	duōs (duo)	duās	duo
			duōbus	duābus	duōbus

---

[1] Irregular for dūce.

A household
shrine at Hercu-
laneum.

XI	ūndecim	ūndecimus	trēs	trēs	tria
XII	duodecim	duodecimus	trium	trium	trium
XIII	tredecim	tertius decimus	tribus	tribus	tribus
XIV	quattuordecim	quārtus decimus	trēs	trēs	tria
XV	quīndecim	quīntus decimus	tribus	tribus	tribus
XVI	sēdecim	sextus decimus			
XVII	septendecim	septimus decimus			
XVIII	duodēvīgintī	duodēvīcēsimus			
XIX	ūndēvīgintī	ūndēvīcēsimus			
XX	vīgintī	vīcēsimus			
C	centum	centēsimus			
M	mīlle	mīllēsimus			

3. Personal pronouns: ## 4. Reflexive pronoun (3rd pers.):

ego	nōs	tū	vōs	. . .
meī	nostrum	tuī	vestrum	suī
mihi	nōbīs	tibi	vōbīs	sibi
mē	nōs	tē	vōs	sē
mē	nōbīs	tē	vōbīs	sē

5. Time uses:

The Ablative of Time When (Within Which) usually requires no preposition, for example, **aestāte** (*in summer*).

The Accusative of Duration of Time (How Long) does not require a preposition, for example, **duōs diēs** (*for two days*).

6. Third person possessives:

suus, –a, –um: *his own, her own, its own, their own* (refers to the subject)
eius: *his, her(s), its* (does not refer to the subject)
eōrum, eārum: *their(s)* (does not refer to the subject)

7. Vocative case:

The vocative case is used for direct address. The forms are the same as the nominative, except for the second declension masculine singulars in **–us,** for example, **Mārce, Antōnī.**

8. Interrogative sentences:

–ne expects either a *yes* or a *no* answer.
Nōnne expects a *yes* answer.
Num expects a *no* answer.

9. Indirect statement:

Indirect statements are used after verbs of the senses (*seeing, hearing, feeling, saying,* etc.; for example, **dīcere, nārrāre**) and verbs of the mind (*thinking, knowing,* etc.; for example, **putāre, crēdere**).

The present infinitive denotes time *simultaneous* with the main verb:

Dīcit virum vocāre.	*He says that the man is calling (calls).*
Dīxit virum vocāre.	*He said that the man was calling (called).*

The perfect infinitive denotes time *before* the main verb:

Dīcit virum vocāvisse.	*He says that the man called (has called).*
Dīxit virum vocāvisse.	*He said that the man had called.*

The future infinitive denotes time *after* the main verb:

Dīcit virum vocātūrum esse.	*He says that the man will call.*
Dīxit virum vocātūrum esse.	*He said that the man would call.*

Mars, Roman god
of war.

Alinari

STUDIUM VERBŌRUM

What Latin words do you see in these English words: *credible, procrastinate, nominate, ludicrous, sensitive, ardent, invidious, desperation, malicious, egotist, nepotism, equine, abbreviate, rapt, gracious, valid, voluntary, equestrian, stellar?*

What is *a creed, a donation, a debt, a nihilist, a premium, a benefactor, an exit, an auction, an epistle, a miser, a veteran, an institute, a lunatic, a mortuary?*

How many English derivatives can you give for each of these words: **crēdere, grātia, manus, facilis, mors, sentīre, tangere, accipere, proximus, studēre, timēre?**

In each of these sentences find three words derived from Latin:

1. The scribe's computation was cursory.
2. Liberation or annihilation will prevail.
3. Ardor was augmented by malice.
4. The spectacle was munificent but gaudy.
5. The vitality of the defense was insuperable.
6. Even a consideration of suicide is culpable.
7. The affection of posterity was precious to him.
8. Promises can vex and alienate.
9. His motion was vivid and vocal.
10. His animated supplication dominated the proceedings.

INDEX VERBŌRUM

accipere

afficere

alius

an

anima

animus

apud

ārdēre

ars

at

āthlēta

auferre

augēre

autem

bene

bēstia

brevis

calamitās

circiter

cīvis

cōnsīderāre

cotīdiē

crās

crēdere

culpāre

cupere

cursus

dēbēre

dēfendere

dīligenter

diū

dolor

dolus

dominus

dōnāre

ego

ēloquentia

enim

epistula

eques

equus

exercitus

exilium

exīre

externus

facilis

fāma

fīrmus

gaudium

glōria

grātia

grātus

homō

hōra

illūmināre

incendium

inde

inimīcus

īnstituere

invidia

ita

laus

līberāre

lūdus

lūna

lūx

magis

magnitūdō

malus

manus

maximē

maximus

metus

meus

miser

mors

mortuus

mōs

movēre

mox

mūnus

nārrāre

nāvālis

nēmō

nepōs

nihil

nōmināre

nōndum

nōn modo . . .
    sed etiam

nōnne

nōs

noster

num

numquam

permittere

plēbs

posteritās

praefectus

praemium

praesidium

pretium

prīvātus

proelium

prōmittere

prōverbium

proximus

putāre

quam

quam prīmum

quot

rapere

remittere

salvus

scrība

secundum

sentīre

spectāculum

spērāre

splendor

stella

studēre

suī

superāre

supplicium

suus

tandem

tangere

temperātus

timēre

tū

tuus

valēre

valētūdō

validus

vērō

vesper

vester

vetus

vexāre

vinculum

virtūs

vīta

vīvere

voluntās

vōs

vōx

LECTIŌ ŪNDĒVĪCĒSIMA
(XIX)
FĀBULA

On Old Age

Wherever I turn, I see proofs of my old age. I had come into my villa and was bothered by the costs of the building. The steward said to me that it was not his fault; that he was doing everything, but the villa was old. This villa, however, grew between my own hands.

"These trees," I said, "seem to be neglected; they have no leaves. No one has watered them." He said he was doing everything (he could), that he was taking care of everything, but that those were old. But I had planted those; I had seen their first leaf!

Turning to the door, I said, "Who is that old man?" But he said, "Don't you know me? I am Filicio, son of the steward Philositus, your childhood favorite."

I owe it to this villa of mine, that my old age became apparent to me, wherever I had turned; it is indeed full of pleasure. "It is miserable," you say, "to have death before (your) eyes." One day, however, is a part of life. Heraclitus says, "One day is equal to all." We, about to go into eternity, will say happily:

I have lived and have finished the course which fortune had given.

Dē Senectūte

Quōcumque mē vertī,[1] argūmenta senectūtis meae videō. Vēneram in vīllam meam et vexābar impēnsīs aedificiī. Dīxit vīlicus* mihi nōn esse suum vitium; omnia sē facere, sed vīllam veterem esse. Haec vīlla autem inter manūs meās crēvit.

"Videntur," inquam, "hae arborēs neglegī; nūlla habent folia. Nēmō hās irrigāvit." Dīxit sē omnia facere, omnia cūrāre, sed illās veterēs esse. At ego illās posueram, ego illārum prīmum vīderam folium!

Vertēns ad iānuam, "Quis est," inquam, "iste senex?" At ille, "Nōnne cognōscis mē?" inquit; "ego sum Filiciō, Philositī vīlicī fīlius, dēliciolum* tuum."

Dēbeō huic vīllae meae, quod mihi senectūs mea, quōcumque verteram, appāruit; plēna vērō est voluptātis. "Miserum est," inquis, "mortem ante oculōs habēre." Ūnus autem diēs pars vītae est. Heraclītus[2] "Ūnus," inquit, "diēs pār omnibus est." In somnum itūrī laetī dīcēmus:

Vīxī et quem dederat cursum fortūna perēgī.[3]

---

[1] **Mē vertī:** literally, *I have turned myself.*

[2] Heraclitus was a Greek philosopher of the fifth century B.C. who said that the only permanent thing in life was the fact that things change.

[3] **Vergil,** *Aeneid,* IV. 653.

If God shall have given a tomorrow, we shall receive it happily.

Crāstinum* sī addiderit deus, laetī recipiēmus.

— Adapted from Lūcius Annaeus Seneca the Younger, *Epistulae*, 12.

GRAMMATICA

1. Past perfect tense:

The past perfect tense indicates an action completed in past time (in English, *had*). The past perfect active is formed in Latin by the perfect stem plus **–ēra** plus personal endings: **laudāv–era–t** — *he had praised.*

1	2	3	3 (–iō)	4
vocāveram	docueram	dūxeram	cēperam	audīveram
vocāverās	docuerās	dūxerās	cēperās	audīverās
vocāverat	docuerat	dūxerat	cēperat	audīverat
vocāverāmus	docuerāmus	dūxerāmus	cēperāmus	audīverāmus
vocāverātis	docuerātis	dūxerātis	cēperātis	audīverātis
vocāverant	docuerant	dūxerant	cēperant	audīverant

The past perfect passive is formed by the perfect passive participle (third principal part) and the imperfect tense of **esse: laudātus (–a, –um) erat** — *he (she, it) had been praised.*

1	2	3	3 (–iō)	4
vocātus eram	doctus eram	ductus eram	captus eram	audītus eram
vocātus erās	doctus erās	ductus erās	captus erās	audītus erās
vocātus erat	doctus erat	ductus erat	captus erat	audītus erat
vocātī erāmus	doctī erāmus	ductī erāmus	captī erāmus	audītī erāmus
vocātī erātis	doctī erātis	ductī erātis	captī erātis	audītī erātis
vocātī erant	doctī erant	ductī erant	captī erant	audītī erant

2. Future perfect tense:

The future perfect tense indicates an action completed in the future (in English, *shall have, will have*). The future perfect active is formed by the perfect stem plus **–eri** plus the personal endings: **laudāv–eri–t** — *he shall have praised.*

1	2	3	3 (–iō)	4
vocāverō	docuerō	dūxerō	cēperō	audīverō
vocāveris	docueris	dūxeris	cēperis	audīveris
vocāverit	docuerit	dūxerit	cēperit	audīverit
vocāverimus	docuerimus	dūxerimus	cēperimus	audīverimus
vocāveritis	docueritis	dūxeritis	cēperitis	audīveritis
vocāverint	docuerint	dūxerint	cēperint	audīverint

Note: The first person singular drops the –i–. The third person plural preserves the –i– instead of changing to –u– as would be expected. This distinguishes it from the perfect which has –ērunt.

The future perfect passive is formed by the perfect passive participle and the future tense of **esse: laudātus (–a, –um) erit** — *he (she, it) will have been praised.*

1	2	3	3 (–iō)	4
vocātus erō	doctus erō	ductus erō	captus erō	audītus erō
vocātus eris	doctus eris	ductus eris	captus eris	audītus eris
vocātus erit	doctus erit	ductus erit	captus erit	audītus erit
vocātī erimus	doctī erimus	ductī erimus	captī erimus	audītī erimus
vocātī eritis	doctī eritis	ductī eritis	captī eritis	audītī eritis
vocātī erunt	doctī erunt	ductī erunt	captī erunt	audītī erunt

3. Demonstrative pronouns "hic, ille, iste":

Hic, haec, hoc (*this*) and **ille, illa, illud** (*that*) are demonstratives and can be used as adjectives (e.g., *this* man) or as pronouns (e.g., *he*). **Iste, ista, istud** is an alternate and often intensive form of **ille.** It is declined the same as **ille.** The declensions of **hic** and **ille** are:

Singular				Plural		
M	*F*	*N*		*M*	*F*	*N*
hic	haec	hoc		hī	hae	haec
huius	huius	huius		hōrum	hārum	hōrum
huic	huic	huic		hīs	hīs	hīs
hunc	hanc	hoc		hōs	hās	haec
hōc	hāc	hōc		hīs	hīs	hīs

	Singular			Plural	
M	*F*	*N*	*M*	*F*	*N*
ille	illa	illud	illī	illae	illa
illīus	illīus	illīus	illōrum	illārum	illōrum
illī	illī	illī	illīs	illīs	illīs
illum	illam	illud	illōs	illās	illa
illō	illā	illō	illīs	illīs	illīs

Hic illōs puerōs vīdit.   *This* one (*he*) saw *those* boys.

Ab illīs mīlitibus haec urbs capta est.   *This* city was taken by *those* soldiers.

4. Future active participle:

The future active participle is formed by changing the ending of the last principal part from –**us** to –**ūrus** (**vocātūrus** — *about to call, going to call*). The future participle can be used as an adjective with any noun.

Hostēs **fugitūrī** captī sunt.   The enemy, *about to flee,* was captured.

The future participle can also be used with a form of **esse** as the verb in a sentence. This construction is called the active periphrastic.

        Fugitūrus erat.   *He was going to flee.*

EXERCITIA

1. Past perfect tense, active voice:

Past Perfect Active	
laudāveram	laudāverāmus
laudāverās	laudāverātis
laudāverat	laudāverant

1. Recognize the past perfect active by supplying the proper personal pronoun as subject and by changing to the perfect tense:

A. (*I*) *had changed* the fortunes of men.   *I changed* the fortunes of men.

1. Fortūnās hominum mūtāveram.   Ego fortūnās hominum mūtāvī.
2. Fortūnās hominum mūtāverās.   Tū fortūnās hominum mūtāvistī.
3. Fortūnās hominum mūtāverat.   Is fortūnās hominum mūtāvit.

4. Fortūnās hominum mūtāverāmus.
5. Fortūnās hominum mūtāverātis.
6. Fortūnās hominum mūtāverant.

Nōs fortūnās hominum mūtāvimus.
Vōs fortūnās hominum mūtāvistis.
Eī fortūnās hominum mūtāvērunt.

7. Senectūtem laetam nōn timueram.
8. Senectūtem laetam nōn timuerās.
9. Senectūtem laetam nōn timuerat.
10. Senectūtem laetam nōn timuerāmus.
11. Senectūtem laetam nōn timuerātis.
12. Senectūtem laetam nōn timuerant.

Ego senectūtem laetam nōn timuī.
Tū senectūtem laetam nōn timuistī.
Is senectūtem laetam nōn timuit.
Nōs senectūtem laetam nōn timuimus.
Vōs senectūtem laetam nōn timuistis.
Eī senectūtem laetam nōn timuērunt.

13. Vīllam veterem neglēxeram.
14. Vīllam veterem neglēxerāmus.
15. Vīllam veterem neglēxerant.
16. Vīllam veterem neglēxerās.
17. Vīllam veterem neglēxerātis.
18. Vīllam veterem neglēxerat.

Ego vīllam veterem neglēxī.
Nōs vīllam veterem neglēximus.
Eī vīllam veterem neglēxērunt.
Tū vīllam veterem neglēxistī.
Vōs vīllam veterem neglēxistis.
Is vīllam veterem neglēxit.

2. Produce the past perfect active by changing the **postquam** (*after*) clause to a **quia** (*because*) clause:

B. After I *changed* one thing, I changed all.

Because I *had changed* one thing, I changed all.

19. Postquam ūnum mūtāvī, omnia mūtāvī.

Quia ūnum mūtāveram, omnia mūtāvī.

20. Postquam ūnum mūtāvistī, omnia mūtāvistī.

Quia ūnum mūtāverās, omnia mūtāvistī.

21. Postquam ūnum mūtāvit, omnia mūtāvit.

Quia ūnum mūtāverat, omnia mūtāvit.

22. Postquam ūnum mūtāvimus, omnia mūtāvimus.

Quia ūnum mūtāverāmus, omnia mūtāvimus.

23. Postquam ūnum mūtāvistis, omnia mūtāvistis.

Quia ūnum mūtāverātis, omnia mūtāvistis.

24. Postquam ūnum mūtāvērunt, omnia mūtāvērunt.

Quia ūnum mūtāverant, omnia mūtāvērunt.

25. Postquam officium perēgī, laudem recēpī.

Quia officium perēgeram, laudem recēpī.

26. Postquam laudem recēpistī, vītam mūtāvistī.

Quia laudem recēperās, vītam mūtāvistī.

27. Postquam vītam mūtāvit, somnum neglēxit.

Quia vītam mūtāverat, somnum neglēxit.

28. Postquam somnum neglēximus, librōs scrīpsimus.

Quia somnum neglēxerāmus, librōs scrīpsimus.

29. Postquam librōs scrīpsistis, adu-   Quia librōs scrīpserātis, adulēscentēs do-
    lēscentēs docuistis.   cuistis.
30. Postquam adulēscentēs docuērunt,   Quia adulēscentēs docuerant, lūdōs habu-
    lūdōs habuērunt.   ērunt.
31. Postquam lūdōs habuērunt, multa   Quia lūdōs habuerant, multa reperērunt.
    reperērunt.
32. Postquam multa reperērunt, amī-   Quia multa repererant, amīcōs auxērunt.
    cōs auxērunt.
33. Postquam amīcōs auxērunt, gau-   Quia amīcōs auxerant, gaudium cēpērunt.
    dium cēpērunt.
34. Postquam gaudium cēpērunt, pa-   Quia gaudium cēperant, patriam āmīs-
    triam āmīsērunt.   ērunt.

2. Past perfect tense, passive voice:

Past Perfect Passive	
laudātus eram	laudātī erāmus
laudātus erās	laudātī erātis
laudātus erat	laudātī erant

1. Recognize the past perfect passive by supplying the proper personal
   pronoun as subject and by changing to the perfect tense:

A. (*I*) *had been changed* by   *I have been changed* by fortune.
   fortune.

1. Fortūnā mūtātus eram.   Ego fortūnā mūtātus sum.
2. Fortūnā mūtātus erās.   Tū fortūnā mūtātus es.
3. Fortūnā mūtātus erat.   Is fortūnā mūtātus est.
4. Fortūnā mūtātī erāmus.   Nōs fortūnā mūtātī sumus.
5. Fortūnā mūtātī erātis.   Vōs fortūnā mūtātī estis.
6. Fortūnā mūtātī erant.   Eī fortūnā mūtātī sunt.

7. Impēnsīs victa eram.   Ego impēnsīs victa sum.
8. Impēnsīs victa erās.   Tū impēnsīs victa es.
9. Impēnsīs victa erat.   Ea impēnsīs victa est.
10. Impēnsīs victae erāmus.   Nōs impēnsīs victae sumus.
11. Impēnsīs victae erātis.   Vōs impēnsīs victae estis.
12. Impēnsīs victae erant.   Eae impēnsīs victae sunt.

13. Oculīs deōrum vīsus eram.   Ego oculīs deōrum vīsus sum.
14. Oculīs deōrum vīsī erāmus.   Nōs oculīs deōrum vīsī sumus.
15. Oculīs deōrum vīsus erat.   Is oculīs deōrum vīsus est.

16. Oculīs deōrum vīsī erātis.   Vōs oculīs deōrum vīsī estis.
17. Oculīs deōrum vīsus erās.   Tū oculīs deōrum vīsus es.
18. Oculīs deōrum vīsī erant.   Eī oculīs deōrum vīsī sunt.

2. Produce the past perfect passive by changing the sentence from active to passive voice:

    B. Old age *had changed* me.   I *had been changed* by old age.

19. Senectūs mē mūtāverat.   Ego senectūte mūtātus eram.
20. Senectūs tē mūtāverat.   Tū senectūte mūtātus erās.
21. Senectūs eum mūtāverat.   Is senectūte mūtātus erat.
22. Senectūs nōs mūtāverat.   Nōs senectūte mūtātī erāmus.
23. Senectūs vōs mūtāverat.   Vōs senectūte mūtātī erātis.
24. Senectūs eōs mūtāverat.   Eī senectūte mūtātī erant.

25. Fortūna mē dūxerat.   Ego fortūnā ductus eram.
26. Familia tē relīquerat.   Tū ā familiā relictus erās.
27. Rōmulus urbem condiderat.   Urbs ā Rōmulō condita erat.
28. Argūmenta nōs agitāverant.   Nōs argūmentīs agitātī erāmus.
29. Cōnsulēs vōs exclūserant.   Vōs ā cōnsulibus exclūsī erātis.
30. Cīvēs bella gesserant.   Bella ā cīvibus gesta erant.
31. Magister mē dīmīserat.   Ego ā magistrō dīmissus eram.
32. Adulēscēns tē audīverat.   Tū ab adulēscente audītus erās.
33. Populus lēgem īnstituerat.   Lēx ā populō īnstitūta erat.
34. Imperātor nōs dōnāverat.   Nōs ab imperātōre dōnātī erāmus.

3. Future perfect tense, active voice:

Future Perfect Active	
laudāverō	laudāverimus
laudāveris	laudāveritis
laudāverit	laudāverint

1. Recognize the future perfect active by changing the **postquam** clause to a **sī** clause with the simple future, supplying the proper personal pronoun as subject:

    A. After *I shall have changed* my   If *I shall change* my mind . . .
       mind . . .

1. Postquam animum mūtāverō . . .   Sī animum ego mūtābō . . .
2. Postquam animum mūtāveris . . .   Sī animum tū mūtābis . . .
3. Postquam animum mūtāverit . . .   Sī animum is mūtābit . . .

4. Postquam animum mūtāverimus . . .	Sī animum nōs mūtābimus . . .
5. Postquam animum mūtāveritis . . .	Sī animum vōs mūtābitis . . .
6. Postquam animum mūtāverint . . .	Sī animum eī mūtābunt . . .
7. Postquam magistrātum perēgerō . . .	Sī magistrātum ego peragam . . .
8. Postquam magistrātum perēgeris . . .	Sī magistrātum tū peragēs . . .
9. Postquam magistrātum perēgerit . . .	Sī magistrātum is peraget . . .
10. Postquam magistrātum perēgeri- mus . . .	Sī magistrātum nōs peragēmus . . .
11. Postquam magistrātum perēgeritis . . .	Sī magistrātum vōs peragētis . . .
12. Postquam magistrātum perēgerint . . .	Sī magistrātum eī peragent . . .

2. Produce the future perfect active by changing the **sī** clause with the simple future to a **postquam** clause with the future perfect:

B. If *I shall see* the moon, I shall be happy.	After *I* (*shall*) *have seen* the moon, I shall be happy.
13. Sī ego lūnam vidēbō, laetus erō.	Postquam ego lūnam vīderō, laetus erō.
14. Sī tū lūnam vidēbis, laetus eris.	Postquam tū lūnam vīderis, laetus eris.
15. Sī is lūnam vidēbit, laetus erit.	Postquam is lūnam vīderit, laetus erit.
16. Sī nōs lūnam vidēbimus, laetī erimus.	Postquam nōs lūnam vīderimus, laetī erimus.
17. Sī vōs lūnam vidēbitis, laetī eritis.	Postquam vōs lūnam vīderitis, laetī eritis.
18. Sī eī lūnam vidēbunt, laetī erunt.	Postquam eī lūnam vīderint, laetī erunt.
19. Sī hortum amābō, laetus erō.	Postquam hortum amāverō, laetus erō.
20. Sī vīcum habitābō, laetus erō.	Postquam vīcum habitāverō, laetus erō.
21. Sī adulēscentem monēbis, laetus eris.	Postquam adulēscentem monueris, laetus eris.
22. Sī oppidum obsidēbis, laetus eris.	Postquam oppidum obsēderis, laetus eris.
23. Sī patientiae cēdet, laetus erit.	Postquam patientiae cesserit, laetus erit.
24. Sī cōnsilium cōnstituet, laetus erit.	Postquam cōnsilium cōnstituerit, laetus erit.
25. Sī flōrem capiēmus, laetae erimus.	Postquam flōrem cēperimus, laetae erimus.
26. Sī cursum incipiēmus, laetae erimus.	Postquam cursum incēperimus, laetae erimus.
27. Sī iānuās aperiētis, laetae eritis.	Postquam iānuās aperueritis, laetae eritis.
28. Sī vōcēs audiētis, laetae eritis.	Postquam vōcēs audīveritis, laetae eritis.

4. Future perfect tense, passive voice:

Future Perfect Passive	
laudātus erō	laudātī erimus
laudātus eris	laudātī eritis
laudātus erit	laudātī erunt

1. Recognize the future perfect passive by supplying the proper personal pronoun as subject and by changing the tense to the perfect passive:

A. (*I*) *shall have been overcome* by sorrows.   *I have been overcome* by sorrows.

1. Dolōribus superātus erō.	Ego dolōribus superātus sum.
2. Dolōribus superātus eris.	Tū dolōribus superātus es.
3. Dolōribus superātus erit.	Is dolōribus superātus est.
4. Dolōribus superātī erimus.	Nōs dolōribus superātī sumus.
5. Dolōribus superātī eritis.	Vōs dolōribus superātī estis.
6. Dolōribus superātī erunt.	Eī dolōribus superātī sunt.
7. Ab amīcīs meīs cognitus erō.	Ego ab amīcīs meīs cognitus sum.
8. Ab amīcīs meīs cognitus eris.	Tū ab amīcīs meīs cognitus es.
9. Ab amīcīs meīs cognitī eritis.	Vōs ab amīcīs meīs cognitī estis.
10. Ab amīcīs meīs cognitī erimus.	Nōs ab amīcīs meīs cognitī sumus.
11. Ab amīcīs meīs cognitus erit.	Is ab amīcīs meīs cognitus est.
12. Ab amīcīs meīs cognitī erunt.	Eī ab amīcīs meīs cognitī sunt.

2. Produce the future perfect passive by changing the sentence from active to passive voice:

B. Arguments *will have deceived* me.   *I shall have been deceived* by arguments.

13. Argūmenta mē dēcēperint.	Ego argūmentīs dēceptus erō.
14. Argūmenta tē dēcēperint.	Tū argūmentīs dēceptus eris.
15. Argūmenta eum dēcēperint.	Is argūmentīs dēceptus erit.
16. Argūmenta nōs dēcēperint.	Nōs argūmentīs dēceptī erimus.
17. Argūmenta vōs dēcēperint.	Vōs argūmentīs dēceptī eritis.
18. Argūmenta eōs dēcēperint.	Eī argūmentīs dēceptī erunt.
19. Adulēscēns mē coluerit.	Ego ab adulēscente cultus erō.
20. Folium tē docuerit.	Tū foliō doctus eris.
21. Pecūnia eum līberāverit.	Is pecūniā līberātus erit.
22. Oculī nōs servāverint.	Nōs oculīs servātī erimus.
23. Patientia vōs ōrnāverit.	Vōs patientiā ōrnātī eritis.

24. Senectūs eōs vexāverit.	Eī senectūte vexātī erunt.
25. Voluptās vītam auxerit.	Vīta voluptāte aucta erit.
26. Custōs portam aperuerit.	Porta ā custōde aperta erit.
27. Servus arborem irrigāverit.	Arbor ā servō irrigāta erit.
28. Graecī equum aedificāverint.	Equus ā Graecīs aedificātus erit.

5. The demonstrative "hic, haec, hoc":

	SINGULAR			PLURAL		
	M	*F*	*N*	*M*	*F*	*N*
Nom.	hic	haec	hoc	hī	hae	haec
Gen.	huius	huius	huius	hōrum	hārum	hōrum
Dat.	huic	huic	huic	hīs	hīs	hīs
Acc.	hunc	hanc	hoc	hōs	hās	haec
Abl.	hōc	hāc	hōc	hīs	hīs	hīs

1. Recognize the forms of **hic, haec, hoc** by substituting **is, ea, id**:

A. *This* boy has *this* book.   *This* boy has *this* book.

1. Hic puer habet hunc librum.   Is puer habet eum librum.
2. Haec puella habet hanc mātrem.   Ea puella habet eam mātrem.
3. Hoc bellum habet hoc perīculum.   Id bellum habet id perīculum.
4. Hī puerī habent hōs patrēs.   Eī puerī habent eōs patrēs.
5. Hae puellae habent hās mātrēs.   Eae puellae habent eās mātrēs.
6. Haec bella habent haec perīcula.   Ea bella habent ea perīcula.

7. Hic vir vīdit hunc ōrātōrem.   Is vir vīdit eum ōrātōrem.
8. Haec fēmina cēpit hanc fortūnam.   Ea fēmina cēpit eam fortūnam.
9. Hoc templum spectat ad hoc flūmen.   Id templum spectat ad id flūmen.
10. Hī virī vīdērunt hōs ōrātōrēs.   Eī virī vīdērunt eōs ōrātōrēs.
11. Hae fēminae cēpērunt hās fortūnās.   Eae fēminae cēpērunt eās fortūnās.
12. Haec templa spectant ad haec flūmina.   Ea templa spectant ad ea flūmina.

13. Māter huius adulēscentis cibum hōrum virōrum parat.   Māter eius adulēscentis cibum eōrum virōrum parat.
14. Templum est proximum huic viae et hīs domibus.   Templum est proximum eī viae et eīs domibus.
15. Victor ab hōc duce et hīs cōnsulibus laudātus erat.   Victor ab eō duce et eīs cōnsulibus laudātus erat.

This sacrificial altar in Pompeii depicts an actual sacrifice.

2. Produce the forms of **hic, haec, hoc** by substituting them for **is, ea, id:**

B. *This* man sees *this* proof.   *This* man sees *this* proof.

16. Is vir id argūmentum videt.   Hic vir hoc argūmentum videt.
17. Ea fēmina id argūmentum nōn amat.   Haec fēmina hoc argūmentum nōn amat.
18. Id folium nōn facit eam arborem.   Hoc folium nōn facit hanc arborem.
19. Eī adulēscentēs eam gravitātem peragunt.   Hī adulēscentēs hanc gravitātem peragunt.
20. Eae stellae lūmen dedērunt.   Hae stellae lūmen dedērunt.
21. Ea praemia multōs honōrēs portant.   Haec praemia multōs honōrēs portant.

22. Eum oculum vulnerat mīles.   Hunc oculum vulnerat mīles.
23. Eam patientiam mōnstrāvit māter.   Hanc patientiam mōnstrāvit māter.
24. Id prōverbium sacerdōs cōnsīderāvit.   Hoc prōverbium sacerdōs cōnsīderāvit.

25. Eōs cursūs magister dūxit.
26. Eās crūdēlitātēs imperātor coluit.
27. Ea praesidia rēx mūnīvit.

Hōs cursūs magister dūxit.
Hās crūdēlitātēs imperātor coluit.
Haec praesidia rēx mūnīvit.

28. Urbs in eō somnō dormīvit.
29. Argūmenta eius senectūtis senex vīderat.
30. Magnitūdō eius plēbis glōriam petit.
31. Splendōrem in eīs oculīs poēta laudāvit.
32. Praemium eīs oppidīs rēx dōnāvit.
33. Dolōs eōrum Graecōrum Trōiānī timuērunt.
34. Eārum vīllārum arborēs custōs coluit.
35. Eī urbī auxilia statim rēx dedit.

Urbs in hōc somnō dormīvit.
Argūmenta huius senectūtis senex vīderat.
Magnitūdō huius plēbis glōriam petit.
Splendōrem in hīs oculīs poēta laudāvit.
Praemium hīs oppidīs rēx dōnāvit.
Dolōs hōrum Graecōrum Trōiānī timuērunt.
Hārum vīllārum arborēs custōs coluit.
Huic urbī auxilia statim rēx dedit.

6. The demonstrative "ille, illa, illud":

	SINGULAR			PLURAL		
	M	*F*	*N*	*M*	*F*	*N*
Nom.	ille	illa	illud	illī	illae	illa
Gen.	illīus	illīus	illīus	illōrum	illārum	illōrum
Dat.	illī	illī	illī	illīs	illīs	illīs
Acc.	illum	illam	illud	illōs	illās	illa
Abl.	illō	illā	illō	illīs	illīs	illīs

1. Recognize the forms of **ille, illa, illud** by substituting the forms of **is, ea, id:**

A. *That* man had neglected his office.

That man had neglected his office.

1. Ille vir magistrātum suum neglēxerat.
2. Illa fēmina domum suam neglēxit.
3. Illud argūmentum auctōritātem suam neglēxerit.
4. Illī virī magistrātum suum neglēxerant.
5. Illae fēminae domum suam neglēxērunt.

Is vir magistrātum suum neglēxerat.

Ea fēmina domum suam neglēxit.

Id argūmentum auctōritātem suam neglēxerit.

Eī virī magistrātum suum neglēxerant.

Eae fēminae domum suam neglēxērunt.

6. Illa argūmenta auctōritātem suam neglēxerint.

Ea argūmenta auctōritātem suam neglēxerint.

7. Illum puerum patientia vexāverat.
8. Illam mātrem patientia vexāvit.
9. Illud pretium patientia vexāverit.
10. Illōs puerōs patientia vexāverat.
11. Illās mātrēs patientia vexāvit.
12. Illa pretia patientia vexāverit.

Eum puerum patientia vexāverat.
Eam mātrem patientia vexāvit.
Id pretium patientia vexāverit.
Eōs puerōs patientia vexāverat.
Eās mātrēs patientia vexāvit.
Ea pretia patientia vexāverit.

13. Folia ab illā arbore āmissa sunt.
14. Senectūs ab illīs senibus illūmināta erat.
15. Adulēscentēs illīus familiae pūnīverint magister.
16. Oculī illōrum Rōmānōrum splendōrem vīderant.
17. Templum sacerdōs illīus urbis dēdicāvit.
18. Templum illī deō dēdicātum erit.
19. Artēs illīs virīs mōnstrātae sunt.
20. Fīlius illī magistrātuī successerit.

Folia ab eā arbore āmissa sunt.
Senectūs ab eīs senibus illūmināta erat.
Adulēscentēs eius familiae pūnīverint magister.
Oculī eōrum Rōmānōrum splendōrem vīderant.
Templum sacerdōs eius urbis dēdicāvit.
Templum eī deō dēdicātum erit.
Artēs eīs virīs mōnstrātae sunt.
Fīlius eī magistrātuī successerit.

2. Produce the forms of **ille, illa, illud** by substituting them for **hic, haec, hoc:**

B. *This* great victor has conquered in war.

That great victor has conquered in war.

21. Hic magnus victor bellō vīcit.
22. Haec pulchra memoria ā populō culta erat.
23. Hoc miserum spectāculum permissum erit.
24. Hī fīnitimī populī vexātī sunt.
25. Hae grātae mātrēs templum visitāverint.
26. Haec prōverbia in memoriā vīxerant.

Ille magnus victor bellō vīcit.
Illa pulchra memoria ā populō culta erat.
Illud miserum spectāculum permissum erit.
Illī fīnitimī populī vexātī sunt.
Illae grātae mātrēs templum vīsitāverint.
Illa prōverbia in memoriā vīxerant.

27. Hunc senem prīncipem omnēs laudāvērunt.
28. Hanc rem malam nepōtēs fīnīverant.

Illum senem prīncipem omnēs laudāvērunt.
Illam rem malam nepōtēs fīnīverant.

29. Hoc magnum praemium legiō cupīverit.	Illud magnum praemium legiō cupīverit.
30. Hōs sapientēs cōnsulēs hostēs interfēcerant.	Illōs sapientēs cōnsulēs hostēs interfēcerant.
31. Hās illūstrēs grātiās populī ēgērunt.	Illās illūstrēs grātiās populī ēgērunt.
32. Haec corpora mortua mīlitēs sepelīverant.	Illa corpora mortua mīlitēs sepelīverant.
33. Hāc aquā ager irrigātus erat.	Illā aquā ager irrigātus erat.
34. Hīs vitiīs voluptās mē superāverat.	Illīs vitiīs voluptās mē superāverat.
35. Ab hōc poētā iuvenēs monitī sunt.	Ab illō poētā iuvenēs monitī sunt.
36. Huius gentis nārrātiō audīta est.	Illīus gentis nārrātiō audīta est.
37. Hōrum proeliōrum victima nōn fuerat Rōma.	Illōrum proeliōrum victima nōn fuerat Rōma.
38. Huius fēminae casa fuit magna.	Illīus fēminae casa fuit magna.
39. Huic urbī pugnae fuērunt proximae.	Illī urbī pugnae fuērunt proximae.
40. Hīs rēbus cōnsul dīligenter studuerit.	Illīs rēbus cōnsul dīligenter studuerit.

7. The future active participle:

Future Active Participle			
1 laudātūrus, –a, –um		*3* ductūrus, –a, –um	
2 monitūrus, –a, um		*4* audītūrus, –a, –um	

1. Recognize the future active participle by substituting a relative clause with the simple future active:

A. The man *about to give* a gift is happy.

The man *who will give* a gift is happy.

1. Vir datūrus dōnum laetus est.	Vir quī dabit dōnum laetus est.
2. Fēmina vīsitātūra sorōrem laeta est.	Fēmina quae vīsitābit sorōrem laeta est.
3. Oppidum laudātūrum deōs laetum est.	Oppidum quod laudābit deōs laetum est.
4. Patrēs monitūrī fīliōs bonī sunt.	Patrēs quī monēbunt fīliōs bonī sunt.
5. Deae doctūrae hominēs bonae sunt.	Deae quae docēbunt hominēs bonae sunt.
6. Iūra prohibitūra iniūriās bona sunt.	Iūra quae prohibēbunt iniūriās bona sunt.

7. Senātum missūrum lēgātōs vidēmus.

   Senātum quī mittet lēgātōs vidēmus.

8. Mātrem captūram flōrēs vidēmus.

   Mātrem quae capiet flōrēs vidēmus.

9. Bellum ventūrum vidēmus.

   Bellum quod veniet vidēmus.

10. Senātōrēs audītūrōs cōnsilium vi-
    dēmus.

    Senātōrēs quī audient cōnsilium vidēmus.

11. Dominōs pūnītūrōs servōs vidē-
    mus.

    Dominōs quī servōs pūnient vidēmus.

12. Folia apertūra vidēmus.

    Folia quae aperient vidēmus.

2. Produce the future active participle by changing the relative clause:

B. The boy *who will show* the way
   is good.

   The boy *about to show* the way is good.

13. Puer quī mōnstrābit viam est
    bonus.

    Puer mōnstrātūrus viam est bonus.

14. Puella quae laudābit patientiam
    est bona.

    Puella laudātūra patientiam est bona.

15. Praemium quod dabit laudem est
    bonum.

    Praemium datūrum laudem est bonum.

16. Puerī quī mōnstrābunt viam sunt
    bonī.

    Puerī mōnstrātūrī viam sunt bonī.

17. Puellae quae laudābunt patien-
    tiam sunt bonae.

    Puellae laudātūrae patientiam sunt bonae.

18. Praemia quae dabunt laudem sunt
    bona.

    Praemia datūra laudem sunt bona.

19. Adulēscēns quī librōs portābit
    grātus est.

    Adulēscēns librōs portātūrus grātus est.

20. Calamitās quae plēbem afficiet
    mala est.

    Calamitās plēbem affectūra mala est.

21. Iūs quod salūtem cūrābit bonum
    est.

    Iūs salūtem cūrātūrum bonum est.

22. Adulēscentēs quī librōs portā-
    bunt grātī sunt.

    Adulēscentēs librōs portātūrī grātī sunt.

23. Calamitātēs quae plēbem afficient
    malae sunt.

    Calamitātēs plēbem affectūrae malae sunt.

24. Iūra quae salūtem cūrābunt bona
    sunt.

    Iūra salūtem cūrātūra bona sunt.

25. Frātrem quī pecūniam capiet ego
    videō.

    Frātrem pecūniam captūrum ego videō.

26. Sacerdōtem quī templum dēdicā-
bit tū vidēs.

Sacerdōtem templum dēdicātūrum tū
vidēs.

27. Cōnsilium quod bellum incipiet is
videt.

Cōnsilium bellum inceptūrum is videt.

28. Frātrēs quī pecūniam capient ego
videō.

Frātrēs pecūniam captūrōs ego videō.

29. Oculum quī lūmen vidēbit habeō.

Oculum lūmen vīsūrum habeō.

30. Caesarem quī prōvinciam vidēbit
vīsitās.

Caesarem prōvinciam vīsūrum vīsitās.

CONVERSIŌ

1. These old men will have told many stories to those young men.
2. The patience of this man was not equal to the task.
3. We had not changed our manner of life because of those disasters.
4. "That man," he said, "had begun to worship glory."
5. Those wars will have been lost by these vices.
6. The walls of those towns will rise because of the work of the consuls.
7. With these eyes we had seen the leaves of those trees.
8. Lost pleasures can be recovered by patience.
9. He is going to speak to that slave about the expense.
10. Young men do not often think about old age.
11. I had been recognized by the slave sitting at the door.
12. In this villa there had been many trees.
13. Fortune does not neglect the good.
14. Had you passed through that battle with no wounds?
15. The sleep of these brave men will be full of pleasure.

NĀRRĀTIŌ

DĒ QUĪNTŌ FABIŌ MAXIMŌ

Cicerō in librō *Dē Senectūte* multa gaudia et voluptātēs bonās senectūtis
nārrat, atque dē complūribus senibus scrībit. In hōc opere Catō illūstrem
imperātōrem Rōmānum, Quīntum Fabium Maximum, laudat. Hic Maximus
Rōmam et tōtam Italiam servāvit, ubi maximā patientiā cum Hannibale
Carthāginiēnsī pugnāre neglēxit.

Catō ita dīcit:

Ego Quīntum Maximum, eum quī Tarentum recēpit, senem adulēscēns colere coepī; erat enim in illō virō gravitās nec senectūs mōrēs mūtāverat. Annō enim postquam cōnsul prīmum fuerat ego nātus sum, cumque eō quārtum cōnsule mīles ad Capuam prōcessī, quīntōque annō posteā ad Tarentum. Quaestor deinde quārto annō posteā factus sum; quem magistrātum gessī cōnsulibus Tuditānō et Cethēgō, ubi vērō ille admodum senex fuit suāsor lēgis Cīnciae dē dōnīs et mūneribus. Hic et bella gerēbat ut adulēscēns, et ut senex Hannibalem iuvenem patientiā suā vincēbat; dē quō noster Ennius bene scrīpsit:

Ūnus homō nōbīs cunctandō restituit rem.

Tarentum vērō quā vigilantiā, quō cōnsiliō recēpit! Mē vērō audiente, Salīnātor, quī āmissō oppidō fūgerat in arcem, glōriāns ita dīxit, "Meō opere, Quīnte Fabī, Tarentum recēpistī." "Certē," inquit Fabius, "nam quia tū āmīserās, ego recēpī."

Multa in eō virō bona cognōvī, sed nihil admīrābilius quam quō modō ille mortem fīliī tulit, illūstris virī et cōnsulis.

— Adapted from M. Tullius Cicerō, *Dē Senectūte*, IV. 10.

---

nātus sum: *I was born.*
quārtum: *for the fourth time.*
Quaestor: the quaestor was the official who was in charge of finances.
admodum: *very much,* with **senex.**

suāsor: *a proponent.*
lēgis Cīnciae: a bill to make it illegal for lawyers to accept fees.
Ennius: an early Roman poet.
cunctandō: *by delaying.*

rem: i.e., *pūblicam.*
vigilantiā: *vigilance.*
glōriāns: *boasting,* with **Salīnātor.**
admīrābilius: *more admirable,* with **nihil.**

Respondē Latīnē:

1. Quis gaudia voluptātēsque senectūtis nārrat?
2. Dē cuius gaudiīs atque voluptātibus dīcit?
3. Quō nōmine vocātus erat hic liber?
4. Quem virum Catō in hōc librō laudat?
5. Quālis imperātor Rōmānus fuerat hic vir?
6. Nōnne Maximus Rōmam servāvit?
7. Num Maximus partem Italiae servāvit?
8. Quō modō patriam servāvit?
9. Quōcum pugnāre neglēxit?
10. Quis fuit Hannibal?

11. Quod oppidum Quīntus Maximus recēpit?
12. Coepitne Catō senex Q. Maximum adulēscentem colere?
13. Num senectūs mōrēs Maximī mūtāverat?
14. Quandō nātus est Catō?
15. Quō prōcessit Catō mīles cum Quīntō Maximō?
16. Quō tempore Catō ad Tarentum īvit?
17. Nōnne Catō quaestōris magistrātum gessit, cōnsulibus Tuditānō et Cethēgō?
18. Dē quibus erat lēx Cīnciae?
19. Quō modō senex Quīntus Maximus Hannibalem vīcit?
20. Quō modō poēta Ennius dīxit hunc imperātōrem restituisse rem pūblicam?

21. Quis, āmissō oppidō Tarentō, in arcem fūgerat?
22. Quid dīxit Salīnātor?
23. Quid Maximus dīxit?

24. Quālis fīlius erat Quīntī Maximī?
25. Cuius mortem ille Quīntus Fabius Maximus tulit?

EPITOMA

1. Demonstratives:

hic, *this*

SINGULAR			PLURAL		
hic	haec	hoc	hī	hae	haec
huius	huius	huius	hōrum	hārum	hōrum
huic	huic	huic	hīs	hīs	hīs
hunc	hanc	hoc	hōs	hās	haec
hōc	hāc	hōc	hīs	hīs	hīs

ille (iste), *that*

SINGULAR			PLURAL		
ille	illa	illud	illī	illae	illa
illīus	illīus	illīus	illōrum	illārum	illōrum
illī	illī	illī	illīs	illīs	illīs
illum	illam	illud	illōs	illās	illa
illō	illā	illō	illīs	illīs	illīs

2. Past perfect tense:

Active	Passive
This is formed by the perfect stem + **erā** + personal endings:	This is formed by the perfect passive participle + imperfect tense of **esse:**

Active		Passive	
vocāveram	*I had called*	**vocātus eram**	*I had been called*
monueram		**monitus eram**	
dūxeram		**ductus eram**	
cēperam		**captus eram**	
pūnīveram		**pūnītus eram**	

3. Future perfect tense:

Active	Passive
This is formed by the perfect stem + **eri** + personal endings:	This is formed by the perfect passive participle + the future tense of **esse:**

Active		Passive	
vocāverō	*I shall (will) have called*	**vocātus erō**	*I shall (will) have been called*
monuerō		**monitus erō**	
dūxerō		**ductus erō**	
cēperō		**captus erō**	
pūnīverō		**pūnītus erō**	

4. Future active participle:

The future active participle is the last principal part of a verb ending in **–ūrus:**

> **vocātūrus** — *about to call, going to call*

The active periphrastic is the future participle + the verb **esse:**

> **vocātūrus erat.** *He was going to call.*

INDEX VERBŌRUM

adulēscēns, adulēscentis, c.   youth

āmittere, āmīsī, āmissus (3)   send away; lose

argūmentum, argūmentī, n.   proof

coepī, coeptus   began

crēscere, crēvī, crētus (3)   grow, rise

folium, foliī, n.   leaf

fortūna, fortūnae, f.   fortune, fate

gravitās, gravitātis, f.   seriousness, weight

hic, haec, hoc   this

ille, illa, illud   that

impēnsa, impēnsae, f.   expense, cost

inquam, inquis, inquit (defect.)   say, said

irrigāre, irrigāvī, irrigātus (1)   water, irrigate

iste, ista, istud   that

laetus, laeta, laetum   happy

magistrātus, magistrātūs, m.   office (of magistrate); magistrate

modus, modī, m.   manner, way

mūtāre, mūtāvī, mūtātus (1)   change

neglegere, neglēxī, neglēctus (3)   neglect

nūllus, nūlla, nūllum (gen., nūllīus)   not any, none, no

oculus, oculī, m.   eye

pār; gen., paris (dat.)   equal

patientia, patientiae, f.   patience, endurance

peragere, perēgī, perāctus (3)   pass through, finish

plēnus, plēna, plēnum (abl. or gen.)   full, filled

quō?   where? whither?

quōcumque   wherever

senectūs, senectūtis, f.   old age

somnus, somnī, m.   sleep

vertere, vertī, versus (3)   turn

vitium, vitiī, n.   fault, vice

voluptās, voluptātis, f.   pleasure

THE GODS

The earliest Romans were so awed by the powers of nature that they made gods of these forces they did not understand. For them the most important thing in nature was the sky with its light, and this the simple shepherds called the father-god or Jupiter, the chief of all divinities. The sun with its rising and setting was called Janus, the god of beginnings and endings, who was always represented later as having two faces — one in front and one in back to look both ways. The moon, the counterpart of the sun, was Diana (Dea Iana), the wife of Janus. Fire was named Vesta, the goddess of the hearth or fireplace.

In time numerous other gods and goddesses became associated with almost every facet of life. Juno was designated the wife of the great father Jove (Iovis Pater: Iuppiter) and she was the special patroness of women. Mars or Quirinus was the god of agriculture originally, but because the farmers had to fight to defend their fields, he became the god of war. Venus was associated first with gardens and then with love. Saturn took care

Animal sacrifice was an important part of Roman religion. In the time of the republic, religion had a great influence, but in the Empire, it became a mere ritual.

of the crops. Silvanus was the god of the forest and Pales the protector of sheep breeding and hence of shepherds. The Lares and Penates were the guardian gods of the house and home. Every man had his Genius or private guardian god and every woman of course had her personal Juno. And on and on went this multiplication of deities, for there was a fear that some god would be left out and take his vengeance on the unknowing people.

These original gods of Rome were not thought of as persons at first and therefore there were no images or statues but rather symbols. Hence Jupiter was represented by a flint stone, Mars by a spear, Vesta by fire, and so on. Owing to the influence of their Etruscan neighbors, however, the gods were transformed into persons, and statues were fashioned to represent them, just as the Greeks had done some time before. This naturally led to the building of temples to house the statues.

Because of this formal worship the early kings took charge and made religion a state cult. The kings were the high priests and the second king, Numa, established the festivals of the gods and prescribed the rituals to be carried out by the priests. In the days of the republic, the priesthood was still controlled by the government and was considered an extremely influential office. The Pontifex Maximus was the chief priest of the land. There were different priestly groups, of which the Vestal Virgins were very famous. These women, six in number, cared for the sacred fire in the temple of Vesta. This fire was kept burning as a symbol of the eternity of Rome. No important venture, public or private, was undertaken without some religious ceremony or sacrifice, which besides appeasing the god or gods also usually was intended to discover the future or the divine will by means of signs or auguries. Will the sacred chickens eat the corn? If so. all is well. Is the liver or the heart in the right place? Again, if so, all is in order to embark upon an important business transaction, or journey, or war. Omens such as the flight of birds, thunder and lightning, and strange actions of beasts were also regarded as important in indicating the will of the gods.

Even in the times of the kings, Greek gods and Greek mythology began to infiltrate ancient Roman worship. The three main divinities of the city then were Jupiter, Juno, and Minerva — the goddess of wisdom and weaving. This threesome shared the chief temple on the Capitolium. At this time the Sibylline books of Greek origin were introduced. With these oracular sayings, which were consulted in times of emergency and calamity, there came upon the scene Greek and Asiatic deities, such as Apollo, the god of the sun, healing, poetry, and music; Cybele or Magna Mater with her gross rituals; Ceres, the goddess of grain; Hercules, the god of commerce; Neptune, the sea god; Vulcan, who was associated with fire and smiths; Mercury, the messenger of the gods and patron of trade; and Pluto, the head of the underworld. Old Roman deities were now gradually mingled with Greek deities and after the Second Punic War they were virtually identical.

Even before the time of Christ and toward the end of the republic, the Romans were introduced to foreign cults from the Orient and Egypt because of the great expansion of the empire. These captured the fancy of many who were now tiring of the old religion. In the imperial period emperor worship arose. Upon the death of the emperor, he was made a god with the title Divus (Divinus). This practice was a part of the attempt to revive the ancient religion. Because religion was a state function, Christians, who were increasing in number, were persecuted for treason or failure to worship the deified emperor. The pagan gods, who offered no code of morality and who seemed to care little about the conduct of mankind, soon fell into disuse except for official state functions. Christianity gained despite rigorous persecutions, until it found favor with the emperor Constantine in 314 and finally Theodosius (379–395) outlawed paganism altogether. The pagan priests were disbanded and the temples closed. The gods of Rome were dead!

LECTIŌ VĪCĒSIMA
(XX)

FĀBULA

The War of Octavian With Antony and Cleopatra

Antony, who was controlling Asia and the East, divorced Octavia, Caesar's sister, and married Cleopatra, the queen of Egypt and a woman of great power. Next he tried to stir up a civil war, under the urging of Cleopatra, because she wished to rule in Rome too.

Caesar Octavianus therefore set out from Brundisium toward Epirus against Antony, who already was besieging all the coast of Actium with his fleets. The ships of Caesar numbered 230. The fleet of Antony, however, had 170 ships, yielding in number but surpassing in size.

This was a famous war. From the fifth hour up to the seventh the issue was uncertain, but for the rest of the day with the following night the battle turned toward victory for Caesar. Queen Cleopatra with sixty ships fled home to Egypt; Antony also followed his fleeing wife. The next day Caesar consolidated the victory.

Antony therefore, because he feared Caesar's fleet and army, killed himself with his sword. Cleopatra, when she had realized that she was being saved for the triumph at Rome, fleeing from her guards, retreated to her mauso-

Dē Bellō Octāviānī Cum Antōniō et Cleopātrā

Antōnius, quī Asiam et Orientem tenēbat, Octāviam sorōrem Caesaris[1] repudiāvit* et Cleopātram, Aegyptī regīnam fēminamque magnā potestāte, uxōrem dūxit. Deinde bellum cīvīle movēre cōnātus est, cōgente Cleopātrā, quod illa cupīvit etiam Rōmae rēgnāre.

Profectus est igitur Caesar Octāviānus Brundisiō in Ēpīrum adversus Antōnium, quī iam omne Actium lītus classibus obsidēbat. Nāvēs Caesaris erant ducentae trīgintā. Classis autem Antōniī centum septuāgintā nāvium fuit, numerō cēdēns sed magnitūdine superāns.

Illūstre hoc bellum fuit. Ab hōrā quīntā usque ad septimam incertā spē, reliquum diēī cum sequentī nocte in victōriam Caesaris vertit. Cleopātra rēgīna cum sexāgintā nāvibus domum ad Aegyptum fūgit; Antōnius quoque fugientem secūtus est uxōrem. Proximō diē victōriam Caesar fīnīvit.

Antōnius igitur, quia classem exercitumque Caesaris veritus est, sē gladiō interfēcit. Cleopātra, ubi sē ad triumphum Rōmae servārī cognōverat, ē custōdibus fugiēns in mausōlēum* suum sē recēpit, ibique ad suum Antōnium

---

[1] The name Caesar here means Octavian, later called Augustus.

Infatuated by the Queen of Egypt, Marc Antony tried to destroy
the power of young Caesar Octavianus. But his dream of uniting
Egypt and Rome ended in the flames of his warships at Actium.

leum, and there placed herself next to
her Antony. When she had put the
snakes to her veins, she was thus freed
by death as if by sleep.

sē posuit. Mōtīs ad vēnās* serpenti-
bus*, sīc morte quasi somnō solūta est.

Thus Caesar Octavianus gained possession of the city of Alexandria with
all Egypt; and he put in charge of
Egypt Cornelius Gallus, about whom
Vergil writes. This was the first Roman
governor that Egypt had.

Sīc Caesar Octāviānus Alexandriā
urbe cum tōtā Aegyptō potītus est;
praeposuitque Aegyptō Cornēlium Gallum, dē quō Vergilius scrībit. Hunc
prīmum praefectum Rōmānum Aegyptus habuit.

— Adapted from Ekkehardus of Aura, *Historia Ūniversālis.*

GRAMMATICA

1. Deponent verbs:

Deponent verbs are verbs which have "put aside" (**dēponere**) their active
forms. They use only passive forms but these passive forms have active
meanings, for example, **vereor,** *I fear.* Deponent verbs have a few active
forms (present participle, future participle, future infinitive) where there is
no corresponding passive form in general use:

The love story of Antony and Cleopatra is told by Shakespeare in
Antony and Cleopatra and John Dryden in **All for Love.**

	Deponent		Regular
	vererī, veritus *fear*		**timēre, timuī,** ...
Present	**vereor**	*I fear*	**timeō**
Imperfect	**verēbar**	*I feared*	**timēbam**
Future	**verēbor**	*I will fear*	**timēbō**
Perfect	**veritus sum**	*I feared*	**timuī**
Past Perfect	**veritus eram**	*I had feared*	**timueram**
Future Perfect	**veritus erō**	*I will have feared*	**timuerō**
Present Infinitive	**vererī**	*to fear*	**timēre**
Perfect Infinitive	**veritus esse**	*to have feared*	**timuisse**
Future Infinitive	**veritūrus esse**	*to be about to fear*	...
Present Participle	**verēns**	*fearing*	**timēns**
Perfect Participle	**veritus**	*having feared*	...
Future Participle	**veritūrus**	*about to fear*	...

2. Place constructions:

There are three place ideas: *place in* or *at which, place from which,* and
place to which. In most instances these ideas are represented in Latin by
prepositional phrases — **in urbe, ē casā, ad vīllam.** However, with the names

of cities or towns, small islands, and the words **domus, humus,** and **rūs** the preposition is omitted. The noun is put in the same case it would be if the preposition were used, except for *place in which* with first and second declension singular nouns where the genitive forms are used instead of the ablative.

Place In or At Which	Place From Which	Place To Which
in + ablative	**ā, ē, dē** + ablative	**in, ad** + accusative
in the city, **in urbe**	*from the city,* **ab urbe**	*to the city,* **ad urbem**
in Italy, **in Italiā**	*from Italy,* **ab Italiā**	*to Italy,* **ad Italiam**
but	but	but
in Athens, **Athēnīs**	*from Athens,* **Athēnīs**	*to Athens,* **Athēnās**
in Rome, **Rōmae**	*from Rome,* **Rōmā**	*to Rome,* **Rōmam**
at home, **domī**[2]	*from home,* **domō**	*(to) home,* **domum**

If the prepositions **ad** or **ab** are used with place names, the prepositions have the meaning of *to* or *from the vicinity of.*

3. Ablative uses:

1. While most descriptive phrases introduced by the preposition *of* can be expressed by the genitive case, the ablative is more usual. No preposition is used. This construction is called the Ablative of Description.

Cleopatra was a woman *of great power.*   Cleopātra fēmina **magnā potestāte** erat.

2. The manner in which an action is performed is expressed by the ablative case. The preposition **cum** is usual when there is no adjective, optional when there is an adjective. This is called the Ablative of Manner.

They were fighting *with uncertain hope.*   **Incertā (cum) spē** pugnābant.

3. The respect in which a statement is true is expressed by the ablative case without a preposition. This is called the Ablative of Respect.

Antony's fleet surpassed *in size.*   Classis Antōniī **magnitūdine** superāvit.

---

[2] **Domus** when used to mean *home* in place constructions uses second declension endings.

EXERCITIA

1. Deponent verbs:

Deponent Verbs (Active meaning, passive form)	
1 cōnārī,	cōnātus
2 verērī,	veritus
3 sequī,	secūtus
4 potīrī,	potītus

1. Recognize the deponent verbs by changing to the given regular verb having the same or similar meaning:

to desire:

A. He *is trying* (deponent) to start a civil war. / He *desires* to start a civil war.

dēsīderāre:

1. Hic bellum cīvīle movēre cōnātur. / Hic bellum cīvīle movēre dēsīderat.
2. Hic bellum cīvīle movēre cōnābātur. / Hic bellum cīvīle movēre dēsīderābat.
3. Hic bellum cīvīle movēre cōnābitur. / Hic bellum cīvīle movēre dēsīderābit.
4. Hic bellum cīvīle movēre cōnātus est. / Hic bellum cīvīle movēre dēsīderāvit.
5. Hic bellum cīvīle movēre cōnātus erat. / Hic bellum cīvīle movēre dēsīderāverat.
6. Hic bellum cīvīle movēre cōnātus erit. / Hic bellum cīvīle movēre dēsīderāverit.

timēre:

7. Antōnius classem Caesaris verēbātur. / Antōnius classem Caesaris timēbat.
8. Antōnius classem Caesaris verētur. / Antōnius classem Caesaris timet.
9. Antōnius classem Caesaris verēbitur. / Antōnius classem Caesaris timēbit.
10. Antōnius classem Caesaris veritus erat. / Antōnius classem Caesaris timuerat.
11. Antōnius classem Caesaris veritus est. / Antōnius classem Caesaris timuit.
12. Antōnius classem Caesaris veritus erit. / Antōnius classem Caesaris timuerit.

intrāre:

13. Octāviānus urbem ingreditur. / Octāviānus urbem intrat.
14. Octāviānus urbem ingrediēbātur. / Octāviānus urbem intrābat.

15. Octāviānus urbem ingrediētur.   Octāviānus urbem intrābit.
16. Octāviānus urbem ingressus est.   Octāviānus urbem intrāvit.
17. Octāviānus urbem ingressus erat.   Octāviānus urbem intrāverat.
18. Octāviānus urbem ingressus erit.   Octāviānus urbem intrāverit.

capere:

19. Caesar tōtā Aegyptō potītur.   Caesar tōtam Aegyptum capit.
20. Caesar tōtā Aegyptō potiētur.   Caesar tōtam Aegyptum capiet.
21. Caesar tōtā Aegyptō potiēbātur.   Caesar tōtam Aegyptum capiēbat.
22. Caesar tōtā Aegyptō potītus erat.   Caesar tōtam Aegyptum cēperat.
23. Caesar tōtā Aegyptō potītus est.   Caesar tōtam Aegyptum cēpit.
24. Caesar tōtā Aegyptō potītus erit.   Caesar tōtam Aegyptum cēperit.

2. Produce the deponent verbs by changing the regular verb to the corresponding form of the given deponent verb:

to try

    B. Cleopatra *desires* (regular verb) to   Cleopatra *tries* (deponent) to be queen.
       be queen.

cōnārī:

25. Cleopātra esse rēgīna dēsīderat.   Cleopātra esse rēgīna cōnātur.
26. Cleopātra esse rēgīna dēsīderābat.   Cleopātra esse rēgīna cōnābātur.
27. Cleopātra esse rēgīna dēsīderābit.   Cleopātra esse rēgīna cōnābitur.
28. Fēminae esse rēgīnae dēsīderāvērunt.   Fēminae esse rēgīnae cōnātae sunt.
29. Fēminae esse rēgīnae dēsīderāverant.   Fēminae esse rēgīnae cōnātae erant.
30. Fēminae esse rēgīnae dēsīderāverint.   Fēminae esse rēgīnae cōnātae erunt.

orīrī:

31. Parvus error in magnum crēscit.   Parvus error in magnum orītur.
32. Parvus error in magnum crēscēbat.   Parvus error in magnum oriēbātur.
33. Parvus error in magnum crēscet.   Parvus error in magnum oriētur.
34. Parvī errōrēs in magnōs crēvērunt.   Parvī errōrēs in magnōs ortī sunt.
35. Parvī errōrēs in magnōs crēverant.   Parvī errōrēs in magnōs ortī erant.
36. Parvī errōrēs in magnōs crēverint.   Parvī errōrēs in magnōs ortī erunt.

proficīscī:

37. Ego igitur Brundisiō exeō.   Ego igitur Brundisiō proficīscor.
38. Ego igitur Brundisiō exībam.   Ego igitur Brundisiō proficīscēbar.
39. Ego igitur Brundisiō exībō.   Ego igitur Brundisiō proficīscar.
40. Ego igitur Brundisiō exīvī.   Ego igitur Brundisiō profectus sum.
41. Ego igitur Brundisiō exīveram.   Ego igitur Brundisiō profectus eram.
42. Ego igitur Brundisiō exīverō.   Ego igitur Brundisiō profectus erō.

potīrī:

43. Tū dē inimīcīs tuīs triumphās.   Tū inimīcīs tuīs potīris.
44. Tū dē inimīcīs tuīs triumphābās.   Tū inimīcīs tuīs potiēbāris.
45. Tū dē inimīcīs tuīs triumphābis.   Tū inimīcīs tuīs potiēris.
46. Tū dē inimīcīs tuīs triumphāverās.   Tū inimīcīs tuīs potītus erās.
47. Tū dē inimīcīs tuīs triumphāvistī.   Tū inimīcīs tuīs potītus es.
48. Tū dē inimīcīs tuīs triumphāveris.   Tū inimīcīs tuīs potītus eris.

sequī:

49. Nōs patribus nostrīs succēdimus.   Nōs patrēs nostrōs sequimur.
50. Nōs patribus nostrīs succēdēmus.   Nōs patrēs nostrōs sequēmur.
51. Nōs patribus nostrīs succēdēbāmus.   Nōs patrēs nostrōs sequēbāmur.
52. Nōs patribus nostrīs successerāmus.   Nōs patrēs nostrōs secūtī erāmus.
53. Nōs patribus nostrīs successimus.   Nōs patrēs nostrōs secūtī sumus.
54. Nōs patribus nostrīs successerimus.   Nōs patrēs nostrōs secūtī erimus.

verērī:

55. Vōs omnēs potestātem timēbātis.   Vōs omnēs potestātem verēbāminī.
56. Vōs omnēs potestātem timētis.   Vōs omnēs potestātem verēminī.
57. Vōs omnēs potestātem timēbitis.   Vōs omnēs potestātem verēbiminī.
58. Vōs omnēs potestātem timuerātis.   Vōs omnēs potestātem veritī erātis.
59. Vōs omnēs potestātem timuistis.   Vōs omnēs potestātem veritī estis.
60. Vōs omnēs potestātem timueritis.   Vōs omnēs potestātem veritī eritis.

2. Deponent participles in the Ablative Absolute:

Deponent Participles				
	1	*2*	*3*	*4*
Present	cōnāns	verēns	sequēns	potiēns
Perfect	cōnātus	veritus	secūtus	potītus

1. Change the Ablative Absolute — with present participle, to an **ut** clause; with a perfect participle, to a **postquam** clause:

A. *With Antony attempting* to flee, the fleet is overcome.   *As Antony is attempting* to flee, the fleet is overcome.

B. *With Antony having tried* to flee, the fleet was overcome.   *After Antony tried* to flee, the fleet was overcome.

1. Antōniō fugere cōnante, classis superātur.   Ut Antōnius fugere cōnātur, classis superātur.
2. Cleopātrā ingrediente, ille timet.   Ut Cleopātra ingreditur, ille timet.
3. Sōle oriente, haec dormit.   Ut sōl orītur, haec dormit.

4. Rēge potiente, urbs dēlētur.

Ut rēx potītur, urbs dēlētur.

5. Duce proficīscente, hic spectat.

Ut dux proficīscitur, hic spectat.

6. Diēbus sequentibus, hī exspectant.

Ut diēs sequuntur, hī exspectant.

7. Mīlitibus verentibus, illī triumphant.

Ut mīlitēs verentur, illī triumphant.

8. Līberīs cōnantibus, mātrēs ambulant.

Ut līberī cōnantur, mātrēs ambulant.

9. Ducibus ingredientibus, hī fugiunt.

Ut ducēs ingrediuntur, hī fugiunt.

10. Populīs orientibus, exercitus superātur.

Ut populī oriuntur, exercitus superātur.

11. Antōniō fugere cōnātō, classis superāta est.

Postquam Antōnius fugere cōnātus est, classis superāta est.

12. Cleopātrā ingressā, ille timuit.

Postquam Cleopātra ingressa est, ille timuit.

13. Sōle ortō, haec dormīvit.

Postquam sōl ortus est, haec dormīvit.

14. Rēge potītō, urbs dēlēta est.

Postquam rēx potītus est, urbs dēlēta est.

15. Duce profectō, hic spectāvit.

Postquam dux profectus est, hic spectāvit.

16. Diēbus secūtīs, hī exspectāvērunt.

Postquam diēs secūtī sunt, hī exspectāvērunt.

17. Mīlitibus veritīs, illī triumphāvērunt.

Postquam mīlitēs veritī sunt, illī triumphāvērunt.

18. Ducibus ingressīs, hī fūgērunt.

Postquam ducēs ingressī sunt, hī fūgērunt.

19. Līberīs cōnātīs, mātrēs ambulāvērunt.

Postquam līberī cōnātī sunt, mātrēs ambulāvērunt.

20. Populīs ortīs, exercitus superātus est.

Postquam populī ortī sunt, exercitus superātus est.

2. Change the **ut** or **postquam** clause to an Ablative Absolute:

C. *As he follows,* the soldier runs.

With him following, the soldier runs.

D. *After he followed,* the soldier ran.

With him having followed, the soldier ran.

21. Ut is sequitur, mīles currit.

Eō sequente, mīles currit.

22. Ut ille verētur, potestās solvitur.

Illō verente, potestās solvitur.

23. Ut hic cōnātur, victor prohibētur.

Hōc cōnante, victor prohibētur.

24. Ut illa ingreditur, fēminae ōrnantur.

Illā ingrediente, fēminae ōrnantur.

25. Ut haec orītur, reliquae dormiunt.

Hāc oriente, reliquae dormiunt.

26. Postquam Caesar potītus est, hic fūgit.

Caesare potītō, hic fūgit.

27. Postquam ille profectus est, hic vēnit.

Illō profectō, hic vēnit.

28. Postquam lēgātus secūtus est, hic eōs dīmīsit.

Lēgātō secūtō, hic eōs dīmīsit.

29. Postquam plēbs verita est, rēx mūnīvit.

Plēbe veritā, rēx mūnīvit.

30. Postquam illa ingressa est, hī audīvērunt.

Illā ingressā, hī audīvērunt.

3. Place uses:

Place		
in (at)	*from (out of)*	*to (into)*
in oppidō	ab (ex) oppidō	ad (in) oppidum
in Italiā	ab (ex) Italiā	ad (in) Italiam
Athēnīs	Athēnīs	Athēnās
Rōmae	Rōmā	Rōmam
domī	domō	domum

Answer the questions, using the given words:

A. *In what place* is this one held?

In a cottage this one is held.

B. *To what place* are those coming?

To exile those are coming.

C. *From what place* are these setting out?

From the citadel these are setting out.

In quō locō hic tenētur?

1. casa — In casā hic tenētur.
2. lītus — In lītore hic tenētur.
3. urbs — In urbe hic tenētur.
4. via — In viā hic tenētur.
5. ager — In agrō hic tenētur.
6. Rōma — Rōmae hic tenētur.
7. Tusculum — Tusculī hic tenētur.
8. Lāvīnium — Lāvīniī hic tenētur.
9. Trōia — Trōiae hic tenētur.
10. Carthāgō — Carthāgine hic tenētur.
11. Ōstia — Ōstiae hic tenētur.
12. Tarentum — Tarentī hic tenētur.
13. Capua — Capuae hic tenētur.
14. Italia — In Italiā hic tenētur.
15. domus — Domī hic tenētur.

Ad quem locum illī veniunt?

16. exilium — Ad exilium illī veniunt.
17. proelium — Ad proelium illī veniunt.
18. spectāculum — Ad spectāculum illī veniunt.

19. aquaeductus	Ad aquaeductum illī veniunt.
20. senātus	Ad senātum illī veniunt.
21. iānua	Ad iānuam illī veniunt.
22. puteus	Ad puteum illī veniunt.
23. Rōma	Rōmam illī veniunt.
24. Carthāgō	Carthāginem illī veniunt.
25. Tarentum	Tarentum illī veniunt.
26. Ōstia	Ōstiam illī veniunt.
27. Capua	Capuam illī veniunt.
28. Italia	Ad Italiam illī veniunt.
29. domus	Domum illī veniunt.
30. rūs	Rūs illī veniunt.

Ex quō locō hī proficīscuntur?

31. arx	Ex arce hī proficīscuntur.
32. palātium	Ē palātiō hī proficīscuntur.
33. nāvis	Ē nāve hī proficīscuntur.
34. aedificium	Ex aedīficiō hī proficīscuntur.
35. templum	Ē templō hī proficīscuntur.
36. Rōma	Rōmā hī proficīscuntur.
37. Carthāgō	Carthāgine hī proficīscuntur.
38. Italia	Ex Italiā hī proficīscuntur.
39. domus	Domō hī proficīscuntur.
40. rūs	Rūre hī proficīscuntur.

4. Ablatives of Description, Manner and Respect:

Ablative Uses
Description: no preposition is used.
Manner: a preposition is used when there is no adjective; a preposition is optional when there is an adjective.
Respect: no preposition is used.

Produce (A) the Ablative of Description, (B) the Ablative of Manner, and (C) the Ablative of Respect by changing the sentences as indicated in the examples:

A. The girl has great beauty.	She is a girl *of great beauty.*
1. Puella magnam pulchritūdinem habet.	Est puella magnā pulchritūdine.
2. Epistula magnam longitūdinem **habet.**	Est epistula magnā longitūdine.

3. Magistrātūs magnam potestātem habent.

Sunt magistrātūs magnā potestāte.

4. Adulēscēns parvam ēloquentiam habet.

Est adulēscēns parvā ēloquentiā.

5. Nepōs multam gravitātem habet.

Est nepōs multā gravitāte.

6. Senex laetum animum habet.

Est senex laetō animō.

7. Cīvēs bonam fortūnam habent.

Sunt cīvēs bonā fortūnā.

8. Bēstiae parvam magnitūdinem habent.

Sunt bēstiae parvā magnitūdine.

9. Homō parvam patientiam habet.

Est homō parvā patientiā.

10. Mūnera maximum splendōrem habent.

Sunt mūnera maximō splendōre.

B. Marcus, as he fought, showed great courage.

Marcus fought *with great courage*.

11. Mārcus, ut pugnābat, magnam virtūtem mōnstrābat.

Mārcus magnā (cum) virtūte pugnābat.

12. Iste, ut cōgit, potestātem mōnstrat.

Iste cum potestāte cōgit.

13. Uxor, ut crēdēbat, validam spem mōnstrābat.

Uxor validā (cum) spē crēdēbat.

14. Tū, ut permittis, magnam iniūriam mōnstrās.

Tū magnā (cum) iniūriā permittis.

15. Soror, ut historiam nārrābat, ēloquentiam mōnstrābat.

Soror historiam cum ēloquentiā nārrābat.

16. Vōs, ut laudātis, malōs animōs mōnstrātis.

Vōs malīs (cum) animīs laudātis.

17. Victor, ut triumphāvit, maximam crūdēlitātem mōnstrāvit.

Victor maximā (cum) crūdēlitāte triumphāvit.

18. Cīvēs, ut rēgem nōmināvērunt, gaudium mōnstrāvērunt.

Cīvēs rēgem cum gaudiō nōmināvērunt.

19. Rēgīna, ut rēgnābat, malam voluntātem mōnstrābat.

Rēgīna malā (cum) voluntāte rēgnābat.

20. Magistrātūs, ut prōmīsērunt, auctōritātem mōnstrāvērunt.

Magistrātūs cum auctōritāte prōmīsērunt.

C. Marcus has very great courage.

Marcus excels *in courage*.

21. Mārcus maximam virtūtem habet.

Mārcus virtūte superat.

22. Ille victor maximam spem habet.

Ille victor spē superat.

23. Ista rēgīna maximam auctōritātem habuit.

Ista rēgīna auctōritāte superāvit.

24. Hae tabulae maximōs errōrēs habuērunt.

Hae tabulae errōribus superāvērunt.

25. Hī ducēs maximam fortūnam habēbant.

Hī ducēs fortūnā superābant.

26. Nōs maximam potestātem habēbāmus.

Nōs potestāte superābāmus.

27. Augustus maximās victōriās habuerat.

Augustus victōriīs superāverat.

28. Rōmānī maximōs triumphōs habuerant.

Rōmānī triumphīs superāverant.

29. Octāviānus maximam patientiam habet.

Octāviānus patientiā superat.

30. Antōnius maxima vitia habet.

Antōnius vitiīs superat.

CONVERSIŌ

1. We will set out tomorrow from Rome.
2. When that battle was finished, the enemy was in the power of the Romans.
3. In this way the queen lost her ships on the shore at Ostia.
4. The army got possession of the city with great cruelty.
5. I hear that the general will send his wife and children home to Italy.
6. The Roman soldiers were not able to enter into the city against the chariots of the enemy.
7. The poet wrote that Cleopatra killed herself in Alexandria.
8. It was not fortune which kept the fleet at the island.
9. Augustus, a man of great courage, tried to save the queen.
10. The remaining children followed the fleeing young men to Athens.
11. The sun always rises in the east.
12. Augustus therefore put Cornelius in charge of the Roman fleet.
13. Antony, when he was about to follow Cleopatra, was overcome by Augustus.
14. The general, who did not fear the enemy, began to fight.
15. At Rome a triumph was given to Augustus because he surpassed all in great victories.

NĀRRĀTIŌ

DĒ NŌMINE ET MĒNSE AUGUSTŌ

Ekkehardus scrībit: Annō ab Urbe conditā septingentēsimō vīcēsimō quīntō Caesar Octāviānus ab oriente victor rediēns ante diem octāvum Īdūs Iānuāriās Urbem triplicī triumphō ingressus est, ductīs ante currum

---

ante diem octāvum Īdūs Iānuāriās: *January 6.*

triplicī: *triple* (**triplex, –icis**).

Cleopātrae līberīs, Sōle et Lūnā. Iānī portās clausit, fīnītīs omnibus cīvīlibus bellīs. Hōc diē Caesar appellātus est Augustus prīmum, quod pūblicam rem auxerat.

Līvius dīcit: Gaius Caesar, rēbus compositīs et omnibus prōvinciīs redāctīs, Augustus quoque appellātus est et mēnsis Sextīlis in honōrem eius appellātus est.

Macrobius scrībit: Augustus mēnsis deinde est quī Sextīlis anteā vocābātur. Honōrī Augustī mēnsis datus est ex senātūs cōnsultō, cuius verba erant: Quod imperātor Caesar Augustus mēnse Sextīlī et prīmum cōnsulātum ingressus est et triumphōs trēs in urbem tulit et Aegyptus hōc mēnse in potestātem populī Rōmānī redācta est fīnisque hōc mēnse bellīs cīvīlibus positus est atque propter hās causās hic mēnsis huic imperiō fēlīx est et fuit, hic mēnsis Augustus appellābitur.

At Suētōnius addit: Augustus annum ā dīvō Iūliō ōrdinātum sed posteā neglēctum ad ratiōnem redēgit. Sextīlem mēnsem ē suō nōmine appellāvit.

— Adapted from Ekkehardus of Aura, *Historia Universālis;* Līvius, *Periochae* 134; Macrobius, *Satyricon* I. 12. 35; Suētōnius, *Augustus* 31.

Iānī portās: the doors of the temple of Janus were open in time of war, closed in time of peace; in Rome's long history these doors were	closed only twice to the time of Augustus. **compositīs:** (*having been*) *put in order.* **cōnsultō:** *decree.* **cōnsulātum:** *consulate.*	**fēlīx:** *fortunate.* **dīvō: dīvīnō** **ōrdinātum:** *arranged.* **ratiōnem:** *original plan.*

Respondē Latīnē:

1. Quis urbem Rōmam triplicī triumphō ingressus est?
2. Quis ab oriente victor redīvit?
3. Quō annō, secundum Ekkehardum, ab oriente victor redīvit?
4. Ā quō locō victor redīvit Caesar Octāviānus?
5. Quō modō Rōmam ingressus est Octāviānus?
6. Quam urbem intrāvit Octāviānus?
7. Quī in hōc triumphō ante currum Caesaris ductī sunt?
8. Cuius līberī erant Sōl et Lūna?
9. Ante quid dūcēbantur līberī Cleopātrae?
10. Quās rēs clausit Caesar, fīnītīs omnibus cīvīlibus bellīs?
11. Cuius templī portās clausit Octāviānus?
12. Quandō Iānī portās clausit?
13. Postquam quālia bella fīnīta sunt, Iānī portās clausit?
14. Quod nōmen appellātus est Octāviānus?

15. Cūr eō diē Caesar Octāviānus appellātus est Augustus?
16. Quid auxerat Octāviānus?

17. Quī mēnsis, secundum Līvium, in honōrem Gaiī Caesaris Octāviānī nōminātus est?
18. Quandō Gaius Caesar appellātus est Augustus?

19. Quī mēnsis, secundum Macrobium, anteā vocābātur Sextīlis?
20. Cuius ex cōnsultō datus est mēnsis Sextīlis honōrī Augustī?
21. Quandō imperātor Caesar Augustus prīmum cōnsulātum ingressus est?
22. Quot triumphōs Rōmam tulit?
23. Quō triumphōs tulit?
24. Quae gēns mēnse Sextīlī in potestātem populī Rōmānī redācta est?
25. In cuius potestātem redācta est Aegyptus?
26. Num Germānia hōc mēnse in potestātem Rōmae redācta est?
27. Nōnne Aegyptus eō mēnse in potestātem populī Rōmānī redācta est?
28. Quālibus bellīs hōc mēnse fīnis positus est?
29. Eratne hic mēnsis Sextīlis fēlīx eī imperiō?

30. Nōnne redēgit Augustus, secundum Suētōnium, annum ad ratiōnem?
31. Neglegēbāturne annus ante tempus Caesaris Augustī?
32. Quis Sextīlem mēnsem ē suō nōmine vocāvit?

EPITOMA

1. Deponent verbs:

Deponent verbs are passive in form but active in meaning:

vereor, *I fear*

2. Place constructions:

Place In or At Which	Place From Which	Place To Which
in + abl.	**ā, dē, ē** + abl.	**in, ad** + acc.

With the names of cities (towns), small islands, **domus, humus, rūs,** the preposition is omitted. Place In Which with first and second declension singular nouns of this group uses the genitive.

in urbe	**ab urbe**	**ad urbem**
in Italiā	**ab Italiā**	**ad Italiam**
Athēnīs	**Athēnīs**	**Athēnās**
Rōmae	**Rōmā**	**Rōmam**
domī	**domō**	**domum**

3. Ablative uses:

The Ablative of Description does not use a preposition:

vir magnā virtūte, *a man of great courage*

The Ablative of Manner as a rule uses a preposition when there is no adjective; it is optional when there is an adjective:

magnā cum crūdēlitāte, *with great cruelty*

The Ablative of Respect uses no preposition:

eloquentiā superat, *he surpasses in eloquence*

INDEX VERBŌRUM

adversus	against
causa, causae, f.	cause, reason
classis, classis, f.	class; fleet
cōgere, coēgī, coāctus (3)	collect; compel, drive, urge
cōnārī, cōnātus (1)	try, attempt
currus, currūs, m.	chariot, wagon
error, errōris, m.	wandering, error
gladius, gladiī, m.	sword
igitur	therefore
incertus, incerta, incertum	uncertain
ingredī, ingressus (3 –ior)	enter
līberī, līberōrum, m. pl.	children
lītus, lītoris, n.	shore, beach
orīrī, ortus (4)	rise, arise; be born
oriēns, orientis, m.	rising sun, east
potestās, potestātis, f.	power, authority
potīrī, potītus (4) (abl.)	get possession of, obtain
praepōnere, praeposuī, praepositus (3) (acc. and dat.)	put before, put in charge of
proficīscī, profectus (3)	set out, start
redigere, redēgī, redāctus (3)	reduce, bring, bring back
rēgīna, rēgīnae, f.	queen
reliquus, reliqua, reliquum	remaining, rest
sequī, secūtus (3)	follow
solvere, solvī, solūtus (3)	free, loosen
spēs, speī, f.	hope
tenēre, tenuī, tentus (2)	hold, keep
triumphus, triumphī, m.	triumph
verērī, veritus (2)	fear
victōria, victōriae, f.	victory

LECTIŌ VĪCĒSIMA PRĪMA
(XXI)
FĀBULA

The Gallic Senones

Either because of the envy of the gods themselves or very bad fortune, the very fast and very strong progress of the empire was stopped by the attacks of the Gallic Senones.

The Gallic Senones were by nature a wild and barbaric race. In this respect they were awesome because of the great size of their bodies, then in their huge weapons, and so in every way. These same men certainly seemed born for the destruction of men and cities. In the beginning they set out in very great numbers from the farthest parts of the earth. After they already destroyed the intervening lands, they settled between the Alps and the Po river. But not content even with these lands, they wandered through Italy. Then they besieged the city of Clusium.

The Romans intervened for their allies. According to custom, ambassadors were sent to the Gauls. But what justice is there among barbarians? They acted in a wilder manner and from this, war resulted.

At the Allia river the consul Fabius with his army came upon the Gauls, who had turned then from the vicinity of Clusium and were coming to Rome. A worse slaughter there certainly has

Gallī Senonēs

Vel invidiā deōrum ipsōrum vel fortūnā pessimā celerrimus et fīrmissimus imperiī cursus Gallōrum Senonum impetibus prohibēbātur.

Gallī Senonēs erant gēns nātūrā ferōx et barbara. Ad hoc magnitūdine corporum, inde armīs magnīs, omnī igitur genere terribilēs fuērunt. Eīdem certē nātī ad hominum et urbium ruīnam vidēbantur. Hī initiō ab ultimīs terrārum partibus cum numerīs maximīs profectī sunt. Postquam iam terrās mediās vāstāvērunt, inter Alpēs et Padum sē posuērunt. At nē hīs terrīs quidem contentī, per Italiam vagābantur. Tum Clūsium urbem obsidēbant.

Prō sociīs Rōmānī intervēnērunt. Missī sunt ex mōre lēgātī ad Gallōs. Sed quod iūs apud barbarōs? Modō ferōciōre ēgērunt et inde bellum.

Gallōs, versōs igitur ā Clūsiō et Rōmam venientēs, ad Alliam flūmen cum exercitū Fabius cōnsul reperit. Nōn certē peior clādēs! Itaque hunc diem pessimum Rōma damnāvit. Vās-

not been! And so Rome has condemned this day as very evil. After the Roman army had been destroyed, the enemy was already approaching the very walls of the city. There were no guards!

At this time then, as never before or afterward, that true Roman valor appeared. Now in the first place the older ones who had held the highest offices convened in the forum. There they consecrated themselves to the gods; and immediately they returned to their homes and awaited the enemy. When the very fierce Gauls came, the same elders were prepared for death with proper dignity. The priests buried in the earth the most sacred and best things of the temples and took away the rest with them to Veii.

tātō exercitū Rōmānō, iam hostēs vāllīs ipsīs urbis propinquābant. Erant nūlla praesidia!

Tum igitur, ut numquam anteā vel posteā, appāruit vēra illa Rōmāna virtūs. Iam prīmum maiōrēs nātū[1] quī amplissimōs honōrēs tenuerant in forum convēnērunt. Ibi deīs sē dēdicāvērunt; statimque in sua domicilia redīvērunt et hostem exspectāvērunt. Ubi Gallī ferōcissimī vēnērunt, eīdem seniōrēs in suā dignitāte ad mortem parātī sunt. Sacerdōtēs rēs sacerrimās et optimās templōrum in terrā sepelīvērunt atque reliquās sēcum Vēiōs abstulērunt.

— Adapted from Lūcius Annaeus Flōrus, *Epitoma*, I. 7.

GRAMMATICA

1. Comparison of adjectives:

Adjectives have three degrees of comparison:

Positive	Comparative	Superlative
tall	*taller*	*tallest*
brave	*braver*	*bravest*
beautiful	*more beautiful,* *too beautiful*[2]	*most beautiful,* *very beautiful*[2]
good	*better*	*best*

The positive form in Latin is the form given in the vocabulary, e.g., **altus, fortis, pulcher.** To form the comparative **–ior** and regular third

---

[1] **Maiōrēs nātū:** literally, *the ones greater by birth.*

[2] The Latin comparative can also have the meanings *too, rather, somewhat;* the superlative the meaning *very.*

declension endings are added to the stem of the positive. The nominative and accusative singular neuter have **–ius** instead of **–ior**:

altus	**altior, altius**	gen., **altiōris**
fortis	**fortior, fortius**	gen., **fortiōris**
pulcher	**pulchrior, pulchrius**	gen., **pulchriōris**

The superlative of most adjectives is formed by adding **–issimus, –a, –um** to the stem:

altus	**altior, altius**	**altissimus, –a, –um**
fortis	**fortior, fortius**	**fortissimus, –a, –um**

Adjectives ending in **–er** (e.g., **pulcher**) form the superlative by adding **–rimus** to the **–er** form:

pulcher	**pulchrior, pulchrius**	**pulcherrimus, –a, –um**

Six adjectives ending in **–lis (facilis, difficilis, similis, dissimilis, humilis, gracilis)** form the superlative by adding **–limus** to the positive stem. The rest in **–lis** are regular:

facilis	**facilior, facilius**	**facillimus, –a, –um**

A few adjectives have completely irregular forms:

bonus	**melior, melius**	**optimus, –a, –um**
malus	**peior, peius**	**pessimus**
magnus	**maior, maius**	**maximus**
parvus	**minor, minus**	**minimus**
multus	**——, plūs**[3]	**plūrimus**

2. Ablative of Comparison:

In the sentence, *The boy is taller than the girl,* the word *girl* is the object of the comparison. It can be expressed in two ways in Latin: (1) as in English, by **quam** (*than*) with the noun in the same case as the noun being compared, or (2) by omitting the **quam** and putting the object of the comparison in the ablative case without a preposition.

The boy is taller *than the girl.*   Puer est altior **quam puella.**
                                      Puer est altior **puellā.**

---

[3] In the singular **plūs** is used as a noun only, not as an adjective: e.g., **plūs pecūniae,** *more (of) money.* The plural is a regular adjective: **plūrēs hominēs,** *more men.*

3. The intensive pronoun "ipse":

In the sentence, *The work was done by the boy himself,* the word *himself* is intensifying or strengthening *boy.* The intensive pronoun in Latin is **ipse, ipsa, ipsum.** Its forms are:

Singular			Plural		
ipse	ipsa	ipsum	ipsī	ipsae	ipsae
ipsīus	ipsīus	ipsīus	ipsōrum	ipsārum	ipsōrum
ipsī	ipsī	ipsī	ipsīs	ipsīs	ipsīs
ipsum	ipsam	ipsum	ipsōs	ipsās	ipsa
ipsō	ipsā	ipsō	ipsīs	ipsīs	ipsīs

The work was done by the boy *himself.*

Opus ā puerō **ipsō** factum est.

4. The demonstrative pronoun "īdem":

The demonstrative pronouns already studied are **is, hic, ille** and **iste.** The demonstrative meaning *the same* is **īdem, eadem, idem.** It is actually **is, ea, id** with **–dem** added. Only the first part of the word is declined according to the forms of **is, ea, id.** A few forms change, mainly for ease in pronunciation.

Singular			Plural		
idem	eadem	idem	eīdem	eaedem	eadem
eiusdem	eiusdem	eiusdem	eōrundem	eārundem	eōrundem
eīdem	eīdem	eīdem	eīsdem	eīsdem	eīsdem
eundem	eandem	idem	eōsdem	eāsdem	eadem
eōdem	eādem	eōdem	eīsdem	eīsdem	eīsdem

The work was done by the *same* boy.

Opus ā puerō **eōdem** factum est.

EXERCITIA

1. Regular comparative degree of adjectives:

Regular Comparative	
altus	altior, altius
fortis	fortior, fortius
pulcher	pulchrior, pulchrius

1. Recognize the comparative form of the adjective by changing it to the positive, using **tam . . . quam** (*as . . . as*):

A. This slaughter was *more bar-baric* than that one.

This slaughter was *as barbaric as* that one.

1. Haec clādēs fuit barbarior illā.
2. Hic impetus est ferōcior illō.
3. Hoc flūmen est altius illō.
4. Hic clāmor erit terribilior illō.
5. Haec dignitās fuit superbior illā.

6. Hoc vēstīgium est antīquius illō.

7. Hae classēs sunt celeriōrēs illīs.
8. Haec verba erant vēriōra illīs.
9. Hī populī erunt superbiōrēs illīs.
10. Hae virtūtēs sunt vēriōrēs illīs.

11. Hic honor est amplior illō.
12. Hī honōrēs sunt ampliōrēs illīs.
13. Hī līberī sunt laetiōrēs illīs.
14. Hae puellae fuērunt grātiōrēs illīs.

15. Haec templa erant illūstriōra illīs.

16. Hic flōs erat pulchrior illō.
17. Hī mīlitēs erunt fortiōrēs illīs.
18. Haec māter est sapientior illā.
19. Hic cōnsul fuit senior illō.
20. Haec bella sunt ācriōra illīs.

Haec clādēs fuit tam barbara quam illa.
Hic impetus est tam ferōx quam ille.
Hoc flūmen est tam altum quam illud.
Hic clāmor erit tam terribilis quam ille.
Haec dignitās fuit tam superba quam illa.

Hoc vēstīgium est tam antīquum quam illud.

Hae classēs sunt tam celerēs quam illae.
Haec verba erant tam vēra quam illa.
Hī populī erunt tam superbī quam illī.
Hae virtūtēs sunt tam vērae quam illae.

Hic honor est tam amplus quam ille.
Hī honōrēs sunt tam amplī quam illī.
Hī līberī sunt tam laetī quam illī.
Hae puellae fuērunt tam grātae quam illae.

Haec templa erant tam illūstria quam illa.

Hic flōs erat tam pulcher quam ille.
Hī mīlitēs erunt tam fortēs quam illī.
Haec māter est tam sapiēns quam illa.
Hic cōnsul fuit tam senex quam ille.
Haec bella sunt tam ācria quam illa.

2. Produce the comparative of the adjective by changing the **tam . . . quam** phrase to the comparative with the ablative:

B. This river is *as deep as* that one.

This river is *deeper* than that one.

21. Hoc flūmen est tam altum quam illud.

22. Hī montēs sunt tam altī quam illī.
23. Hae nāvēs erant tam antīquae quam illae.
24. Hae bēstiae erunt tam ferōcēs quam illae.

Hoc flūmen est altius illō.

Hī montēs sunt altiōrēs illīs.
Hae nāvēs erant antīquiōrēs illīs.
Hae bēstiae erunt ferōciōrēs illīs.

25. Haec familia erat tam superba quam illa.   Haec familia erat superbior illā.

26. Hic currus est tam celer quam ille.   Hic currus est celerior illō.

27. Hoc cōnsilium fuit tam fīrmum quam illud.   Hoc cōnsilium fuit fīrmius illō.

28. Hī patrēs fuērunt tam fortēs quam illī.   Hī patrēs fuērunt fortiōrēs illīs.

29. Hic agricola fuit tam sollers quam ille.   Hic agricola fuit sollertior illō.

30. Haec gēns est tam terribilis quam illa.   Haec gēns est terribilior illā.

31. Hic impetus fuit tam ferōx quam ille.   Hic impetus fuit ferōcior illō.

32. Hic diēs vidētur tam brevis quam ille.   Hic diēs vidētur brevior illō.

33. Haec rēs est tam probābilis quam illa.   Haec rēs est probābilior illā.

34. Hae litterae sunt tam vērae quam illae.   Hae litterae sunt vēriōrēs illīs.

35. Hī servī sunt tam sapientēs quam illī.   Hī servī sunt sapientiōrēs illīs.

36. Haec castra fuērunt tam valida quam illa.   Haec castra fuērunt validiōra illīs.

37. Gallī fuērunt tam fortēs quam Rōmānī.   Gallī fuērunt fortiōrēs Rōmānīs.

38. Manlius est tam illūstris quam Mārcus.   Manlius est illūstrior Mārcō.

39. Terentia fuit tam senex quam Claudia.   Terentia fuit senior Claudiā.

40. Cicerō fuit tam sapiēns quam Caesar.   Cicerō fuit sapientior Caesare.

2. Irregular comparative adjectives:

Irregular Comparatives	
bonus	melior, melius
malus	peior, peius
magnus	maior, maius
parvus	minor, minus
multus	———, plūs

1. Recognize the comparative form of the adjective by changing to the positive with **tam . . . quam** (*as . . . as*):

A. This boy is *better* than that one.   This boy is *as good as* that one.

1. Hic puer est melior quam ille.
2. Haec clādēs est peior quam illa.
3. Hoc vēstīgium est maius quam illud.
4. Haec dignitās est minor quam illa.
5. Hic clāmor est maior quam ille.
6. Hoc cōnsilium est melius quam illud.
7. Hoc incendium est peius quam illud.
8. Haec calamitās est minor quam illa.
9. Hoc genus est minus quam illud.
10. Hic equus est maior quam ille.

11. Hī hominēs sunt maiōrēs quam illī.
12. Hae mātrēs sunt meliōrēs quam illae.
13. Haec bella sunt peiōra quam illa.
14. Hī cīvēs sunt peiōrēs quam illī.
15. Hae voluptātēs sunt minōrēs quam illae.
16. Haec pretia sunt maiōra quam illa.
17. Haec cōnsilia sunt meliōra quam illa.
18. Hī montēs sunt maiōrēs quam illī.
19. Haec flūmina sunt minōra quam illa.
20. Hī diēs sunt peiōrēs quam illī.

Hic puer est tam bonus quam ille.
Haec clādēs est tam mala quam illa.
Hoc vēstīgium est tam magnum quam illud.
Haec dignitās est tam parva quam illa.
Hic clāmor est tam magnus quam ille.
Hoc cōnsilium est tam bonum quam illud.
Hoc incendium est tam malum quam illud.
Haec calamitās est tam parva quam illa.
Hoc genus est tam parvum quam illud.
Hic equus est tam magnus quam ille.

Hī hominēs sunt tam magnī quam illī.
Hae mātrēs sunt tam bonae quam illae.
Haec bella sunt tam mala quam illa.
Hī cīvēs sunt tam malī quam illī.
Hae voluptātēs sunt tam parvae quam illae.
Haec pretia sunt tam magna quam illa.
Haec cōnsilia sunt tam bona quam illa.
Hī montēs sunt tam magnī quam illī.
Haec flūmina sunt tam parva quam illa.
Hī diēs sunt tam malī quam illī.

2. Produce the comparative of the adjective by changing the **tam . . . quam** phrase to the comparative with **quam** (*than*):

B. This teacher is *as good as* that one.   This teacher is *better* than that one.

21. Hic magister est tam bonus quam iste.
22. Haec porta est tam magna quam ista.
23. Hoc lūmen est tam parvum quam istud.
24. Haec iniūria est tam mala quam ista.
25. Hic aquaeductus est tam magnus quam iste.

Hic magister est melior quam iste.
Haec porta est maior quam ista.
Hoc lūmen est minus quam istud.
Haec iniūria est peior quam ista.
Hic aquaeductus est maior quam iste.

26. Hoc initium est tam bonum quam istud.　Hoc initium est melius quam istud.
27. Haec vīlla est tam parva quam ista.　Haec vīlla est minor quam ista.
28. Hic cōnsul est tam malus quam iste.　Hic cōnsul est peior quam iste.
29. Hoc praesidium est tam magnum quam istud.　Hoc praesidium est maius quam istud.
30. Hoc exilium est tam malum quam istud.　Hoc exilium est peius quam istud.
31. Hī adulēscentēs sunt tam bonī quam istī.　Hī adulēscentēs sunt meliōrēs quam istī.
32. Hae bēstiae sunt tam malae quam istae.　Hae bēstiae sunt peiōrēs quam istae.
33. Haec argūmenta sunt tam magna quam ista.　Haec argūmenta sunt maiōra quam ista.
34. Hae vōcēs sunt tam parvae quam istae.　Hae vōcēs sunt minōrēs quam istae.
35. Haec mūnera sunt tam bona quam ista.　Haec mūnera sunt meliōra quam ista.
36. Hī errōrēs sunt tam malī quam istī.　Hī errōrēs sunt peiōrēs quam istī.
37. Haec supplicia sunt tam magna quam ista.　Haec supplicia sunt maiōra quam ista.
38. Hī lūdī sunt tam parvī quam istī.　Hī lūdī sunt minōrēs quam istī.
39. Hae aquae sunt tam malae quam istae.　Hae aquae sunt peiōrēs quam istae.
40. Haec proelia sunt tam mala quam ista.　Haec proelia sunt peiōra quam ista.

3. Regular superlative degree of adjectives:

Regular	Superlative
altus	altissimus
fortis	fortissimus
pulcher	pulcherrimus

1. Recognize the superlative adjective by changing the sentence as indicated:

A. This soldier is the *bravest* of all.　This brave soldier surpasses all.

1. Hic mīles est fortissimus omnium.　Hic mīles fortis superat omnēs.
2. Haec vōx est sapientissima omnium.　Haec vōx sapiēns superat omnēs.
3. Hoc templum est antīquissimum omnium.　Hoc templum antīquum superat omnia.

4. Haec nāvis est celerrima omnium. Haec nāvis celer superat omnēs.
5. Hoc genus est ferōcissimum om- Hoc genus ferōx superat omnia.
   nium.
6. Hic flōs est pulcherrimus omnium. Hic flōs pulcher superat omnēs.
7. Hoc cōnsilium est vērissimum om- Hoc cōnsilium vērum superat omnia.
   nium.
8. Hic cursus est fīrmissimus om- Hic cursus fīrmus superat omnēs.
   nium.
9. Haec manus est grātissima om- Haec manus grāta superat omnēs.
   nium.
10. Hoc pretium est miserrimum om- Hoc pretium miserum superat omnia.
    nium.

11. Hī dolōrēs sunt ācerrimī omnium. Hī dolōrēs ācrēs superant omnēs.
12. Hae vītae sunt brevissimae om- Hae vītae brevēs superant omnēs.
    nium.
13. Haec argūmenta sunt validissima Haec argūmenta valida superant omnia.
    omnium.
14. Hae potestātēs sunt superbissimae Hae potestātēs superbae superant omnēs.
    omnium.
15. Hī clāmōrēs sunt laetissimī om- Hī clāmōrēs laetī superant omnēs.
    nium.
16. Haec opera sunt veterrima om- Haec opera vetera superant omnia.
    nium.
17. Hī frātrēs sunt fortissimī omnium. Hī frātrēs fortēs superant omnēs.
18. Haec auguria sunt plēnissima om- Haec auguria plēna superant omnia.
    nium.
19. Hae victimae sunt amplissimae Hae victimae amplae superant omnēs.
    omnium.
20. Haec castra sunt mūnītissima Haec castra mūnīta superant omnia.
    omnium.

2. Produce the superlative adjective by changing the sentence as indicated:

B. That wise book surpasses all. That book is the *wisest* of all.

21. Ille sapiēns liber superat omnēs. Ille liber est sapientissimus omnium.
22. Illa terra illūstris superat omnēs. Illa terra est illūstrissima omnium.
23. Illud iūs vērum superat omnia. Illud iūs est vērissimum omnium.
24. Ille collēga sollers superat omnēs. Ille collēga est sollertissimus omnium.
25. Illa dea pulchra superat omnēs. Illa dea est pulcherrima omnium.
26. Illud mūnus amplum superat Illud mūnus est amplissimum omnium.
    omnia.
27. Illud gaudium plēnum superat Illud gaudium est plēnissimum omnium.
    omnia.

28. Ille animus sapiēns superat omnēs.   Ille animus est sapientissimus omnium.
29. Illa virtūs fīrma superat omnēs.   Illa virtūs est fīrmissima omnium.
30. Illud vinculum ācre superat omnia.   Illud vinculum est ācerrimum omnium.

31. Illī magistrātūs superbī superant omnēs.   Illī magistrātūs sunt superbissimī omnium.
32. Illae classēs celerēs superant omnēs.   Illae classēs sunt celerrimae omnium.
33. Illa corpora fortia superant omnia.   Illa corpora sunt fortissima omnium.
34. Illī mōrēs antīquī superant omnēs.   Illī mōrēs sunt antīquissimī omnium.

35. Illī cīvēs rebellēs superant omnēs.   Illī cīvēs sunt rebellissimī omnium.
36. Illa proelia ācria superant omnia.   Illa proelia sunt ācerrima omnium.
37. Illa officia misera superant omnia.   Illa officia sunt miserrima omnium.
38. Illae gentēs barbarae superant omnēs.   Illae gentēs sunt barbarissimae omnium.
39. Illī populī superbī superant omnēs.   Illī populī sunt superbissimī omnium.
40. Illī cōnsulēs validī superant omnēs.   Illī cōnsulēs sunt validissimī omnium.

4. Irregular superlative adjectives:

Irregular Superlatives	
bonus	optimus
malus	pessimus
magnus	maximus
parvus	minimus
multus	plūrimus

1. Recognize the superlative of the adjective by completing the sentence as indicated in the example:

A. If the man is the *best,*   then the man is *good* above all (men).

1. Sī vir est optimus,   deinde vir est super omnēs bonus.
2. Sī ōrātiō est pessima,   deinde ōrātiō est super omnēs mala.
3. Sī palātium est maximum,   deinde palātium est super omnia magnum.
4. Sī fōns est minimus,   deinde fōns est super omnēs parvus.
5. Sī ager est optimus,   deinde ager est super omnēs bonus.
6. Sī hostis est pessimus,   deinde hostis est super omnēs malus.
7. Sī rēgnum est maximum,   deinde rēgnum est super omnia magnum.
8. Sī pōns est maximus,   deinde pōns est super omnēs magnus.
9. Sī fīnis est minimus,   deinde fīnis est super omnēs parvus.
10. Sī initium est optimum,   deinde initium est super omnia bonum.

11. Sī diēs sunt optimī,	deinde diēs sunt super omnēs bonī.
12. Sī artēs sunt maximae,	deinde artēs sunt super omnēs magnae.
13. Sī exercitūs sunt minimī,	deinde exercitūs sunt super omnēs parvī.
14. Sī supplicia sunt pessima,	deinde supplicia sunt super omnia mala.
15. Sī līberī sunt optimī,	deinde līberī sunt super omnēs bonī.
16. Sī dignitātēs sunt maximae,	deinde dignitātēs sunt super omnēs magnae.
17. Sī incendia sunt pessima,	deinde incendia sunt super omnia mala.
18. Sī folia sunt plūrima,	deinde folia sunt super omnia multa.
19. Sī flūmina sunt minima,	deinde flūmina sunt super omnia parva.
20. Sī senātōrēs sunt optimī,	deinde senātōrēs sunt super omnēs bonī.

2. Produce the superlative adjective by completing the sentence as indicated:

　　B. If the poet is *good* above all,　　then the poet is the *best*.

21. Sī poēta est super omnēs bonus,	deinde poēta est optimus.
22. Sī vīta est super omnēs mala,	deinde vīta est pessima.
23. Sī mūnus est super omnia magnum,	deinde mūnus est maximum.
24. Sī statua est super omnēs parva,	deinde statua est minima.
25. Sī adulēscēns est super omnēs bonus,	deinde adulēscēns est optimus.
26. Sī spectāculum est super omnia malum,	deinde spectāculum est pessimum.
27. Sī clādēs est super omnēs magna,	deinde clādēs est maxima.
28. Sī servus est super omnēs malus,	deinde servus est pessimus.
29. Sī lūmen est super omnia parvum,	deinde lūmen est minimum.
30. Sī lūdus est super omnēs parvus,	deinde lūdus est minimus.
31. Sī errōrēs sunt super omnēs parvī,	deinde errōrēs sunt minimī.
32. Sī impetūs sunt super omnēs magnī,	deinde impetūs sunt maximī.
33. Sī lītora sunt super omnia mala,	deinde lītora sunt pessima.
34. Sī honōrēs sunt super omnēs magnī,	deinde honōrēs sunt maximī.
35. Sī historiae sunt super omnēs bonae,	deinde historiae sunt optimae.
36. Sī prōverbia sunt super omnia bona,	deinde prōverbia sunt optima.
37. Sī vālla sunt super omnia parva,	deinde vālla sunt minima.
38. Sī virtūtēs sunt super omnēs magnae,	deinde virtūtēs sunt maximae.
39. Sī diēs sunt super omnēs malī,	deinde diēs sunt pessimī.
40. Sī proelia sunt super omnia multa,	deinde proelia sunt plūrima.

5. The intensive pronoun "ipse":

	SINGULAR			PLURAL		
	M	*F*	*N*	*M*	*F*	*N*
	ipse	–a	–um	ipsī	–ae	–a
	ipsīus	–īus	–īus	ipsōrum	–ārum	–ōrum
	ipsī	–ī	–ī	ipsīs	–īs	–īs
	ipsum	–am	–um	ipsōs	–ās	–a
	ipsō	–ā	–ō	ipsīs	–īs	–īs

1. Recognize the forms of **ipse** (*self*) by changing to **ille**:

A. Camillus *himself* killed the Gauls. | *That* Camillus killed the Gauls.

1. Camillus ipse Gallōs occīdit.
2. Gallī ā Camillō ipsō occīsī sunt.
3. Rōma diem ipsum damnāvit.
4. Clādēs exercitūs ipsīus erat terribilis.
5. Senonēs urbī ipsī propinquābant.
6. Fortūna ipsa fuit pessima.
7. Prō patriā ipsā Rōmānī pugnāvērunt.
8. Natūra gentis ipsīus erat barbara.
9. Proelium ipsum fīnītum est.
10. Cursus imperiī ipsīus prohibēbātur.

11. Deī ipsī erant inimīcī.
12. Invidiā deōrum ipsōrum imperium prohibitum est.
13. Gallī deōs ipsōs nōn timuērunt.
14. Hostēs vāllīs ipsīs propinquābant.
15. Mīlitēs arma ipsa Gallōrum veritī sunt.
16. Sacerdōtēs ā templīs ipsīs īvērunt.
17. Terrae mediae ipsae vāstābantur.
18. Gallī terrās mediās ipsās vāstāvērunt.
19. Ad ruīnam urbium ipsārum nātī vidēbantur.
20. Fāma Manliī ipsīus nārrāta est.

Ille Camillus Gallōs occīdit.
Gallī ab illō Camillō occīsī sunt.
Rōma illum diem damnāvit.
Clādēs illīus exercitūs erat terribilis.
Senonēs illī urbī propinquābant.
Illa fortūna fuit pessima.
Prō illā patriā Rōmānī pugnāvērunt.
Natūra illīus gentis erat barbara.
Illud proelium fīnītum est.
Cursus illīus imperiī prohibēbātur.

Illī deī erant inimīcī.
Invidiā illōrum deōrum imperium prohibitum est.
Gallī illōs deōs nōn timuērunt.
Hostēs illīs vāllīs propinquābant.
Mīlitēs illa arma Gallōrum veritī sunt.
Sacerdōtēs ab illīs templīs īvērunt.
Illae terrae mediae vāstābantur.
Gallī illās terrās mediās vāstāvērunt.
Ad ruīnam illārum urbium nātī vidēbantur.
Fāma illīus Manliī nārrāta est.

2. Produce the forms of **ipse** by substituting for **ille**:

B. *That* attack was destroying the city. | The attack *itself* was destroying the city.

21. Ille impetus urbem dēlēbat. | Impetus ipse urbem dēlēbat.

22. Urbs illō impetū dēlēbātur.   Urbs impetū ipsō dēlēbātur.
23. Rōmānī illum impetum timuērunt.   Rōmānī impetum ipsum timuērunt.
24. Natūra illīus impetūs erat ferōx.   Natūra impetūs ipsīus erat ferōx.
25. Clādēs illī impetuī successit.   Clādēs impetuī ipsī successit.
26. Illa vīta dignitātem habēbat.   Vīta ipsa dignitātem habēbat.
27. Dignitās illā vītā habēbātur.   Dignitās vītā ipsā habēbātur.
28. Dolor illam patientiam nōn vīcit.   Dolor patientiam ipsam nōn vīcit.
29. Fāma illīus pugnae mōnstrāta erat.   Fāma pugnae ipsīus mōnstrāta erat.
30. Illī oppidō hostēs propinquābant.   Oppidō ipsī hostēs propinquābant.

31. Illud incendium urbem vāstāvit.   Incendium ipsum urbem vāstāvit.
32. Urbs illō incendiō vāstāta est.   Urbs incendiō ipsō vāstāta est.
33. Illī oculī gladiōs hostium vīdērunt.   Oculī ipsī gladiōs hostium vīdērunt.
34. Gladiī hostium illīs oculīs vīsī sunt.   Gladiī hostium oculīs ipsīs vīsī sunt.
35. Prō illīs sociīs Rōmānī intervēnērunt.   Prō sociīs ipsīs Rōmānī intervēnērunt.
36. Illae clādēs erant maximae.   Clādēs ipsae erant maximae.
37. Illa domicilia nōn clausa erant.   Domicilia ipsa nōn clausa erant.
38. Historia illōrum proeliōrum multās rēs mōnstrat.   Historia proeliōrum ipsōrum multās rēs mōnstrat.
39. Glōria illīus Manliī numquam vīsa est.   Glōria Manliī ipsīus numquam vīsa est.
40. Fortūna illīus patriae servāta est.   Fortūna patriae ipsīus servāta est.

6. The demonstrative pronoun "īdem":

	SINGULAR			PLURAL	
M	F	N	M	F	N
īdem	eadem	idem	eīdem	eaedem	eadem
eiusdem	eiusdem	eiusdem	eōrundem	eārundem	eōrundem
eīdem	eīdem	eīdem	eīsdem	eīsdem	eīsdem
eundem	eandem	idem	eōsdem	eāsdem	eadem
eōdem	eādem	eōdem	eīsdem	eīsdem	eīsdem

1. Recognize the forms of **īdem** (*same*) by substituting **ipse**:

     A. The *same* man did it.   The man *himself* did it.

1. Īdem vir id fēcit.   Vir ipse id fēcit.
2. Eadem fēmina nōn timuit.   Fēmina ipsa nōn timuit.
3. Idem templum aedificātum est.   Templum ipsum aedificātum est.
4. Eiusdem ducis patientia est virtūs.   Ducis ipsīus patientia est virtūs.
5. Eiusdem mātris honor est maximus.   Mātris ipsīus honor est maximus.

6. Eīdem urbī Gallī propinquābant. Urbī ipsī Gallī propinquābant.
7. Eīdem lēgātō iūs datum est. Lēgātō ipsī iūs datum est.
8. Eundem virum omnēs laudāvērunt. Virum ipsum omnēs laudāvērunt.
9. Idem oppidum iuvenēs servābant. Oppidum ipsum iuvenēs servābant.
10. Ab eōdem Camillō Rōma servāta est. Ā Camillō ipsō Rōma servāta est.

11. Eīdem Gallī Rōmam capiunt. Gallī ipsī Rōmam capiunt.
12. Eōrundem seniōrum dignitās hostem afficiēbat. Seniōrum ipsōrum dignitās hostem afficiēbat.
13. Eīsdem barbarīs pecūnia datur. Barbarīs ipsīs pecūnia datur.
14. Eōsdem clāmōrēs populus audīvit. Clāmōrēs ipsōs populus audīvit.
15. Cum eīsdem Gallīs Rōma pugnābat. Cum Gallīs ipsīs Rōma pugnābat.

2. Produce the forms of **īdem** by substituting for **ipse:**

B. The Gaul *himself* said this. The *same* Gaul said this.

16. Gallus ipse hoc dīxit. Īdem Gallus hoc dīxit.
17. Fortūna ipsa Rōmam nōn cūrāvit. Eadem fortūna Rōmam nōn cūrāvit.
18. Oppidum ipsum nūlla praesidia habēbat. Idem oppidum nūlla praesidia habēbat.
19. Locī ipsīus ruīna erat maxima. Eiusdem locī ruīna erat maxima.
20. Corporis ipsīus magnitūdō fuit maior. Eiusdem corporis magnitūdō fuit maior.

21. Cursuī ipsī imperiī Gallī nocēbant. Eīdem cursuī imperiī Gallī nocēbant.
22. Arcem ipsam iuvenēs dēfendunt. Eandem arcem iuvenēs dēfendunt.
23. Dē virtūte ipsā plūrimae rēs dīcuntur. Dē eādem virtūte plūrimae rēs dīcuntur.
24. Senonēs ipsī nātī ad ruīnam vidēbantur. Eīdem Senonēs nātī ad ruīnam vidēbantur.
25. Armōrum ipsōrum magnitūdō terribilis appārēbat. Eōrundem armōrum magnitūdō terribilis appārēbat.
26. Deīs ipsīs seniōrēs sē dēdicāvērunt. Eīsdem deīs seniōrēs sē dēdicāvērunt.
27. Vāllīs ipsīs urbis hostēs propinquābant. Eīsdem vāllīs urbis hostēs propinquābant.
28. Rēs ipsās sacerdōtēs sepelīvērunt Eāsdem rēs sacerdōtēs sepelīvērunt.
29. Apud barbarōs ipsōs quod iūs? Apud eōsdem barbarōs quod iūs?
30. Dignitātis ipsīus natūra Gallōs mōvit. Eiusdem dignitātis natūra Gallōs mōvit.

CONVERSIŌ

1. He was the bravest man in the army.
2. Taller walls will save the city.

3. The barbarians destroyed very many towns.
4. These were the very bad defeats which almost destroyed the Romans.
5. The better citizens had met in the Forum.
6. Our allies are greater than our enemies.
7. The general himself shouted that he would not condemn the men.
8. These same men will rise again.
9. The Gauls hoped for victory by the same kind of attack.
10. The very swift attacks killed more Romans.
11. These young men have the same dignity.
12. The Gauls were prouder than the Romans.
13. For six months we fought with the Gauls themselves but finally they were defeated.
14. They said that the barbarians approached with the most terrible shouts.
15. I followed the same footprints but did not come to the same place.

NĀRRĀTIŌ

PLŪRA DĒ GALLĪS SENONIBUS

Manus vērō iuvenum, quae dīcitur circiter mīlle fuisse, duce Manliō, arcem Capitōlīnī montis auxiliō Iovis ipsīus dēfendēbat.

Veniēbant Gallī et ingrediēbantur apertam urbem prīmō trepidī, dolum timentēs. Mox, ubi nihil vīdērunt, parī clāmōre et impetū magnō intrāvērunt. Apertīs domibus propinquāvērunt. Ibi sedentēs in curūlibus sellīs suīs senēs ut deōs veritī sunt. Mox eōsdem, postquam esse hominēs repertī sunt, parī vaecordiā occīdērunt, facēs in tecta iactāvērunt et tōtam urbem incendiō, gladiō, manibus vāstāvērunt.

Sex mēnsēs barbarī — quis crēdere potest? — montem ūnum obsēdērunt, nōn diēbus modo sed noctibus quoque omnia cōnātī. Manlius nocte tamen, clāmōre ānseris mōtus, hostēs dē altissimā rūpe iactāvit.

Gallī tandem mīlle pondō aurī reditum suum vēnditābant. Ubi id ipsum per īnsolentiam factum est, ad inīqua pondera additō adhūc gladiō, "vae

---

trepidī: *anxious,* with Gallī.
curūlibus sellīs: *curule chairs,* the official seats of the highest government magistrates.

vaecordiā: *madness.*
facēs: *torches.*
ānseris: *of a goose.*
rūpe: *cliff,* abl. sing.
pondō aurī: *for pounds of gold.*

vēnditābant: *tried to sell.*
īnsolentiam: *arrogance.*
inīqua pondera: *unfair scales.*
vae: *woe (to).*

victīs" modō superbissimō clāmāvērunt. Subitō impetum faciēns ā tergō Camillus hostēs superbōs occīdit atque omnia incendiōrum vēstīgia Gallicī sanguinis inundātiōne dēlēvit. Postquam igitur servāta ā Manliō et restitūta est ā Camillō urbs, populus Rōmānus cum virtūte ācriōre etiam fortiōreque in hostēs fīnitimōs resurrēxit.

— Adapted from Lūcius Annaeus Flōrus, *Epitoma*, I. 8.

tergō: *the back.*   inundātiōne: *with a*
                                deluge.

Respondē Latīnē:

1. Quot iuvenēs Capitōlium dēfendisse dīcuntur?
2. Quis erat dux iuvenum?
3. Quam rem manus iuvenum dēfendēbat?
4. Cuius auxiliō arx Capitōlīnī montis dēfēnsa est?
5. Cuius arx ā iuvenibus dēfendēbātur?

6. Nōnne Gallī dolum timuērunt, ubi Rōmam intrābant?
7. Quālem urbem Gallī ingrediēbantur?
8. Quō modō Gallī Senonēs intrāvērunt, nihil videntēs?
9. Quandō intrāvērunt Gallī?
10. Quibus rēbus hostēs propinquāvērunt?
11. Propinquābantne domiciliīs clausīs?
12. Quōs ut deōs Gallī veritī sunt?
13. Quō modō Gallī senēs timuērunt?
14. Ubi sedēbant senēs?
15. Quōs Gallī interfēcērunt?
16. Quandō Gallī eōsdem senēs occīdērunt?
17. Quō iactāvērunt facēs?
18. Quid vāstāvērunt incendiō et gladiō et manibus?
19. Quibus auxiliīs tōtam Rōmam dēlēvērunt?

20. Quot mēnsēs montem Capitōlīnum barbarī obsēdērunt?
21. Quis hostēs dē altissimā rūpe iactāvit?
22. Quō tempore hostēs dē altissimā rūpe iactāvit?
23. Quā rē mōtus est Manlius?
24. Dē quālī rūpe Manlius hostēs iactāvit?

25. Quī reditum suum vēnditābant?
26. Quot pondō aurī reditum suum vēnditābant?
27. Quid ad inīqua pondera adhūc additum est?

28. Quae verba Gallī Senonēs clāmābant?
29. Quō modō Senonēs clāmāvērunt?
30. Quī vir impetum ā tergō subitō fēcit?
31. Quōs Camillus interfēcit?
32. Dēlēvitne Camillus omnia vēstīgia incendiōrum?
33. Cuius inundātiōne omnia incendia Camillus irrigāvit?
34. Ā quō Rōma servāta est?
35. Ā quō Rōma restitūta est?
36. Quid ēgit populus Rōmānus in hostēs fīnitimōs?
37. Quō modō Rōmānī in hostēs proximōs resurrēxērunt?

EPITOMA

1. Comparison of adjectives:

Positive	Comparative	Superlative
(The form given in the vocabulary)	(Formed by adding –ior and regular third declension endings to the stem of the positive.)	
altus	altior, altius	altissimus (Formed by adding –issimus, –a, –um, to the stem.)
pulcher	pulchrior, pulchrius	pulcherrimus (Adjectives ending in –er add –rimus to the –er form.)
facilis	facilior, facilius	facillimus (Six adjectives ending in –lis add –limus to the positive stem.)

2. Intensive pronoun (self):

SINGULAR			PLURAL		
ipse	ipsa	ipsum	ipsī	ipsae	ipsa
ipsīus	ipsīus	ipsīus	ipsōrum	ipsārum	ipsōrum
ipsī	ipsī	ipsī	ipsīs	ipsīs	ipsīs
ipsum	ipsam	ipsum	ipsōs	ipsās	ipsa
ipsō	ipsā	ipsō	ipsīs	ipsīs	ipsīs

3. Demonstrative (*the same*):

SINGULAR			PLURAL		
īdem	eadem	idem	eīdem	eaedem	eadem
eiusdem	eiusdem	eiusdem	eōrundem	eārundem	eōrundem
eīdem	eīdem	eīdem	eīsdem	eīsdem	eīsdem
eundem	eandem	idem	eōsdem	eāsdem	eadem
eōdem	eādem	eōdem	eīsdem	eīsdem	eīsdem

4. Ablative of Comparison:

The object of comparison can be expressed (1) by **quam** with the noun in the same case as the noun being compared or (2) by omitting **quam** and putting the object of the comparison in the ablative without a preposition.

> Rōmānī fuērunt fortiōrēs **quam Gallī.**
> Rōmānī fuērunt fortiōrēs **Gallīs.**

INDEX VERBŌRUM

altus, alta, altum	high, tall, deep
amplus, ampla, amplum	full, large, excellent
barbarus, barbara, barbarum	barbaric, foreign; *as noun, m.,* barbarian, foreigner
celer, celeris, celere	swift, fast, quick
clādēs, clādis, f.	slaughter, defeat
clāmāre, clāmāvī, clāmātus (1)	shout
clāmor, clāmōris, m.	shout
convenīre, convēnī, conventus (4)	come together, meet
damnāre, damnāvī, damnātus (1)	condemn, blame
dignitās, dignitātis, f.	honor, dignity
ferōx, gen., ferōcis	courageous, wild, fierce
īdem, eadem, idem	the same
impetus, impetūs, m.	attack
ipse, ipsa, ipsum	self (intensive)

nātūra, nātūrae, f.	nature
nātus, nātūs, m.	birth
nē . . . quidem	not . . . even
propinquāre, propinquāvī, propinquātus (1) (with dat. or acc.)	approach
resurgere, resurrēxī, resurrēctus (3)	arise, rise again
socius, sociī, m.	ally, comrade
subitō	suddenly
superbus, superba, superbum	proud, haughty
tam	so
tam . . . quam	as . . . as
terribilis, terribile	terrible, dreadful
vagārī, vagātus (1)	wander
vāstāre, vāstāvī, vāstātus (1)	destroy, devastate
vērus, vēra, vērum	true, real
vēstīgium, vēstīgiī, n.	footprint, trace

THE CALENDAR

The calendar we use today is essentially the one established by Julius Caesar in 45 B.C. It was changed only slightly by Pope Gregory XIII in 1582. The early Roman calendar was fashioned on the lunar month and had a year of 355 days. Caesar used the solar month with 365¼ days a year and added a day every fourth year to make a leap year.

Under the first king, Romulus, the year consisted of ten months starting with March and ending with the tenth, December. January and February were added to the end by King Numa, but over the centuries January gradually was looked upon as the start of the year. Under Julius Caesar the months were named the same as today, except that after his death **Quīntīlis,** the fifth month, was named **Iūlius** (July) after him and the sixth month, **Sextīlis,** was changed in 8 B.C. to **Augustus** (August) to honor the emperor Octavianus Augustus.

The Romans did not count the days of the month as we do. Days were reckoned by counting backward from three points in the month: the *Calends* **(Kalendae),** the first of the month; the *Nones* **(Nōnae),** the fifth (the seventh in March, May, July, and October); the *Ides* **(Īdūs),** the thirteenth (the fifteenth in March, May, July, and October). The Nones were so called because they were nine days before the Ides, but since they counted the first and last numbers of the series the actual number of days was eight. Thus January 1 was **Kalendae Iānuāriae;** January 5 was **Nōnae Iānuāriae;** January 13 was **Īdūs Iānuāriae;** January 30 was **ante diem tertium Kalendās Februāriās** *(the third day before the Calends of February).*

The week had seven days named after the stars, which were thought to govern the universe. The day was reckoned from midnight on. Daylight itself was divided originally into morning (sunrise to 9:00 or 10:00), forenoon, afternoon (until 3:00 or 4:00), and evening (to sunset). With the advent of sundials in the second century B.C. and water clocks later, daylight was separated into twelve hours, but because each hour was one twelfth of the period from sunrise to sunset the hours themselves always varied in length from day to day. Therefore in the spring and summer the hours were longer; on June 21 each hour lasted 75 minutes and on December 22 only 45 minutes. Darkness was divided at first into four equal watches, principally for military reasons, though later the hour system entered.

Each year was reckoned with reference to the consuls in power that particular year. But from the time of Augustus many counted also from the legendary founding date of Rome — 753 B.C.

LECTIŌ VĪCĒSIMA SECUNDA
(XXII)

FĀBULA

Gaul and the Helvetians

Gaul as a whole is divided into three parts, one of which the Belgians inhabit, another the Aquitanians inhabit, the third those who in their own language are called Celts, in ours Gauls. All these differ among themselves in language, customs, and laws. The Garonne river separates the Gauls from the Aquitanians; the Marne and Seine divides them from the Belgians.

Of all these the bravest are the Belgians, because they are the farthest from the province, and merchants very seldom come to them and bring those things which harm their minds. And they are next to the Germans who live across the Rhine, with whom they continuously wage war. For which reason the Helvetians also excel the rest of the Gauls in valor, because they fight with the Germans almost daily, when they either keep them from their own borders, or themselves wage war in their territory.

Among the Helvetians by far the noblest was Orgetorix. In the consulship of Marcus Messala and Marcus Piso, he, led on by a desire for kingly power, conspired with the nobles, because he wanted the Helvetians to

Dē Galliā et Helvētiīs

Gallia est omnis dīvīsa[1] in partēs trēs, quārum ūnam incolunt Belgae, aliam Aquītānī, tertiam eī quī ipsōrum linguā Celtae, nostrā Gallī appellantur. Hī omnēs linguā, mōribus, lēgibus inter sē differunt. Gallōs ab Aquītānīs Garumna flūmen, ā Belgīs Matrona et Sēquana dīvidit.

Hōrum omnium fortissimī sunt Belgae, quod ā prōvinciā longissimē absunt, minimēque saepe[2] mercātōrēs ad eōs veniunt atque ea quae animīs nocent portant. Proximīque sunt Germānīs, quī trāns Rhēnum incolunt, quibuscum continenter bellum gerunt. Quā dē causā Helvētiī quoque reliquōs Gallōs virtūte praecēdunt, quod paene cotīdiē cum Germānīs contendunt, ubi aut suīs fīnibus eōs prohibent, aut ipsī in eōrum fīnibus bellum gerunt.

Apud Helvētiōs longē nōbilissimus fuit Orgetorix. Is, Mārcō Messālā et Mārcō Pīsōne cōnsulibus, rēgnī cupiditāte inductus, coniūrātiōnem cum nōbilibus fēcit, quia voluit Helvētiōs dē fīnibus suīs cum omnibus cōpiīs

---

[1] **est . . . dīvīsa:** not the perfect passive tense; **dīvīsa** is used as a predicate adjective.
[2] **minimē . . . saepe:** literally, *least often.*

Alpine peaks like the Jungfrau in southern Switzerland hemmed in the Helvetians. These people spoke the Celtic language. They retained their distinct culture until overrun by German invaders in the third century A.D.

leave their territory with all their forces. He said that it was very easy to gain control of all Gaul.

He quite easily persuaded them to do this, because from all sides the Helvetians are hemmed in by the nature of the place. On the one side they are bound by the Rhine river, very wide and very deep; on the second side by the very high Jura mountain range; on the third side by Lake Geneva and the Rhone river. Because of these things they were able to move about less widely and to wage war on their neighbors less easily.

exīre. Iste dīxit facillimum esse tōtīus Galliae imperiō potīrī.

Id facilius eīs persuāsit, quod omnibus ex partibus locī nātūrā Helvētiī tenentur. Ūnā ex parte flūmine Rhēnō, lātissimō atque altissimō, prohibentur; alterā ex parte monte Iūrā altissimō; tertiā ex parte lacū Lemannō et flūmine Rhodanō. Propter hās rēs et minus lātē vagārī et minus facile in fīnitimōs bellum gerere poterant.

— Adapted from Gaius Iūlius Caesar, *Commentāriī dē Bellō Gallicō*, I.

GRAMMATICA

1. Adverbs and their comparison:

Most adverbs are formed from adjectives, e.g., *fierce — fiercely*. In Latin the adverb is formed from the base or stem of the adjective (**lāt–, pulchr–, miser–, ācr–**). It will usually have the ending **–ē** if formed from a first and second declension adjective, for example, **lātus, lātē**; **pulcher, pulchrē**. It usually will have the ending **–iter** if formed from a third declension adjective, for example, **acer, ācriter**; **fortis, fortiter**.

The comparative of the adverb is the same as the nominative singular neuter of the adjective comparative (**–ius**). The superlative has the ending **–ē** added to the superlative stem of the adjective:

lātē	lātius	lātissimē
ācriter	ācrius	ācerrimē
facile[3]	facilius	facillimē

Certain adverbs have irregular forms:

bene (*well*)	melius	optimē
male (*badly*)	peius	pessimē
magnopere (*greatly*)	magis	maximē
parum (*little*)	minus	minimē
multum (*much*)	plūs	plūrimum

2. The irregular verbs "velle, nōlle, mālle":

The irregular verb **velle** means *to want* or *to wish*. It has two compounds: **nōlle** (from **nōn** and **velle**) meaning *not to want, not to wish* and **mālle** (from **magis** and **velle**) meaning *to prefer*. The irregular forms are found in the present tense. In all other tenses these verbs have regular third conjugation forms.

	Velle	Nōlle	Mālle
Pres.	volō	nōlō	mālō
	vīs	nōn vīs	māvīs
	vult	nōn vult	māvult
	volumus	nōlumus	mālumus
	vultis	nōn vultis	māvultis
	volunt	nōlunt	mālunt

---

[3] Some adjectives will have the short **–e** instead of the expected adverb form.

	Velle	Nōlle	Mālle
Imp.	volēbam[4]	nōlēbam	mālēbam
Fut.	volam	nōlam	mālam
Perf.	voluī	nōluī	māluī
Past. Perf.	volueram	nōlueram	mālueram
Fut. Perf.	voluerō	nōluerō	māluerō
Pres. Part.	volēns	nōlēns	. . .
Pres. Inf.	velle	nōlle	mālle
Perf. Inf.	voluisse	nōluisse	māluisse
Pres. Imper.	. . .	nōlī, nōlīte	. . .

EXERCITIA

1. The positive degree of adverbs:

Decl.		Positive Adverb
I–II	–ē	lātē, pulchrē, miserē
III	–iter	fortiter, ācriter

1. Recognize the positive degree of the adverb by giving the adjective form in the answer:

    A. If the man speaks *proudly,* what kind of man is he?   He is a *proud* man.

1. Sī vir superbē dīcit, quālis vir est?	Est vir superbus.
2. Sī dux laetē triumphat, quālis dux est?	Est dux laetus.
3. Sī ōrātor validē persuādet, quālis ōrātor est?	Est ōrātor validus.
4. Sī mōns altē orītur, quālis mōns est?	Est mōns altus.
5. Sī flūmen lātē fluit, quāle flūmen est?	Est flūmen lātum.
6. Sī lingua vērē dīcit, quālis lingua est?	Est lingua vēra.
7. Sī animus variē tenētur, quālis animus est?	Est animus varius.
8. Sī rēs apertē tractātur, quālis rēs est?	Est rēs aperta.
9. Sī uxor bene vīvit, quālis uxor est?	Est uxor bona.
10. Sī gaudium bene capitur, quāle gaudium est?	Est gaudium bonum.
11. Sī mīles fortiter pugnat, quālis mīles?	Est mīles fortis.
12. Sī māter nōbiliter respondet, quālis māter?	Est māter nōbilis.
13. Sī dolor ācriter sentītur, quālis dolor?	Est dolor ācrer.

---

[4] The present stem of **velle** is **vole–**.

14. Sī lēgātus cīvīliter agit, quālis lēgātus?   Est lēgātus cīvīlis.
15. Sī poēta probābiliter scrībit, quālis poēta?   Est poēta probābilis.
16. Sī cōnsul sapienter cōnsīderat, quālis cōnsul?   Est cōnsul sapiēns.
17. Sī ōrātor facile dīcit, quālis ōrātor?   Est ōrātor facilis.
18. Sī equus celeriter currit, quālis equus?   Est equus celer.
19. Sī bēstia ferōciter pugnat, quālis bēstia?   Est bēstia ferōx.
20. Sī tempus breviter fugit, quāle tempus?   Est tempus breve.

2. Produce the positive degree of the adverb by changing the adjective to an adverb:

 B. A *fierce* battle is begun.   A battle is *fiercely* begun.

21. Pugna ācris committitur.   Pugna ācriter committitur.
22. Cōnsilium certum īnstituitur. Cōnsilium certē īnstituitur.
23. Fāma varia augētur.   Fāma variē augētur.
24. Aestās brevis fīnītur.   Aestās breviter fīnītur.
25. Servus laetus viam sequitur. Servus viam laetē sequitur.
26. Senātor nōbilis respondet.   Senātor nōbiliter respondet.
27. Arx valida mūnītur.   Arx validē mūnītur.
28. Senex sapiēns mortem praevidet. Senex mortem sapienter praevidet.
29. Verbum vērum dīcitur.   Verbum vērē dīcitur.
30. Legiō ferōx bellum gerit.   Legiō bellum ferōciter gerit.

31. Pugnae ācrēs committuntur. Pugnae ācriter committuntur.
32. Cōnsilia certa īnstituuntur. Cōnsilia certē īnstituuntur.
33. Fāmae variae augentur.   Fāmae variē augentur.
34. Aestātēs brevēs fīniuntur.   Aestātēs breviter fīniuntur.
35. Servī laetī viam sequuntur. Servī viam laetē sequuntur.
36. Senātōrēs nōbilēs respondent. Senātōrēs nōbiliter respondent.
37. Arcēs validae mūniuntur.   Arcēs validē mūniuntur.
38. Senēs sapientēs mortem praevident. Senēs mortem sapienter praevident.
39. Verba vēra dīcuntur.   Verba vērē dīcuntur.
40. Legiōnēs ferōcēs bellum gerunt. Legiōnēs bellum ferōciter gerunt.

2. The comparative degree of adverbs:

	Comparative Adverb
–ius	lātius, pulchrius, miserius, fortius, ācrius

1. Recognize the comparative degree of the adverb by changing it to the positive form, using **tam . . . quam** (*as . . . as*):

A. This envoy speaks *more strongly* than that one.

This envoy speaks as *strongly* as that one.

1. Hic lēgātus dīcit validius quam ille.

Hic lēgātus dīcit tam validē quam ille.

2. Haec dea ambulat pulchrius quam illa.

Haec dea ambulat tam pulchrē quam illa.

3. Hoc flūmen fluit altius quam illud.

Hoc flūmen fluit tam altē quam illud.

4. Haec classis vagātur longius quam illa.

Haec classis vagātur tam longē quam illa.

5. Hic ōrātor persuādet melius quam ille.

Hic ōrātor persuādet tam bene quam ille.

6. Hic poēta nārrat superbius quam ille.

Hic poēta nārrat tam superbē quam ille.

7. Haec laus sentītur magis quam illa.

Haec laus sentītur tam magnopere quam illa.

8. Hic puer lūdit laetius quam ille.

Hic puer lūdit tam laetē quam ille.

9. Haec coniūrātiō geritur apertius quam illa.

Haec coniūrātiō geritur tam apertē quam illa.

10. Hoc prōverbium audītur lātius quam illud.

Hoc prōverbium audītur tam lātē quam illud.

11. Hī dolōrēs ācrius oriuntur quam illī.

Hī dolōrēs tam ācriter oriuntur quam illī.

12. Hae ōrātiōnēs brevius audiuntur quam illae.

Hae ōrātiōnēs tam breviter audiuntur quam illae.

13. Hī ducēs nōbilius tractantur quam illī.

Hī ducēs tam nōbiliter tractantur quam illī.

14. Hae nāvēs celerius superant quam illae.

Hae nāvēs tam celeriter superant quam illae.

15. Hī iuvenēs ferōcius pugnant quam illī.

Hī iuvenēs tam ferōciter pugnant quam illī.

16. Hī rēgēs fortius rēgnant quam illī.

Hī rēgēs tam fortiter rēgnant quam illī.

17. Haec argūmenta probābilius persuādent quam illa.

Haec argūmenta tam probābiliter persuādent quam illa.

18. Hī magistrī sapientius docent quam illī.

Hī magistrī tam sapienter docent quam illī.

2. Produce from the positive form the comparative adverb, using **quam** (*than*) as indicated:

B. This poet writes as *joyfully* as that one.

This poet writes *more joyfully* than that one.

19. Hic poēta tam laetē scrībit quam ille.

Hic poēta laetius scrībit quam ille.

20. Hic imperātor tam longē rēgnat quam ille.

Hic imperātor longius rēgnat quam ille.

21. Haec coniūrātiō tam apertē augētur quam illa.

Haec coniūrātiō apertius augētur quam illa.

22. Hic aquaeductus tam altē fluit quam ille.

Hic aquaeductus altius fluit quam ille.

23. Haec fāma tam lātē currit quam illa.

Haec fāma lātius currit quam illa.

24. Haec vōx tam plēnē audītur quam illa.

Haec vōx plēnius audītur quam illa.

25. Hic cōnsul tam superbē iubet quam ille.

Hic cōnsul superbius iubet quam ille.

26. Hic servus tam miserē vīvit quam ille.

Hic servus miserius vīvit quam ille.

27. Haec māter tam bene cūrat quam illa.

Haec māter melius cūrat quam illa.

28. Hic clāmor tam ācriter orītur quam ille.

Hic clāmor ācrius orītur quam ille.

29. Hoc supplicium tam breviter timētur quam illud.

Hoc supplicium brevius timētur quam illud.

30. Haec laus tam nōbiliter recipitur quam illa.

Haec laus nōbilius recipitur quam illa.

31. Haec lingua tam ferōciter dīcit quam illa.

Haec lingua ferōcius dīcit quam illa.

32. Hoc cōnsilium tam celeriter cōnstituitur quam illud.

Hoc cōnsilium celerius cōnstituitur quam illud.

33. Hic rēx tam sapienter cernit quam ille.

Hic rēx sapientius cernit quam ille.

34. Hic exercitus tam fortiter pugnat quam ille.

Hic exercitus fortius pugnat quam ille.

35. Hic cīvis tam male studet quam ille.

Hic cīvis peius studet quam ille.

36. Hic senex tam parum ambulat quam ille.

Hic senex minus ambulat quam ille.

3. The superlative degree of adverbs:

Superlative Adverb
–ē   lātissimē, pulcherrimē, miserrimē, fortissimē, ācerrimē

1. Recognize the superlative degree of the adverb by giving the superlative adjective in the answer:

    A. If the enemy acts *most proudly,* what kind of enemy is it?   It is a *most proud* enemy.

    1. Sī hostis superbissimē agit, quālis hostis est?   Est hostis superbissimus.
    2. Sī rēs apertissimē agitur, quālis rēs est?   Est rēs apertissima.
    3. Sī senātus optimē agit, quālis senātus est?   Est senātus optimus.
    4. Sī cōnsul maximē agit, quālis cōnsul est?   Est cōnsul maximus.
    5. Sī memoria minimē agit, quālis memoria est?   Est memoria minima.
    6. Sī puella pulcherrimē agit, quālis puella est?   Est puella pulcherrima.
    7. Sī iuvenis ācerrimē agit, quālis iuvenis est?   Est iuvenis ācerrimus.
    8. Sī custōs fortissimē agit, quālis custōs est?   Est custōs fortissimus.
    9. Sī dominus sapientissimē agit, quālis dominus est?   Est dominus sapientissimus.
    10. Sī poēta sollertissimē agit, quālis poēta est?   Est poēta sollertissimus.

    11. Sī cōnsilia fīrmissimē aguntur, quālia cōnsilia sunt?   Sunt cōnsilia fīrmissima.
    12. Sī impetūs validissimē aguntur, quālēs impetūs sunt?   Sunt impetūs validissimī.
    13. Sī fēminae grātissimē agunt, quālēs fēminae sunt?   Sunt fēminae grātissimae.
    14. Sī nepōtēs miserrimē agunt, quālēs nepōtēs sunt?   Sunt nepōtēs miserrimī.
    15. Sī facta brevissimē aguntur, quālia facta sunt?   Sunt facta brevissima.
    16. Sī vītae pessimē aguntur, quālēs vītae sunt?   Sunt vītae pessimae.
    17. Sī agricolae laetissimē agunt, quālēs agricolae sunt?   Sunt agricolae laetissimī.
    18. Sī clāmōrēs lātissimē aguntur, quālēs clāmōrēs sunt?   Sunt clāmōrēs lātissimī.
    19. Sī laudēs amplissimē aguntur, quālēs laudēs sunt?   Sunt laudēs amplissimae.
    20. Sī rēgēs nōbilissimē agunt, quālēs rēgēs sunt?   Sunt rēgēs nōbilissimī.

2. Produce the superlative adverb from the superlative adjective as indicated in the example:

B. If this (man) is *most proud,* then he acts *most proudly.*

21. Sī hic est superbissimus, deinde agit superbissimē.
22. Sī haec est fortissima, deinde agit fortissimē.
23. Sī hoc est facillimum, deinde agit facillimē.
24. Sī hic est laetissimus, deinde agit laetissimē.
25. Sī haec est ferōcissima, deinde agit ferōcissimē.
26. Sī hoc est maximum, deinde agit maximē.
27. Sī hic est pessimus, deinde agit pessimē.
28. Sī haec est ācerrima, deinde agit ācerrimē.
29. Sī hoc est lātissimum, deinde agit lātissimē.
30. Sī hic est nōbilissimus, deinde agit nōbilissimē.

3. Produce the superlative adverb from the given positive adverb:

C. She acts *pleasantly.* She acts *most pleasantly.*

31. Ea agit grātē. Ea agit grātissimē.
32. Is agit superbē. Is agit superbissimē.
33. Id agit bene. Id agit optimē.
34. Is agit ācriter. Is agit ācerrimē.
35. Ea agit fortiter. Ea agit fortissimē.
36. Id agit altē. Id agit altissimē.
37. Is agit sapienter. Is agit sapientissimē.
38. Ea agit ferōciter. Ea agit ferōcissimē.
39. Id agit certē. Id agit certissimē.
40. Is agit laetē. Is agit laetissimē.

4. The irregular verb "velle":

Velle — Present	
volō	volumus
vīs	vultis
vult	volunt

1. Recognize the forms of **velle** by repeating the sentence, supplying the proper personal pronoun:

A. (I) *want* to persuade him. *I want* to persuade him.

1. Volō eī persuādēre. Ego volō eī persuādēre.
2. Vīs eī respondēre. Tū vīs eī respondēre.

3. Vult iter differre.

4. Volumus cum eīs contendere.

5. Vultis longē abesse.

6. Volunt virtūte praecēdere.

7. Vīs mē proficīscī.

8. Vultis eōs ingredī.

9. Volumus tē viam sequī.

10. Volō vōs sapienter agere.

11. Vult nōs deōs verērī.

12. Volunt hōs domum ingredī.

Is vult iter differre.

Nōs volumus cum eīs contendere.

Vōs vultis longē abesse.

Eī volunt virtūte praecēdere.

Tū vīs mē proficiscī.

Vōs vultis eōs ingredī.

Nōs volumus tē viam sequī.

Ego volō vōs sapienter agere.

Is vult nōs deōs verērī.

Eī volunt hōs domum ingredī.

2. Produce the proper form of **velle** for the given personal pronoun:

B. I ... (to be willing, to wish) ... to answer.

I *am willing* to answer.

13. Ego ... respondēre.

14. Tū ... dignitāte praecēdere.

15. Hic ... mercātōrī persuādēre.

16. Nōs ... bellum differre.

17. Vōs ... in proeliō contendere.

18. Hī ... partēs dīvidere.

19. Tū ... cōnārī coniūrātiōnem.

20. Vōs ... spērāre salūtem.

21. Nōs ... impetum facere.

22. Ego ... vōs omnēs praecēdere.

23. Illī ... gentēs redigere.

24. Ille ... senātum cōnstituere.

Ego volō respondēre.

Tū vīs dignitāte praecēdere.

Hic vult mercātōrī persuādēre.

Nōs volumus bellum differre.

Vōs vultis in proeliō contendere.

Hī volunt partēs dīvidere.

Tū vīs cōnārī coniūrātiōnem.

Vōs vultis spērāre salūtem.

Nōs volumus impetum facere.

Ego volō vōs omnēs praecēdere.

Illī volunt gentēs redigere.

Ille vult senātum cōnstituere.

3. Produce the proper form of **velle** from the corresponding form of **dēsīderāre** or **cupere**:

C. He *desires* to write a letter.

He *wishes* to write a letter.

25. Dēsīderat epistulam scrībere.

26. Cupiō epistulam scrībere.

27. Dēsīderāmus epistulam scrībere.

28. Cupis epistulam scrībere.

29. Dēsīderātis epistulam scrībere.

30. Cupiunt epistulam scrībere.

31. Dēsīderō ēloquentiam habēre.

32. Cupit ēloquentiam habēre.

33. Dēsīderās ēloquentiam habēre.

Vult epistulam scrībere.

Volō epistulam scrībere.

Volumus epistulam scrībere.

Vīs epistulam scrībere.

Vultis epistulam scrībere.

Volunt epistulam scrībere.

Volō ēloquentiam habēre.

Vult ēloquentiam habēre.

Vīs ēloquentiam habēre.

34. Cupimus ēloquentiam habēre.
35. Dēsīderant ēloquentiam habēre.

Volumus ēloquentiam habēre.
Volunt ēloquentiam habēre.

5. The irregular verb "nōlle":

Nōlle — Present	
nōlō	nōlumus
nōn vīs	nōn vultis
nōn vult	nōlunt

1. Recognize the forms of **nōlle** by dropping the negative form, thus using forms of **velle.** Add also the personal pronoun; use **hic** for the third person:

A. (I) *do not wish* to yield this to them.

I wish to yield this to them.

1. Nōlō eīs hoc cēdere.
2. Nōn vīs eīs hoc cēdere.
3. Nōn vult eīs hoc cēdere.
4. Nōlumus eīs hoc cēdere.
5. Nōn vultis eīs hoc cēdere.
6. Nōlunt eīs hoc cēdere.

Ego volō eīs hoc cēdere.
Tū vīs eīs hoc cēdere.
Hic vult eīs hoc cēdere.
Nōs volumus eīs hoc cēdere.
Vōs vultis eīs hoc cēdere.
Hī volunt eīs hoc cēdere.

7. Nōn vīs iter facere.
8. Nōn vultis iter facere.
9. Nōlumus iter facere.
10. Nōlō iter facere.
11. Nōlunt iter facere.
12. Nōn vult iter facere.

Tū vīs iter facere.
Vōs vultis iter facere.
Nōs volumus iter facere.
Ego volō iter facere.
Hī volunt iter facere.
Hic vult iter facere.

13. Nōlō ad Genavam venīre.
14. Nōlunt ad Genavam venīre.
15. Nōn vīs ad Genavam venīre.
16. Nōn vultis ad Genavam venīre.
17. Nōn vult ad Genavam venīre.
18. Nōlumus ad Genavam venīre.

Ego volō ad Genavam venīre.
Hī volunt ad Genavam venīre.
Tū vīs ad Genavam venīre.
Vōs vultis ad Genavam venīre.
Hic vult ad Genavam venīre.
Nōs volumus ad Genavam venīre.

2. Produce the forms of **nōlle** by negating the forms of **velle.** Supply also the personal pronoun; use **ille** for the third person:

B. (I) *am willing* to consider the plan.

I am not willing to consider the plan.

19. Volō cōnsilium cōnsīderāre.
20. Vīs cōnsilium cōnsīderāre.

Ego nōlō cōnsilium cōnsīderāre.
Tū nōn vīs cōnsilium cōnsīderāre.

21. Vult cōnsilium cōnsīderāre.   Ille nōn vult cōnsilium cōnsīderāre.
22. Volumus cōnsilium cōnsīderāre.   Nōs nōlumus cōnsilium cōnsīderāre.
23. Vultis cōnsilium cōnsīderāre.   Vōs nōn vultis cōnsilium cōnsīderāre.
24. Volunt cōnsilium cōnsīderāre.   Illī nōlunt cōnsilium cōnsīderāre.

25. Vīs palātium aedificāre.   Tū nōn vīs palātium aedificāre.
26. Vultis palātium aedificāre.   Vōs nōn vultis palātium aedificāre.
27. Volumus palātium aedificāre.   Nōs nōlumus palātium aedificāre.
28. Volō palātium aedificāre.   Ego nōlō palātium aedificāre.
29. Volunt palātium aedificāre.   Illī nōlunt palātium aedificāre.
30. Vult palātium aedificāre.   Ille nōn vult palātium aedificāre.

31. Volō fortūnās vidēre.   Ego nōlō fortūnās vidēre.
32. Volunt fortūnās vidēre.   Illī nōlunt fortūnās vidēre.
33. Vīs fortūnās vidēre.   Tū nōn vīs fortūnās vidēre.
34. Vultis fortūnās vidēre.   Vōs nōn vultis fortūnās vidēre.
35. Volumus fortūnās vidēre.   Nōs nōlumus fortūnās vidēre.
36. Vult fortūnās vidēre.   Ille nōn vult fortūnās vidēre.

6. The irregular verb "mālle":

Mālle — Present	
mālō	mālumus
māvīs	māvultis
māvult	mālunt

1. Recognize the forms of **mālle** by substituting the corresponding form of **velle**:

A. I *prefer* to be at Rome.   I *wish* to be at Rome.

1. Mālō Rōmae esse.   Volō Rōmae esse.
2. Māvīs Rōmae esse.   Vīs Rōmae esse.
3. Māvult Rōmae esse.   Vult Rōmae esse.
4. Mālumus Rōmae esse.   Volumus Rōmae esse.
5. Māvultis Rōmae esse.   Vultis Rōmae esse.
6. Mālunt Rōmae esse.   Volunt Rōmae esse.

7. Māvīs populīs persuādēre.   Vīs populīs persuādēre.
8. Māvultis populīs persuādēre.   Vultis populīs persuādēre.
9. Mālumus populīs persuādēre.   Volumus populīs persuādēre.
10. Mālō populīs persuādēre.   Volō populīs persuādēre.
11. Mālunt populīs persuādēre.   Volunt populīs persuādēre.
12. Māvult populīs persuādēre.   Vult populīs persuādēre.

13. Mālō honōrem sequī.   Volō honōrem sequī.
14. Mālunt honōrem sequī.   Volunt honōrem sequī.
15. Māvīs honōrem sequī.   Vīs honōrem sequī.
16. Māvultis honōrem sequī.   Vultis honōrem sequī.
17. Māvult honōrem sequī.   Vult honōrem sequī.
18. Mālumus honōrem sequī.   Volumus honōrem sequī.

2. Produce the forms of **mālle** from the forms of **velle** or **cupere** or **dēsīderāre:**

     B. I *wish* to inform you.   I *prefer* to inform you.

19. Volō tē certiōrem facere.   Mālō tē certiōrem facere.
20. Vīs tē certiōrem facere.   Māvīs tē certiōrem facere.
21. Vult tē certiōrem facere.   Māvult tē certiōrem facere.
22. Volumus tē certiōrem facere.   Mālumus tē certiōrem facere.
23. Vultis tē certiōrem facere.   Māvultis tē certiōrem facere.
24. Volunt tē certiōrem facere.   Mālunt tē certiōrem facere.

25. Cupiō hostem vincere.   Mālō hostem vincere.
26. Dēsīderant hostem vincere.   Mālunt hostem vincere.
27. Vīs hostem vincere.   Māvīs hostem vincere.
28. Cupitis hostem vincere.   Māvultis hostem vincere.
29. Dēsīderat hostem vincere.   Māvult hostem vincere.
30. Volumus hostem vincere.   Mālumus hostem vincere.

31. Cupis omnī virtūte praecēdere.   Māvīs omnī virtūte praecēdere.
32. Dēsīderātis omnī virtūte praecēdere.   Māvultis omnī virtūte praecēdere.
33. Volō omnī virtūte praecēdere.   Mālō omnī virtūte praecēdere.
34. Cupimus omnī virtūte praecēdere.   Mālumus omnī virtūte praecēdere.
35. Volunt omnī virtūte praecēdere.   Mālunt omnī virtūte praecēdere.
36. Cupit omnī virtūte praecēdere.   Māvult omnī virtūte praecēdere.

CONVERSIŌ

1. The soldiers fought fiercely but not wisely.
2. The general wished to precede his troops.
3. The other road leads to the mountain more quickly than this one.
4. The disaster arose very quickly.
5. They will still prefer to persuade us.
6. The lake, which was very wide and very deep, divided Gaul from the province.

7. The river flows too rapidly.
8. The noble man wishes to live happily without any desire.
9. Envoys continually came to Caesar from the largest tribes of Gaul.
10. We prefer to go across the river at the widest point.
11. He quickly answered that he had already informed Caesar.
12. Merchants hurried to Caesar, after his arrival was reported.
13. Do you wish to answer briefly?
14. The Gauls did not want to live without any conspiracy.
15. That part of Gaul is very well fortified by nature.
16. He does his work easily.
17. The Roman people praised Caesar the most.
18. We men greatly prefer honor.
19. Caesar liked Gaul very much.
20. I want a good life more than glory.

NĀRRĀTIŌ

DĒ CAESARE ET HELVĒTIĪS

Omnibus rēbus ad profectiōnem parātīs, prīncipēs Helvētiōrum diem dīxērunt quā diē ad rīpam Rhodanī omnēs convenīre dēbēbant. Caesarī ubi id nūntiātum est Helvētiōs per prōvinciam iter facere cōnārī, ab urbe Rōmā profectus est et quam celerrimē in Galliam contendit et ad Genavam pervēnit. Pontem, quī erat ad Genavam, iussit dēlērī.

Ubi dē eius adventū Helvētiī certiōrēs factī sunt, lēgātōs ad Caesarem mīsērunt nōbilissimōs cīvitātis, quī acriter et fortiter dīxērunt: "In animō habēmus sine ūllō maleficiō iter per prōvinciam facere; aliud iter nūllum habēmus et iter per prōvinciam nōbīs darī volumus."

Caesar, quod memoriā tenēbat Lūcium Cassium cōnsulem occīsum esse exercitumque eius ab Helvētiīs pulsum esse et sub iugum missum esse, eīs hoc cēdere nōlēbat. Etiam prīvātē putābat hominēs inimīcō animō maximam iniūriam factūrōs esse. Tamen lēgātīs breviter respondit diem ad dēliberandum sē sūmptūrum esse. Eōs ad Īdūs Aprīlēs redīre iussit.

profectiōnem: *departure.*
rīpam: *bank.*
quam celerrimē: *as quickly as possible;* **quam** with the superlative means *as —— as possible.*

maleficiō: *damage.*
iugum: *the yoke;* as a sign of defeat and submission, the army went under a spear which was put horizontally on two other spears

plunged vertically into the ground.
diem ad dēliberandum: *time to deliberate.*
sūmptūrum esse: *would take.*

The Jura mountains in eastern France kept the Helvetians from moving about freely.

Intereā eā legiōne, quam sēcum habēbat, mīlitibusque, quī ex prōvinciā convēnerant, ā lacū Lemannō, quī in flūmen Rhodanum fluit, ad montem Iūram, quī fīnēs Sēquanōrum ab Helvētiīs dīvidit, mīlia passuum ūndēvīgintī mūrum fossamque celeriter mūnīvit. Eō opere factō, praesidia posuit, castella mūnīvit; hōc modō facilius eōs trānsīre cōnantēs prohibēre potuit.

— Adapted from Gaius Iūlius Caesar, *Commentāriī dē Bellō Gallicō*, I.

Intereā: *meanwhile.*	*paces.*	**castella:** *forts.*
mīlia passuum: *miles,*	**mūrum fossamque:** *a wall*	**trānsīre:** *go across.*
literally, *thousands of*	*and a ditch.*	

Respondē Latīnē:

1. Quae ad profectiōnem parāta sunt?
2. Quid ad profectiōnem āctum est?
3. Quī diem dīxērunt ad profectiōnem?
4. Quid ēgērunt prīncipēs Helvētiōrum?
5. Quō omnēs convenīre dēbēbant?
6. Cui iter Helvētiōrum nūntiātum erat?
7. Quid Caesarī nūntiātum erat?
8. Quī per prōvinciam iter facere cōnābantur?
9. Cōnābanturne Helvētiī per Italiam iter facere?
10. Unde Caesar profectus est?

11. Quō modō Caesar in Galliam contendit?
12. Nōnne Caesar ad Genavam pervēnit?
13. Ubi erat pōns?
14. Quid Caesar agī iussit?

15. Dē cuius adventū Helvētiī certiōrēs factī sunt?
16. Quī ad Caesarem missī sunt?
17. Quālēs lēgātī ab Helvētiīs missī sunt?
18. Quō modō lēgātī dīcēbant?
19. Quō modō Helvētiī dīxērunt sē per prōvinciam itūrōs esse?
20. Num Helvētiī aliud iter habuērunt secundum lēgātōs?

21. Quī cōnsul ab Helvētiīs anteā interfectus est?
22. Quī exercitum Rōmānum pepulērunt?
23. Sub quid mīlitēs Rōmānī missī sunt?
24. Quis haec facta mala Helvētiōrum memoriā tenuit?
25. Volēbatne Caesar iter Helvētiīs per prōvinciam darī?
26. Quō animō Caesar crēdēbat Helvētiōs esse?
27. Quid in animō Caesaris Helvētiī factūrī erant?
28. Quibus Caesar breviter respondēbat?
29. Quō modō Caesar lēgātīs respondit?
30. Quid Caesar respondit?
31. Quandō Helvētiōrum lēgātī ad Caesarem redīre dēbuērunt?

32. Quid Caesar ā lacū Lemannō ad montem Iūram aedificāvit?
33. Quōrum auxiliō mūnīvit Caesar mūrum fossamque?
34. Quō fluit lacus Lemannus?
35. Quid agit mōns Iūra?
36. Quot mīlia passuum fuit mūrus et fossa Caesaris?
37. Quō modō Caesar hoc opus fēcit?
38. Postquam id opus factum est, tum quid ēgit Caesar?
39. Quōs auxiliō mūrī et fossae et praesidiōrum et castellōrum Caesar prohibēre poterat?
40. Quō modō Caesar eōs prohibēre potuit?

EPITOMA

1. Comparison of adverbs:

Positive	Comparative	Superlative
-ē, -iter, (-e)	*-ius* of adjective comparative	*-ē* added to the stem of superlative adjective

2. Velle, nōlle, mālle:

Pres.	volō	nōlō	mālō
	vīs	nōn vīs	māvīs
	vult	nōn vult	māvult
	volumus	nōlumus	mālumus
	vultis	nōn vultis	māvultis
	volunt	nōlunt	mālunt
Imp.	volēbam	nōlēbam	mālēbam
Fut.	volam	nōlam	mālam
Perf.	voluī	nōluī	māluī
Past Perf.	volueram	nōlueram	mālueram
Fut. Perf.	voluerō	nōluerō	māluerō
Pres. Part.	volēns	nōlēns	. . . . . .
Pres. Inf.	velle	nōlle	mālle
Perf. Inf.	voluisse	nōluisse	māluisse
Imperative	. . . . . .	nōlī, nōlīte	. . . . . .

INDEX VERBŌRUM

abesse, āfuī, āfutūrus — be absent, be away

adventus, adventūs, m. — arrival

alter, altera, alterum — the other (of two)

certiōrem facere — inform

coniūrātiō, coniūrātiōnis, f. — conspiracy, plot

contendere, contendī, contentus (3) — hurry; fight

continenter — continuously

cupiditās, cupiditātis, f. — desire

differre, distulī, dīlātus — differ, delay

iter, itineris, n. — journey, route, march

lacus, lacūs, m. — lake

lātus, lāta, lātum — wide

lingua, linguae, f. — language, tongue

longus, longa, longum — long

mālle, māluī, —— — prefer

mercātor, mercātōris, m. — merchant

nōbilis, nōbile — noble

nōlle, nōluī, —— — not want, not wish

persuādēre, persuāsī, persuāsūrus (2) (dat.) — persuade

praecēdere, praecessī, praecessus (3) — precede, excel

respondēre, respondī, respōnsūrus (2) (dat.) — answer, reply

sine (prep. with abl.) — without

trāns — across

ūllus, ūlla, ūllum — any

unde? — from where? whence?

velle, voluī, —— — want, wish, be willing

LECTIŌ VĪCĒSIMA TERTIA
(XXIII)

FĀBULA

Hannibal

Hannibal, the son of Hamilcar, the Carthaginian. Just as the Roman people surpassed all nations in bravery, so Hannibal excelled the other generals in judgment. In Italy he always came out ahead. It seems he could have overcome the Romans. But the hate of many defeated the valor of one.

Hannibal himself said, "My father Hamilcar, when I was a little boy not more than nine years old, upon his setting out as general, from Carthage for Spain, made a sacrifice to Jupiter. While this divine rite was being performed, he asked of me, 'Do you want to set out for camp with me?' After I accepted this, then he said, 'I will do it, if you first will have given me the promise which I ask.' He led me to the altar at which he had begun to sacrifice and ordered me, as I was touching it, to swear that I would never be friendly with the Romans. Up to this time I have kept this promise given to my father and in the remaining time I intend to be of the same mind."

The most memorable of all wars, which were ever waged, was the war which the Carthaginians under the leadership of Hannibal carried on with the Roman people. It would take long

Dē Hannibale

Hannibal, Hamilcaris fīlius, Carthāginiēnsis. Ut populus Rōmānus omnēs gentēs virtūte superāvit, Hannibal ita praecessit cēterōs imperātōrēs prūdentiā. In Italiā semper exīvit superior. Rōmānōs vidētur superāre potuisse. Sed multōrum invidia vīcit ūnīus virtūtem.

Hannibal ipse "Pater meus" inquit, "Hamilcar, puerolō* mē ut nōn amplius novem annōs nātō, in Hispāniam imperātor proficīscēns Carthāgine, Iovī sacrificāvit. Quae dīvīna rēs dum cōnficiēbātur, quaesīvit ā mē, 'Vīsne mēcum in castra proficīscī?' Id postquam accēpī, tum ille, 'Faciam,' inquit, 'sī mihi fidem quam postulō dederis.' Mē ad āram dūxit apud quam sacrificāre coeperat eamque tenentem iūrāre iussit numquam mē in amīcitiā cum Rōmānīs futūrum esse. Eam ego fidem patrī datam usque ad hoc tempus servāvī et reliquō tempore eādem animā sum futūrus."

Erat bellum maximē omnium memorābile, quae umquam gesta sunt, quod Hannibale duce Carthāginiēnsēs cum populō Rōmānō gessērunt. Longum est omnia nārrāre proelia. Quā rē hoc

Hannibal (247–
182 B.C.).

Alinari

to report all the battles. Therefore this one saying will be enough: As long as he was in Italy, no one stopped him in the battle line; nobody after the battle of Cannae pitched camp in the field against him.

ūnum satis erit dictum: Quamdiū in Italiā fuit, nēmō eī in aciē restitit; nēmō adversus eum post Cannēnsem pugnam in campō castra posuit.

— Adapted from Cornēlius Nepos, *Dē Virīs Illūstribus,* and from Titus Līvius, *Ab Urbe Conditā,* XXI. 1.

GRAMMATICA

1. Irregular adjectives:

Some adjectives have the special forms **–īus** in the genitive singular and **–ī** in the dative singular. These endings have already been seen in the declensions of **hic, ille, iste, ipse, īdem.** Other adjectives which have these forms are: **alius, alter, neuter, nūllus, sōlus, tōtus, ūllus, ūnus,** and **uter.**[1] In all other cases these adjectives are regular first and second declension adjectives. **Alius** has **aliud** in the neuter nominative and accusative singular and usually uses the genitive singular of **alter** rather than its own form.

	Singular			Plural		
Nom.	nūllus	nūlla	nūllum	nūllī	nūllae	nūlla
Gen.	nūllīus	nūllīus	nūllīus	nūllōrum	nūllārum	nūllōrum
Dat.	nūllī	nūllī	nūllī	nūllīs	nūllīs	nūllīs
Acc.	nūllum	nūllam	nūllum	nūllōs	nūllās	nūlla
Abl.	nūllō	nūllā	nūllō	nūllīs	nūllīs	nūllīs

---

[1] **Uter** (*either*) and **neuter** (*neither*) are not used in this book.

2. Irregular verbs "posse, ferre, īre":

Some forms of **posse, ferre,** and **īre** have already been studied in Lectiō X. The complete conjugations are now given. Remember that in the perfect tenses all verbs are regular. Compounds of these verbs (e.g., **differre, auferre, exīre, redīre**) will have the same forms.

	Posse	**Ferre** Active	Passive	**Īre**
Pres.	possum	ferō	feror	eō
	potes	fers	ferris	īs
	potest	fert	fertur	it
	possumus	ferimus	ferimur	īmus
	potestis	fertis	feriminī	ītis
	possunt	ferunt	feruntur	eunt
Imp.	poteram	ferēbam	ferēbar	ībam
Fut.	poterō	feram	ferar	ībō
Perf.	potuī	tulī	lātus sum	īvī (iī)
Past. Perf.	potueram	tuleram	lātus eram	īveram (ieram)
Fut. Perf.	potuerō	tulerō	lātus erō	īverō (ierō)
Pres. Part.	...	ferēns	...	iēns (gen., euntis)
Perf. Part.	...	...	lātus	...
Fut. Part.	...	lātūrus		itūrus
Pres. Inf.	posse	ferre	ferrī	īre
Perf. Inf.	potuisse	tulisse	lātus esse	īvisse (īsse)
Fut. Inf.	...	lātūrus esse		itūrus esse
Imperative	...	fer, ferte		ī, īte

3. "Mīlle" and "mīlia":

Mīlle (*one thousand*) is an indeclinable adjective and modifies a noun:

    mīlle mīlitēs   *1000 soldiers*

Mīlia (*thousands*) is a neuter plural noun and therefore does not modify anything. The noun with which it is used is put into the genitive case as in the English phrase *thousands of people.* This form is always used in Latin for the plurals of *thousand:*

duo mīlia mīlitum   *2000 soldiers*

The Latin phrase for *mile* is **mīlle passūs** (*a thousand paces*). The plural *miles* becomes **mīlia passuum** (*thousands of paces*).

4. Negative commands:

The imperative mood is used to express affirmative commands:

Pugnā! Pugnāte!   *Fight!*

A negative order or prohibition is expressed by the imperative of **nōlle** and the infinitive of the verb:

Nōlī pugnāre! Nōlīte pugnāre!   *Don't fight!*

EXERCITIA

1. Irregular adjectives:

Irregular Adjectives		
SINGULAR		
Nom. ūnus	ūna	ūnum
Gen. ūnīus	ūnīus	ūnīus
Dat. ūnī	ūnī	ūnī

1. Recognize the form of **ūnus** by changing it to the corresponding form of **prīmus:**

A. *One* villa is far away.   The *first* villa is far away.

1. Ūna vīlla longē abest.   Prīma vīlla longē abest.
2. Coniūrātiō ūnīus rēgīnae neglegitur.   Coniūrātiō prīmae rēgīnae neglegitur.
3. Nōs ūnī causae dedimus.   Nōs prīmae causae dedimus.
4. Cīvēs ūnam portam dēfendēbant.   Cīvēs prīmam portam dēfendēbant.
5. Bellum ūnā victōriā fīnītum est.   Bellum prīmā victōriā fīnītum est.

6. Ūnus vir nōbilis verēbātur.   Prīmus vir nōbilis verēbātur.
7. Virtūs ūnīus sociī Hannibalem servāvit.   Virtūs prīmī sociī Hannibalem servāvit.

8. Mercātor ūnī barbarō persuāsit.

Mercātor prīmō barbarō persuāsit.

9. Mīlitēs ūnum ducem sequēbantur.

Mīlitēs prīmum ducem sequēbantur.

10. Urbs ūnō impetū capta est.

Urbs prīmō impetū capta est.

11. Ūnum iter ad Hispāniam dūcit.

Prīmum iter ad Hispāniam dūcit.

12. Lītus ūnīus flūminis erat longum.

Lītus prīmī flūminis erat longum.

13. Ūnī templō nocuistī.

Prīmō templō nocuistī.

14. Hostēs ūnum lītus tenēbant.

Hostēs prīmum lītus tenēbant.

15. Patientia Rōmānōrum ūnō argūmentō relāta est.

Patientia Rōmānōrum prīmō argūmentō relāta est.

2. Produce the *genitive* of −**īus** adjectives by adding the indicated adjective to the nouns in the genitive case:

    B. The senator's children walked to school.

    One senator's children walked to school.

ūnus:

16. Līberī senātōris ad scholam ambulābant.

Līberī ūnīus senātōris ad scholam ambulābant.

17. Praemia victōriae erant magna.

Praemia ūnīus victōriae erant magna.

18. Verba ducis virōs mōvērunt.

Verba ūnīus ducis virōs mōvērunt.

tōtus:

19. Portae urbis sunt apertae.

Portae tōtīus urbis sunt apertae.

20. Obsidēs Galliae ad Italiam missī sunt.

Obsidēs tōtīus Galliae ad Italiam missī sunt.

21. Pugnae bellī sunt memorābilēs.

Pugnae tōtīus bellī sunt memorābilēs.

ille:

22. Verba poētae in memoriā tenēbuntur.

Verba illīus poētae in memoriā tenēbuntur.

23. Pulchritūdō montis omnēs mōvit.

Pulchritūdō illīus montis omnēs mōvit.

24. Populus gentis libertātem āmīserat.

Populus illīus gentis libertātem āmīserat.

alter:

25. Nepōs cōnsulis Rōmam propinquant.

Nepōs alterīus cōnsulis Rōmam propinquant.

26. Opus classis erat Italiam dēfendere.

Opus alterīus classis erat Italiam dēfendere.

27. Spēs rēgīnae erat pācem servāre.

Spēs alterīus rēgīnae erat pācem servāre.

hic:

28. Moenia urbis dēfendentur.
29. Hortus vīllae vāstātus est.
30. Initium pugnae ab equitibus factum est.

Moenia huius urbis dēfendentur.
Hortus huius vīllae vāstātus est.
Initium huius pugnae ab equitibus factum est.

3. Produce the *dative* of –**ius** adjectives by adding the indicated adjective to the nouns in the dative case:

   C. He could not resist the attack.

He could not resist *any* attack.

ūllus:

31. Impetuī resistere nōn poterat.
32. Hasta mīlitī nocēbit.
33. Hasta adulēscentī nōn dabitur.

Ūllī impetuī resistere nōn poterat.
Hasta ūllī mīlitī nocēbit.
Hasta ūllī adulēscentī nōn dabitur.

ipse:

34. Laus mātrī datur.
35. Imperātor deō sacrificāvit.
36. Imperātor libertātem populō dedit.

Laus mātrī ipsī datur.
Imperātor deō ipsī sacrificāvit.
Imperātor libertātem populō ipsī dedit.

alius:

37. Senātor cīvitātī persuāsit.
38. Nova aciēs aciēī successit.
39. Populus exercituī nōn restitit.

Senātor aliī cīvitātī persuāsit.
Nova aciēs aliī aciēī successit.
Populus aliī exercituī nōn restitit.

īdem:

40. Hostēs sē cōnsiliō commīsērunt.
41. Imperātor campum incolae dedit.

42. Victimās ārae dabat.

Hostēs sē eīdem cōnsiliō commīsērunt.
Imperātor campum eīdem incolae dedit.
Victimās eīdem ārae dabat.

sōlus:

43. Hasta imperātōrī nocuit.
44. Reliquī ducī sē trādidērunt.
45. Praemium virō datum est.

Hasta imperātōrī sōlī nocuit.
Reliquī ducī sōlī sē trādidērunt.
Praemium virō sōlī datum est.

4. Add the correct form of **sōlus** to the word **puella** in each of these sentences:

   D. The girl runs to her mother.

Only the girl runs to her mother.

46. Puella ad mātrem currit.
47. Māter puellae in campō est.

Puella sōla ad mātrem currit.
Māter puellae sōlīus in campō est.

48. Māter dōnum puellae dedit.   Māter dōnum puellae sōlī dedit.
49. Māter puellam vocāvit.   Māter puellam sōlam vocāvit.
50. Māter cum puellā ambulat.   Māter cum puellā sōlā ambulat.

5. Add the correct form of **alter** to **mīles** in each of these sentences:

51. Mīles ā pugnā fūgit.   Alter mīles ā pugnā fūgit.
52. Hasta mīlitis in campō reperta est.   Hasta alterīus mīlitis in campō reperta est.
53. Imperātor praemium mīlitī dedit.   Imperātor praemium alterī mīlitī dedit.
54. Clāmor mīlitem mōvit.   Clāmor alterum mīlitem mōvit.
55. Impetus ā mīlite inceptus erat.   Impetus ab alterō mīlite inceptus erat.

6. Add the correct form of **ūnus** to **officium** in each of these sentences:

56. Officium erat aquam quaerere.   Ūnum officium erat aquam quaerere.
57. Dignitās officiī erat praemium.   Dignitās ūnīus officiī erat praemium.
58. Mīles officiō restitit.   Mīles ūnī officiō restitit.
59. Imperātor officium accēpit.   Imperātor ūnum officium accēpit.
60. Adulēscentēs dē officiō certiōrēs factī sunt.   Adulēscentēs dē ūnō officiō certiōrēs factī sunt.

2. The irregular verb "posse":

	Posse, potuī, ——	
Pres.	possum	possumus
	potes	potestis
	potest	possunt
Imp.	poteram	
Fut.	poterō	
Perf.	potuī	

1. Recognize the forms of **posse** by substituting the forms of **dēbēre**:

A. I *can* (*am able to*) fight continually.   I *ought* to fight continually.

1. Continenter pugnāre possum.   Continenter pugnāre dēbeō.
2. Diū currere potes.   Diū currere dēbēs.
3. Castra tenēre potest.   Castra tenēre dēbet.
4. Urbe potīrī possumus.   Urbe potīrī dēbēmus.
5. Officium neglegere nōn potestis.   Officium neglegere nōn dēbētis.
6. Bellum gerere possunt.   Bellum gerere dēbent.
7. Ūnum dīcere poterat.   Ūnum dīcere dēbēbat.

8. Omnia nārrāre poterit.   Omnia nārrāre dēbēbit.
9. Populum agitāre potuit.   Populum agitāre dēbuit.
10. Hostēs superāre potuerat.   Hostēs superāre dēbuerat.
11. Ducī resistere potuerit.   Ducī resistere dēbuerit.

12. Aciem trānsīre potuerat.   Aciem trānsīre dēbuerat.
13. Mīlitī persuādēre potes.   Mīlitī persuādēre dēbēs.
14. Putāre possum eum exercitum   Putāre dēbeō eum exercitum praecēdere.
     praecēdere.
15. Magistrātūs sacrificāre poterant. Magistrātūs sacrificāre dēbēbant.
16. Cēterīs resistere possum.   Cēterīs resistere dēbeō.
17. Spem salūtis āmittere potuerint. Spem salūtis āmittere dēbuerint.
18. Haec loca spectāre possumus.   Haec loca spectāre dēbēmus.
19. Castra pōnere potuistī.   Castra pōnere dēbuistī.
20. Semper fugere poteritis.   Semper fugere dēbēbitis.

2. Produce the forms of **posse** by adding them to the verb forms given in the sentences:

   B. *I am received* by the leader.   I *can* (*am able to*) be received by the leader.

21. Ā duce recipior.   Ā duce recipī possum.
22. Ad pugnam iubēris.   Ad pugnam iubērī potes.
23. Exercitus proficīscitur.   Exercitus proficīscī potest.
24. Nōs cīvēs nōn dīmittimur.   Nōs cīvēs dīmittī nōn possumus.
25. Ab hostibus redigiminī.   Ab hostibus redigī potestis.
26. Cōpiae ēdūcuntur.   Cōpiae ēdūcī possunt.

27. Castra movēbantur.   Castra movērī poterant.
28. Moenia nōn capientur.   Moenia capī nōn poterunt.
29. Haec verba scrīpta sunt.   Haec verba scrībī potuērunt.
30. Equitēs vīsī erant.   Equitēs vidērī potuerant.
31. Templa spectāta erunt.   Templa spectārī potuerint.
32. Rōmānī cōpiās ēdūcunt.   Rōmānī cōpiās ēdūcere possunt.
33. Per amīcitiam iūrāmus.   Per amīcitiam iūrāre possumus.
34. Imperātōrem superātis.   Imperātōrem superāre potestis.
35. Exercitus moenia vāstābat.   Exercitus moenia vāstāre poterat.

36. Cōnsilium mūtābō.   Cōnsilium mūtāre poterō.
37. Pācem quaesīvit.   Pācem quaerere potuit.
38. Cum prūdentiā respondēbimus. Cum prūdentiā respondēre poterimus.
39. Aciēs īnstruitur.   Aciēs īnstruī potest.
40. Dē victōriā omnēs arbitrātī sunt. Dē victōriā omnēs arbitrārī potuērunt.

3. The irregular verb "ferre":

Ferre, tulī, lātus			
	ACTIVE		PASSIVE
Pres.	ferō	ferimus	feror	ferimur
	fers	fertis	ferris	feriminī
	fert	ferunt	fertur	feruntur
Imper.	fer	ferte		

1. Recognize the present forms of **ferre** by changing them to forms of **portāre**:

A. *I am bringing* my books.   *I am carrying* my books.

1. Librōs meōs ferō.   Librōs meōs portō.
2. Aquam bonam fers.   Aquam bonam portās.
3. Hannibal cōpiās per Alpēs fert.   Hannibal cōpiās per Alpēs portat.
4. Nōs omnēs dōna ferimus.   Nōs omnēs dōna portāmus.
5. Vōs pecūniam fertis.   Vōs pecūniam portātis.
6. Carthāginiēnsēs arma ferunt.   Carthāginiēnsēs arma portant.

7. Ā servīs meīs feror.   Ā servīs meīs portor.
8. Rōmam ferris.   Rōmam portāris.
9. Exercitus ab Hannibale fertur.   Exercitus ab Hannibale portātur.
10. Nōs ad mortem ferimur.   Nōs ad mortem portāmur.
11. Vōs ad Italiam feriminī.   Vōs ad Italiam portāminī.
12. Gladiī ad mīlitēs feruntur.   Gladiī ad mīlitēs portantur.

13. Cōnsul auxilium fert.   Cōnsul auxilium portat.
14. Fer lūmen, serve.   Portā lūmen, serve.
15. Ferte librōs meōs, servī.   Portāte librōs meōs, servī.

2. Produce the present forms of **ferre** by substituting them for the forms of **portāre**:

B. *I carry* no sword.   *I bring* no sword.

16. Nūllum gladium portō.   Nūllum gladium ferō.
17. Tabulās portāmus.   Tabulās ferimus.
18. Magistrātus statuās portat.   Magistrātus statuās fert.
19. Hastās multās semper portās.   Hastās multās semper fers.
20. Vōs aquam ad casam portātis.   Vōs aquam ad casam fertis.
21. Rēgīna ā servīs portātur.   Rēgīna ā servīs fertur.
22. Equitēs ab Hannibale portantur.   Equitēs ab Hannibale feruntur.

23. Ad urbem Rōmam portāris.

Ad urbem Rōmam ferris.

24. In triumphō nunc portor.

In triumphō nunc feror.

25. Portā pecūniam meam, mī fīlī.

Fer pecūniam meam, mī fīlī.

26. Portāte cibum, meī fīliī.

Ferte cibum, meī fīliī.

27. Dolōrēs meōs portāre possum.

Dolōrēs meōs ferre possum.

28. Aquaeductus aquam dē montibus portat.

Aquaeductus aquam dē montibus fert.

29. Mīlitēs spolia bellī portant.

Mīlitēs spolia bellī ferunt.

30. Bēstiās ad Forum portās.

Bēstiās ad Forum fers.

4. The irregular verb "īre":

Īre, īvī, (iī), itūrus		
Present	eō	īmus
	īs	ītis
	it	eunt
Imperfect	ībam	
Future	ībō	
Imperative	ī	īte

1. Recognize the forms of **īre** by changing them to forms of **prōcēdere:**

A. *I am going* to the garden.

I am proceeding to the garden.

1. Ad hortum eō.

Ad hortum prōcēdō.

2. Rōmam nunc īs.

Rōmam nunc prōcēdis.

3. Hannibal ad urbem it.

Hannibal ad urbem prōcēdit.

4. Trāns flūmen īmus.

Trāns flūmen prōcēdimus.

5. Per viam ītis.

Per viam prōcēditis.

6. Carthāginiēnsēs ad portam eunt.

Carthāginiēnsēs ad portam prōcēdunt.

7. Cum amīcō ībam.

Cum amīcō prōcēdēbam.

8. Sine uxōre vir ībat.

Sine uxōre vir prōcēdēbat.

9. Ante ducem mīlitēs ībant.

Ante ducem mīlitēs prōcēdēbant.

10. Post portam apertam ībō.

Post portam apertam prōcēdam.

11. Ex oppidō nōs ībimus.

Ex oppidō nōs prōcēdēmus.

12. Ī ā moenibus urbis, amīce.

Prōcēde ā moenibus urbis, amīce.

13. Sub pontem puer celeriter it.

Sub pontem puer celeriter prōcēdit.

14. Dē Alpibus cōpiae hostium eunt.

Dē Alpibus cōpiae hostium prōcēdunt.

15. In Campāniam Hannibal ībat.

In Campāniam Hannibal prōcēdēbat.

2. Produce the forms of **īre** by substituting them for the verbs given:

B. *I am walking* to the field.   *I am going* to the field.

16. Ad campum ambulō.	Ad campum eō.
17. Cum sociīs ambulāmus.	Cum sociīs īmus.
18. Ex arce et Capitōliō ambulant.	Ex arce et Capitōliō eunt.
19. Puer cum patre ambulat.	Puer cum patre it.
20. Tū domum ambulās.	Tū domum īs.
21. In Hispāniam Hamilcar proficīscēbātur.	In Hispāniam Hamilcar ībat.
22. Carthāginiēnsēs ab Āfricā proficīscēbantur.	Carthāginiēnsēs ab Āfricā ībant.
23. Hannibal Carthāgine prōcēdet.	Hannibal Carthāgine ībit.
24. Cōpiae ad aciem prōcēdent.	Cōpiae ad aciem ībunt.
25. In Galliam nōn movēbimus.	In Galliam nōn ībimus.
26. Curre ad imperātōrem, mīles.	Ī ad imperātōrem, mīles.
27. Currite ad ducem, mīlitēs.	Īte ad ducem, mīlitēs.
28. Ad vālla hostis propinquat.	Ad vālla hostis it.
29. Per Italiam hostēs vagantur.	Per Italiam hostēs eunt.
30. Exercitus Hannibalis prōgrediēbātur.	Exercitus Hannibalis ībat.

5. "Mīlle" and "mīlia":

Mīlle and **mīlia**

mīlle virī
duo mīlia virōrum
tria mīlia virōrum

---

1. Recognize the case formations with **mīlle** and **mīlia** by translating these phrases into English:

A. mīlle campī	a thousand fields
1. mīlle campī	a thousand fields
2. mīlle victōriae	a thousand victories
3. mīlle hastae	a thousand spears
4. mīlle mercātōrēs	a thousand merchants
5. mīlle gladiī barbarōrum	a thousand barbarian swords
6. sex mīlia hominum	six thousand men
7. duo mīlia campōrum	two thousand fields
8. quattuor mīlia oculōrum	four thousand eyes
9. tria mīlia magistrātuum	three thousand magistrates
10. septem mīlia passuum	seven miles

11. mīlle sociī	a thousand companions
12. decem mīlia statuārum	ten thousand statues
13. mīlle fratrēs	a thousand brothers
14. ūndecim mīlia passuum	eleven miles
15. mīlle praemia	a thousand rewards

2. Produce the case formations with **mīlle** and **mīlia** by translating the English phrases into Latin:

16. a thousand soldiers	mīlle mīlitēs
17. a thousand spears	mīlle hastae
18. a thousand men	mīlle virī
19. a thousand rivers	mīlle flūmina
20. a thousand eyes	mīlle oculī
21. three thousand ships	tria mīlia nāvium
22. four thousand generals	quattuor mīlia imperātōrum
23. five thousand cities	quīnque mīlia urbium
24. two thousand altars	duo mīlia ārārum
25. six thousand places	sex mīlia locōrum
26. two thousand rivers	duo mīlia flūminum
27. a thousand soldiers	mīlle mīlitēs
28. four miles	quattuor mīlia passuum
29. seven thousand allies	septem mīlia sociōrum
30. ten thousand temples	decem mīlia templōrum

6. Negative commands:

Negative Commands
Singular: **Nōlī pugnāre!**
Plural: **Nōlīte pugnāre!**

Produce affirmative and negative commands by removing **volō** and **nōlō** and using instead the imperative mood or **nōlī (nōlīte)** with the infinitive:

A. I want you to persuade your friend.

Persuade your friend!

B. I do not want you to persuade your friend.

Don't persuade your friend!

1. Volō tē amīcō tuō persuādēre.

Amīcō tuō persuādē!

2. Nōlō tē amīcō tuō persuādēre.

Nōlī amīcō tuō persuādēre!

3. Volō vōs dē perīculō putāre.	Dē perīculō putāte!
4. Nōlō vōs dē perīculō putāre.	Nōlīte dē perīculō putāre!
5. Volō vōs sine mē contendere.	Sine mē contendite!
6. Nōlō vōs sine mē contendere.	Nōlīte sine mē contendere!
7. Volō tē cum sociīs propinquāre.	Cum sociīs propinquā!
8. Nōlō tē cum sociīs propinquāre.	Nōlī cum sociīs propinquāre!
9. Volō vōs oppida barbara vāstāre.	Oppida barbara vāstāte!
10. Nōlō vōs oppida barbara vāstāre.	Nōlīte oppida barbara vāstāre!
11. Volō vōs aciem īnstruere.	Aciem īnstruite!
12. Nōlō vōs aciem īnstruere.	Nōlīte aciem īnstruere!
13. Nōlō tē sacrificāre.	Nōlī sacrificāre!
14. Nōlō tē iūrāre.	Nōlī iūrāre!
15. Nōlō tē respondēre.	Nōlī respondēre!
16. Nōlō vōs imperātōrem damnāre.	Nōlīte imperātōrem damnāre!
17. Nōlō vōs ad castra trānsīre.	Nōlīte ad castra trānsīre!
18. Nōlō vōs nātūram mūtāre.	Nōlīte nātūram mūtāre!

CONVERSIŌ

1. Prudence is more suitable for a leader than greed.
2. One man's victory cannot change a war.
3. We do not wish to take an oath.
4. The other battle line was not able to proceed across the plain.
5. Hannibal was the greatest of the many generals who fought against the Romans.
6. He thought that the walls of Rome were too strong.
7. He led his men away because he could not cross the river.
8. Alone he was not able to resist any enemy.
9. He said that he would bring back very many Roman spears to Carthage.
10. Hannibal sought the easiest route through Spain.
11. Because of shameful fear, he was not able to make the sacrifice.
12. While[2] the enemy was crossing the river, the Romans proceeded to the attack.
13. In war the courage of the bravest men excels other memorable things.
14. Hannibal crossed the very high mountains with all his troops.
15. Five thousand soldiers defended the walls.

---

[2] The conjunction **dum** (meaning *while*) will usually be followed by the present tense.

16. The general is bringing his troops to Rome.
17. You bring us no glory.
18. We can't go with you.
19. The best citizens are going home.
20. I can see the whole battle line.

NĀRRĀTIŌ

HANNIBAL PROPE URBEM

Hannibal ad Aniēnem flūmen tria mīlia passuum ab urbe castra mōvit. Ibi castrīs positīs, ipse cum duōbus mīlibus equitum ad portam Collīnam usque ad Herculis templum prōgressus est atque moenia urbis spectābat.

Id eum tam licenter atque ōtiosē facere Flaccō indignum vīsum est. (Plīnius dē statuīs scrībēns addidit: Hannibalis etiam statuae in tribus locīs videntur in eā urbe cuius intrā moenia sōlus hostium mīsit hastam.) Flaccus itaque mīsit equitēs redigīque in castra hostium equitātum iussit. Post proelium commissum erat, cōnsulēs Numidās, quī tum in Aventīnō ad mīlle et ducentī erant, per mediam urbem trānsīre iussērunt; nūllōs aptiōrēs inter tēcta hortōsque ad pugnam futūrōs esse arbitrātī sunt. Quōs ubi ex arce Capitōliō-que in equīs currentēs cīvēs vīderant, captum Aventīnum esse clāmāvērunt. Eā rē fuga erat.

Sed equestre proelium secundum fuit. Posterō diē trānsiēns Aniēnem Hannibal in aciem omnēs cōpiās ēdūxit. Flaccus cōnsulēsque idem fēcērunt. Īnstrūctīs exercitibus in eius pugnae cāsum in quā urbs Rōma victōrī praemium erat, tempestās magna īnstrūctās aciēs turbāvit et in castra sē recēpērunt. Et posterō diē in eōdem locō aciēs eāsdem tempestās turbāvit. Hannibal itaque ad Tutiam flūmen castra rettulit sex mīlia passuum ab urbe. Inde ab urbe in Campāniam rediit.

— Adapted from Titus Līvius, *Ab Urbe Conditā*, XXVI. 9–10; and from Gaius Plīnius Secundus, *Nātūrālis Historia*, XXXIV. 32.

---

tam licenter atque ōtiosē: *so boldly and easily.*
equitātum: *cavalry* (**equitātus, ūs,** m.).
Post: postquam.
Numidās: *Numidians* (**Numidae, –ārum,** m.),

who were used as light-armed troops.
ad: *about.*
equestre: *cavalry* (**equester, –tris, –tre**).
Posterō: *following* (**posterus, –a, –um**).

cāsum: *outcome* (**cāsus, –ūs,** m.).
tempestās: *storm* (**tempestās, –ātis,** f.).
turbāvit: *threw into confusion.*
sē recēpērunt: *withdrew.*

Alinari

After the sack of Rome by the Gauls in 390 B.C., the great Servian wall was built, so named because the early Romans mistakenly believed it had been built by the Etruscan King Servius Tullius.

Respondē Latīnē:

1. Ā quō virō ad Aniēnem castra mōta sunt?
2. Quō castra mōta sunt?
3. Unde aberat Aniō flūmen tria mīlia passuum?
4. Quid ab Hannibale mōtum est?
5. Quam longē Rōmā āfuērunt castra Hannibalis?
6. Ubi castra ab Hannibale posita sunt?
7. Quid prīmum āctum est, antequam (before) Hannibal ad portam Collīnam īvit?
8. Quibuscum dux Carthāginiēnsis ad portam Collīnam exīvit?
9. Quō usque profectus est imperātor Carthāginiēnsium?
10. Quid ab Hannibale et equitibus eius spectābātur?
11. Vidēbatne Hannibal ūllōs hominēs Rōmānōs?
12. Quot mīlia equitum cum Hannibale ībant?
13. Cuius vālla ā Carthāginiēnsibus spectāta sunt?

14. Cūr indignus vīsus est Hannibalis adventus?
15. Cui sōlī adventus Hannibalis vīsus est indignus?
16. In quot locīs Rōmae vīsae sunt statuae Hannibalis?
17. Quis dīxit statuās Hannibalis esse in urbe?
18. Cuius sōlīus hasta iactāta est intrā urbem?
19. Quid in urbem missum est?
20. Intrā quae missa est hasta?
21. Quī ā Flaccō missī sunt?

22. Quid Flaccus iussit?
23. Quō Flaccus iussit equitēs hostium redigī?
24. Ubi fuerant Numidae?
25. Quot Numidae erant?
26. Per quem locum Numidae trānsīre iussī sunt?
27. Quam aptī erant Numidae ad pugnam inter tēcta et hortōs?
28. Ad quālem pugnam erant nūllī aptiōrēs quam Numidae?
29. Quī ex arce et Capitōliō currēbant?
30. In quibus currēbant?
31. Ā quibus Numidae vīsī sunt?
32. Putāvēruntne cīvēs Aventīnum captum esse?

33. Nōnne pugna equestris erat secunda?
34. Quandō in aciem omnēs mīlitēs Hannibal ēdūxit?
35. Quid posterō diē Hannibal trānsīvit?
36. Nōnne Rōmānī tōtum exercitum in aciem īnstrūxērunt?
37. Quid victōrī pugnae praemium fuit?
38. Quid ortum est, aciēbus īnstrūctīs?
39. Quālī tempestāte exercitūs agitātī sunt?
40. Quō post tempestātem mīlitēs sē recēpērunt?
41. Quō Hannibal castra dēnique rettulit?
42. Quam longē ab urbe aberant castra nova Hannibalis?
43. In quam terram Carthāginiēnsēs tandem rediērunt?

EPITOMA

1. Irregular adjectives:

Nine adjectives (**alius, alter, neuter, nūllus, sōlus, tōtus, ūllus, ūnus, uter**) have genitive singular ending in **–īus** and dative ending in **–ī. Alius** has neuter nominative **aliud** and uses the genitive of **alter** instead of its own form.

2. Irregular verbs:

	posse	ferre	ferrī	īre
Pres.	possum	ferō	feror	eō
	potes	fers	ferris	īs
	potest	fert	fertur	it
	possumus	ferimus	ferimur	īmus
	potestis	fertis	feriminī	ītis
	possunt	ferunt	feruntur	eunt
Imp.	poteram	ferēbam	ferēbar	ībam
Fut.	poterō	feram	ferar	ībō

3. Mīlle–mīlia:

Mīlle is an indeclinable adjective:

mīlle mīlitēs, *1000 soldiers*

Mīlia is a neuter plural noun followed by the genitive:

duo mīlia mīlitum, *2000 soldiers*

INDEX VERBŌRUM

LECTIŌ VĪCĒSIMA QUĀRTA
(XXIV)
RESPECTUS

EXERCITIA

1. Lege sententiam et respondē Latīnē:

Vīlicus dīxit sē omnia facere, omnia cūrāre, sed illās arborēs veterēs esse. At ego illās posueram, ego illārum prīmum vīderam folium.

1. Quis dīxit sē agere omnia?   Vīlicus dīxit sē agere omnia.
2. Quantum (how much) vīlicus fēcit et cūrāvit?   Omnia vīlicus fēcit et cūrāvit.
3. Quid dīxit vetus esse?   Arborēs dīxit veterēs esse.
4. Quid posuerat ōrātor?   Illās arborēs posuerat ōrātor.
5. Quārum rērum folium prīmum vīderat?   Illārum arborum folium prīmum vīderat.
6. Quid vīderat?   Prīmum folium vīderat.

In somnum itūrī laetī dīcēmus: vīxī et quem dederat cursum fortūna perēgī. Crāstinum sī addiderit deus, laetī recipiēmus.

7. Quandō laetī dīcēmus?   In somnum itūrī laetī dīcēmus.
8. Quī dīcent?   Nōs itūrī in somnum dīcēmus.
9. Quālēs dīcēmus?   Laetī dīcēmus.
10. Quid dīcam mē perēgisse?   Cursum quem dederat fortūna dīcam mē perēgisse.
11. Quid laetī recipiēmus?   Crāstinum laetī recipiēmus.
12. Dederatne cursum fortūna?   Dederat cursum fortūna.

Annō enim postquam Quīntus Maximus cōnsul prīmum fuerat ego nātus sum. Cumque eō quārtum cōnsule mīles ad Capuam prōcessī, quīntōque annō posteā ad Tarentum.

13. Quandō nātus sum?   Annō postquam Quīntus Maximus cōnsul prīmum fuerat nātus sum.
14. Quandō mīles ad Capuam prōcessī?   Quīntō Maximō quārtum cōnsule, mīles ad Capuam prōcessī.
15. Quandō ad Tarentum prōcessī?   Quīntō annō posteā ad Tarentum prōcessī.
16. Quid ēgī quīntō annō?   Prōcessī ad Tarentum quīntō annō.

17. Quis anteā nātus est, Quīntus Maximus vel ego?   Quīntus Maximus anteā nātus est.

18. Quid āctum est annō postquam Quīntus Maximus prīmum cōnsul fuerat?   Ego nātus sum.

Multa in eō virō bona cognōvī, sed nihil admīrābilius quam quō modō ille mortem fīliī tulit, illūstris virī et cōnsulis.

19. Quid in eō virō cognōvī?   Multa bona in eō virō cognōvī.

20. Quid fuit admīrābilius quam quō modō is vir mortem fīliī tulit?   Nihil fuit admīrābilius.

21. Cuius mortem tulit?   Fīliī mortem tulit.

22. Quis tulit mortem fīliī?   Ille tulit mortem fīliī.

23. Quid is vir admīrābiliter tulit?   Mortem fīliī is vir admīrābiliter tulit.

24. Quālis fuerat fīlius?   Illūstris vir et cōnsul fuerat fīlius.

Cleopātra rēgīna cum sexāgintā nāvibus domum ad Aegyptum fūgit; Antōnius quoque fugientem secūtus est uxōrem. Proximō diē victōriam Caesar fīnīvit.

25. Quid ēgit Cleopātra?   Fūgit (ad Aegyptum) Cleopātra.

26. Quis fuit uxor fugiēns?   Cleopātra fuit uxor fugiēns.

27. Quis Cleopātram secūtus est?   Antōnius Cleopātram secūtus est.

28. Quid agēbat Cleopātra dum Antōnius sequitur?   Fugiēbat Cleopātra dum Antōnius sequitur.

29. Quandō victōria fīnīta est?   Proximō diē victōria fīnīta est.

30. Ā quō victōria fīnīta est?   Ā Caesare victōria fīnīta est.

Antōnius igitur, quia classem exercitumque Caesaris veritus est, sē gladiō interfēcit. Cleopātra, ubi sē ad triumphum Rōmae servārī cognōverat, ē custōdibus fugiēns in mausōlēum suum sē recēpit.

31. Quis timuit?   Antōnius timuit.

32. Cūr Antōnius sē interfēcit?   Quia classem exercitumque Caesaris veritus est.

33. Quem Antōnius occīdit?   Sē Antōnius occīdit.

34. Quid Cleopātra cognōverat?   Sē ad triumphum Rōmae servārī Cleopātra cognōverat.

35. Cuius in mausōlēum Cleopātra sē recēpit?   Suum in mausōlēum Cleopātra sē recēpit.

36. Quō Cleopātra sē recēpit?   In mausōlēum suum Cleopātra sē recēpit.

Vel invidiā deōrum ipsōrum vel fortūnā pessimā celerrimus et firmissimus cursus imperiī Gallōrum Senonum impetibus prohibēbātur.

37. Quid invidiā deōrum prohibēbātur?   Cursus imperiī invidiā deōrum prohibēbātur.

38. Quālis cursus imperiī prohibēbātur?

Celerrimus et fīrmissimus cursus imperiī prohibēbātur.

39. Quālis fortūna imperium prohibēbat?

Pessima fortūna imperium prohibēbat.

40. Quibus rēbus imperium prohibēbātur?

Impetibus imperium prohibēbātur.

41. Quōrum impetūs imperium prohibēbant?

Gallōrum Senonum impetūs imperium prohibēbant.

42. Nōnne prohibēbātur imperium?

Prohibēbātur imperium.

Postquam igitur servāta ā Mānliō et restitūta est ā Camillō urbs, populus Rōmānus cum virtūte ācriōre etiam fortiōreque in hostēs fīnitimōs resurrēxit.

43. Quid servātum est?

Urbs servāta est.

44. Quis urbem servāvit?

Mānlius urbem servāvit.

45. Quid ēgit populus postquam urbs servāta est?

Resurrēxit populus.

46. Contrā quōs populus Rōmānus pugnāvit?

Contrā hostēs fīnitimōs populus Rōmānus pugnāvit.

47. Fuitne virtūs Rōmānōrum ācris et fortis?

Fuit virtūs Rōmānōrum ācrior et fortior.

48. Quis urbem restituit?

Camillus urbem restituit.

Gallia est omnis dīvīsa in partēs trēs quārum ūnam incolunt Belgae, aliam Aquītānī, tertiam eī quī ipsōrum linguā Celtae, nostrā linguā Gallī appellantur.

49. Quid in partēs trēs dīvīsum est?

Gallia omnis in partēs trēs dīvīsa est.

50. Quī ūnam partem incolunt?

Belgae ūnam partem incolunt.

51. Quī aliam partem incolunt?

Aquītānī aliam partem incolunt.

52. Quī tertiam partem incolunt?

Celtae (vel Gallī) tertiam partem incolunt.

53. Quōrum linguā Celtae vocantur?

Ipsōrum linguā Celtae vocantur.

54. Quōrum linguā Celtae vocantur Gallī?

Nostrā (Rōmānā) linguā Celtae vocantur Gallī.

Caesar, quod memoriā tenēbat Lūcium Cassium cōnsulem occīsum esse exercitumque eius ab Helvētiīs pulsum esse et sub iugum missum esse, eīs hoc cēdere nōlēbat.

55. Quis memoriā tenēbat?

Caesar memoriā tenēbat.

56. Quis eīs hoc cēdere nōn dēsīderābat?

Caesar eīs hoc cēdere nōn dēsīderābat.

57. Quis interfectus est?

Lūcius Cassius interfectus est.

58. Quid pulsum est ab Helvētiīs?

Exercitus (Lūciī Cassiī) pulsus est ab Helvētiīs.

59. Quō missus est exercitus Rōmānus?

Sub iugum missus est exercitus Rōmānus.

60. **Quibus Caesar hoc cēdere nōlēbat?**

Helvētiīs Caesar hoc cēdere nōlēbat.

2. Change from the present system to the perfect system active:

A. Now *I am leading* the army from camp.

Now *I have led* the army from camp.

B. Yesterday *I was leading* the army from camp.

Yesterday *I had led* the army from camp.

C. Tomorrow *I shall lead* the army from camp.

Tomorrow *I shall have led* the army from camp.

1. Nunc exercitum ē castrīs ēdūcō.

Nunc exercitum ē castrīs ēdūxī.

2. Herī exercitum ē castrīs ēdūcēbam.

Herī exercitum ē castrīs ēdūxeram.

3. Crās exercitum ē castrīs ēdūcam.

Crās exercitum ē castrīs ēdūxerō.

4. Herī nēmō eī in aciē resistēbat.

Herī nēmō eī in aciē restiterat.

5. Nunc nēmō eī in aciē resistit.

Nunc nēmō eī in aciē restitit.

6. Crās nēmō eī in aciē resistet.

Crās nēmō eī in aciē restiterit.

7. Nunc eōs mediā ex urbe trānsīre iubent.

Nunc eōs mediā ex urbe trānsīre iussērunt.

8. Herī eōs mediā ex urbe trānsīre iubēbant.

Herī eōs mediā ex urbe trānsīre iusserant.

9. Crās eōs mediā ex urbe trānsīre iubēbunt.

Crās eōs mediā ex urbe trānsīre iusserint.

10. Nunc hostēs ipsīs vāllīs propinquant.

Nunc hostēs ipsīs vāllīs propinquāvērunt.

11. Herī hostēs ipsīs vāllīs propinquābant.

Herī hostēs ipsīs vāllīs propinquāverant.

12. Crās hostēs ipsīs vāllīs propinquābunt.

Crās hostēs ipsīs vāllīs propinquāverint.

13. Herī maiōrēs in forum subitō conveniēbant.

Herī maiōrēs in forum subitō vēnerant.

14. Crās maiōrēs in forum subitō convenient.

Crās maiōrēs in forum subitō vēnerint.

15. Nunc maiōrēs in forum subitō conveniunt.

Nunc maiōrēs in forum subitō vēnērunt.

16. Herī enim in illō virō dignitās erat.

Herī enim in illō virō dignitās fuerat.

17. Nunc enim in illō virō dignitās est.

Nunc enim in illō virō dignitās fuit.

18. Crās enim in illō virō dignitās erit.

Crās enim in illō virō dignitās fuerit.

3. Change from the present system to the perfect system passive:

A. Now Cleopatra *is saved* for the triumphal procession.

Now Cleopatra *has been saved* for the triumphal procession.

B. Yesterday Cleopatra *was being saved* for the triumphal procession.

Yesterday Cleopatra *had been saved* for the triumphal procession.

C. Tomorrow Cleopatra *will be saved* for the triumphal procession.

Tomorrow Cleopatra *will have been saved* for the triumphal procession.

1. Nunc Cleopātra ad triumphum servātur.

Nunc Cleopātra ad triumphum servāta est.

2. Herī Cleopātra ad triumphum servābātur.

Herī Cleopātra ad triumphum servāta erat.

3. Crās Cleopātra ad triumphum servābitur.

Crās Cleopātra ad triumphum servāta erit.

4. Herī eīdem nātī ad ruīnam vidēbantur.

Herī eīdem nātī ad ruīnam vīsī erant.

5. Crās eīdem nātī ad ruīnam vidēbuntur.

Crās eīdem nātī ad ruīnam vīsī erunt.

6. Nunc eīdem nātī ad ruīnam videntur.

Nunc eīdem nātī ad ruīnam vīsī sunt.

7. Nunc eōsdem esse hominēs reperītur.

Nunc eōsdem esse hominēs repertum est.

8. Herī eōsdem esse hominēs reperiēbātur.

Herī eōsdem esse hominēs repertum erat.

9. Crās eōsdem esse hominēs reperiētur.

Crās eōsdem esse hominēs repertum erit.

10. Nunc Gallia in partēs trēs dīviditur.

Nunc Gallia in partēs trēs dīvīsa est.

11. Herī Gallia in partēs trēs dīvidēbātur.

Herī Gallia in partēs trēs dīvīsa erat.

12. Crās Gallia in partēs trēs dīvidētur.

Crās Gallia in partēs trēs dīvīsa erit.

13. Herī bellum cīvīle movēre cōnābātur.

Herī bellum cīvīle movēre cōnātus erat.

14. Nunc bellum cīvīle movēre cōnātur.

Nunc bellum cīvīle movēre cōnātus est.

15. Crās bellum cīvīle movēre cōnābitur.

Crās bellum cīvīle movēre cōnātus erit.

16. Herī mīlitēs rēgīnam fugientem sequēbantur.

Herī mīlitēs rēgīnam fugientem secūtī erant.

17. Crās mīlitēs rēgīnam fugientem sequentur.

Crās mīlitēs rēgīnam fugientem secūtī erunt.

18. Nunc mīlitēs rēgīnam fugientem sequuntur.

Nunc mīlitēs rēgīnam fugientem secūtī sunt.

4. Change from active to passive voice:

1. Ego illās dīligenter pōnēbam.
2. Ego illās dīligenter pōnō.
3. Ego illās dīligenter pōnam.
4. Ego illās dīligenter posueram.
5. Ego illās dīligenter posuī.
6. Ego illās dīligenter posuerō.

Ā mē illae dīligenter pōnēbantur.
Ā mē illae dīligenter pōnuntur.
Ā mē illae dīligenter pōnentur.
Ā mē illae dīligenter positae erant.
Ā mē illae dīligenter positae sunt.
Ā mē illae dīligenter positae erunt.

7. Fabius hunc diem pessimum damnābat.	Ā Fabiō hic diēs pessimus damnābātur.
8. Fabius hunc diem pessimum damnat.	Ā Fabiō hic diēs pessimus damnātur.
9. Fabius hunc diem pessimum damnābit.	Ā Fabiō hic diēs pessimus damnābitur.
10. Fabius hunc diem pessimum damnāverat.	Ā Fabiō hic diēs pessimus damnātus erat.
11. Fabius hunc diem pessimum damnāvit.	Ā Fabiō hic diēs pessimus damnātus est.
12. Fabius hunc diem pessimum damnāverit.	Ā Fabiō hic diēs pessimus damnātus erit.
13. Hī omnēs illum satis audiēbant.	Ab hīs omnibus ille satis audiēbātur.
14. Hī omnēs illum satis audiunt.	Ab hīs omnibus ille satis audītur.
15. Hī omnēs illum satis audient.	Ab hīs omnibus ille satis audiētur.
16. Hī omnēs illum satis audīverant.	Ab hīs omnibus ille satis audītus erat.
17. Hī omnēs illum satis audīvērunt.	Ab hīs omnibus ille satis audītus est.
18. Hī omnēs illum satis audīverint.	Ab hīs omnibus ille satis audītus erit.

5. Change to indirect statement with the given lead verb. Use "simul" (at the same time), "anteā" (before), and "posteā" (after) to indicate when the subordinate idea occurred in relation to the main verb:

putant:

1. Ego argūmenta videō.	Putant mē argūmenta simul vidēre.
2. Ego argūmenta vidēbam.	Putant mē argūmenta anteā vīdisse.
3. Ego argūmenta vidēbō.	Putant mē argūmenta posteā vīsūrum esse.
4. Ego argūmenta vīdī.	Putant mē argūmenta anteā vīdisse.
5. Ego argūmenta vīderam.	Putant mē argūmenta anteā vīdisse.
6. Ego argūmenta vīderō.	Putant mē argūmenta posteā vīsūrum esse.

docēbat:

7. Patientia omnia haec facit.	Docēbat patientiam omnia haec simul facere.
8. Patientia omnia haec faciēbat.	Docēbat patientiam omnia haec anteā fēcisse.
9. Patientia omnia haec faciet.	Docēbat patientiam omnia haec posteā factūrum esse.
10. Patientia omnia haec fēcit.	Docēbat patientiam omnia haec anteā fēcisse.
11. Patientia omnia haec fēcerat.	Docēbat patientiam omnia haec anteā fēcisse.
12. Patientia omnia haec fēcerit.	Docēbat patientiam omnia haec posteā factūrum esse.

putāvī:

13. Classis sex nāvium erat.
14. Classis sex nāvium est.
15. Classis sex nāvium erit.

16. Classis sex nāvium fuerat.
17. Classis sex nāvium fuit.
18. Classis sex nāvium fuerit.

Putāvī classem sex nāvium anteā fuisse.
Putāvī classem sex nāvium simul esse.
Putāvī classem sex nāvium posteā futūram esse.

Putāvī classem sex nāvium anteā fuisse.
Putāvī classem sex nāvium anteā fuisse.
Putāvī classem sex nāvium posteā futūram esse.

audīverat:

19. Fēminae dolōrem sentiunt.
20. Fēminae dolōrem sentiēbant.
21. Fēminae dolōrem sentient.

22. Fēminae dolōrem sēnserant.
23. Fēminae dolōrem sēnsērunt.
24. Fēminae dolōrem sēnserint.

Audīverat fēminās dolōrem simul sentīre.
Audīverat fēminās dolōrem anteā sēnsisse.
Audīverat fēminās dolōrem posteā sēnsūrās esse.

Audīverat fēminās dolōrem anteā sēnsisse.
Audīverat fēminās dolōrem anteā sēnsisse.
Audīverat fēminās dolōrem posteā sēnsūrās esse.

6. Change the positive adjective of the "tam . . . quam" sentence to the comparative with the ablative:

1. Hoc flūmen est tam altum quam illud.
   Hoc flūmen est altius illō.
2. Haec castra sunt tam valida quam illa.
   Haec castra sunt validiōra illīs.
3. Hic agricola est tam sollers quam ille.
   Hic agricola est sollertior illō.
4. Hī servī sunt tam sapientēs quam illī.
   Hī servī sunt sapientiōrēs illīs.
5. Haec gēns est tam terribilis quam illa.
   Haec gēns est terribilior illā.
6. Hae litterae sunt tam vērae quam illae.
   Hae litterae sunt vēriōrēs illīs.
7. Hic magister est tam bonus quam ille.
   Hic magister est melior illō.
8. Hae portae sunt tam magnae quam illae.
   Hae portae sunt maiōrēs illīs.
9. Hic cōnsul est tam malus quam ille.
   Hic cōnsul est peior illō.
10. Hī lūdī sunt tam parvī quam illī.
    Hī lūdī sunt minōrēs illīs.

7. Change the positive adjective to the superlative:

11. Illa dea est pulchra.   Illa dea est pulcherrima.
12. Illae classēs sunt celerēs.   Illae classēs sunt celerrimae.
13. Ille animus est sapiēns.   Ille animus est sapientissimus.
14. Illī cīvēs sunt rebellēs.   Illī cīvēs sunt rebellissimī.
15. Illud mūnus est amplum.   Illud mūnus est amplissimum.
16. Illa officia sunt misera.   Illa officia sunt miserrima.
17. Ille poēta est bonus.   Ille poēta est optimus.
18. Illa proelia sunt magna.   Illa proelia sunt maxima.
19. Illa fidēs est parva.   Illa fidēs est minima.
20. Illud lītus est malum.   Illud lītus est pessimum.

8. Change the adjective describing the subject to an adverb.

21. Ipsum cōnsilium incertum īnstituitur.   Ipsum cōnsilium incertē īnstituitur.
22. Ipsa pugna ācris fīnītur.   Ipsa pugna ācriter fīnītur.
23. Ipse senex sapiēns laudātur.   Ipse senex sapienter laudātur.
24. Ipsae fāmae variae augentur.   Ipsae fāmae variē augentur.
25. Ipsī servī laetī viam sequuntur.   Ipsī servī laetē viam sequuntur.
26. Ipsa verba vēra dīcuntur.   Ipsa verba vērē dīcuntur.
27. Ipsa arx bona mūnītur.   Ipsa arx bene mūnītur.
28. Ipse mercātor malus petitur.   Ipse mercātor male petitur.

9. Change the positive adverb to the comparative:

29. Hic imperātor tam longē rēgnat quam ille.   Hic imperātor longius rēgnat quam ille.
30. Hī exercitūs tam fortiter pugnant quam illī.   Hī exercitūs fortius pugnant quam illī.
31. Haec vōx tam plēnē orītur quam illa.   Haec vōx plēnius orītur quam illa.
32. Hae fāmae tam lātē currunt quam illae.   Hae fāmae lātius currunt quam illae.
33. Hoc cōnsilium tam celeriter differtur quam illud.   Hoc cōnsilium celerius differtur quam illud.
34. Haec proelia tam ācriter geruntur quam illa.   Haec proelia ācrius geruntur quam illa.
35. Hic ōrātor tam bene respondet quam ille.   Hic ōrātor melius respondet quam ille.
36. Hī cēnsōrēs tam male agunt quam illī.   Hī cēnsōrēs peius agunt quam illī.

37. Hic poēta tam magnopere laudat quam ille.

Hic poēta magis laudat quam ille.

38. Haec lītora tam parum vīsitantur quam illa.

Haec lītora minus vīsitantur quam illa.

10. Taking these verbs as near-equivalents in meaning, do the following exercises:

arbitrārī: putāre	**orīrī: resurgere**	**verērī: timēre**
ingredī: intrāre	**proficīscī: prōcēdere**	

Substitute a deponent verb for the regular verb in the sentence:

1. Caesar Augustus deōs timet.
Caesar Augustus deōs verētur.

2. Caesar Augustus deōs timuit.
Caesar Augustus deōs veritus est.

3. Nōs velle pugnam putat.
Nōs velle pugnam arbitrātur.

4. Nōs velle pugnam putāvērunt.
Nōs velle pugnam arbitrātī sunt.

5. Exercitus urbem subitō intrat.
Exercitus urbem subitō ingreditur.

6. Exercitūs urbem subitō intrāverant.
Exercitūs urbem subitō ingressī erant.

7. Parvus error in magnum resurgēbat.
Parvus error in magnum oriēbātur.

8. Parvī errōrēs in magnōs resurrēxerint.
Parvī errōrēs in magnōs ortī erunt.

9. Nāvis Brundisiō prōcēdit.
Nāvis Brundisiō proficīscitur.

10. Nāvēs Brundisiō prōcessērunt.
Nāvēs Brundisiō profectae sunt.

Change the subordinate clause to an Ablative Absolute, substituting a deponent verb:

11. Quia hī dē amīcitiā putant, illī conveniunt.
Hīs dē amīcitiā arbitrantibus, illī conveniunt.

12. Quia hī dē amīcitiā putāvērunt, illī convēnērunt.
Hīs dē amīcitiā arbitrātīs, illī convēnērunt.

13. Quia eadem intrat, fēminae ōrnantur.
Eādem ingrediente, fēminae ōrnantur.

14. Quia eadem intrāvit, fēminae ōrnātae sunt.
Eādem ingressā, fēminae ōrnātae sunt.

15. Ubi sōl resurgit, mīlitēs pugnant.
Sōle oriente, mīlitēs pugnant.

16. Ubi sōl resurrēxit, mīlitēs pugnāvērunt.
Sōle ortō, mīlitēs pugnāvērunt.

17. Quod cīvis prōcēdit, oppidum dēlētur.
Cīve proficīscente, oppidum dēlētur.

18. Quod cīvēs prōcessērunt, oppidum dēlētum est.
Cīvibus profectīs, oppidum dēlētum est.

19. Quod plēbs timet, imperātor vincit.
Plēbe verente, imperātor vincit.

20. Quod plēbēs timuērunt, imperātor vīcit.
Plēbibus veritīs, imperātor vīcit.

11. Expand these sentences by modifying the genitive noun with the given adjective and by adding the proper form of "posse" to the verb:

ūnus — posse:

1. Līberī senātōris ad scholam ambulant.

   Līberī ūnīus senātōris ad scholam ambulāre possunt.

2. Praemia victōriae magna erant.

   Praemia ūnīus victōriae magna esse poterant.

3. Verba ducis virōs mōvērunt.

   Verba ūnīus ducis virōs movēre potuērunt.

tōtus — posse:

4. Porta urbis aperta erit.

   Porta tōtīus urbis aperta esse poterit.

5. Obsidēs Galliae mittuntur.

   Obsidēs tōtīus Galliae mittī possunt.

6. Pugnae bellī erunt memorābilēs.

   Pugnae tōtīus bellī esse memorābilēs poterunt.

ille — posse:

7. Verba poētae in memoriā tenēbuntur.

   Verba illīus poētae in memoriā tenērī poterunt.

8. Pulchritūdine montis ego moveor.

   Pulchritūdine illīus montis ego movērī possum.

9. Populus gentis pācem āmīserat.

   Populus illīus gentis pācem āmittere potuerat.

alter — posse:

10. Tū nepōs cōnsulis Rōmam venīs.

    Tū nepōs alterīus cōnsulis Rōmam venīre potes.

11. Nōs ducēs classis Italiam dēfendimus.

    Nōs ducēs alterīus classis Italiam dēfendere possumus.

12. Vōs patriae pācem servātis.

    Vōs alterīus patriae pācem servāre potestis.

hic — posse:

13. Ego moenia urbis dēfendī.

    Ego moenia huius urbis dēfendere potuī.

14. Hortus vīllae vāstātus erat.

    Hortus huius vīllae vāstārī potuerat.

15. Initium pugnae fēcerit.

    Initium huius pugnae facere potuerit.

12. Expand these sentences by modifying the dative noun with the given adjective and by adding the proper form of "velle" to the verb:

ūllus — velle:

16. Impetuī legiō resistit.

    Impetuī ūllī legiō resistere vult.

17. Dea mīlitī nocuit.

    Dea mīlitī ūllī nocēre voluit.

18. Pater puerō cibum nōn dat.

    Pater puerō ūllī cibum dare nōn vult.

ipse — velle:

19. Puer mātrī datur.
20. Imperātor deō sacrificāvit.
21. Victōrēs fidem populō dant.

Puer mātrī ipsī darī vult.
Imperātor deō ipsī sacrificāre voluit.
Victōrēs fidem populō ipsī dare volunt.

īdem — velle:

22. Tū tē cōnsiliō committis.
23. Nōs campum incolae damus.

Tū tē cōnsiliō eīdem committere vīs.
Nōs campum incolae eīdem dare volumus.

24. Vōs victimās ārae datis.

Vōs victimās ārae eīdem dare vultis.

alius — velle:

25. Ego cīvitātī persuādeō.
26. Cīvis cōnsulī successerat.
27. Populus exercituī nōn resistit.

Ego cīvitātī aliī persuādēre volō.
Cīvis cōnsulī aliī succēdere voluerat.
Populus exercituī aliī resistere nōn vult.

sōlus — velle:

28. Prūdentia nēminī nocet.
29. Ego ducī mē trādō.
30. Servus familiae grātus est.

Prūdentia nēminī sōlī nocēre vult.
Ego ducī sōlī mē trādere volō.
Servus familiae sōlī grātus esse vult.

EPITOMA

1. Verbs:

1. Past perfect tense:

Active	Passive
(Formed by the perfect stem + **erā** + personal endings.)	(Formed by the perfect passive participle + the imperfect tense of **esse**.)
vocāveram, *I had called*	**vocātus eram,** *I had been called*

2. Future perfect tense:

Active	Passive
(Formed by the perfect stem + **eri** + personal endings.)	Formed by the perfect passive participle + future tense of **esse**.)
vocāverō, *I shall have called*	**vocātus erō,** *I shall have been called*

3. Future active participle:

This is the last part of verb with the ending **–ūrus:**

> **vocātūrus,** *about to call, going to call*

4. Active periphrastic:

This is formed by the future participle + the verb **esse:**

> **vocātūrus erat,** *he was going to call*

5. Deponent verbs:

Deponent verbs are passive in form but active in meaning. They use active forms for present participle, future participle, and future infinitive:

> **arbitrātī sunt,** *they thought*

6. Irregular verbs:

	Velle	Nōlle	Mālle	Posse	Ferre		Īre
					Active	Passive	
Pres.	volō	nōlō	mālō	possum	ferō	feror	eō
	vīs	nōn vīs	māvīs	potes	fers	ferris	īs
	vult	nōn vult	māvult	potest	fert	fertur	it
	volumus	nōlumus	mālumus	possumus	ferimus	ferimur	īmus
	vultis	nōn vultis	māvultis	potestis	fertis	feriminī	ītis
	volunt	nōlunt	mālunt	possunt	ferunt	feruntur	eunt
Imp.	volēbam	nōlēbam	mālēbam	poteram	ferēbam	ferēbar	ībam
Fut.	volam	nōlam	mālam	poterō	feram	ferar	ībō
Perf.	voluī	nōluī	māluī	potuī	tulī	lātus sum	īvī (iī)
Past Perf.	volueram	nōlueram	mālueram	potueram	tuleram	lātus eram	īveram (ieram)
Fut. Perf.	voluerō	nōluerō	māluerō	potuerō	tulerō	lātus erō	īverō (ierō)
Pres. Part.	volēns	nōlēns	mālēns	....	ferēns	....	iēns (euntis)
Perf. Part.	....	....	....	....	....	lātus	....
Fut. Part.	....	....	....	....	lātūrus	....	itūrus
Pres. Inf.	velle	nōlle	mālle	posse	ferre	ferrī	īre
Perf. Inf.	voluisse	nōluisse	māluisse	potuisse	tulisse	lātus esse	īvisse (īsse)
Fut. Inf.	....	....	....	....	lātūrus esse	....	itūrus esse
Imperative	....	nōlī	....	....	fer	....	ī
		nōlīte			ferte		īte

2. Nouns:

Place constructions in Latin are as follows:

Place In or At Which	Place From Which	Place To Which
in + ablative.	**ā, ē, dē** + ablative.	**in, ad** + accusative.
in the city **in urbe**	*from the city* **ab urbe**	*to the city* **ad urbem**
in Italy **in Italiā**	*from Italy* **ab Italiā**	*to Italy* **ad Italiam**

The exceptions to the above occur with the names of cities (towns), small islands, and **domus, humus,** and **rūs** where the preposition is omitted, and for *place in which* with first and second declension singular nouns the genitive ending is used instead of the ablative:

in Athens	**Athēnīs**	*from Athens*	**Athēnīs**	*to Athens*	**Athēnās**
in Rome	**Rōmae**	*from Rome*	**Rōmā**	*to Rome*	**Rōmam**
at home	**domī**	*from home*	**domō**	*(to) home*	**domum**

3. Pronouns:

this			*that*		
SINGULAR			SINGULAR		
hic	haec	hoc	ille (iste)	illa	illud
huius	huius	huius	illīus	illīus	illīus
huic	huic	huic	illī	illī	illī
hunc	hanc	hoc	illum	illam	illud
hōc	hāc	hōc	illō	illā	illō
PLURAL			PLURAL		
hī	hae	haec	illī	illae	illa
hōrum	hārum	hōrum	illōrum	illārum	illōrum
hīs	hīs	hīs	illīs	illīs	illīs
hōs	hās	haec	illōs	illās	illa
hīs	hīs	hīs	illīs	illīs	illīs

self			*same*		
SINGULAR			SINGULAR		
ipse	ipsa	ipsum	īdem	eadem	idem
ipsīus	ipsīus	ipsīus	eiusdem	eiusdem	eiusdem
ipsī	ipsī	ipsī	eīdem	eīdem	eīdem
ipsum	ipsam	ipsum	eundem	eandem	idem
ipsō	ipsā	ipsō	eōdem	eādem	eōdem
PLURAL			PLURAL		
ipsī	ipsae	ipsa	eīdem	eaedem	eadem
ipsōrum	ipsārum	ipsōrum	eōrundem	eārundem	eōrundem
ipsīs	ipsīs	ipsīs	eīsdem	eīsdem	eīsdem
ipsōs	ipsās	ipsa	eōsdem	eāsdem	eadem
ipsīs	ipsīs	ipsīs	eīsdem	eīsdem	eīsdem

4. Adjectives:

1. Comparison of adjectives:

Positive	Comparative	Superlative
	(Formed by adding –ior and regular third declension endings to the stem of the positive.)	(Formed by adding –issimus, –a, –um to the stem.)
altus	altior, altius	altissimus
		(Adjectives ending in –er add –rimus to the –er form.)
pulcher	pulchrior, pulchrius	pulcherrimus
		(Six adjectives ending in –lis add –limus to the positive stem.)
facilis	facilior, facilius	facillimus

2. Irregular adjectives:

Nine adjectives (**alius, alter, neuter, nūllus, sōlus, tōtus, ūllus, ūnus, uter**) have the genitive singular ending in **–īus** and the dative singular ending in **–ī.**

5. Mīlle — mīlia:

Mīlle is an indeclinable adjective:

1000 soldiers, **mīlle mīlitēs**

Mīlia is a neuter plural noun followed by the genitive case:

2000 soldiers, **duo mīlia mīlitum**

6. Adverbs:

Comparison of Adverbs

Positive (–ē, –iter)	Comparative (–ius of comparative adjective)	Superlative (–ē added to stem of superlative adjective)
lātē	lātius	lātissimē
fortiter	fortius	fortissimē

7. Ablative of Comparison:

A comparison may be expressed in two ways:

Marcus is taller *than Quintus.*   Mārcus est altior **quam Quīntus.**

    Mārcus est altior **Quīntō.**

Site of the cremation of Julius Caesar. The temple of Antoninus
Pius is in the left foreground and the Arch of Titus in the right
background.

STUDIUM VERBŌRUM

What English derivatives can you give for **solvere, sequī, crēscere, classis,
socius, contendere, fortūna, respondēre, vērus, mūtāre?**

What is *a somnambulist, a postulate, a preposition, a fugitive, an itinerary,
an oculist, a vestige, an adolescent, a jury, foliage, negligence, a confection,
a transient, propinquity, adversity, an ingredient, a consequence?*

Use each of these words in a meaningful sentence — *cupidity, aptitude,
bilingual, alter ego, resurgence, devastation, impetuous, ferocious, reduce,
persuasive.*

In this paragraph identify the words which are derived from Latin words
you have studied:

> Amicable arbitration of incipient hostilities in plenary convention
> is the progressive model in international relations. Patience in con-
> sidering various authorities and the referral of current questions to
> committees with cogent instructions about possible solutions provide
> valid expectations for success. Precedents must not be neglected
> but they can nullify progress if too tenaciously proclaimed.

INDEX VERBŌRUM

APPENDICES

APPENDIX I
SUBJUNCTIVE MOOD

1. Function of the subjunctive mood:

The indicative mood states a fact or asks a question. The imperative mood gives a command. The subjunctive mood is used in independent clauses to express the wish, will, or opinion of the speaker. In the dependent clauses of complex sentences it is used to show the relationship of one action to another, such as cause, result, and purpose.

The subjunctive is rarely used in English. Clauses that are subjunctive in Latin are therefore expressed in various ways in English:

1. As the indicative:

> Erat, cum **dōnārem,** centum mīlium nummum.
> When I *gave* it, it was worth 100,000 sesterces.

2. As an infinitive:

> Petō vōs commendātum **habeātis** meum cārum.
> I ask you *to consider* my dear one recommended.

3. With auxiliary verbs such as *may, should, would, let:*

> Bene **sit** tibi.
> *May it be* well for you.

2. Forms of the Subjunctive:

ACTIVE VOICE
Present

vocem	doceam	dūcam	capiam	pūniam
vocēs	doceās	dūcās	capiās	pūniās
vocet	doceat	dūcat	capiat	pūniat
vocēmus	doceāmus	dūcāmus	capiāmus	pūniāmus
vocētis	doceātis	dūcātis	capiātis	pūniātis
vocent	doceant	dūcant	capiant	pūniant

Imperfect

vocārem	docērem	dūcerem	caperem	pūnīrem
vocārēs	docērēs	dūcerēs	caperēs	pūnīrēs
vocāret	docēret	dūceret	caperet	pūnīret
vocārēmus	docērēmus	dūcerēmus	caperēmus	pūnīrēmus
vocārētis	docērētis	dūcerētis	caperētis	pūnīrētis
vocārent	docērent	dūcerent	caperent	pūnīrent

Perfect

vocāverim	docuerim	dūxerim	cēperim	pūnīverim
vocāverīs	docuerīs	dūxerīs	cēperīs	pūnīverīs
vocāverit	docuerit	dūxerit	cēperit	pūnīverit
vocāverīmus	docuerīmus	dūxerīmus	cēperīmus	pūnīverīmus
vocāverītis	docuerītis	dūxerītis	cēperītis	pūnīverītis
vocāverint	docuerint	dūxerint	cēperint	pūnīverint

Past Perfect

vocāvissem	docuissem	dūxissem	cēpissem	pūnīvissem
vocāvissēs	docuissēs	duxissēs	cēpissēs	pūnīvissēs
vocāvisset	docuisset	dūxisset	cēpisset	pūnīvisset
vocāvissēmus	docuissēmus	dūxissēmus	cēpissēmus	pūnīvissēmus
vocāvissētis	docuissētis	dūxissētis	cēpissētis	pūnīvissētis
vocāvissent	docuissent	dūxissent	cēpissent	pūnīvissent

PASSIVE VOICE

Present

vocer	docear	dūcar	capiar	pūniar
vocēris	doceāris	dūcāris	capiāris	pūniāris
vocētur	doceātur	dūcātur	capiātur	pūniātur
vocēmur	doceāmur	dūcāmur	capiāmur	puniāmur
vocēminī	doceāminī	dūcāminī	capiāminī	pūniāminī
vocentur	doceantur	dūcantur	capiantur	pūniantur

Imperfect

vocārer	docērer	dūcerer	caperer	pūnīrer
vocārēris	docērēris	dūcerēris	caperēris	pūnīrēris
vocārētur	doeērētur	dūcerētur	caperētur	pūnīrētur
vocārēmur	docērēmur	dūcerēmur	caperēmur	pūnīrēmur
vocārēminī	docērēminī	dūcerēminī	caperēminī	pūnīrēminī
vocārentur	docērentur	dūcerentur	caperentur	pūnīrentur

Perfect

vocātus **sim**	doctus **sim**	ductus **sim**	captus **sim**	pūnītus **sim**
vocātus **sīs**	doctus **sīs**	ductus **sīs**	captus **sīs**	pūnītus **sīs**
vocātus **sit**	doctus **sit**	ductus **sit**	captus **sit**	pūnītus **sit**
vocātī **sīmus**	doctī **sīmus**	ductī **sīmus**	captī **sīmus**	pūnītī **sīmus**
vocātī **sītis**	doctī **sītis**	ductī **sītis**	captī **sītis**	pūnītī **sītis**
vocātī **sint**	doctī **sint**	ductī **sint**	captī **sint**	pūnītī **sint**

Past Perfect

vocātus **essem**	doctus **essem**	ductus **essem**	captus **essem**	pūnītus **essem**
vocātus **essēs**	doctus **essēs**	ductus **essēs**	captus **essēs**	pūnītus **essēs**
vocātus **esset**	doctus **esset**	ductus **esset**	captus **esset**	pūnītus **esset**
vocātī **essēmus**	doctī **essēmus**	ductī **essēmus**	captī **essēmus**	pūnītī **essēmus**
vocātī **essētis**	doctī **essētis**	ductī **essētis**	captī **essētis**	pūnītī **essētis**
vocātī **essent**	doctī **essent**	ductī **essent**	captī **essent**	pūnītī **essent**

3. Sequence of tenses:

In general, a main verb in present or future time is followed by the present subjunctive for incomplete action or the perfect subjunctive for completed action. A main verb in past time is followed by the imperfect subjunctive for incomplete action or the past perfect subjunctive for completed action.

4. Uses of the subjunctive:

Type of Clause	Introductory Word	English Verb Form	Example
Independent clauses:			
Volitive	none or **utinam**	*may, would that*	**Utinam** clārōs praeceptōrēs **condūcātis.**
			Would that you would hire famous teachers.
Hortatory	none	*let*	**Ēducentur** hīc.
			Let them be educated here.
Dependent clauses:			
Cum	**cum**	indicative	Iānum, **cum esset** pāx, senātus claudī iussit.
			The senate ordered Janus closed, *when* there *was* peace.

Indirect question	interrogative word	indicative	**Quid repererīs,** perfer in notītiam meam. Let me know *what you have found.*
Purpose	**ut** (neg., **nē**)	infinitive; *that . . . may* (*that . . . might*)	Cūrā **ut valeās.** Take care *that you may be well.*
Noun	**ut**	infinitive; *may* (*might*)	Timeō **nē** hoc mūnus **corrumpātur.** I am afraid *that* this gift *may be ruined.* (Verbs of fearing take **nē** for affirmative clauses.)
Result	**ut** (neg., **ut nōn**)	indicative	Tam clārōs praeceptōrēs condūcunt **ut** studia hinc **petantur.** They are hiring such famous teachers *that* studies *are being sought* here.
Relative clause of characteristic	relative	indicative	Nēmo nōs amat **quī** tē nōn **dīligat.** No one loves us *who does* not *love* you.

5. Conditional clauses:

Conditional clauses are unusual in that the same mood is usually used in both clauses. The conjunctions are **sī, nisi.** There are three types:

1. *Simple.* The indicative is used in both clauses:

     Omnia ā tē data mihi **putābō,** sī tē valentem **vīderō.**

     I *will think* everything has been given me by you, if *I will see* you well.

2. *Possible.* The present or perfect subjunctive is used in both clauses (the future indicative can be used in the main clause with the present subjunctive):

     Si Catō **reddātur,** Caesariānus **erit.**

     If Cato *should be returned,* he *would be* a Caesarian.

3. *Impossible.* The imperfect or past perfect subjunctive is used in both clauses:

     Sī ventī **essent,** nōs Corcȳrae nōn **sedērēmus.**

     If there *were* winds, we *would* not *be sitting* in Corcyra.

APPENDIX II
SUPPLEMENTARY READINGS

I. Augustus

II. Familia

III. Virī Illūstrēs

IV. Vocabulary

I. AUGUSTUS

The first selection is another version of the battle of Actium (*cf.* **Lectiō XX**). The second is more of the **Rēs Gestae** (*cf.* **Lectiō XIV**).

a) Interfectō Iūliō Caesare ā senātū Octāviānus eius nepōs sumpsit imperium. Contrā quem Antōnius nitēbātur multō certāmine eī auferre imperium. Repudiātā Octāviānī sorōre dūxit in uxōrem Cleopātram rēgīnam Aegyptī potentissimam in aurō et argentō et lapidibus pretiōsīs et populō. Cumque Antōnius et Cleopātra cum magnō apparātū nāvium et populī contrā Rōmam venīre coepissent, hoc Rōmae audītum est. Octāviānus vērō cum ingentī apparātū īvit et aggressus est eōs ad Epīrum, et sīc orta est pugna. Nāvis rēgīnae quae tōta erat aurea coepit dēclīnāre. Antōnius vidēns nāvem rēgīnae dēclīnāre dēclīnāvit, quam secūtus est usque Alexandriam. Quī irruit in gladium et mortuus est, Cleopātra autem vidēns sē servātum prō triumphō ōrnāta aurō et lapidibus pretiōsīs voluit suā pulchritūdine Octāviānum dēcipere, sed nōn potuit. Ita ōrnāta intrāvit mausōlēum virī suī et posuit ad sē serpentēs et ita dormīvit et mortua est. Octāviānus tulit inde īnfīnītam pecūniam ex illā victōriā et triumphāvit Alexandriam et Aegyptum et tōtam regiōnem orientis et ita victōriōsus reversus est Rōmam, et suscēpērunt eum senātōrēs et omnis populus Rōmānus cum magnō triumphō. Et quia victoria iste fuit Sextīlibus Kalendīs, posuērunt eī nōmen Augustī ab augendō rem pūblicam, et statuērunt ut omnī annō Kalendīs Augustī tōta cīvitās habeat festīvitātem ad honōrem Octāviānī Caesaris Augustī, et tōta urbs gaudeat.

(*Mīrābilia Rōmae*)

---

nitēbātur, *strove.*
certāmine, *contest.*
Repudiātā, *divorced.*
potentissimam, *very powerful.*
argentō, *silver.*

pretiōsīs, *precious.*
coepissent, *had begun.*
dēclīnāre, *turn away.*
irruit, *ran on.*
reversus est, *returned.*
augendō, *increasing.*

statuērunt ut, *decreed that.*
habeat, *should have.*
festīvitātem, *celebration.*
gaudeat, *should rejoice.*

A part of the **Ara Pacis Augustae** in bas-relief shows the imperial family of Augustus. This work of art was undertaken to commemorate the establishment of peace in the West.

b)   Triumvirum reī pūblicae cōnstituendae fuī per continuōs annōs decem. Prīnceps senātūs fuī usque ad eum diem, quō scrīpseram haec, per annōs quadrāgintā. Patriciōrum numerum auxī cōnsul quīntum iussū populī et senātūs. In cōnsulātū sextō cēnsum populī collēgā M. Agrippā ēgī. Lustrum post annum alterum et quadrāgēsimum fēcī. Quō lustrō cīvium Rōmānōrum cēnsa sunt quadrāgiēns centum mīlia et sexāgintā tria mīlia. Tum iterum cōnsulārī cum imperiō lustrum sōlus fēcī C. Censorīnō et C. Asiniō cōnsulibus quō lustrō cēnsa cīvium Rōmānōrum quadrāgiēns centum mīlia et ducenta trīgintā tria mīlia. Et tertium cōnsulārī cum imperiō lustrum collēgā Tib. Caesare fīliō meō fēcī Sex. Pompēiō et Sex. Appuleiō cōnsulibus, quō lustrō cēnsa sunt cīvium Rōmānōrum quadrāgiēns centum mīlia et nōngenta trīgintā et septem mīlia.

Pontifex maximus nē fierem in vīvī collēgae meī locum, populō sacerdōtium dēferente mihi quod pater meus habuerat, recūsāvī. Quod sacerdōtium aliquod post annōs, eō mortuō, recēpī P. Sulpiciō C. Valgiō cōnsulibus.

Ex senātūs cōnsultō pars praetōrum et tribūnōrum plēbī cum cōnsule

cōnstituendae, *for restoring.*	**quadrāgiēns,** *forty times.*	**dēferente,** *offering.*
cōnsulātū, *consulship.*	**nē fierem,** *not to become.*	**recūsāvī,** *refused.*
cēnsa sunt, *were counted.*	**vīvī,** *living.*	**aliquod,** *some.*
	sacerdōtium, *priesthood.*	**mortuō,** *dead.*

Q. Lucretiō et prīncipibus virīs obviam mihi missa est in Campāniam, quī honor ad hoc tempus nēminī praeter mē est dēcrētus. Cum ex Hispāniā Galliāque, rēbus in eīs prōvinciīs prosperē gestīs, Rōmam rediī, Tib. Nerōne P. Quinctiliō cōnsulibus, āram Pācis Augustae senātus prō reditū meō dēcrēvit ad campum Mārtium, in quā magistrātūs et sacerdōtēs anniversārium sacrificium facere iussit.

Iānum Quirīnum, quem clausum esse maiōrēs nostrī voluērunt, cum per tōtum imperium populī Rōmānī terrā marīque esset pāx, cum ā conditā urbe bis clausum fuisse trāditur memoriae, ter mē prīncipe senātus claudī iussit.

Aedēs in Capitōliō Iovis Feretrī et Iovis Tonantis, aedem Quirīnī, aedēs Minervae et Iunōnis Rēgīnae et Iovis Lībertātis in Aventīnō, aedem Mātris Magnae in Palātiō fēcī.

Capitōlium et Pompēium theātrum impēnsā ingentī refēcī sine ūllā īnscrīptiōne nōminis meī. Rīvōs aquārum refēcī et aquam, quae Mārcia appellātur, duplicāvī, fonte novō in rīvum eius immissō. Forum Iūlium et basilicam, quae fuit inter aedem Castōris et aedem Saturnī, coepta ā patre meō, perfēcī. Duo et octōgintā templa deōrum in urbe cōnsul sextum ex auctōritāte senātūs refēcī nūllō praetermissō quod eō tempore reficī dēbēbat. Cōnsul septimum viam Flāminiam ab urbe Arīminum refēcī pontēsque omnēs praeter Mulvium et Minucium.

In prīvātō solō Martis Ultōris templum forumque Augustum fēcī. Theātrum ad aedem Apollinis in solō magnā ex parte ā prīvātīs emptō fēcī, quod sub nōmine M. Marcellī generī meī esset.

Omnium prōvinciārum populī Rōmānī, quibus fīnitimae fuērunt gentēs, quae nōn pārērent imperiō nostrō, fīnēs auxī. Galliās et Hispāniās prōvinciās, item Germaniam, quā inclūdit Oceanus ā Gadibus ad ostium Albis flūminis pacāvī. Alpēs ā regiōne eā quae proxima est Hadriānō marī, ad Tuscum pacificāvī nūllī gentī bellō per iniūriam inlātō. Classis mea per Oceanum ab ostiō Rhēnī ad sōlis orientis regiōnem usque ad fīnēs Cimbrōrum nāvigāvit, quō neque terrā neque marī quisquam Rōmānus ante id tempus adiit, Cimbrīque et Charydēs et Sennonēs et eiusdem tractūs aliī Germanōrum

obviam, *to meet.*	Rīvōs, *channels.*	*subject to.*
praeter, *except.*	duplicāvī, *doubled.*	ostium, *mouth.*
maiōrēs, *ancestors.*	immissō, *sent in.*	pacāvī, *pacified.*
esset, *there was.*	praetermissō, *passed over.*	inlātō, *brought on.*
ter, *three times.*	generī, *son-in-law.*	quisquam, *any.*
Aedēs, *temples.*	esset, *was.*	adiit, *went to.*
refēcī, *repaired.*	nōn pārērent, *were not*	

populī per lēgātōs amīcitiam meam et populī Rōmānī petīvērunt. Meō iussū et auspiciō ductī sunt duo exercitūs eōdem ferē tempore in Aethiopiam et in Arabiam, magnaeque hostium cōpiae occīsae sunt in aciē et complūra oppida capta.

Aegyptum imperiō populī Rōmānī addidī. Colōniās in Africā, Siciliā, Macedoniā, utrāque Hispāniā, Achaiā, Asiā, Syriā, Galliā Narbonēnsī, Pisidiā mīlitum dēdūxī. Italia autem XXVIII colōniās dēductās habet.

Signa mīlitāria complūra per aliōs ducēs āmissa dēvictīs hostibus recēpī ex Hispāniā et Galliā et ā Dalmateīs. Parthōs trium exercituum Rōmānōrum spolia reddere mihi amīcitiamque populī Rōmānī petere coēgī. Ea autem signa in templō Mārtis Ultōris restituī. Ad mē ex Indiā rēgum lēgātī saepe missī sunt nōn vīsī ante id tempus.

Tertium decimum cōnsulātum cum gerēbam, senātus et equester ordō populusque Rōmānus ūniversus appellāvit mē patrem patriae. Cum scrīpsī haec annum agēbam septuagēsimum sextum.

---

ferē, *almost.*   **Signa,** *standards.*
dēdūxī, *led out.*   **ūniversus,** *all together.*

II. FAMILIA

These passages give an idea of the real affection among members of the **familia** — husband, wife, children, slaves. Many (a–k, p) are tombstone inscriptions; others (m–o) are letters. In the inscriptions a verb (**dēdicāre** or **facere**) is usually understood, with the name of the dead in the dative case. Age is usually expressed by the ablative case, sometimes by the genitive.

a)   Fūria Spēs Lūciō Semprōniō Fīrmō marītō cārissimō mihi. Cum quō vīxī tempore minimō et quō tempore vīvere dēbuimus ā manū malā sēparātī sumus. Ita petō vōs Mānēs sanctissimae, commendātum habeātis meum cārum et velītis huic indulgentissimī esse hōrīs nocturnīs ut eum videam et etiam mē fātō persuādēre velit ut et ego possim dulcius et celerius apud eum pervenīre.   (*CIL* 6.18817)

---

sanctissimae, *most*   **indulgentissimī,** *very kind.*   **velit,** *that he may want.*
   venerable.   **ut videam,** *so that I may*   **ut . . . possim,** *so that I*
habeātis, *to consider.*   *see.*   *will be able.*
velītis, *to want.*

b)   Avē Herennia Crocine cāra suīs inclūsa hōc tumulō. Crocine cāra suīs. Vīxī ego et ante aliae vīxērunt puellae. Iam satis est. Lector discēdēns dīcat, Crocine sit tibi terra levis. Valēte.   (*CIL* 2.1821)

---

tumulō, *tomb.*   **Lector,** *reader.*   **sit,** *may (it) be.*   **levis,** *light.*

c)　Pūblius Critōnius Polio. Māter mea mihi monumentum cūrāvit quae mē dēsīderat vehementer, mē hīc sepultum immātūrē. Valē, avē.

(CIL 6.16606)

d)　Hospes, quod dīcō, paulum est, astā ac perlege.
Hīc est sepulchrum haud pulchrum pulchrae fēminae.
Nōmen parentēs nōminārunt Claudiam,
Suum marītum corde dīlexit suō.
Gnātōs duōs creāvit. Hōrum alterum
in terrā linquit, alium sub terrā locat.
Domum servāvit. Lānam fēcit. Dīxī. Abī.　　　(*CIL* 6.15346)

Hospes, *stranger.*	**haud,** *not at all.*	**Gnātōs,** *sons.*
paulum, *little.*	**nōminārunt = nōminā-**	**linquit,** *leaves.*
astā ac perlege, *stop and*	**vērunt.**	**locat,** *placed.*
read.	**corde,** *heart.*	**Lānam,** *wool.*

e)　Quiētī aeternae Titiae Sēiae dēfunctae annōrum XXII mēnsium V diērum XXV. Publius Sēius Asclepiōdōtus pater fīliae incomparābilī.

(CIL 12.2013)

Quiētī, *rest.*

f)　Gaius Voltilius Cypaerus et Flāvia Primilla fēcērunt Gaiō Voltiliō Atimētō fīliō suō dulcissimō et pientissimō bene merentī vīxit annīs XVII mēnsibus V diēbus XX. Quisquis huic sepulchrō nocēre conātus erit Mānēs eius eum exagitent.　　　　　　　　　(*CIL* 6.29471)

merentī, *deserving.*	**Quisquis,** *anyone.*	**exagitent,** *may (the spirits) pursue.*

g)　Vīdī pyramidās sine tē, dulcissime frāter,
Et tibi quod potuī, lacrimās hīc maesta profūdī
Et nostrī memoram luctūs hanc sculpō querēlam.
Sīc nomen Decimī Gentiānī pyramide altā
Pontificis comitisque tuīs, Traiāne, triumphīs
Lustraque sex intrā cēnsōris cōnsulis exstet.　　　(*CIL* 3.21)

lacrimās, *tears.*	**Et . . . querēlam,** *And I*	**exstet,** *may (the name)*
maesta, *sad.*	*carve this lament as a*	*survive.*
profūdī, *poured forth.*	*remembrance of our grief.*	

h)　Mārcō Iūliō Serānō in itinere urbānō dēfunctō et sepultō Caelia Rōmula māter fīliō piissimō fēcit.　　　　　　　　　(*CIL* 2.379)

urbānō, *to the city.*

i) Avē, Manlia Anthūsa. Bene sit tĭbi quī legis et tibi quī praeterīs; mihi quī hōc locō monumentum fēcī et meīs. (*CIL* 10.6616)

---

sit, *may it be.*   praeterīs, *pass by.*

j) Tīberiō Claudiō Līberālī praefectō fabrum fīliō optimō piissimō dulcissimō comitī dēsīderantissimī vīxit annıs XVI mēnsibus V diēbus XXI parentēs infēlīcissimī.

---

fabrum, *of workmen.*   infēlīcissimī, *most unhappy*

k) Mārcō Aemiliō Marcellō patrī vīxit annīs LXX et Mārcō Aemiliō Iūliānō fīliō vīxit annīs XVIII mēnsibus VIIII diēbus XXVII et Aemiliae Marcellae fīliae vīxit annīs II mēnsibus IIII posterīsque eōrum.

---

posterīs, *descendants.*

l) In actīs temporum dīvī Augustī reperītur duodecimō cōnsulātū eius Lūciōque Sullā collēgā Gaium Crispinum Hilarum ex plēbe cum līberīs VIII in quō numerō fīliae duae fuērunt, nepōtibus XXVII, pronepōtibus XVIII, neptibus VIII omnibus in Capitōliō sacrificāvisse.

(Plīnius, *Natūrālis Historia* 7.60)

---

pronepōtibus, *great-grandsons.*   neptibus, *granddaughters.*

m) Grātiās agō quod agrum quem nūtrīcī meae dōnāveram colendum suscēpistī. Erat, cum dōnārem, centum mīlium nummum; posteā dēcrēscentī reditū etiam pretium minuit, quod nunc tē cūrante reparābit. Tū modo mementerīs commendārī tibi ā mē nōn arborēs et terram quamquam haec quoque sed mūnusculum meum; quod esse quam fructuōsissimum nōn illĭus magis interest quae accēpit quam meā quī dedī. Valē.

(Plīnius, *Epistulae* 6.3)

---

nūtrīcī, *nurse.*	minuit, *lessened.*	mūnusculum, *little gift.*
colendum, *cultivating.*	reparābit, *will recover.*	fructuōsissimum, *very profitable.*
dōnārem, *I gave.*	modo meminerīs, *only*	
centum mīlium nummum,	*remember.*	
worth 100,000 sesterces.	quamquam, *although.*	

n) Tullius et Cicerō salūtem dīcunt Tīrōnī Suō:
    Septimum iam diem Corcȳrae tenēbāmur, Quīntus autem pater et fīlius Buthrōtī. Sollicitī erāmus dē tuā valētūdine mīrum in modum nec mīrābāmur

---

Sollicitī, *disturbed.*   mīrum, *very great.*   mīrābāmur, *we wonder.*

nihil ā tē litterārum; eīs enim ventīs istim nāvigātur, quī sī essent, nōs Corcȳrae nōn sedērēmus. Cūrā igitur tē et confirmā et, cum commodē et per valētūdinem et per annī tempus nāvigāre poteris, ad nōs amantissimōs tuī venī. Nēmō nōs amat, quī tē nōn dīligat; cārus omnibus expectātusque veniēs. Cūrā ut valeās. Etiam atque etiam, Tīrō noster, valē.

(Cicero, Ad Familiārēs 16.7)

ventīs, *winds.*	**sī . . . sedērēmus,** *if they*	**dīligat,** *love.*
istim, *from the same place.*	*were we would not be*	**ut valeās,** *to get well.*
	sitting in Corcyra.	

o) Tullius Tīrōnī Suō:

Omnia ā tē data mihi putābō, sī tē valentem vīderō. Summā cūrā exspectābam adventum Menandrī, quem ad tē mīseram. Cūrā, sī mē dīligis, ut valeās et, cum tē bene confirmāris, ad nōs veniās. Valē.

(Cicero, Ad Familiārēs 16.13)

Summā cūrā, *with great*	**ut valeās,** *to get well.*	**veniās,** *to come.*
anxiety.		

p) Manius Egnātius Lūcullus pridiē Nōnās Iānuāriās imperātōre Caesare Augustō XII L. Cornēliō Sullā cōnsulibus manumissus eōdemque diē discessit, cārus amīcīs annōrum nātus XXXI.   (*CIL* 10.2381)

pridiē Nōnās Iānuāriās,	**manumissus,** *freed from*
January 4.	*slavery.*

III. DĒ VIRĪS ILLŪSTRIBUS

In these passages the subjunctive forms have not been translated.

1. CICERŌ (a–c)

a) Disertissime Rōmulī nepōtum,
quot sunt quotque fuēre, Mārce Tullī,
quotque post aliīs erunt in annīs,
grātiās tibi maximās Catullus
agit, pessimus omnium poēta;
tantō pessimus omnium poēta
quantō tū optimus omnium patrōnus.   (Catullus 49)

Disertissime, *most*	**fuēre = fuērunt.**
eloquent,	

b)   Cn. Pompēius ad Dyrrachium obsessus ā Caesare et, praesidiīs eius cum magnā clāde diversae partis expugnātīs, obsidiōne līberātus trānslātō in Thessaloniam bellō apud Pharsaliam aciē victus est. Cicerō in castrīs remānsit vir nihil minus quam ad bella nātus. Omnibus adversārum partium, quī sē potestātī victōris permīserat, Caesar ignōvit.   (Livy, *Periochae* 111)

expugnātīs, *captured.*	**trānslātō,** *transferred.*	**ignōvit,** *forgave* (with
obsidiōne, *siege.*	**adversārum,** *opposing.*	dative).

c)   Cornēlius Nepōs et rērum memoriae nōn indīligēns et M. Cicerōnis familiāris fuit. Atque is tamen in librōrum prīmō, quōs dē vītā illīus composuit, errāsse vidētur, cum eum scrīpsit trēs et vīgintī annōs nātum prīmam causam iudiciī pūblicī ēgisse Sextumque Roscium parricidiī reum dēfendisse. Dīnumerātīs annīs ā Q. Caepiōne et Q. Serrānō, quibus cōnsulibus ante diem tertium Nōnās Iānuāriās M. Cicerō nātus est, ad M. Tullium et Cn. Dolābellam, quibus cōnsulibus causam prīvātam prō Quinctiō apud Aquilium Gallum iūdicem dīxit, sex et vīgintī annī reperiuntur. Neque dubium est, quīn post annum quam prō Quinctiō dīxerat, Sex. Roscium reum parricidiī dēfenderit annōs iam septem atque vīgintī nātus L. Sullā Fēlīce II Q. Metellō Piō cōnsulibus.

In quā rē Fenestellam quoque errāsse Pediānus Asconius animadvertit, quod eum scrīpserit sextō vīcēsimō aetātis annō prō Sex. Rosciō dīxisse. Longior autem Nepōtis quam Fenestellae error est, nisi quis vult putāre Nepōtem studiō amōris et amīcitiae adductum quadriennium suppressisse, ut M. Cicerō ōrātiōnem florentissimam dīxisse prō Rosciō admodum adulēscēns vidērētur.

Illud adeō ab utrīusque ōrātōris studiōsīs animadversum et scrīptum est, quod Dēmosthenēs et Cicerō pārī aetāte illūstrissimās ōrātiōnēs in causīs dīxērunt, alter septem et vīgintī annōs nātus, alter annō minor prō P. Quinctiō septimōque et vīcēsimō prō Sex. Rosciō. Vīxērunt quoque nōn nimis numerum annōrum dīversum; alter trēs et sexāgintā annōs, Dēmosthenēs sexāgintā.   (Aulus Gellius, *Noctēs Atticae* 15.28)

familiāris, *friend.*	**iūdicem,** *judge.*	**admodum,** *only.*
iudiciī, *trial.*	**Neque . . . quam,** *Nor is*	**aetāte,** *age.*
parricidiī reum, *defendant*	*there any doubt but that*	**nimis,** *too.*
on a charge of murder-	*the year after.*	
ing his father.	**animadvertit,** *noticed.*	
Dīnumerātīs, *counted.*	**adductus,** *led.*	
ante . . . Iānuāriās, *Janu-*	**quadriennium,** *four years.*	
ary 3.	**florentissimam,** *finest.*	

2. PRAEFECTĪ AEGYPTĪ (d, e)

d)   C. Cornēlius Gallus eques Rōmānus post rēgēs ā Caesare, dīvī fīliō, dēvictōs praefectus Alexandreae et Aegyptī prīmus, dēfectiōnis Thēbāidis intrā diēs XV quibus hostem vīcit, bis aciē victor, V urbium expugnātor, ducibus eārum dēfectiōnum captīs exercitū ultrā Nīlī cataractem trānsductō, in quem locum neque populō Rōmānō neque rēgibus Aegyptī arma ante sunt prōlāta, Thēbāide, commūnī omnium rēgum formīdine, subactā, lēgātīsque rēgis Aethiopum ad Philās audītīs eōque rēge in tūtēlam receptō, tyrannō Aethiopiae cōnstitūtō, deīs patriīs et Nīlō adiūtōrī dōnum dedit.

(*CIL* 3.14147)

dīvī, *the deified Caesar.*	**prōlāta,** *carried forward.*	**tūtēlam,** *protection.*
dēfectiōnis, *rebellion.*	**commūnī,** *common.*	**adiūtōrī,** *helper.*
expugnātor, *capturer.*	**formīdine,** *terror.*	
ultrā, *beyond.*	**subactā,** *subdued.*	

e)   L. Sēius Strabō praefectus Aegyptī et Terentia māter eius et Coscōnia Gallitta uxor eius aedificiīs emptīs et ad solum dēiectīs balneum cum omnī ornātū Volsiniēnsibus dedērunt ob pūblica commoda.   (*CIL* 11.7283)

dēiectīs, *thrown down.*	**balneum,** *baths.*	**ob,** *for.*

3. TRAIĀNUS ET PLĪNIUS (f–h)

f)   Tanta tibi est rectī reverentia, Caesar, et aequī,
  Quanta Numae fuerat; sed Numa pauper erat.
Ardua rēs haec est, opibus nōn trādere mōrēs
  Et, cum tot Croesōs vīceris, esse Numam.
Sī redeant veterēs, ingentia nōmina, patrēs,
  Elysium liceat sī vacuāre nemus:
Tē colet invictus prō lībertāte Camillus,
  Aurum Fābricius, tē tribuente, volet;

rectī, *right.*	**pauper,** *poor.*	**Elysium . . . nemus,** *if the*
Caesar, the emperor	**Ardua,** *difficult.*	*Elysian grove could be*
Trajan.	**opibus,** *wealth.*	*emptied.*
aequī, *justice.*	**tot,** *so many.*	**tribuente,** *bestowing.*

Tē duce gaudēbit Brūtus, tibi Sulla cruentus
Imperium trādet, cum positūrus erit;
Et tē prīvātō cum Caesare Magnus amābit,
Dōnābit tōtās et tibi Crassus opēs.
Ipse quoque infernīs revocātus Dītis ab umbrīs
Sī Catō reddātur, Caesariānus erit.

(Martial 11.5)

cruentus, *bloody*.   infernīs . . . umbrīs, *re-*   *shades of the under-*
called from the infernal   *world.*

g) C. Plīnius Traiānō Imperātōrī:

In aquaeductum, domine, Nīcomēdēnsēs impendērunt HS ⌐XXX⌐
CCCXXIX, quī imperfectus adhūc relictus est. Novā impēnsā est opus,
ut aquam habeant quī tantam pecūniam male perdidērunt. Ipse pervēnī ad
fontem pūrissimum, ex quō vidētur aqua dēbērī perdūcī, sīcut initiō
temptātum erat. Manent adhūc paucissimī arcūs; possunt ērigī quīdam lapide,
quī ex superiōre opere dētrāctus est. Sed in prīmīs necessārium est mittī
ā tē achitectum nē rursus ēveniat quod accidit. Ego illud ūnum prōmittō, et
ūtilitātem operis et pulchritūdinem saeculō tuō esse dignissimum.

Traiānus Plīniō Suō:

Cūrā ut aqua in Nīcomēdēnsem cīvitātem perdūcātur. Vērō crēdō tē eā
quā dēbēbis dīligentiā hoc opus aggressūrum. Sed ad eandem dīligentiam
tuam pertinet inquīrere quōrum vitiō ad hoc tempus tantam pecūniam
Nīcomēdēnsēs perdidērunt, nē, cum inter sē grātificantur, et incēperint
aquaeductūs et relīquerint. Quid itaque repererīs perfer in nōtitiam meam.

(Plīnius, *Epistulae* 10.37, 38)

impendērunt, *spent*.   temptātum, *tried*.   saeculō, *age*.
HS ⌐XXX⌐ CCCXXIX,   paucissimī, *a very few*.   dignissimum, *most worthy*
   3,329,000 sesterces.   arcūs, *arches*.   (*with ablative*).
imperfectus, *unfinished*.   ērigī, *be raised*.   pertinet, *pertains*.
est opus, *there is need*.   dētrāctus, *taken from*.   grātificantur, *act as they*
perdidērunt, *lost*.   rursus, *again*.   *please*.
perdūcī, *be led*.   ēveniat, *turn out*.   perfer . . . meam, *bring to*
                                                my attention.

h)   Proximē cum in patriā meā fuī, vēnit ad mē mūnicipis meī fīlius. Huic
ego 'studēs?' inquam. Respondit 'etiam'. 'Ubi?' 'Mediolānī'. 'Cur nōn hīc?'
Et pater eius 'quia nūllōs praeceptōrēs habēmus.' 'Quārē nūllōs? nam vehe-

mūnicipis, *fellow towns-*   Mediolānī, *Milan*.   praeceptōrēs, *teachers*.
man.

menter intererat vestrā, quī patrēs estis,' et complūrēs patrēs audiēbant, 'līberōs vestrōs hīc discere. Ubi enim aut pudīcius continērentur quam sub oculīs parentum aut minōre impēnsā quam domī? Atque adeō ego, quī nōndum līberōs habeō, parātus sum prō rē pūblicā nostrā, quasi prō fīliā aut parente, tertiam partem eius quod conferētis dare. Tōtum etiam pollicērer, nisi timērem nē hoc mūnus meum corrumperētur, ut accidere multīs in locīs videō, in quibus praeceptōrēs pūblicē condūcuntur. Deinde cōnsentīte, cōnspirāte maiōremque animum ex meō sūmite, quī cupiō esse quam plūrimam quod dēbeam conferre. Nihil honestius facere līberīs vestrīs, nihil grātius patriae potestis. Ēducentur hīc quī hīc nascuntur statimque ab infantiā nātāle solum amāre cōnsuescant. Atque utinam tam clārōs praeceptōrēs condūcātis ut fīnitimīs oppidīs studia hinc petantur, utque nunc līberī vestrī aliēna in loca, ita mox aliēnī in hunc locum fluant!'

(Plīnius, *Epistulae* 4.13)

discere, *learn.*
pudīcius, *more virtuously.*
conferētis, *contribute.*
pollicērer, *promise.*
corrumperētur, *spoiled.*
condūcuntur, *hired.*

cōnsentīte, *agree.*
cōnspirāte, *unite.*
nascuntur, *born.*
nātāle, *native.*
consuescant, *become accustomed.*

utinam, *would that.*
clārōs, *famous.*
hinc, *from here.*
aliēna, *foreign.*
mox, *soon.*

IV. VOCABULARY (for Supplementary Readings)

Words used in several selections are listed below. Those used only once, or in one selection, are given in the footnotes. However, words whose meanings are obvious (e.g., **separātī, immatūrē**) are not listed.

accidere — happen
adeō — so, so far
aggredī — approach
alter . . . alter (alius) — one . . . the other
aurum — gold
avē — greetings, hello
bis — twice
C. — Gaius
cārus — dear
Cn. — Gnaeus
commendāre — recommend
commodus — proper, pleasant
cōnfirmāre — strengthen
cōnsultum — decree
cum — when
dēcernere — decree
dēfunctus — dead
dēvincere — defeat
dīligere — love
discēdere — leave
dulcis — sweet
emere — buy
gaudēre — rejoice, be glad
hīc — here
inclūdere — shut in
ingēns — huge, great
interest — it concerns
L. — Lucius

lapis — stone
lustrum — lustrum (the sacrifice offered after the taking of the census; the five-year period between each census)
manēre — remain, stay
Mānēs — spirits of dead
marītus — husband
nāvigāre — sail
neque . . . neque — neither . . . nor
nisi — unless
P. — Publius
parēns — parent
pius — dutiful
pontifex — pontifex, priest
Q. — Quintus
reddere — give back, return
regiō — region
sepulchrum — tomb
Sex. — Sextus
solum — soil, ground
studium — eagerness, study
sūmere — take up
tantus — so much, so great
tantus . . . quantus — as great . . . as
Tib. — Tiberius
uter — each (of two), both
vehementer — strongly, vehemently

APPENDIX III

GRAMMAR SUMMARY
Forms and Syntax

FORMS

NOUNS

	I, F	II, M	II, M	II, N
		Singular		
Nom.	via	amīcus	puer	bell**um**
Gen.	viae	amīcī	puerī	bellī
Dat.	viae	amīcō	puerō	bellō
Acc.	vi**am**	amī**cum**	puer**um**	bell**um**
Abl.	vi**ā**	amīcō	puerō	bellō

	I, F	II, M	II, M	II, N
		Plural		
Nom.	vi**ae**	amīcī	puerī	bell**a**
Gen.	vi**ārum**	amī**cōrum**	puer**ōrum**	bell**ōrum**
Dat.	vi**īs**	amī**cīs**	peur**īs**	bell**īs**
Acc.	vi**ās**	amī**cōs**	puer**ōs**	bell**a**
Abl.	vi**īs**	amī**cīs**	puer**īs**	bell**īs**

	III, M & F	III, N	III, M & F *i–stem*	III, N *i–stem*
		Singular		
Nom.	māter	flūmen	nāvis	mare
Gen.	mātr**is**	flūmin**is**	nāvis	mar**is**
Dat.	mātr**ī**	flūmin**ī**	nāv**ī**	mar**ī**
Acc.	mātr**em**	flūmen	nāv**em**	mare
Abl.	mātr**e**	flūmin**e**	nāv**e**	mar**ī**

	III, M & F	III, N	III, M & F *i–stem*	III, N *i–stem*
		Plural		
Nom.	mātr**ēs**	flūmin**a**	nāv**ēs**	mar**ia**
Gen.	mātr**um**	flūmin**um**	nāv**ium**	mar**ium**
Dat.	mātr**ibus**	flūmin**ibus**	nāv**ibus**	mar**ibus**
Acc.	mātr**ēs**	flūmin**a**	nāv**ēs**	mar**ia**
Abl.	mātr**ibus**	flūmin**ibus**	nāv**ibus**	mar**ibus**

NOUNS (Cont.)

	IV Sing.	Pl.		V Sing.	Pl.
Nom.	senātus	senātūs		diēs	diēs
Gen.	senātūs	senātuum		diēī	diērum
Dat.	senātuī	senātibus		diēī	diēbus
Acc.	senātum	senātūs		diem	diēs
Abl.	senātū	senātibus		diē	diēbus

PRONOUNS

Personal

	I	we	you (s.)	you (pl.)	he	she	it
Nom.	ego	nōs	tū	vōs	is	ea	id
Gen.	meī	nostrum	tuī	vestrum			
Dat.	mihi	nōbīs	tibi	vōbīs			
Acc.	mē	nōs	tē	vōs			
Abl.	mē	nōbīs	tē	vōbīs			

(This demonstrative pronoun is used for the third person. For its declension see below.)

Reflexive

(For first and second persons the reflexive has the same forms as the personal pronoun but no nominative.)

Nom.	...
Gen.	suī
Dat.	sibi
Acc.	sē
Abl.	sē

(The singular and plural forms are the same) of himself, etc.

Intensive

ipse, ipsa, ipsum, self

	Singular M	F	N	Plural M	F	N
Nom.	ipse	ipsa	ipsum	ipsī	ipsae	ipsa
Gen.	ipsīus	ipsīus	ipsīus	ipsōrum	ipsārum	ipsōrum
Dat.	ipsī	ipsī	ipsī	ipsīs	ipsīs	ipsīs
Acc.	ipsum	ipsam	ipsum	ipsōs	ipsās	ipsa
Abl.	ipsō	ipsā	ipsō	ipsīs	ipsīs	ipsīs

PRONOUNS (Cont.)

Demonstrative

hic, haec, hoc, *this*

	Singular			Plural		
	M	*F*	*N*	*M*	*F*	*N*
Nom.	hic	haec	hoc	hī	hae	haec
Gen.	huius	huius	huius	hōrum	hārum	hōrum
Dat.	huic	huic	huic	hīs	hīs	hīs
Acc.	hunc	hanc	hoc	hōs	hās	haec
Abl.	hōc	hāc	hōc	hīs	hīs	hīs

ille, illa, illud, *that*

	Singular			Plural		
	M	*F*	*N*	*M*	*F*	*N*
Nom.	ille	illa	illud	illī	illae	illa
Gen.	illīus	illīus	illīus	illōrum	illārum	illōrum
Dat.	illī	illī	illī	illīs	illīs	illīs
Acc.	illum	illam	illud	illōs	illās	illa
Abl.	illō	illā	illō	illīs	illīs	illīs

iste, ista, istud, *that, that of yours*

	Singular			Plural		
	M	*F*	*N*	*M*	*F*	*N*
Nom.	iste	ista	istud	istī	istae	ista
Gen.	istīus	istīus	istīus	istōrum	istārum	istōrum
Dat.	istī	istī	istī	istīs	istīs	istīs
Acc.	istum	istam	istud	istōs	istās	ista
Abl.	istō	istā	istō	istīs	istīs	istīs

is, ea, id, *this, that; he, she, it*

	Singular			Plural		
	M	*F*	*N*	*M*	*F*	*N*
Nom.	is	ea	id	eī	eae	ea
Gen.	eius	eius	eius	eōrum	eārum	eōrum
Dat.	eī	eī	eī	eīs	eīs	eīs
Acc.	eum	eam	id	eōs	eās	ea
Abl.	eō	eā	eō	eīs	eīs	eīs

PRONOUNS (Cont.)

īdem, eadem, idem, *same*

	Singular			Plural		
	M	*F*	*N*	*M*	*F*	*N*
Nom.	īdem	eadem	idem	eīdem	eaedem	eadem
Gen.	eiusdem	eiusdem	eiusdem	eōrundem	eārundem	eōrundem
Dat.	eīdem	eīdem	eīdem	eīsdem	eīsdem	eīsdem
Acc.	eundem	eandem	idem	eōsdem	eāsdem	eadem
Abl.	eōdem	eādem	eōdem	eīsdem	eīsdem	eīsdem

Interrogative

quis, quid, *who? what?*

	Singular			Plural		
	M, F	*N*		*M*	*F*	*N*
Nom.	quis	quid		quī	quae	quae
Gen.	cuius	cuius		quōrum	quārum	quōrum
Dat.	cui	cui		quibus	quibus	quibus
Acc.	quem	quid		quōs	quās	quae
Abl.	quō	quō		quibus	quibus	quibus

Relative

quī, quae, quod, *who, which, that*

	Singular			Plural		
	M	*F*	*N*	*M*	*F*	*N*
Nom.	quī	quae	quod	quī	quae	quae
Gen.	cuius	cuius	cuius	quōrum	quārum	quōrum
Dat.	cui	cui	cui	quibus	quibus	quibus
Acc.	quem	quam	quod	quōs	quās	quae
Abl.	quō	quā	quō	quibus	quibus	quibus

Interrogative Adjective

quī, quae, quod, *which? what?*

(Same forms as relative pronoun.)

ADJECTIVES

First and Second Declension

	Singular			**Plural**		
	M	*F*	*N*	*M*	*F*	*N*
Nom.	bon**us**	bon**a**	bon**um**	bon**ī**	bon**ae**	bon**a**
Gen.	bon**ī**	bon**ae**	bon**ī**	bon**ōrum**	bon**ārum**	bon**ōrum**
Dat.	bon**ō**	bon**ae**	bon**ō**	bon**īs**	bon**īs**	bon**īs**
Acc.	bon**um**	bon**am**	bon**um**	bon**ōs**	bon**ās**	bon**a**
Abl.	bon**ō**	bon**ā**	bon**ō**	bon**īs**	bon**īs**	bon**īs**

Third Declension

	Singular		**Plural**	
	M, F	*N*	*M, F*	*N*
Nom.	fort**is**	fort**e**	fort**ēs**	fort**ia**
Gen.	fort**is**	fort**is**	fort**ium**	fort**ium**
Dat.	fort**ī**	fort**ī**	fort**ibus**	fort**ibus**
Acc.	fort**em**	fort**e**	fort**ēs**	fort**ia**
Abl.	fort**ī**	fort**ī**	fort**ibus**	fort**ibus**

Comparison of Adjectives

Regular

alt**us**	alt**ior**, alt**ius**	alt**issimus**
fort**is**	fort**ior**, fort**ius**	fort**issimus**
pulcher	pulchr**ior**, pulchr**ius**	pulcher**rimus**
facil**is**	facil**ior**, facil**ius**	facil**limus**

Irrregular

bonus	**melior, melius**	**optimus**
malus	**peior, peius**	**pessimus**
magnus	**maior, maius**	**maximus**
parvus	**minor, minus**	**minimus**
multus	**. . ., plūs**	**plūrimus**

Declension of Comparative

	Singular		**Plural**	
	M, F	*N*	*M, F*	*N*
Nom.	altior	altius	altiōrēs	altiōra
Gen.	altiōris	altiōris	altiōrum	altiōrum
Dat.	altiōrī	altiōrī	altiōribus	altiōribus
Acc.	altiōrem	altius	altiōrēs	altiōra
Abl.	altiōre	altiōre	altiōribus	altiōribus

ADVERBS

Comparison of Adverbs

lātē (*adj.* **lātus**)	lāt**ius**	lāt**issimē**
celer**iter** (*adj.* **celer**)	celer**ius**	celer**rimē**
bene (*adj.* **bonus**)	**melius**	**optimē**

NUMERALS

		Cardinal	Ordinal
1	I	ūnus, ūna, ūnum	prīmus, prīma, prīmum
2	II	duo, duae, duo	secundus, –a, –um
3	III	trēs, tria	tertius
4	IV, IIII	quattuor	quārtus
5	V	quīnque	quīntus
6	VI	sex	sextus
7	VII	septem	septimus
8	VIII	octō	octāvus
9	IX, VIIII	novem	nōnus
10	X	decem	decimus
11	XI	ūndecim	ūndecimus
12	XII	duodecim	duodecimus
13	XIII	tredecim	tertius decimus
14	XIV, XIIII	quattuordecim	quārtus decimus
15	XV	quīndecim	quīntus decimus
16	XVI	sēdecim	sextus decimus
17	XVII	septendecim	septimus decimus
18	XVIII	duodēvīgintī	duodēvīcēsimus
19	XIX, XVIIII	ūndēvīgintī	ūndēvīcēsimus
20	XX	vīgintī	vīcēsimus
21	XXI	vīgintī ūnus, ūnus et vīgintī	vīcēsimus prīmus
28	XXVIII	duodētrīgintā	duodētrīcēsimus
29	XXIX, XXVIIII	ūndētrīgintā	ūndētrīcēsimus
30	XXX	trīgintā	trīcēsimus
40	XL, XXXX	quadrāgintā	quadrāgēsimus
50	L	quīnquāgintā	quīnquāgēsimus
60	LX	sexāgintā	sexāgēsimus
70	LXX	septuāgintā	septuāgēsimus
80	LXXX	octōgintā	octōgēsimus
90	XC, LXXXX	nōnāgintā	nōnāgēsimus

100	C	**centum**	centēsimus
101	CI	**centum (et) ūnus**	centēsimus (et) prīmus
200	CC	**ducentī, –ae, –a**	ducentēsimus
300	CCC	**trecentī**	trecentēsimus
400	CCCC	**quadringentī**	quadringentēsimus
500	D	**quīngentī**	quīngentēsimus
600	DC	**sescentī**	sescentēsimus
700	DCC	**septingentī**	septingentēsimus
800	DCCC	**octingentī**	octingentēsimus
900	DCCCC	**nōngentī**	nōngentēsimus
1000	M	**mīlle**	mīllēsimus
2000	MM	**duo mīlia**	bis millēsimus

Declension of ūnus, duo, trēs

Nom.	ūnus	ūna	ūnum	duo	duae	duo	trēs	tria
Gen.	ūnīus	ūnīus	ūnīus	duōrum	duārum	duōrum	trium	trium
Dat.	ūnī	ūnī	ūnī	duōbus	duābus	duōbus	tribus	tribus
Acc.	ūnum	ūnam	ūnum	duōs (duo)	duās	duo	trēs	tria
Abl.	ūnō	ūnā	ūnō	duōbus	duābus	duōbus	tribus	tribus

IRREGULAR ADJECTIVES

(alius, alter, neuter, nūllus, sōlus, tōtus, ūllus, ūnus, uter)

	Singular			**Plural**		
Nom.	tōtus	tōta	tōtum	tōtī	tōtae	tōta
Gen.	tōtīus	tōtīus	tōtīus	tōtōrum	tōtārum	tōtōrum
Dat.	tōtī	tōtī	tōtī	tōtīs	tōtīs	tōtīs
Acc.	tōtum	tōtam	tōtum	tōtōs	tōtās	tōta
Abl.	tōtō	tōtā	tōtō	tōtīs	tōtīs	tōtīs

VERBS

Active Voice

Indicative

1	2	3	3 –iō	4
		PRESENT TENSE		
vocō	doceō	dūcō	capiō	pūniō
vocās	docēs	dūcis	capis	pūnīs
vocat	docet	dūcit	capit	pūnit
vocāmus	docēmus	dūcimus	capimus	pūnīmus
vocātis	docētis	dūcitis	capitis	pūnītis
vocant	docent	dūcunt	capiunt	pūniunt

IMPERFECT TENSE

vocābam	docēbam	dūcēbam	capiēbam	pūniēbam
vocābās	docēbās	dūcēbās	capiēbās	pūniēbās
vocābat	docēbat	dūcēbat	capiēbat	pūniēbat
vocābāmus	docēbāmus	dūcēbāmus	capiēbāmus	pūniēbāmus
vocābātis	docēbātis	dūcēbātis	capiēbātis	pūniēbātis
vocābant	docēbant	dūcēbant	capiēbant	pūniēbant

FUTURE TENSE

vocābō	docēbō	dūcam	capiam	pūniam
vocābis	docēbis	dūcēs	capiēs	pūniēs
vocābit	docēbit	dūcet	capiet	pūniet
vocābimus	docēbimus	dūcēmus	capiēmus	pūniēmus
vocābitis	docēbitis	dūcētis	capiētis	pūniētis
vocābunt	docēbunt	dūcent	capient	pūnient

PERFECT TENSE

vocāvī	docuī	dūxī	cēpī	pūnīvī
vocāvistī	docuistī	dūxistī	cēpistī	pūnīvistī
vocāvit	docuit	dūxit	cēpit	pūnīvit
vocāvimus	docuimus	dūximus	cēpimus	pūnīvimus
vocāvistis	docuistis	dūxistis	cēpistis	pūnīvistis
vocāvērunt	docuērunt	dūxērunt	cēpērunt	pūnīvērunt

PAST PERFECT TENSE

vocāveram	docueram	dūxeram	cēperam	pūnīveram
vocāverās	docuerās	dūxerās	cēperās	pūnīverās
vocāverat	docuerat	dūxerat	cēperat	pūnīverat
vocāverāmus	docuerāmus	dūxerāmus	cēperāmus	pūnīverāmus
vocāverātis	docuerātis	dūxerātis	cēperātis	pūnīverātis
vocāverant	docuerant	dūxerant	cēperant	pūnīverant

FUTURE PERFECT TENSE

vocāverō	docuerō	dūxerō	cēperō	pūnīverō
vocāveris	docueris	dūxeris	cēperis	pūnīveris
vocāverit	docuerit	dūxerit	cēperit	pūnīverit
vocāverimus	docuerimus	dūxerimus	cēperimus	pūnīverimus
vocāveritis	docueritis	dūxeritis	cēperitis	pūnīveritis
vocāverint	docuerint	dūxerint	cēperint	pūnīverint

Infinitives

PRESENT

vocāre	docēre	dūcere	capere	pūnīre

PERFECT

vocāvisse	docuisse	dūxisse	cēpisse	pūnīvisse

FUTURE

vocātūrus esse	doctūrus esse	ductūrus esse	captūrus esse	pūnītūrus esse

Participles

PRESENT

vocāns	docēns	dūcēns	capiēns	pūniēns
gen. vocantis	docentis	dūcentis	capientis	pūnientis

FUTURE

vocātūrus	doctūrus	ductūrus	captūrus	pūnītūrus

Imperative

SINGULAR

vocā	docē	dūc*	cape	pūnī

PLURAL

vocāte	docēte	dūcite	capite	pūnīte

Passive Voice

Indicative

1	2	3	3 –iō	4

PRESENT TENSE

1	2	3	3 –iō	4
vocor	doceor	dūcor	capior	pūnior
vocāris	docēris	dūceris	caperis	pūnīris
vocātur	docētur	dūcitur	capitur	pūnītur
vocāmur	docēmur	dūcimur	capimur	pūnīmur
vocāminī	docēminī	dūciminī	capiminī	pūnīminī
vocantur	docentur	dūcuntur	capiuntur	pūniuntur

* Regular singular imperative has –e; e.g., **mitte.**

IMPERFECT TENSE

vocābar	docēbar	dūcēbar	capiēbar	pūniēbar
vocābāris	docēbāris	dūcēbāris	capiēbāris	pūniēbāris
vocābātur	docēbātur	dūcēbātur	capiēbātur	pūniēbātur
vocābāmur	docēbāmur	dūcēbāmur	capiēbāmur	pūniēbāmur
vocābāminī	docēbāminī	dūcēbāminī	capiēbāminī	pūniēbāminī
vocābantur	docēbantur	dūcēbantur	capiēbantur	pūniēbantur

FUTURE TENSE

vocābor	docēbor	dūcar	capiar	pūniar
vocāberis	docēberis	dūcēris	capiēris	pūniēris
vocābitur	docēbitur	dūcētur	capiētur	pūniētur
vocābimur	docēbimur	dūcēmur	capiēmur	pūniēmur
vocābiminī	docēbiminī	dūcēminī	capiēminī	pūniēminī
vocābuntur	docēbuntur	dūcentur	capientur	pūnientur

PERFECT TENSE

vocātus sum	doctus sum	ductus sum	captus sum	pūnītus sum
vocātus es	doctus es	ductus es	captus es	pūnītus es
vocātus est	doctus est	ductus est	captus est	pūnītus est
vocātī sumus	doctī sumus	ductī sumus	captī sumus	pūnītī sumus
vocātī estis	doctī estis	ductī estis	captī estis	pūnītī estis
vocātī sunt	doctī sunt	ductī sunt	captī sunt	pūnītī sunt

PAST PERFECT TENSE

vocātus eram	doctus eram	ductus eram	captus eram	pūnītus eram
vocātus erās	doctus erās	ductus erās	captus erās	pūnītus erās
vocātus erat	doctus erat	ductus erat	captus erat	pūnītus erat
vocātī erāmus	doctī erāmus	ductī erāmus	captī erāmus	pūnītī erāmus
vocātī erātis	doctī erātis	ductī erātis	captī erātis	pūnītī erātis
vocātī erant	doctī erant	ductī erant	captī erant	pūnītī erant

FUTURE PERFECT TENSE

vocātus erō	doctus erō	ductus erō	captus erō	pūnītus erō
vocātus eris	doctus eris	ductus eris	captus eris	pūnītus eris
vocātus erit	doctus erit	ductus erit	captus erit	pūnītus erit
vocātī erimus	doctī erimus	ductī erimus	captī erimus	pūnītī erimus
vocātī eritis	doctī eritis	ductī eritis	captī eritis	pūnītī eritis
vocātī erunt	doctī erunt	ductī erunt	captī erunt	pūnītī erunt

Infinitives

PRESENT

| vocārī | docērī | dūcī | capī | pūnīrī |

PERFECT

| vocātus esse | doctus esse | ductus esse | captus esse | pūnītus esse |

Participles

PERFECT

| vocātus | doctus | ductus | captus | pūnītus |

Irregular Verbs

	esse, fuī *be*	posse, potuī *be able,* *can*	ferre, tulī, lātus *bear, carry, bring*	
			Active	*Passive*
Present	sum	possum	ferō	feror
	es	potes	fers	ferris
	est	potest	fert	fertur
	sumus	possumus	ferimus	ferimur
	estis	potestis	fertis	feriminī
	sunt	possunt	ferunt	feruntur
Imperfect	eram	poteram	ferēbam	ferēbar
	erās			
	erat			
	erāmus			
	erātis			
	erant			
Future	erō	poterō	feram	ferar
	eris			
	erit			
	erimus			
	eritis			
	erunt			
Perfect	fuī	potuī	tulī	lātus sum
Past Perfect	fueram	potueram	tuleram	lātus eram
Fut. Perfect	fuerō	potuerō	tulerō	lātus erō

INFINITIVES

Present	esse	posse	ferre	ferrī
Perfect	fuisse	potuisse	tulisse	lātus esse
Future	futūrus esse	. . .	lātūrus esse	. . .

PARTICIPLES

Present	. . .	. . .	ferēns	. . .
Perfect	. . .	. . .	. . .	lātus
Future	futūrus	. . .	lātūrus	. . .

IMPERATIVE

Singular	. . .	. . .	fer	..
Plural	. . .	. . .	ferte	. . .

	ire, īvī (iī), itūrus *go*	velle, voluī *want, wish*	mālle, māluī *prefer*	nōlle, nōluī *not want, not wish*
Present	eō	volō	nōlō	mālō
	īs	vīs	nōn vīs	māvīs
	it	vult	nōn vult	māvult
	īmus	volumus	nōlumus	mālumus
	ītis	vultis	nōn vultis	māvultis
	eunt	volunt	nōlunt	mālunt
Imperfect	ībam	volēbam	nōlēbam	mālēbam
Future	ībō	volam	nōlam	mālam
Perfect	īvī (iī)	voluī	nōluī	māluī
Past Perfect	īveram (ieram)	volueram	nōlueram	mālueram
Fut. Perfect	īverō (ierō)	voluerō	nōluerō	māluerō

INFINITIVES

Present	īre	velle	nōlle	mālle
Perfect	īvisse (īsse)	voluisse	nōluisse	māluisse
Future	itūrus esse	. . .	. . .	. . .

PARTICIPLES

Present	iēns; *gen.,* euntis	volēns	nōlēns	mālēns
Perfect	. . .	. . .	. . .	. . .
Future	itūrus	. . .	. . .	. . .

IMPERATIVE

Singular	ī	. . .	nōlī	. . .
Plural	īte	. . .	nōlīte	. . .

OUTLINE OF SYNTAX

1. Case uses of nouns:

Nominative:
1. *Subject of verb:* **Cīvēs** Rōmam amāvērunt.
2. *Predicate nominative:* Cicerō erat **cīvis** Rōmānus.

Genitive:
1. *Possession:* Domus **Cicerōnis** dēlēta est.
2. *Of phrases:* Pars **urbis** dēlēta est.

Dative:
1. *Indirect object:* Urbs praemium **Cicerōnī** dedit.
2. *After certain verbs:* Cicerō **cīvibus** nōn nocēbat.
3. *After certain adjectives:* Domus **marī** fīnitima erat.

Accusative:
1. *Direct object of verb:* Cīvēs **Rōmam** amāvērunt.
2. *Object of prepositions:* Cicerō ad **urbem** īvit.
3. *Duration of time:* Cīvēs **multōs annōs** pugnāvērunt.

Ablative:
1. *Object of prepositions* (**ab, cum, coram, dē, prō, prae, sine, ē** *and* **in, sub, super**): Cicerō **in urbe** habitābat.
2. *Ablative Absolute* (*noun and participle, noun and adjective, or two nouns, grammatically independent of the rest of the sentence*): **Urbe dēlētā,** hostēs discessērunt.
3. *Adverbial expressions:*
   a. With preposition:
      1) *Accompaniment:* Cicerō **cum fīliō** ambulāvit.
      2) *Agent:* Urbs **ab hostibus** dēlēta est.
      3) *Place from which:* Hostēs **ex urbe** discessērunt.
      4) *Place in which:* Cicerō **in urbe** habitābat.
   b. Without preposition:
      1) *Comparison:* Rōma **Athēnīs** maior erat.
      2) *Description:* Cicerō **magnā virtūte** vir erat.
      3) *Means:* Urbs **bellō** dēlēta est.
      4) *Respect:* Cicerō **glōriā** omnēs superāvit.
      5) *Source:* **Rōmulus Rhēā Silviā** nātus est.
      6) *Time:* **Familia ad vīllam aestāte vēnit.**

c. With and without preposition:
Manner: Rōmānī **magnā (cum) virtūte** pugnāvērunt.

Vocative:
Direct address: Quid agis, **Mārce?**

2. Verbs:

Tense:
1. Present System: present, imperfect, future.
2. Perfect System: perfect, past perfect, future perfect.

Voice:
1. *Active — subject acts:* Cīvēs Rōmam **amāvērunt.**
2. *Passive — subject receives action:* Rōma ā cīvibus **amāta est.**

Person and Number:
1. First person — singular: **ego**
   plural: **nōs**
2. Second person — singular: **tū**
   plural: **vōs**
3. Third person — singular: **is, ea, id**
   plural: **eī, eae, ea**

Mood:
1. Indicative:
   a. *States a fact:* Cīvēs Rōmam **amāvērunt.**
   b. *Asks a question:* (**–ne, nōnne, num**): **Nōnne** cīvēs Rōmam **amāvērunt?**
2. Imperative:
   Gives a command: Rōmam **amāte,** cīvēs!
3. Infinitive:
   a. *Complementary:* Hostēs urbem **dēlēre** potuērunt.
   b. *Indirect statement — after verbs of the senses and of the mind:*
      1) Present infinitive indicates the *same time* as the main verb:
      Dīcit virum **vocāre.**   Dīxit virum **vocāre.**
      2) Perfect infinitive indicates *time before* the main verb:
      Dīcit virum **vocāvisse.**   Dīxit virum **vocāvisse.**
      3) Future infinitive indicates *time after* the main verb:
      Dīcit virum **vocatūrum esse.**   Dīxit virum **vocātūrum esse.**
4. Subjunctive:
   (See Appendix I.)

APPENDIX IV
PRONUNCIATION OF LATIN
THE CLASSICAL OR ROMAN PRONUNCIATION

1. The Alphabet:

Latin uses the same alphabet as English except for –w–. **Y** and **z** are rarely used. Every letter is pronounced. There is only one pronunciation for each consonant. Each vowel has two sounds, one long and one short.

2. Vowels:

Long	Short
ā as in *father:* **trāns**	a as in *adrift:* **ad**
ē as in *they:* **mē**	e as in *let:* **sed**
ī as in *ski:* **sī**	i as in *sit:* **id**
ō as in *note:* **nōn**	o as in *obey:* **post**
ū as in *rule:* **tū**	u as in *full:* **ut**

Note: The difference between the long and short vowels is essentially in the time required to pronounce them. A long vowel takes twice as long to say as a short vowel.

3. Diphthongs:

ae as in *aisle:* **aes–tās**
au as in *ouch:* **au–tem**
oe as in *oil:* **coe–pī**

4. Consonants:

Most of the consonants are pronounced as in English, but **c, g,** and **t** are always hard:

c as in *can:* **ca–sa**
g as in *get:* **gēns**
t as in *tin:* **ta–men**
v is pronounced as *w,* as in *wine:* **vī–num**
i as a consonant (later **j**) is pronounced *y,* as in *year:* **iac–tō**
qu is a single sound: *kw* (**u** after **q** is not a vowel) as in *queen:* **e–quus**
b before **s** or **t** has the sound of *p:* **bs** as in *sups:* **urbs**

5. Accent:

The last syllable is never accented.
The second last syllable is accented if it is long: se–**nā**–tus; a–**moe**–na.
If the second last syllable is short, the third last is accented: **bar**–ba–rus.

> **Note:** 1. A syllable is long if it contains a long vowel or diphthong or if the vowel of the syllable is followed by two consonants or **x**.
> 2. There are as many syllables in a word as there are vowels or diphthongs.
> 3. A syllable will begin with a consonant wherever possible.

THE ITALIAN PRONUNCIATION

1. Vowels:

In general, the Italian pronunciation of vowels is the same as the Roman system. Some prefer to give all the vowels the *quality* of long vowels, but pronounce the short vowels more quickly.

2. Diphthongs:

The diphthongs are pronounced as in the Roman system, except:

> **ae** as *e* in *they:* **aes, vi–ae**
> **oe** as *e* in *they:* **coe–lum, poe–na**

3. Consonants:

Most of the consonants are pronounced as in English, but
    c is hard (like *k*) before **a–o–u**:

cap	:	**ca–put**
cone	:	**cō–gō**
cute	:	**cu–lex**

    c is *ch* (like *charity*) before **e–i–ae–oe:**

check	:	**cen–trum**
chip	:	**ci–bus**
chase	:	**Cae–sar**
chase	:	**coe–pī**

g is hard before **a–o–u:**

gallop	:	**ga–le–a**
go	:	**cō–gō**
gum	:	**gu–ber–nō**

g is like *j* (*just*) before **e–i–ae–oe:**

gem	:	**gem–ma**
giant	:	**Gi–gās**
jelly	:	**gae–sum**

h is silent; between two vowels it is like *k:* **mi–hi**
r as in *three* is trilled: **tri–a**
s as in English, but between two vowels as a *z: dozen:* **vā–sa**
cc before **e–i–ae–oe** like *tch* in *match:* **ac–ci–pe–re**
gg before **e–i–ae–oe** like the *dj* in *adjust:* **agger**
gn like the *ni* in *onion:* **mag–nus, ag–nus**
sc before **e–i–ae–oe** like the *sh* in *she:* **pro–fi–cī–scī**

Double consonants are both pronounced but without a break, like the *ll* in
the English *tailless:* **Pal–las.**

APPENDIX V
VERBA IN SCHOLĀ
(Class Words)

1. **Salvē,** (*pl.*) **salvēte,** hello, greetings
2. **Valē,** (*pl.*) **valēte,** good-bye
3. **Magister, praeceptor,** teacher
4. **Discipulus,** pupil (*male*)
5. **Discipula,** pupil (*female*)
6. **Nōmen,** name
7. **Schola, lūdus,** school
8. **Pēnsum,** task
9. **Studium,** study, zeal
10. **Labor,** work

11. **Crēta,** chalk
12. **Ērāsūrō,** eraser
13. **Tabula (nigra),** (black)board
14. **Liber,** book
15. **Libellus,** notebook
16. **Pāgina,** page
17. **Caput,** chapter
18. **Stilus,** pencil
19. **Penna,** pen
20. **Charta,** paper

21. **Camera,** room
22. **Iānua,** door
23. **Fenestra,** window
24. **Pariēs, mūrus,** wall
25. **Solum,** floor
26. **Lacūnar,** ceiling
27. **Pictūra,** picture
28. **Mēnsa,** table, desk
29. **Sella,** seat
30. **Sedīlia** (*pl.*), row (of seats)

31. **Sententia,** sentence
32. **Verbum,** word
33. **Syllaba,** syllable
34. **Littera,** letter
35. **Vocālis (littera),** vowel
36. **Cōnsonāns (littera),** consonant
37. **Paragraphus,** paragraph
38. **Rogātiō,** question

39. **Respōnsum,** answer
40. **Exāmen,** examination
41. **Anglicē,** in English
42. **(Lingua) Anglica,** English (language)
43. **Latīnē,** in Latin
44. **(Lingua) Latīna,** Latin (language)
45. **Ita, certē, sīc,** yes, certainly
46. **Minimē, nōn sīc,** no, not at all
47. **Intelligisne?** do you understand?
48. **Scīsne?** do you know?
49. **Sciō,** I know
50. **Nēsciō,** I don't know
51. **Memoriā nōn teneō,** I don't remember
52. **Quis?,** (*pl.*) **qui?** who?
53. **Quid?** what?
54. **Quō modō?** how?
55. **Cūr?** why?
56. **Quandō?** when?
57. **Quot?** how many?
58. **Ubi?** where?
59. **Quid agis?** how are you?
60. **Quō modō tē habēs?** how do you do?

61. **Scrībe,** (*pl.*) **scrībite,** write
62. **Lege,** (*pl.*) **legite,** read
63. **Incipe,** (*pl.*) **incipite,** begin
64. **Recitā,** (*pl.*) **recitāte,** recite
65. **Respondē,** (*pl.*) **respondēte,** answer
66. **Audī,** (*pl.*) **audīte,** listen
67. **Attende,** (*pl.*) **attendite,** pay attention
68. **Repete,** (*pl.*) **repetite,** repeat
69. **Dīc,** (*pl.*) **dīcite,** say
70. **Converte,** (*pl.*) **convertite,** translate
71. **Perge,** (*pl.*) **pergite,** continue
72. **Surge,** (*pl.*) **surgite,** rise

73. **Cōnsīde, sēde, (pl.) cōnsīdite, sēdēte,** sit down
74. **Siste, (pl.) sistite,** stop
75. **Pōne, (pl.) pōnite,** put, lay aside
76. **Sūme, (pl.) sūmite,** take
77. **Claude, (pl.) claudite,** close
78. **Aperī, (pl.) aperīte,** open
79. **Prōcēde, (pl.) prōcēdite,** go
80. **Tacē, (pl.) tacēte,** be silent

81. **Da mihi, (pl.) date mihi,** give me
82. **Quid significat. . . ?** what does . . . mean?
83. **Quaesō,** I beg (you), please
84. **Sīs, (pl.) sultis,** if you please
85. **Magnā vōce,** speak up
86. **Satis,** enough
87. **Bene,** well, good
88. **Rēctē,** rightly
89. **Male,** wrongly
90. **Iterum,** again

91. **Itaque, ergō,** therefore
92. **Nunc,** now
93. **Hodiē,** today
94. **Crās,** tomorrow
95. **Herī,** yesterday
96. **Hōra,** hour
97. **Hōrologium,** clock
98. **Quota hōra est?** what time is it?
99. **Quid est?** what is the matter?
100. **Grātiās (tibi agō),** thank you

101. **Nōmen,** noun
102. **Prōnōmen,** pronoun
103. **Adiectīvum,** adjective
104. **Verbum,** verb
105. **Verbum trānsitīvum,** transitive verb
106. **Verbum intrānsitīvum,** intransitive verb
107. **Adverbium,** adverb
108. **Praepositiō,** preposition
109. **Coniūnctiō,** conjunction
110. **Interiectiō,** interjection
111. **Cāsus, case**

112. **Nōminātīvus,** nominative
113. **Genitīvus,** genitive
114. **Datīvus,** dative
115. **Accūsātīvus,** accusative
116. **Ablātīvus,** ablative
117. **Vocātīvus,** vocative
118. **Subiectīvum,** subject
119. **Praedicātīvum,** predicate
120. **Obiectīvum,** object
121. **Genus,** gender
122. **Masculīnum,** masculine
123. **Fēminīnum,** feminine
124. **Neutrum,** neuter
125. **Numerus,** number
126. **Singulāris,** singular
127. **Plūrālis,** plural
128. **Tempus,** tense
129. **Praesēns,** present
130. **Imperfectum,** imperfect
131. **Futūrum,** future
132. **Perfectum,** perfect
133. **Praeteritum perfectum (plūperfectum),** past perfect (pluperfect)
134. **Futūrum perfectum,** future perfect
135. **Persōna,** person
136. **Prīma,** first
137. **Secunda,** second
138. **Tertia,** third
139. **Vōx,** voice
140. **Actīva,** active
141. **Passīva,** passive
142. **Modus,** mood (mode)
143. **Indicātīvus,** indicative
144. **Imperātīvus,** imperative
145. **Infīnītīvus,** infinitive
146. **Subiunctīvus,** subjunctive
147. **Coniugātiō,** conjugation
148. **Dēclīnātiō,** declension
149. **Participium,** participle
150. **Cōnstructiō,** construction
151. **Praefixum,** prefix
152. **Suffixum,** suffix

NŌMINA PROPRIA*

Acastus, –ī, *m.,* Acastus, *a slave of Cicero* (XVI)

Achillēs, –is, *m.,* Achilles, *a Greek hero in the Trojan War* (IX)

Ācron, –onis, *m.,* Acron, *king of the Sabine town of Caenina* (VII)

Actius, –a, –um, of Actium, *a promontory in northwest Greece, the scene of the battle between Octavian (Augustus) and Antony in 31* B.C. (XX)

Aegyptius, –ī, m., an Egyptian (IX, XIII)

Aegyptus, –ī, *f.,* Egypt (XX)

Aemilius, –ī, *m.,* Aemilius; **Quīntus Aemilius,** *consul in 278* B.C. (XV)

Aenēās, –ae, *m.,* Aeneas, *the legendary Trojan founder of the Roman race* (III, VII)

Aesculāpius, –ī, *m.,* Aesculapius, *the god of medicine and healing* (VIII)

Africānus, –a, –um, African (XIV)

Agrippa, –ae, *m.,* Agrippa (63–12 B.C.), *Augustus' general and adviser* (XI)

Alba, –ae, *f.,* Alba (Longa), *a town founded by Ascanius, Aeneas' son* (III)

Albānus, –a, –um, Alban (III)

Alexandria, –ae, *f.,* Alexandria, *the capital of Egypt* (XX)

Allia, –ae, *f.,* the Allia, *a river in Latium* (V, XXI)

Alpēs, –ium, *f.,* the Alps mountains (V, XXI)

Alsietīnus, –a, –um, Alsietine, *the name of an aqueduct* (X)

Amūlius, –ī, *m.,* Amulius, *the uncle of Romulus* (IV)

Ancus, –ī, *m.,* Ancus; **Ancus Mārcius,** *the fourth king of Rome* (XIII)

Anglī, –ōrum, *m.,* the Angles, *one of the early tribes in Britain* (III)

Aniō, Aniēnis, *m.,* the Anio, *a river in central Italy* (XXIII); **Aniō Antīquus, Aniō Novus,** *names of aqueducts* (X)

Antiās, –ātis, *m., see* **Valerius**

Antōnīnus, –ī, *m.,* Antoninus; **Antōnīnus Pius,** *Roman emperor* (A.D. *138–161*) (X)

Antōnius, –ī, *m.,* Antonius, Antony; Marc Antony (82–30 B.C.), *a mem-*

ber of the second triumvirate who later fought against Augustus at the battle of Actium (XV, XVII, XX)

Aphrodis, –ītis, *f.,* Aphrodite, *the Greek name for Venus, goddess of love and beauty* (X)

Apollō, –inis, *m.,* Apollo, *the god of the sun* (IX)

Appennīnus, –a, –um, Appennine (mountains), *running north and south through Italy* (VIII)

Appius, –a, –um, Appian (VII, VIII, X)

Appius, –ī, *m., see* **Claudius**

Aprīlis, –e, April (X, XXII)

Aquītānī, –ōrum, *m.,* the Aquitanians, *a Gallic tribe* (XXII)

Arcadēs, –um, *m.,* the Arcadians, *a Greek tribe* (IV)

Argōs, *n.,* and **Argī, –ōrum,** *m.,* Argos, *a city in Greece* (IX, XV)

Armenia, –ae, *f.,* Armenia, *a Roman province in Asia* (XIV)

Ascanius, –ī, *m.,* Ascanius, *the son of Aeneas* (III)

Asia, –ae, *f.,* Asia, *a Roman province in Asia Minor* (XX)

Athēnae, –ārum, *f.,* Athens (XVI)

Athēniēnsēs, –ium, *m.,* the Athenians (IX, XI, XIII)

Augustus, –a, –um, August (X); Augustan, *one of the aqueducts* (X, XX)

Augustus, –ī, *m.,* Augustus, *the first Roman emperor* (27 B.C.–A.D. *14*) (X, XI, XIV, XX)

Aurēlius, –ī, *m.,* Aurelius; **Mārcus Aurēlius,** *Roman emperor* (A.D. *161–180*) (XI)

Aventīnus, –ī, *m.,* the Aventine, *one of the seven hills of Rome* (III, IV, XXIII)

Barbātus, –ī, *m., see* **Cornēlius**

Bassus, –ī, *m., see* **Gavius**

Belgae, –ārum, *m.,* the Belgians (XXII)

Boārium, –ī, *n.,* Boarian (*cattle*); **Forum Boārium,** *originally the cattle market* (VIII)

Britannia, –ae, *f.,* Britain (III)

---

* The numerals indicate the lesson(s) in which the name is used.

Brītō, –ōnis, *m.,* Brito, *a legendary founder of Britain* (III)

Britōnī, –ōrum, *m.,* the Britons (III)

Brundisium, –ī, *n.,* Brundisium, *a seaport in southern Italy; the main port for Greece and the East; modern Brindizi* (XX)

Brūtus, –ī, *m., see* **Iūnius**

Cācus, –ī, *m.,* Cacus, *a giant who lived on the later site of Rome; he stole Hercules' cattle* (III)

Caecus, –ī, *m.,* Caecus (the Blind), *see* **Claudius**

Caenīnēnsēs, –ium, *m., the inhabitants of Caenina* (IV)

Caesar, –aris, *m.,* Caesar; **C. Iūlius Caesar** (100–44 B.C.), *a Roman general and dictator* (IX, X, XVI, XXII); *the name applied to all emperors* (XX)

Camillus, –ī, *m.,* Camillus, *the hero of the war against the Gallic Senones 387* B.C. (XXI)

Campānia, –ae, *f.,* Campania, *a section of central Italy whose chief city was Capua* (V, XXIII)

Campus, –ī, *m.,* the Campus Martius, *originally the military training field; the site of much of the building of the Augustan period* (VIII)

Cannae, –ārum, *f.,* Cannae, *a town in southern Italy; the site of the disastrous defeat of the Romans by Hannibal in 216* B.C. (V)

Cannēnsis, –e, of (at) Cannae (XXIII)

Capēna, –ae, *f.,* Capena, *a town in Etruria* (VIII)

Capēnus, –a, –um, Capenan, *the name of a gate in Rome* (VIII, X)

Capitōlīnus, –a, –um, Capitoline, *one of the hills of Rome* (VIII, XXI)

Capitōlium, –ī, *n.,* the Capitol(ium), *a temple dedicated to Jupiter, Juno and Minerva; the Capitoline Hill* (V, VIII, XI, XXIII)

Capua, –ae, *f.,* Capua, *a city in Campania* (X, XIX)

Carolus, –ī, *m.,* Charles, Charlemagne, *a 9th century French king* (VIII)

Carthāginiēnsis, –e, *Carthaginian* (XIX, XXIII)

Carthāgō, –inis, *f.,* Carthage, *a city in northern Africa* (XXIII)

Cassius, –ī, *m.,* Cassius; **Gaius Cassius,** *a general and later the assassin of Caesar* (XV); **Lūcius Cassius,** *consul in 107* B.C. (XXII)

Catilīna, –ae, *m.,* Catiline, *plotted to overthrow the government while Cicero was consul* (*63* B.C.) (XVII)

Catō, –ōnis, *m.,* Cato; **Mārcus Porcius Catō,** *a Roman statesman and writer* (*235–147* B.C.) (VII, XIX)

Celtae, –ārum, *m.,* the Celts (XXII)

Cethēgus, –ī, *m.,* Cethegus, *Roman consul in 204* B.C. (XIX)

Cicerō, Cicerōnis, *m.,* Cicero (106–43 B.C.) *a great Roman orator, statesman, and writer* (I, II, XVI, XVII, XIX)

Cimbrī, –ōrum, *m.,* the Cimbri, *a Germanic tribe which invaded Italy at the end of the second century* B.C. (V)

Cimbricus, –a, –um, Cimbrian (V, VII)

Cincius, –a, –um, Cincian. *Cincius was tribune of the people in 204* B.C. *and proposed a law making it illegal for lawyers to accept fees. Bills were named for the proposer.* (XIX)

Claudia, –ae, *f.,* Claudia, *a Roman feminine name*

Claudius, –a, –um, Claudian, *one of the aqueducts* (X)

Claudius, –ī, *m.,* Claudius; **Appius Claudius,** *one of the Decemvirs* (IX); **Appius Claudius Caecus,** *a great Roman statesman, consul in 307* B.C. *and 296* B.C., *built the first public road and aqueduct* (VII, VIII, X, XI); **Mārcus Claudius Marcellus,** *consul in 214* B.C. (VII); **Gaius Claudius Nerō** *see* **Nerō**

Cleopātra, –ae, *f.,* Cleopatra, *the queen of Egypt from 51* B.C. *to 31* B.C. (XX)

Clūsium, –ī, *n.,* Clusium, *a town in Etruria* (XXI)

Collātīnus, –ī, *m., see* **Tarquinius**

Collīnus, –a, –um, Colline (*hilly*), *the name of a gate near the Quirinal hill* (XXIII)

Cornēlius, –ī, *m.,* Cornelius; **Lūcius Cornēlius Scīpiō Barbātus,** *consul in*

298 B.C. (VII); **Pūblius Cornēlius Dolābella** *see* **Dolābella; Gaius Cornēlius Gallus** *see* **Gallus**

Crassus, –ī, *m.,* Crassus; **Mārcus Licinius Crassus** (112–53 B.C.), *a member of the first triumvirate with Caesar and Pompey* (V)

Crixus, –ī, *m.,* Crixus, *a leader of the gladiators' revolt in 73* B.C. (V)

Cūrātius, –ī, *m.,* Curatius; **Pūblius Cūrātius,** *one of the Decemvirs* (IX)

Cybela, –ae, *f.,* Cybele, *a Phrygian goddess worshiped in Rome as the Magna Mater* (XI)

December, –bris, –bre, December (X)

Decemvirī, –ōrum, *m.,* Decemvirs, *a board of ten men; one such board was chosen in 451* B.C. *to codify the laws. This codification was the Laws of the Twelve Tables* (IX)

Decius, –ī, *m.,* Decius; **Pūblius Decius Mūs,** *consul in 312* B.C. (X); **Pūblius Decius Mūs,** *his son, consul in 279* B.C. (IX)

Diogenēs, –is, *m.,* Diogenes, *an Athenian artist who decorated the Pantheon* (XI)

Diomēdēs, –is, *m.,* Diomedes, *a king of Thrace who had man-eating horses* (XV)

Dolābella, –ae, *m.,* Dolabella; **Pūblius Cornēlius Dolābella,** *the son-in-law of Cicero who joined with Antony* (XV, XVI)

Ekkehardus, –ī, *m.,* Ekkehart, *an 11th century historian* (XX)

Ennius, –ī, *m.,* Ennius, *an early Roman poet who wrote an epic history of Rome, the Annales* (239–169 B.C.) (VII, XIX)

Epīrus, –ī, *m.,* Epirus, *a country on the northwest coast of Greece* (IX, XX)

Etrūria, –ae, *f.,* Etruria, *a section of Italy, north of Rome* (V)

Etrūscus, –a, –um, Etruscan (V); *cf.* **Tuscus**

Fabius, –ī, *m.,* Fabius; **Quīntus Fabius Maximus,** *dictator in 217* B.C. *and consul in 214* B.C. *during the war with Hannibal* (VII, XIX); **Quīntus Fabius**

Ambustus, *general in the war with the Gallic Senones* (XXII)

Fābricius, –ī, *m.,* Fabricius; **Gaius Fābricius,** *consul in 278* B.C. (XV)

Fastī, –ōrum, *m.,* Fasti, *the name of a poem by Ovid which told of the various festivals in the Roman year* (VIII)

Faunus, –ī, *m.,* Faunus, *mythological king of Italy, later worshiped as the Roman equivalent of Pan* (III)

Faustulus, –ī, *m.,* Faustulus, *the shepherd who reared Romulus and Remus* (IV)

Februārius, –a, –um, February (X)

Februus, –ī, *m.,* Februus, *a ritualistic name* (X)

Ferētrius, –a, –um, Feretrius, *a name applied to Jupiter* (VIII)

Filiciō, –ōnis *m.,* Felicio, *a slave of Seneca* (XIX)

Flaccus, –ī, *m.,* Flaccus; **Quīntus Fulvius Flaccus,** *a general who opposed Hannibal in the second Punic War* (XXIII); **Lūcius Valerius Flaccus,** *consul in 195* B.C. *and censor in 184* B.C., *both times with Cato* (VII)

Formiae, –ārum, *f.,* Formiae, *a town in Latium*

Gaius, –ī, *m.,* Gaius, *a Roman praenomen*

Gallī, –ōrum, *m.,* the Gauls (III, V, XXI, XXII); **Gallī Senonēs** *see* **Senonēs**

Gallia, –ae, *f.,* Gaul, *an ancient name for France* (XIV, XXII)

Gallicus, –a, um, Gallic (V, XXI)

Gallus, –ī, *m.,* a Gaul (III, V, XXI, XXII)

Gallus, –ī, *m.,* Gallus; **Gaius Cornēlius Gallus,** *the first Roman governor of Egypt in 30* B.C. (XX)

Garumna, –ae, *m.,* the Garonne, *a river in Gaul* (XXII)

Gavius, –ī, *m.,* Gavius; **Gavius Bassus,** *a Roman author of the 1st century* B.C. (XV)

Genava, –ae, *f.,* Geneva (XXII)

Genucius, –ī, *m.,* Genucius; **Titus Genucius,** *one of the Decemvirs* (IX)

Germānī, –ōrum, *m.,* the Germans (XXII)

Germānia, –ae, *f.,* Germany (XIV)

Gnaeus, –ī, *m.,* Gnaeus, *a Roman praenomen*

Graecia, –ae, *f.,* Greece (IX)
Graecus, –a, –um, Greek, Grecian (I, IX)

Hamilcar, –aris, *m.,* Hamilcar, *a Carthaginian general and father of Hannibal* (XXIII)
Hannibal, –alis, m., Hannibal, *the famous Carthaginian general in the second Punic War (218–201* B.C.) (V, VII, XIX, XXIII)
Hasdrubal, –balis, *m.,* Hasdrubal, *the brother of Hannibal* (VII)
Hebraicus, –a, –um, Hebrew (IX)
Helvētiī, –ōrum, *m.,* the Helvetians, *a Gallic tribe* (XXII)
Hēraclītus, –ī, *m.,* Heraclitus, *a Greek philosopher (c. 510* B.C.) (XIX)
Herculēs, –is, *m.,* Hercules, *a mythological hero who performed twelve labors; later worshiped as a god* (III, VIII, XV, XXIII)
Hispānia, –ae, *f.,* Spain (VII, XXIII)
Horātius, –ī, *m.,* Horatius, *a Roman triplet who with his brothers defeated the triplets of Alba Longa* (VIII)
Hostīlius, –ī, *m., see* **Tullus**

Iāniculum, –ī, *n.,* the Janiculum, *a hill across the Tiber from ancient Rome* (V)
Iānuārius, –a, –um, January, belonging to Janus (X, XX)
Iānus, –ī, *m.,* Janus, *the god of beginnings and ends* (VIII, X)
Īdūs, –uum, *f.,* the Ides, *13th or 15th of the month* (XVI, XX, XXII)
Indiges, –getis, Indiges, *a title given to patron deities of countries, e.g., Aeneas* (VII)
Italia, –ae, *f.,* Italy
Iugurtha, –ae, *m.,* Jugurtha, *king of Numidia in Africa (118–104* B.C.) (VII)
Iūlius, –a, –um, July (X); Julian, *the name of an aqueduct* (X)
Iūlius, –ī, *m.,* Julius; **Gaius Iūlius,** *one of the Decemvirs* (IX); **Gaius Iūlius Caesar** *see* **Caesar**
Iūnius, –a, –um, June (X)
Iūnius, –ī, *m.,* Junius, **Lūcius Iūnius Brūtus,** *the leader of the revolt against the kings in 509* B.C. (V, XIII)

Iuppiter, Iovis, *m.,* Jupiter, *the father of the gods* (IV, VIII, IX, XIII, XXIII). *Various titles were added to his name including* **Ferētrius** (VIII), **Optimus Maximus** (VIII) *and* **Stator** (IV).
Iūra, –ae, *m.,* the Jura mountain range (XXII)

Lacedaemoniī, –ōrum, *m.,* the Lacedaemonians *or* Spartans (IX)
Laevinus, –ī, *m.,* Laevinus; **Pūblius Valerius Laevinus,** *consul in 280* B.C. (IX)
Latīnus, –a, –um, Latin (IV, IX)
Latīnus, –ī, *m.,* Latinus, *king of Latium and father-in-law of Aeneas* (III)
Laurentīnus, –a, –um, Laurentine, *pertaining to Larentum, a town in Latium* (III)
Lāvīnium, –ī, *n.,* Lavinium, *a town in Latium founded by Aeneas and named after his wife Lavinia* (VII)
Lemannus, –ī, *m.,* Lake Geneva (XXII)
Līvius, –ī, *m.,* Livy; **Titus Līvius** (59 B.C.–A.D. 17) *a great Roman historian* (XX)
Lūcānia, –ae, *f.,* Lucania, *a section of southern Italy* (V, VII)
Lūcifer, –erī, *m.,* Lucifer, *the morning star* (XIII)
Lūcius, –ī, *m.,* Lucius, *a Roman praenomen*
Lūcullānus, –a, –um, Lucullan, *lands owned by Lucullus, a Roman famous for his luxurious living* (X)
Lūna, –ae, *f.,* Luna, *the daughter of Antony and Cleopatra* (XX)
Lycurgus, –ī, *m.,* Lycurgus, *an Athenian lawgiver, probably mythological* (IX)

Macrobius, –ī, *m.,* Macrobius, *fifth century A.D. author of the Satyricon* (XX)
Māia, –ae, *f.,* Maia, *the mother of Mercury* (X)
Māius, –a, –um, May (X)
Mānēs, –ium, *m.,* Manes, *spirits of the dead* (X)
Mānlius, –ī, *m.,* Manlius; **Aulus Mānlius,** *one of the Decemvirs* (IX); **Mārcus Mānlius,** *saved Rome from the Gallic Senones* (XXI)

Mārcius, –a, –um, Marcian, *the name of an aqueduct* (X)

Mārcius, –ī, *m., see* Ancus

Mārcus, –ī, *m.,* Marcus, *a Roman praenomen*

Marius, –ī, *m.,* Marius; Gaius Marius (157–86 B.C.), *a Roman general and dictator* (VII)

Mārs, Mārtis, *m.,* Mars, *the god of war* (IV, VIII, X, XIII)

Mārtiālis, –e, of Mars, sacred to Mars (XIV)

Mārtius, –a, –um, of Mars; March (VIII, X)

Matrona, –ae, *m.,* the Marne, *a river in Gaul* (XXII)

Mercurius, –ī, *m.,* Mercury, *the messenger of the gods* (IX, X, XIII)

Messāla, –ae, *m.,* Messala; Mārcus Valerius Messāla, *consul in 61* B.C. (XXII)

Modestus, –ī, *m.* Modestus; Iūlius Modestus, *a Roman writer of the 1st century A.D.* (XV)

Mōȳsēs, –is, *m.,* Moses, *Hebrew religious leader* (IX)

Mulvius, –a, –um, Mulvian, *the name of one of the bridges in Rome* (VIII)

Mūs, Muris, *m., see* Decius

Neptūnus, –ī, *m.,* Neptune, *the god of the sea* (XI)

Nerō, –ōnis, *m.,* Nero; Gaius Claudius Nerō, *consul in 207* B.C. (VII)

Nīcias, –ae, *m.,* Nicias, *a friend of king Pyrrhus* (XV)

November, –bris, –bre, November (X)

Numa, –ae, *m.,* Numa; Numa Pompilius, *the second king of Rome* (IX, XIII)

Numidae, –ārum, *m.,* the Numidians, *a tribe from northern Africa often used as cavalry by the Romans* (XXIII)

Numitor, –ōris, *m.,* Numitor, *the grandfather of Romulus and Remus* (IV)

Octāvia, –ae, *f.,* Octavia, *the sister of Augustus and wife of Antony* (XX)

Octāviānus, –ī, *m.,* Octavian, *later called Augustus* (XX)

Octōber, –bris, –bre, October (X)

Oenomaus, –ī, *m.,* Oenomaus, *a leader of the revolt of the gladiators 73* B.C. (V)

Orgetorix, –īgis, *m.,* Orgetorix, *a leader of the Helvetians* (XXII)

Orīginēs, –um, *f.,* Origins, *the name of a history of Rome by Cato* (VII)

Ostia, –ae, *f.,* Ostia, *the seaport of Rome at the mouth of the Tiber river* (VIII)

Ovidius, –ī, *m.,* Ovid (43 B.C.–A.D. 17), *a Roman poet* (VIII)

Padus, –ī, *m.,* the Po, *a river in northern Italy* (XXI)

Palātīnus, –a, –um, the Palatine, *one of the hills of Rome* (IV)

Pannonia, –ae, *f.,* Pannonia, *a Roman province in eastern Europe, northeast of Italy* (XIV)

Pantheon, Pantheī, *n.,* Pantheon, *a temple to all the gods, built by Agrippa* (XI)

Paterculus, –ī, *m.,* Paterculus; Vellēius Paterculus, *a Roman historian of the first century A.D.* (XIV, XVII)

Pepinus, –ī, *m.,* Pepin, *the father of Charlemagne* (VIII)

Persae, –ārum, *m.,* the Persians (XI, XIII)

Persicus, –a, –um, Persian (XI)

Petrus, –ī, *m.,* Peter; the Church of St. Peter in Rome (XI)

Phaeton, –ōntis, *m.,* Phaethon (*the shining one*), *a name given to the planet Jupiter* (XIII)

Philositus, –ī, *m.,* Philositus, *slave of Seneca* (XIX)

Phorōneus, –ī, *m.,* Phoroneus, *mythical king of Argos* (IX)

Phrygēs, –um, *m.,* the Phrygians, *a people in Asia Minor* (IV)

Pictī, –ōrum, *m.,* the Picts, *early inhabitants of Scotland* (III)

Pīcus, –ī, *m.,* Picus, *son of Saturn, mythical early king in Italy* (III)

Pīsō, –ōnis, *m.,* Piso; M. Pupius Pīsō, *consul in 61* B.C. (XXII)

Pius, –ī, *m., see* Antōnīnus

Plautius, –ī, *m.,* Plautius; Gaius Plautius, *censor with Appius Claudis in 312* B.C. (X)

Plīnius, –ī, *m.,* Pliny; Pliny the Elder, *Roman historian and encyclopedist* (A.D. 23–79) (VIII, XI, XXIII)

Plūtō, –ōnis, *m.,* Pluto, *the god of the underworld* (X)

Pompēius, –ī, *m.*, Pompey; Pompey the Great (106–48 B.C.), *a Roman general and member of the first triumvirate* (V, IX)

Pompilius, –ī, *n.*, *see* Numa

Porsena, –ae, *m.*, Porsena, *the Etruscan king who tried to restore Tarquin to the throne in Rome* (V)

Postumius, –ī, *m.*, Postumius; Spurius Postumius, *one of the Decemvirs* (IX)

Praenestīnus, –a, –um, Praenestine, *the name of a Roman road* (X)

Pūblius, –ī, *m.*, Publius, *a Roman praenomen*

Pūnicus, –a, –um, Punic, Carthaginian (V)

Pyrrhus, –ī, *m.*, Pyrrhus, *the king of Epirus who attacked Rome in 280* B.C. (V, VII, IX, XV)

Quādrīgārius, –ī, *m.*, Quadrigarius; Claudius Quadrigarius, *a Roman author of the 1st century* B.C. (XV)

Quīntīlis, –e, Quintilis, *the orginal name of the month July* (X)

Quīntus, –ī, *m.*, Quintus, *a Roman praenomen*

Quirīnus, –ī, *m.*, Quirinus, *the name of Romulus after his deification* (VII)

Raetia, –ae, *f.*, Raetia, *a Roman province in eastern Europe, north of Italy* (XIV)

Remus, –ī, *m.*, Remus, the twin brother of Romulus (III, IV)

Rhēa, –ae, *f.*, Rhea; Rhēa Silvia, *the mother of Romulus and Remus* (IV)

Rhēnus, –ī, *m.*, the Rhine river (XXII)

Rhodanus, –ī, *m.*, the Rhone river (XXII)

Rōma, –ae, *f.*, Rome

Rōmānus, –a, –um, Roman

Rōmilius, –ī, *m.*, Romilius; Titus Rōmilius, *one of the Decemvirs* (IX)

Rōmulus, –ī, *m.*, Romulus, *the legendary founder and first king of Rome* (III, IV, VII, VIII, IX)

Sabīnī, –ōrum, *m.*, the Sabines, *an early tribe in central Italy and one of the first to be incorporated into Rome after its founding* (IV, VII, VIII)

Sabīnus, –a, –um, Sabine (IV)

Salārius, –a, –um, Salt, *the name of a road and a gate in Rome, so called because salt was brought to Rome along this road and through this gate* (VIII)

Salīnae, –ārum, *f.*, Salinae, *a section of Rome* (X)

Salīnātor, –ōris, *m.*, Salinator; M. Līvius Salīnātor, *a Roman general in the second Punic War* (XIX)

Sallustius, –ī, *m.*, Sallustius; Gnaeus Sallustius, *a friend of Cicero* (XVI)

Samnītēs, –ium, *m.*, the Samnites, *a tribe in central Italy* (VII)

Samnīticus, –a, –um, Samnite (X)

Sardinia, –ae, *f.*, Sardinia (VII)

Sāturnus, –ī, *m.*, Saturn, *mythical king of Italy, later identified with Cronus as the father of Jupiter* (III, XIII)

Saxōnēs, –um, *m.*, the Saxons, *a Germanic tribe which conquered Britain* (XI)

Scīpiō, –ōnis, *m.*, *see* Cornēlius

Scithī, –ōrum, *m.*, the Scithians, *an early tribe in Britain* (III)

Scōtī, –ōrum, *m.*, the Scots (III)

Scōtia, –ae, *f.*, Scotland (III)

Sēiānus, –a, –um, of Seius (XV)

Sēius, –ī, *m.*, Seius, *the owner of a remarkable horse* (XV)

Sēna, –ae, *f.*, Sena, *a town in Umbria on the Adriatic Sea* (VII)

Senonēs, –um, *m.*, the Senones, *a Gallic tribe which almost conquered the Romans 390–87* B.C. (V, XXI)

September, –bris, –bre, September (X)

Septimius, –ī, *m.*, Septimius; Lūcius Septimius Sevērus, *Roman emperor* (A.D. 193–211) (XI)

Sēquana, –ae, *m.*, the Seine, *a river in Gaul* (XXII)

Sēquanī, –ōrum, *m.*, the Sequanians, *a Gallic tribe* (XXII)

Servius, –ī, *m.*, Servius; Servius Tullius, *the sixth king of Rome* (XIII)

Sevērus, –ī, *m.*, *see* Septimius

Sextīlis, –e, Sextilis, *the original name of the month August* (X, XX)

Sextus, –ī, *m.*, Sextus, *a Roman praenomen;* Sextus, (*or* Sestius) *one of the Decemvirs* (IX)

Sicilia, –ae, *f.*, Sicily (VII)

Silvia, –ae, *f., see* **Rhēa**

Silvius, –ī, *m.,* Silvius, *a name given to many of the legendary kings of Alba Longa, including Aeneas' son* (III)

Sōl, –is, *m.,* Sun, *son of Antony and Cleopatra* (XX)

Solōn, –ōnis, *m.,* Solon, *Athenian lawgiver* (*c. 600* B.C.) (IX)

Spartacus, –ī, *m.,* Spartacus, *leader of the revolt of the gladiators* (*73–71* B.C.) (V)

Stator, –ōris, *m.,* the Stayer, the Helper, *a title given to Jupiter* (IV)

Suēbiī, –ōrum, *m.,* the Suebians, *a Germanic tribe* (XI)

Sulpicius, –ī, *m.,* Sulpicius; **Pūblius Sulpicius,** *one of the Decemvirs;* **Pūblius Sulpicius,** *consul in 279* B.C. (IX)

Superbus, –ī, *m.,* Superbus (the Proud) *see* **Tarquinius**

Superī, –ōrum, *m.,* the gods (X)

Syria, –ae, *f.,* Syria, *a Roman province in Asia Minor* (XV)

Tarentīnus, –a, –um, Tarentine, *the people of Tarentum* (V, IX)

Tarentum, –ī, *n.,* Tarentum, *a Greek city in southern Italy* (IX, XIX)

Tarquinius, –ī, *m.,* Tarquin(ius); *the family name of the fifth and seventh kings of Rome, the seventh known as Tarquin the Proud* (V, VIII, XIII); **Lūcius Tarquinius Collātīnus,** *first consul with Brutus after the overthrow of the kings in 509* B.C. (XIII)

Tatius, –ī, *m.,* Tatius, *king of the Sabines, co-ruler of Rome with Romulus* (IV)

Tepulus, –a, –um, Tepulan, *the name of one of the aqueducts in Rome* (X)

Terentia, –ae, *f.,* Terentia, *a Roman feminine name;* Terentia, *the wife of Cicero* (I, II, XV)

Teutonicus, –a, –um, Teutonic, Germanic (VII)

Thrācia, –ae, *f.,* Thrace, *a Roman province northeast of Greece* (XV)

Tiberīnus, –ī, *m., and* **Tiberis, –is,** *m.,* the Tiber river (IV, VIII, X)

Tiberius, –ī, *m.,* Tiberius, *Roman emperor* (A.D. *14–37*) (XIV)

Tīmocharēs, –is, *m.,* Timochares, *friend of king Pyrrhus* (XV)

Tridentīnus, –a, –um, Tridentine; Tridentine Alps (V)

Trigeminus, –a, –um, Trigeminine (*triplet*), *name of a Roman gate, named for the triplet Horatii* (VIII, X)

Trimegistus, –ī, *m.,* Trimegistus, *title of Mercury* (IX)

Trōia, –ae, *f.,* Troy (III, VII)

Trōiānus, –a, –um, Trojan (III, VII)

Tuditānus, –ī, *m.,* Tuditanus, *Roman consul in 204* B.C. (XIX)

Tullia, –ae, *f.,* Tullia, *Roman feminine name;* **Tullia,** *Cicero's daughter* (I, II, XVI)

Tullius, –ī, *m.,* Tullius; **Servius Tullius** *see* **Servius;** **Mārcus Tullius Cicerō** *see* **Cicerō**

Tullus, –ī, *m.,* Tullus; **Tullus Hostīlius,** *third king of Rome* (XIII)

Tusculum, –ī, *m.,* Tusculum, *a town south of Rome* (V, VII)

Tuscus, –a, –um, Etruscan, *cf.* **Etrūscus** (IV, V, VII)

Tutia, –ae, *m.,* the Tutia, *a river in Italy* (XXIII)

Valerius, –ī, *m.,* Valerius; **Mārcus Valerius Maximus,** *consul in 312* B.C. (X); **Valerius Antiās,** *a historian of the 1st century* B.C. (XV); **Pūblius Valerius Laevinus** *see* **Laevinus;** **Lūcius Valerius Flaccus** *see* **Flaccus**

Vēientēs, –um, *m.,* the Veientes, *the people of Veii* (IV)

Vēiī, –ōrum, *m.,* Veii, *an Etruscan town north of Rome* (XXI)

Vellēius, –ī, *m.,* Velleius *see* **Paterculus**

Vēnōx, –ōcis, Venox (*the Hunter*); **Gaius Plautius Vēnōx** *see* **Plautius**

Venus, –eris, *f.,* Venus, *the goddess of love and beauty* (X, XIII)

Vergilius, –ī, *m.,* Vergil, *a Roman epic poet* (*70–19* B.C.) (XX)

Veterius, –ī, *m.,* Veterius; **Lūcius Veterius,** *one of the Decemvirs* (IX)

Vindelicī, –ōrum, *m.,* the Vindelici, *a Germanic tribe* (XIV)

Virgō, –inis, *f.,* Virgo (*Maiden*), *the name of a Roman aqueduct* (X, XI)

Vulcānus, –ī, *m.,* Vulcan, *the god of fire* (III)

Walōnī, –ōrum, *m.,* the Welsh (III)

LATIN — ENGLISH VOCABULARY*

ā, ab (prep. with abl.) (IV) — from, away from; by

abdūcere, –dūxī, –ductus (VII) — lead away, bring back

abesse, āfuī, āfutūrus (XXII) — be absent, be away

accipere, –cēpī, –ceptus (XVI) — receive, accept

ācer, ācris, ācre (VII) — fierce; sharp; shrewd

aciēs, –ēī, f. (XXIII) — battle line

ad (I) — to, near, for

addere, addidī, additus (XI) — add to

adhūc (VIII) — still, up to now, even now

adulēscēns, –entis, c. (XIX) — youth

adventus, –ūs, m. (XXII) — arrival, coming

adversus (XX) — against

aedificāre, –āvī, –ātus (II) — build

aedificium, –ī, n. (VIII) — building

aeger, aegra, aegrum (X) — ill, sick, sad

aestās, aestātis, f. (II) — summer

afficere, –fēcī, –fectus (XVI) — influence, affect

ager, agrī, m. (III) — field, land

agere, ēgī, āctus (I) — do, drive, act

agitāre, –āvī, –ātus (IV) — drive, agitate; toss about (in the mind)

agricola, –ae, m. (VII) — farmer

alius, –a, –ud (XVI) — other, another

alter, –era, –erum (XXII) — the other (of two)

altus, –a, –um (XXI) — high, tall, deep

amāre, –āvī, –ātus (I) — love, like

ambulāre, –āvī, –ātūrus (I) — walk

amīcitia, –ae, f. (XXIII) — friendship

amīcus, –a, –um (dat.) (IX) — friendly

amīcus, –ī, m. (I) — friend

āmittere, –mīsī, –missus (XIX) — send away; lose

amplus, –a, –um (XXI) — full, large, excellent, distinguished

an (XVII) — or

anima, –ae, f. (XVI) — spirit, soul, air

animus, –ī, m. (XV) — mind, feelings, courage

annus, –ī, m. (III) — year

ante (II) — before

anteā (VII) — previously, earlier, before

antīquus, –a, –um (VIII) — ancient, old

aperīre, aperuī, apertus (X) — open, reveal

apertus, –a, –um (II) — open

apparātus, –ūs, m. (XI) — provision, retinue

appārēre, –uī, –itūrus (XI) — appear

appellāre, –āvī, –ātus (VII) — name, call, address

aptus, –a, –um (XXIII) — suitable, fit, adapted

apud (XIII) — with, at, by, near, among

aqua, –ae, f. (VII) — water; aqueduct

aquaeductus, –ūs, m. (XI) — aqueduct

āra, –ae, f. (III) — altar

arbitrārī, –ātus (XXIII) — think

arbor, –oris, f. (IV) — tree

ārdēre, ārsī, ārsūrus (XVII) — burn, be on fire

argūmentum, –ī, n. (XIX) — proof

arma, –ōrum, n. pl. (VII) — arms, weapons

ars, artis, f. (XIII) — art, skill

arx, arcis, f. (IV) — citadel, stronghold

at (XIV) — but

āthlēta, –ae, c. (XIV) — athlete

atque (I) — and

ātrium, –ī, n. (II) — atrium

* The numerals indicate the lesson in which the word first appears.

auctōritās, –ātis, f. (IX)	authority, influence
audīre, –īvī, –ītus (XI)	hear, listen to
auferre, abstulī, ablātus (XVII)	take away, remove
augēre, auxī, auctus (XVII)	increase, strengthen
augurium, –ī, n. (III)	augury
aureus, –a, –um (VIII)	golden
aut . . . aut (X)	either . . . or
autem (XVI)	however, but, though
auxilium, –ī, n. (IV)	aid, help
barbarus, –a, –um (XXI)	barbaric, foreign
barbarus, –ī, m. (XXI)	barbarian, foreigner
bellum, –ī, n. (III)	war
bene (XVI)	well, successfully
bēstia, –ae, f. (XIV)	animal, wild animal
bibliothēca, –ae, f. (VIII)	library
bonus, –a, –um (II)	good
brevis, –e (XVI)	short, brief
calamitās, –ātis, f. (XV)	calamity, misfortune, ruin
campus, –ī, m. (XXIII)	field, plain
capere, cēpī, captus (III)	take, seize, capture
caput, –itis, n. (VIII)	head; capitol; chapter
casa, –ae, f. (IV)	hut, cottage
castra, –ōrum, n. pl. (V)	camp
causa, –ae, f. (XX)	cause, reason
cēdere, cessī, cessūrus (V)	go, withdraw; yield
celer, celeris, celere (XXI)	swift, fast, quick
cēnsor, –ōris, m. (X)	censor
cernere, crēvī, crētus (XI)	see, distinguish

certē (IV)	surely, certainly, at least
certiōrem facere (XXII)	inform
cēterī, –ae, –a (XXIII)	the rest, the others
cibus, –ī, m. (I)	food
circiter (XIV)	about
cīvīlis, –e (VII)	civil
cīvis, cīvis, c. (XVII)	citizen
cīvitās, –ātis, f. (III)	state, city
clādēs, –is, f. (XXI)	slaughter, defeat
clāmāre, –āvī, –ātus (XXI)	shout
clāmor, –ōris, m. (XXI)	shout
classis, –is, f. (XX)	class; fleet
claudere, clausī, clausus (V)	close, shut
coepī, coeptus (XIX)	began
cōgere, coēgī, coāctus (XX)	collect; compel, drive, urge
cognōscere, –gnōvī, –gnitus (XI)	learn, understand; *perf.*, know
colere, –uī, cultus (X)	cultivate, worship, observe
collēga, –ae, m. (X)	colleague
comes, –itis, c. (I)	companion, friend
committere, –mīsī, –missus (acc. and dat.) (IX)	begin, entrust
complūrēs, –a (VII)	several, many
cōnārī, cōnātus (XX)	try, attempt
condere, –didī, –ditus (III)	found, establish
cōnficere, –fēcī, –fectus (XXIII)	perform, accomplish, finish
congregāre, –āvī, –ātus (XVI)	gather together, unite, collect
coniūrātiō, –ōnis, f. (XXII)	alliance, plot, conspiracy
cōnsīderāre, –āvī, –ātus (XVI)	examine, inspect; consider
cōnsilium, –ī, n. (XI)	plan, advice, deliberation
cōnstituere, –uī, –ūtus (IX)	decide, determine, establish
cōnsul, –ulis, m. (V)	consul
contendere, –tendī, –tentus (XXII)	strive, struggle, fight; hurry

contentiō, —ōnis, f. (III) — quarrel, fight

contentus, —a, —um (X) — content(ed)

continenter (XXII) — continuously

contrā (III) — against, opposite, facing

convenīre, —vēnī, —ventus (XXI) — meet, come together

conversiō, —ōnis, f. — a turning round, translation

cōpiae, —ārum, f. pl. (V) — troops, forces

corpus, —oris, n. (IV) — body

cotīdiē (XVI) — daily, every day

crās (XVII) — tomorrow

creāre, —āvī, —ātus (IX) — elect, appoint, create

crēdere, crēdidī, crēditūrus (dat.) (XIII) — believe, trust

crēscere, crēvī, crētus (XIX) — grow, increase, rise

crūdēlitās, —ātis, f. (V) — cruelty

culpāre, —āvī, —ātus (XVII) — blame, condemn

cum (prep. with abl.) (IV) — with

cupere, —īvī, —ītus (XVI) — want, desire

cupiditās, —ātis, f. (XXII) — desire, eagerness, greed

cūr (V) — why?

cūrāre, —āvī, —ātus (I) — care for, take care of

currere, cucurrī, cursūrus (VIII) — run

currus, —ūs, m. (XX) — chariot, wagon

cursus, —ūs, m. (XIII) — course

custōs, custōdis, c. (VIII) — guardian, guard

damnāre, —āvī, —ātus (XXI) — condemn, blame

dare, dedī, datus (IV) — give

dē (prep. with abl.) (V) — about, concerning; from, down from

dea, —ae, f. (XI) — goddess

dēbēre, dēbuī, dēbitus (XV) — owe, ought

dēcipere, —cēpī, —ceptus (X) — deceive, cheat

dēdicāre, —āvī, —ātus (III) — consecrate, dedicate

dēfendere, dēfendī, dēfēnsus (XV) — protect, defend

deinde (III) — then, next

dēlēre, —ēvī, —ētus (V) — destroy

dēnique (IX) — finally, at last

dēsīderāre, —āvī, —ātus (IX) — desire, want, need

dēsōlāre, —āvī, —ātus (VIII) — desert, abandon

deus, —ī, m. (VII) — god

dīcere, dīxī, dictus (III) — say, speak; call, name

diēs, —ēī, m. and f. (XI) — day

differre, distulī, dīlātus (XXII) — differ, delay

dignitās, —ātis, f. (XXI) — honor, dignity

dīligenter (XVI) — seriously, diligently

dīmittere, —mīsī, —missus (IX) — send away, dismiss

diū (XIII) — long, for a long time

dīversus, —a, —um (VIII) — different

dīvidere, —vīdī, —vīsus (X) — separate, divide

dīvīnus, —a, —um (IX) — divine, godlike

docēre, docuī, doctus (I) — teach

dolor, —ōris, m. (XVI) — pain, sorrow

dolus, —ī, m. (XV) — trick, deceit

domicilium, —ī, n. (II) — home, house

dominus, —ī, m. (XV) — master, lord

domus, —ūs, f. (XI) — home, house

dōnāre, —āvī, —ātus (XIV) — give, present; decorate

dōnum, —ī, n. (VIII) — gift

dormīre, —īvī, —ītus (XI) — sleep

dūcere, dūxī, ductus (I) — lead

dum (XXIII) — while

duo, duae, duo (VIII) — two

dux, ducis, m. (VII) — leader, general, guide

ē, ex (prep. with abl.) (IV) — out of, of, from

ēducāre, –āvī, –ātus (IV) — bring up, educate

ēdūcere, ēdūxī, ēductus (XXIII) — lead out, lead away

ego, meī (XIV) — I

elephantus, –ī, m. (IX) — elephant

ēloquentia, –ae, f. (XVII) — eloquence

enim (XVI) — for, indeed

epistula, –ae, f. (XVI) — letter

epitoma, –ae, f. — a shortening, an abridgment

eques, –itis, m. (XIV) — horseman, cavalryman; pl., cavalry

equus, –ī, m. (XV) — horse

error, –ōris, m. (XX) — wandering; error

esse, fuī, futūrus (I) — be

et (I) — and

etiam (III) — also, even

ēvertere, ēvertī, ēversus (VIII) — overthrow, destroy, ruin

exclūdere, –clūsī, –clūsus (V) — shut out, exclude

exercitium, –ī, n. — exercise, practice

exercitus, –ūs, m. (XIV) — army

exilium, –ī, n. (XIV) — exile

exīre, –iī(īvī), –itūrus (XVII) — go out, leave

expellere, –pulī, –pulsus (III) — drive out, expel

explōrātor, –ōris, m. (IX) — scout, spy

exspectāre, –āvī, –ātus (I) — wait for, await

externus, –a, –um (XIV) — external, foreign

fābula, –ae, f. — story, fable

facere, fēcī, factus (II) — do, make

facilis, –e (XV) — easy

factum, –ī, n. (III) — deed

fāma, –ae, f. (XVII) — report, rumor; reputation, fame

familia, –ae, f. (I) — family, household

fēmina, –ae, f. (IV) — woman

ferōx, –ōcis (XXI) — wild, fierce, courageous

ferre, tulī, lātus (X) — bear, carry, bring

fidēs, –eī, f. (XXIII) — promise, trust, credit

fīlia, –ae, f. (I) — daughter

fīlius, –ī, m. (I) — son

fīnīre, –īvī, –ītus (X) — limit, assign, finish

fīnis, –is, m. (IX) — end, boundary; pl., territory

fīnitimus, –a, –um (dat.) (VIII) — neighboring, near by

fīrmus, –a, –um (XIII) — strong, firm

flēre, flēvī, flētus (VIII) — weep, weep at (for)

flōs, –ōris, m. (X) — flower

fluere, fluxī, fluxus (X) — flow

flūmen, flūminis, n. (II) — river

folium, –ī, n. (XIX) — leaf

fōns, fontis, m. (II) — fountain, spring

forte (III) — by chance

fortis, –e (VII) — brave, strong

fortūna, –ae, f. (XIX) — fortune, fate

forum, –ī, n. (II) — forum, marketplace

frāter, frātris, m. (I) — brother

fuga, –ae, f. (XXIII) — flight

fugere, fūgī, fugitūrus (V) — flee

gaudium, –ī, n. (XIV) — joy

geminī, –ōrum, m. pl. (IV) — twins

gēns, gentis, f. (III) — tribe, nation, race, family

genus, –eris, n. (IX) — race, class, descent; kind

gerere, gessī, gestus (VII) — wage, carry on; bear; wear

gladiātor, –ōris, m. (V) — gladiator

gladius, –ī, m. (XX) — sword

glōria, –ae, f. (XIII) — glory, fame

grammatica, –ae, f. — grammar

grātia, –ae, f. (XV) — favor, grace, thanks

grātus, –a, –um (dat.) (XV) — pleasing (to)

gravitās, –ātis, f. (XIX) seriousness, weight

habēre, habuī, habitus (I) have, consider

habitāre, –āvī, –ātus (II) live in, inhabit

hasta, –ae, f. (XXIII) spear

haurīre, hausī, haustus (X) drink, draw out

herī (IX) yesterday

hic, haec, hoc (XIX) this; he, she, it

historia, –ae, f. (VII) history, tale

hodiē (IX) today

homō, –inis, m. (XIV) human being, man

honor, –ōris, m. (IX) honor, dignity

hōra, –ae, f. (XIII) hour

hortus, –ī, m. (II) garden

hostis, –is, c. (IV) enemy, foe

iactāre, –āvī, –ātus (IV) throw

iam (IX) now, already

iānua, –ae, f. (X) door

ibi (I) there

īdem, eadem, idem (XXI) the same

igitur (XX) therefore

ille, illa, illud (XIX) that; the well known; he she, it

illūmināre, –āvī, –ātus (XVII) illuminate, adorn

illūstris, –e (VII) distinguished, famous, clear, outstanding

impēnsa, –ae, f. (XIX) expense, cost

imperātor, –ōris, m. (VIII) general, leader, commander

imperium, –ī, n. (IV) command, rule, state, empire

impetus, –ūs, m. (XXI) attack

impluvium, –ī, n. (II) impluvium

in (prep. with abl.) (IV) in, on, at

in (prep. with acc.) (II) into, to, against

incendere, –cendī, –cēnsus (V) burn, set on fire

incendium, –ī, n. (XVII) fire

incertus, –a, –um (XX) uncertain

incipere, –cēpī, –ceptus (VII) begin

incola, –ae, c. (IV) inhabitant

incolere, –coluī, –cultus (I) live in, inhabit

inde (XIII) from this, then

index, –dicis, c. index

indignus, –a, –um (XXIII) unworthy, shameful

indūcere, –dūxī, –ductus (X) lead into, bring into; persuade

ingredī, ingressus (XX) enter

inimīcus, –ī, m. (XV) enemy, personal enemy

inimīcus, –a, –um (XV) unfriendly (to)

initium, –ī, n. (X) beginning

iniūria, –ae, f. (IX) injury, injustice, wrong

inquam, inquis, inquit (defective) (XIX) say, said

īnscrīptiō, –ōnis, f. (VII) inscription

īnstituere, –uī, –ūtus (XIII) set up, establish

īnstruere, –strūxī, –strūctus (XXIII) draw up; prepare, furnish

īnsula, –ae, f. (III) island

inter (III) between, among

interficere, –fēcī, –fectus (III) kill

intervenīre, –vēnī, –ventūrus (IV) come between, intervene

intrā (X) within

intrāre, –āvī, –ātus (II) enter

invidia, –ae, f. (XVII) envy; unpopularity; dislike

ipse, ipsa, ipsum (XXI) self; very

īre, īvī, (iī), itūrus (X) go

irrigāre, –āvī, –ātus (XIX) water, irrigate

is, ea, id (XI) this, that; he, she, it

iste, ista, istud (XIX) that, that of yours; he, she, it

ita (XV) so, thus, in such a way

itaque (IV) — and so, therefore

iter, itineris, n. (XXII) — journey, route, march

iterum (V) — again

iubēre, iussī, iussus (VII) — order, command

iūrāre, –āvī, –ātus (XXIII) — take an oath, swear

iūs, iūris, n. (IX) — right, law, justice

iuvenis, –is, c. (IV) — youth

lacus, –ūs, m. (XXII) — lake, basin

laetus, –a, –um (XIX) — happy

lātus, –a, –um (XXII) — wide

laudāre, –āvī, –ātus (I) — praise

laus, laudis, f. (XV) — praise

lectiō, –ōnis, f. — lesson, reading

lēgātus, –ī, m. (IX) — officer, envoy

legere, –lēgī, lēctus (V) — collect, read

legiō, –ōnis, f. (XI) — legion

lēx, lēgis, f. (IX) — law

liber, librī, m. (VII) — book

līberāre, –āvī, –ātus (XIII) — set free, free, liberate

līberī, –ōrum, m. pl. (XX) — children

lingua, –ae, f. (XXII) — language, tongue

littera, –ae, f. (IX) — letter (of the alphabet); *pl.*, letter (epistle), records

lītus, –oris, n. (XX) — shore, beach

locus, locī, m.; loca, locōrum, n., pl. (II) — place

longē (V) — far, by far, from afar

longitūdō, –inis, f. (X) — length

longus, –a, –um (XXII) — long, far

lūdere, lūsī, lūsus (II) — play

lūdus, –ī, m. (XIV) — game, show; school

lūmen, –inis, n. (II) — light, lamp

lūna, –ae, f. (XIII) — moon

lupa, –ae, f. (IV) — (she) wolf

lūx, lūcis, f. (XIII) — light

magis (XIV) — more

magister, –trī, m. (I) — teacher

magistrātus, –ūs, m. (XIX) — office (of magistrate), magistrate

magnitūdō, –inis, f. (XIII) — greatness, size

magnus, –a, –um, (II) — large, great

mālle, māluī, . . . (XXII) — prefer

malus, –a, –um (XVII) — bad, evil

manus, –ūs, f. (XIV) — hand; band, group

mare, –ris, n. (VIII) — sea

māter, –tris, f. (I) — mother

maximē (XVI) — especially, very greatly

maximus, –a, –um (XIII) — greatest, largest

medius, –a, –um (VIII) — middle, middle of

memorābilis, –e (XXIII) — memorable, remembered

memoria, –ae, f. (X) — memory

mēnsis, –is, m. (X) — month

mercātor, –ōris, m. (XXII) — merchant, trader

metus, –ūs, m. (XVII) — fear

meus, –a, –um (XIV) — my, mine

mīles, mīlitis, m. (III) — soldier

mīlitāris, –e (VII) — military

mīrābilis, –e (VIII) — wonderful, marvelous; *as noun:* wonder, marvel

miser, –era, –erum (XV) — wretched, miserable

mittere, mīsī, missus (IX) — send

modus, –ī, m. (XIX) — measure, manner, way

moenia, –ium, n. pl. (XXIII) — city walls, fortifications

monēre, monuī, monitus (III) — advise, warn

mōns, montis, m. (III) — hill, mountain

mōnstrāre, –āvī, –ātus (I) — show, point out

mors, mortis, f. (XIII) — death

mortuus, –a, –um (XIII) — dead

mōs, mōris, m. (XVII)	custom, habit, way
movēre, mōvī, mōtus (XV)	move, stir up, alarm
mox (XVII)	soon
multus, –a, –um (III)	much; many (*pl.*)
mūnīre, –īvī, –ītus (X)	fortify, build
mūnus, –eris, n. (XIV)	duty; gift; public show
mūtāre, –āvī, –ātus (XIX)	change
nam (X)	for
nārrāre, –āvī, –ātus (XV)	tell, relate, narrate
nārrātiō, –ōnis, f. (VIII)	narrative, story
nātūra, –ae, f. (XXI)	nature
nātus, –a, –um, (III)	born
nātus, –ūs, m. (XXI)	birth
nāvālis, –e (XIV)	naval, nautical
nāvis, –is, f. (VIII)	ship
–ne (I)	(indicates a question)
nē . . . quidem (XXI)	not even
nec (III)	and not
nec . . . nec (III)	neither . . . nor
necessārius, –a, –um (dat.) (IX)	necessary, related
neglegere, –lēxī, lēctus (XIX)	neglect
nēmō, –inis, c. (XVII)	no one (used usually only in the sing. nom., dat., & acc.)
nepōs, –ōtis, m. (XIII)	grandson
nihil, n. (indeclineable) (XV)	nothing
nōbilis, –e (XXII)	noble, noted
nocēre, –uī, nocitūrus (dat.) (IX)	harm, injure
nōlle, nōluī, . . . (XXII)	not want, not wish, be unwilling
nōmen, –inis, n. (III)	name
nōmināre, –āvī, –ātus (XIII)	name
nōn (I)	not

nōn modo . . . sed etiam (XIII) (XIV)	not only . . . but also
nōndum (XVII)	not yet
nōnne (XVII)	(expects a "yes" answer)
nōs, nostrum (nostrī) (XIV)	we
noster, –tra, –trum (XVI)	our
novus, –a, –um (IV)	new, strange
nox, noctis, f. (IX)	night
nūllus, –a, –um (XIX)	not any, none, no
num (XVII)	(expects a "no" answer)
numerus, –ī, m. (VIII)	number
numquam (XVII)	never
nunc (III)	now
nūntiāre, –āvī, –ātus (IX)	announce, report
obses, –idis, c. (VII)	hostage
obsidēre, –sēdī, –sessus (V)	besiege
occīdere, –cīdī, –cīsus (III)	kill
occupāre, –āvī, –ātus (IV)	seize, take possession of, occupy
oculus, –ī, m. (XIX)	eye
officium, –ī, n. (X)	duty, office
ōlim (I)	once
omnis, –e (VII)	all, every
oppidum, –ī, n. (III)	town
opus, operis, n. (II)	work; structure
ōrātiō, –ōnis, f. (I)	speech, oration
ōrātor, –ōris, m. (I)	orator
orbis, –is, m. (VIII)	circle, orbit
orbis terrae or terrārum (VIII)	the world, the whole earth
orīgō, –inis, f. (IX)	origin, descent
oriēns, –entis, m. (XX)	rising sun, east
orīrī, ortus (XX)	rise, arise; be born
ōrnāre, –āvī, –ātus (VIII)	decorate, adorn; equip
paene (V)	almost, nearly
palātium, –ī, n. (VIII)	palace
pār, (gen.) paris (XIX)	equal, like
parāre, –āvī, –ātus (I)	prepare
pars, partis, f. (III)	part

parvus, –a, –um (II)   small, little
passus, –ūs, m. (XXIII)   step, pace
pāstor, –ōris, m. (IV)   shepherd
pater, –tris, m. (I)   father
patientia, –ae, f. (XIX)   endurance, patience
patria, –ae, f. (VII)   native land, fatherland, country

pāx, pācis, f. (IV)   peace
pecūnia, –ae, f. (II)   money
pellere, pepulī, pulsus (IV)   drive out, strike, push
per (II)   through; throughout; by

peragere, –ēgī, –āctus (XIX)   pass through, finish
perīculum, –ī, n. (II)   danger, peril
peristȳlum, –ī, n. (II)   peristyle
permittere, –mīsī, –missus (XIV)   allow, permit
persuādēre, –suāsī, –suāsūrus (dat.) (XXII)   persuade

pervenīre, –vēnī, –ventūrus (III)   come, arrive
petere, petīvī, petītus (III)   seek, ask, ask for
plēbs, plēbis, f. (XIII)   common people, plebeians
plēnus, –a, –um (abl. or gen.) (XIX)   full, filled

pluvia, –ae, f. (II)   rain
poēta, –ae, m. (VII)   poet
pōnere, posuī, positus (III)   put, place

pōns, pontis, m. (VIII)   bridge
populus, –ī, m. (IV)   nation, people
porta, –ae, f. (V)   gate
portāre, –āvī, –ātus (IV)   carry, bring

posse, potuī, ... (VII)   be able, can
possessor, –ōris, m. (III)   possessor

post (II)   after, behind
posteā (III)   afterward
posteritās, –ātis, f. (XVII)   the future, posterity
postquam (conj.) (XIX)   after
postulāre, –āvī, –ātus (XXIII)   ask, demand

potestās, –ātis, f. (XX)   power, authority
potīrī, potītus (abl.) (XX)   get possession of, obtain
praecēdere, –cessī, –cessus (XXII)   precede, excel
praefectus, –ī, m. (XIV)   superintendent, commander
praemium, –ī, n. (XV)   reward, prize
praepōnere, –posuī, –positus (acc. & dat.) (XX)   put before, put in charge of
praesidium, –ī, n. (XIII)   defense, protection, aid
praevidēre, –vīdī, –vīsus (VIII)   foresee, see beforehand
pretium, –ī, n. (XV)   price, value
prīmum (IX)   for the first time, first, in the first place

prīmus, –a, –um (III)   first
prīnceps, –ipis, m. (X)   first man, leader, chief
prīvātus, –a, –um (XIV)   personal, private
prō (prep. with abl.) (IV)   for, in behalf of; before
probābilis, –e (VII)   acceptable, pleasing
prōcēdere, –cessī, –cessūrus (III)   go (forward), proceed
proelium, –ī, n. (XIV)   battle
proficīscī, profectus (XX)   set out, start
prōgredī, –gressus (XXIII)   proceed, advance
prohibēre, –hibuī, –hibitus (VII)   prohibit, prevent
prōmittere, –mīsī, –missus (XV)   promise, send ahead
prope (IX)   near
propinquāre, –āvī, –ātus (dat. or acc.) (XXI)   approach

propter (II)   because of, on account of
prōverbium, –ī, n. (XV)   proverb
prōvincia, –ae, f. (VII)   province
proximus, –a, –um (dat.) (XIII)   nearest, next

prūdentia, –ae, f. (XXIII)   judgment, prudence

pūblicus, –a, –um (XI)   public

puella, –ae, f. (I)   girl

puer, puerī, m. (I)   boy

pugna, –ae, f. (IV)   battle, fight

pugnāre, –āvī, –ātūrus (V)   fight

pulcher, –chra, –chrum (II)   beautiful, handsome, pretty

pulchritūdō, –inis, f. (XI)   beauty

pūnīre, –īvī, –ītus (I)   punish

putāre, –āvī, –ātus (XV)   think, consider

puteus, –ī, m. (X)   well

quaerere, quaesīvī, quaesītus (XXIII)   ask, seek

quālis, –e (II)   what kind of?

quam (XIV)   than; how?

quam prīmum (XVI)   as soon as possible

quamdiū (XXIII)   as long as; how long?

quandō (V)   when?

quasi (XI)   as if

–que (III)   and

quī, quae, quod (interrogative adjective) (X)   what? which?

quī, quae, quod (relative pronoun) (X)   who, which, that

quia (X)   because

quis, quid (I)   who? what?

quō (XIX)   where? whither?

quōcumque (XIX)   wherever

quod (III)   because

quoque (V)   also, too

quot (XIII)   how many?

rapere, –uī, raptus (XVII)   seize, snatch, take away

rebellis, –e (XI)   rebellious

recipere, –cēpī, –ceptus (VII)   take back, receive

sē recipere   withdraw, retire

redigere, redēgī, redāctus (XX)   reduce, bring, bring back

redīre, –īvī(–iī), –itūrus (XI)   return, go back

reditus, –ūs, m. (XI)   return

referre, rettulī, relātus (XXIII)   bring back, take back

rēgīna, –ae, f. (XX)   queen

rēgnāre, –āvī, –ātus (III)   rule, reign

rēgnum, –ī, n. (V)   kingdom, rule, reign

relinquere, relīquī, relictus (II)   leave, leave behind

reliquus, –a, –um (XX)   remaining, rest

remittere, –mīsī, –missus (XV)   send back, return

reperīre, reperī, repertus (IV)   find, discover

repōnere, –posuī, –positus (IV)   put back, replace, restore

rēs, reī, f. (XI)   thing

rēs pūblica, reī pūblicae, f. (XI)   republic, state

resistere, restitī, . . . (dat.) (XXIII)   resist, stop

respondēre, respondī, respōnsūrus (dat.) (XXII)   reply, answer

restituere, –uī, –ūtus (VII)   restore

resurgere, –surrēxī, –surrēctus (XXI)   arise, rise again

rēx, rēgis, m. (III)   king

ruīna, –ae, f. (VIII)   ruin

rūs, rūris, n. (II)   the country (as opposed to the city);

rūrī (II)   in the country

sacer, –cra, –crum (IX)   sacred, holy

sacerdos, –ōtis, c. (XI)   priest, priestess

sacrificāre, –āvī, –ātus (XXIII)   sacrifice, make a sacrifice

saepe (I)   often

salūs, –ūtis, f. (X)   health, safety

salūtāre, –āvī, –ātus (I)   greet

salvus, –a, –um (XIV)   safe

sanguis, –inis, m. (IV)   blood

sapiēns, (gen.) –entis (VII)   wise

satis (XXIII) — enough, sufficient

schola, –ae, f. (I) — school

scrība, –ae, m. (XV) — clerk, secretary

scrībere, scrīpsī, scrīptus (II) — write

secundum (XIII) — according to

secundus, –a, –um (V) — second, following, favorable

sed (I) — but, yet

sedēre, sēdī, sessus (VIII) — sit; settle

semper (I) — always

senātor, –ōris, m. (XI) — senator

senātus, –ūs, m. (XI) — senate

senectūs, –ūtis, f. (XIX) — old age

senex, (gen.) senis (VII) — old

sentīre, sēnsī, sēnsus (XVII) — feel, see, think

sepelīre, –īvī, –pultus (IX) — bury

sequī, secūtus (XX) — follow

servāre, –āvī, –ātus (II) — save, preserve, keep

servus, –ī, m. (I) — slave, servant

sex (X) — six

sī (I) — if

sīc (III) — so, thus

silva, –ae, f. (II) — forest, woods

sine (prep. with abl.) (XXII) — without

socius, –ī, m. (XXI) — ally, comrade, friend

sōl, sōlis, m. (III) — sun

sollers, (gen.) sollertis (VII) — skilled, clever

sōlus, –a, –um (XI) — only, alone

solvere, solvī, solūtus (XX) — free, loosen

somnus, –ī, m. (XIX) — sleep

sonāre, sonuī, sonitus (XI) — sound, ring

soror, –ōris, f. (I) — sister

spatium, –ī, n. (II) — space

spectāculum, –ī, n. (XIV) — show, spectacle

spectāre, –āvī, –ātus (II) — look at, look, watch

spērāre, –āvī, –ātus (XVI) — hope (for)

spēs, speī, f. (XX) — hope

splendor, –ōris, m. (XIII) — brightness, splendor

spolia, –ōrum, n. pl. (VIII) — spoils, booty

statim (IV) — immediately, at once

statua, –ae, f. (VIII) — statue

stella, –ae, f. (XIII) — star

studēre, –uī, . . . (dat.) (XV) — be eager for, strive

sub (prep. with abl. and acc.) (IV) — under; at the foot of

subitō (XXI) — suddenly

succēdere, –cessī, –cessūrus (dat.) (IX) — succeed, follow

suī (XIV) — (of) himself, herself, itself, themselves

superāre, –āvī, –ātus (XV) — be above, surpass, conquer

superbus, –a, –um (XXI) — proud, haughty

superior, –ius (XXIII) — higher, greater

supplicium, –ī, n. (XVII) — punishment

suus, –a, –um (XV) — his, hers, its, their

tablīnum, –ī, n. (II) — tablinum, study

tabula, –ae, f. (IX) — tablet, board; painting

tam (XXI) — so

tam . . . quam (XXI) — as . . . as

tamen (V) — nevertheless, still

tandem (XVII) — finally

tangere, tetigī, tāctus (XIV) — touch; border

tēctum, –ī, n. (II) — roof; house

temperātus, –a, –um (XIII) — moderate, temperate, well arranged

templum, –ī, n. (IV) — temple

tempus, temporis, n. (III) — time

tenēre, tenuī, tentus (XX) — hold, keep

terra, –ae, f. (VIII) — land, earth

terribilis, –e (XXI) — terrible, dreadful

tertius, –a, –um (V) — third

timēre, –uī, . . . (XVII) — fear, be afraid

tōtus, –a, –um (V)   whole, all, entire

tractāre, –āvī, –ātus (IX)   treat, manage, handle

trādere, –didī, –ditus (acc. and dat.) (IX)   hand over, surrender

trāns (XXII)   across, over

trānsīre, –iī(īvī), –itūrus (XXIII)   cross, go across

trēs, tria (VIII)   three

tribūnus, –ī, m. (VII)   tribune

triumphāre, –āvī, –ātūrus (VII)   have a triumph, triumph

triumphus, –ī, m. (XX)   triumph

tū, tuī (XIV)   you (sing.)

tum (III)   then, at that time

tuus, –a, –um (XV)   your(s)

ubi (I)   when, where

ūllus, –a, –um (XXII)   any

ultimus, –a, –um (V)   last, farthest

umquam (XXIII)   ever

unde (XXII)   from where? whence?

ūnus, –a, –um, (III)   one

urbs, urbis, f. (I)   city

usque (usually with **ad**) (VIII)   up to, as far as

ūsus, –ūs, m. (XI)   use, practice, experience

ut (VIII)   as

uxor, uxōris, f. (III)   wife

uxōrem dūcere (III)   to marry

vagārī, –ātus (XXI)   wander, roam

valēre, –uī, –itūrus (XVI)   be strong, be well

valētūdō, –inis, f. (XVI)   health; ill health

validus, –a, –um (XIII)   strong, well

vāllum, –ī, n. (IV)   wall, rampart

varius, –a, –um (XI)   varied, various

vāstāre, –āvī, –ātus (XXI)   destroy, devastate

vel (III)   or

velle, voluī, . . . (XXII)   want, wish; be willing

venīre, vēnī, ventūrus (II)   come

verbum, –ī, n. (II)   word

verērī, veritus (XX)   fear

vērō (XIV)   truly, in fact, indeed

vertere, vertī, versus (XIX)   turn

vērus, –a, –um (XXI)   true, real

vesper, –erī or **–eris,** m. (XIII)   evening

vester, –tra, –trum (XVI)   your

vēstīgium, –ī, n. (XXI)   footprint, trace

vetus, (gen.) veteris (XIV)   old, former

vexāre, –āvī, –ātus (XVII)   annoy, shake, disturb

via, –ae, f. (I)   way, street, road

victima, –ae, f. (IV)   victim, sacrifice

victor, –ōris, m. (IV)   victor, winner, conqueror

victōria, –ae, f. (XX)   victory

vīcus, –ī, m. (III)   village

vidēre, vīdī, vīsus (I)   see

vidērī, vīsus (pass. of **vidēre**) (IV)   seem

vīlla, –ae, f. (II)   country house, villa

vincere, vīcī, victus (V)   conquer, defeat

vinculum, –ī, n. (XVII)   chain, bond

vir, virī, m. (IV)   man; husband

virtūs, –ūtis, f. (XVI)   courage, strength; virtue

vīsitāre, –āvī, –ātus (I)   visit

vīta, –ae, f. (XVII)   life

vitium, –ī, n. (XIX)   fault, vice

vīvere, vīxī, vīctus (XVII)   live

vocāre, –āvī, –ātus (III)   call; name

voluntās, –ātis, f. (XIII)   will, desire, goodwill

voluptās, –ātis, f. (XIX)   pleasure

vōs, vestrum (vestrī) (XIV)   you (pl.)

vōx, vōcis, f. (XVII)   voice, word

vulnerāre, –āvī, –ātus (IX)   wound

ENGLISH — LATIN VOCABULARY

abandon	dēsōlāre	aqueduct	aqua, aquaeductus
about	*adv.*, circiter;	arise	orīrī, resurgere
	prep., dē	arms	arma
accept	accipere	army	exercitus
acceptable	probābilis	arouse	agitāre
accomplish	cōnficere	arrival	adventus
according to	secundum	arrive	pervenīre
across	trāns	art	ars
act	agere	as	tam, ut
adapted	aptus	as . . . as	tam . . . quam
add to	addere	as far as	usque
address	appellāre	as if	quasi
adorn	illūminare, ōrnāre	as long as	quamdiū
advance	prōgredī	as soon as	quam prīmum
advice	cōnsilium	possible	
advise	monēre	ask (for)	petere, postulāre,
affect	afficere		quaerere
after	*conj.*, postquam;	assign	fīnīre
	prep., post	at	apud
afterward	posteā	at the foot of	sub
again	iterum	at once	statim
against	adversus, contrā, in	at that time	tum
agitate	agitāre	athlete	āthlēta
aid	auxilium, praesidium	atrium	ātrium
air	anima	attack	impetus
alarm	movēre	attempt	cōnārī
all	omnis, tōtus	augury	augurium
allow	permittere	authority	auctōritās, potestās
ally	socius	await	exspectāre
almost	paene	away from	ā
alone	sōlus		
already	iam	bad	malus
also	etiam, quoque	band	manus
altar	āra	barbarian	barbarus
always	semper	basin	lacus
ambassador	lēgātus	battle	proelium, pugna
among	apud, inter	battle line	aciēs
ancient	antīquus	be	esse
and	atque, et, –que	be able	posse
and so	itaque	be above	superāre
animal	bēstia	be absent	abesse
announce	nūntiāre	be away	abesse
annoy	vexāre	be born	orīrī
another	alius	be eager for	studēre
answer	respondēre	be on fire	ārdēre
any	ūllus	be strong	valēre
appear	appārēre	be well	valēre
appoint	creāre	beach	lītus
approach	propinquāre	bear	ferre, gerere

beautiful	pulcher	carry on	gerere
beauty	pulchritūdō	cause	causa
because	quia, quod	cavalry	equitēs
because of	propter	cavalryman	eques
before	adv., anteā; prep.,	censor	cēnsor
	ante, prō	certainly	certē
began	coepī	chain	vinculum
begin	committere, incipere	change	mūtāre
beginning	initium	chariot	currus
behind	post	cheat	dēcipere
believe	crēdere	chief	prīnceps
besiege	obsidēre	children	līberī
between	inter	choose	legere
big	magnus	circle	orbis
birth	nātus	citadel	arx
blame	culpāre, damnāre	citizen	cīvis
blood	sanguis	city	cīvitās, urbs
board	tabula	city walls	moenia
body	corpus	civil .	cīvīlis
bond	vinculum	class	classis, genus
book	liber	clerk	scrība
born	nātus	close	claudere
boundary	fīnis	colleague	collēga
boy	puer	collect	cōgere, congregāre,
brave	fortis		legere
bridge	pōns	come	pervenīre, venīre
brief	brevis	come between	intervenīre
brightness	splendor	come together	convenīre
bring	ferre, redigere	command	n., imperium; v.,
bring back	abdūcere, redigere,		iubēre
	referre	commander	praefectus
bring into	indūcere	common people	plēbs
bring together	congregāre	companion	comes
bring up	ēducāre	compel	cōgere
brother	frāter	comrade	socius
build	aedificāre, mūnīre	concerning	dē
building	aedificium	condemn	culpāre, damnāre
burn	ārdēre, incendere	conquer	superāre, vincere
bury	sepelīre	conqueror	victor
but	at, autem, sed	consecrate	dēdicāre
by	ā, apud	consider	cōnsīderāre, habēre,
by chance	forte		putāre
by far	longē	conspiracy	coniūrātiō
		consul	cōnsul
calamity	calamitās	content(ed)	contentus
call	appellāre, vocāre	continuously	continenter
camp	castra	cost	impēnsa
can	posse	cottage	casa
capitol	caput	country	patria, rūs
capture	capere	country house	vīlla
care for	cūrāre	country side	rūs
carry	ferre, portāre	courage	animus, virtūs

courageous	ferōx, fortis	draw up	īnstruere
course	cursus	drink	haurīre
court	peristȳlum	drive	agere, agitāre,
create	creāre		cōgere
credit	fidēs	drive out	expellere, pellere
cross	trānsīre	duty	mūnus, officium
cruelty	crūdēlitās		
cultivate	colere	earlier	anteā
custom	mōs	earth	orbis terrārum, terra
		east	oriēns
daily	cotīdiē	easy	facilis
danger	perīculum	educate	ēducāre
daughter	fīlia	either . . . or	aut . . . aut
day	diēs	elect	creāre
death	mors	elephant	elephantus
deceit	dolus	eloquence	ēloquentia
deceive	dēcipere	empire	imperium
decide	cōnstituere	end	fīnis
decorate	dōnāre, ōrnāre	endurance	patientia
dedicate	dēdicāre	enemy	hostis, inimīcus
deed	factum	enough	satis
deep	altus	enter	ingredī, intrāre
defeat	vincere	entrust	committere
defend	dēfendere	envoy	lēgātus
defense	praesidium	envy	invidia
delay	differre	equal	pār
deliberation	cōnsilium	error	error
demand	postulāre	especially	maximē
descent	genus, orīgō	establish	condere, cōnstituere,
desert	dēsōlāre		īnstituere
desire	n., cupiditās, volun-	even	etiam
	tās; v., cupere,	evening	vesper
	dēsīderāre, velle	ever	umquam
destroy	dēlēre, ēvertere,	every	omnis
	vāstāre	everyday	cotīdiē
determine	cōnstituere	excellent	amplus
devastate	vāstāre	exclude	exclūdere
differ	differre	exile	exilium
different	dīversus	expel	expellere
dignity	dignitās	expense	impēnsa
diligently	dīligenter	experience	ūsus
discover	reperīre	expert	sollers
dislike	invidia	external	externus
dismiss	dīmittere	eye	oculus
distinguish	cernere		
distinguished	illūstris	facing	contrā
disturb	vexāre	fame	fāma, glōria
divide	dīvidere	family	familia, gēns
divine	dīvīnus	famous	illūstris
do	agere, facere	far	longē
door	iānua	farmer	agricola
down from	dē	farthest	ultimus
draw out	haurīre		

fast	celer	from	ā, dē, ē
fate	fortūna	from afar	longē
father	pater	from this	inde
fault	vitium	from where	unde
favor	grātia	full	plēnus
favorable	secundus	furnish	īnstruere
fear	n., metus; v., timēre, verērī	future	posteritās
feel	sentīre	game	lūdus
feelings	animus	garden	hortus
field	ager, campus	gate	porta
fierce	ācer	general	dux, imperātor
fight	n., contentiō, pugna; v., contendere, pugnāre	get possession of	potīrī
		gift	dōnum, mūnus
		girl	puella
filled	plēnus	give	dare, dōnāre
finally	dēnique, tandem	gladiator	gladiātor
find	reperīre	glory	glōria
finish	cōnficere, fīnīre, peragere	go	cēdere, īre, prōcēdere
		go across	trānsīre
fire	incendium	go back	redīre
firm	fīrmus	go out	exīre
first	prīmus	god	deus
first man	prīnceps	goddess	dea
flee	fugere	golden	aureus
fleet	classis	good	bonus
flight	fūga	goodwill	voluntās
flow	fluere	grace	grātia
flower	flōs	grandson	nepōs
follow	sequī, succēdere	great	magnus
food	cibus	greater	maior, superior
footprint	vēstīgium	greatest	maximus
for	conj., enim, nam; prep., ad, prō	greatly	maximē
		greatness	magnitūdō
for the first time	prīmum	greet	salūtāre
for a long time	diū	group	manus
forces	cōpiae	grow	crēscere
foreign	barbarus, externus	guard	custōs
foresee	praevidēre	guardian	custōs
forest	silva	guide	dux
former	superior, vetus		
fortifications	moenia	habit	mōs
fortify	mūnīre	hand	manus
fortune	fortūna	hand over	trādere
forum	forum	handsome	pulcher
found	condere	happy	laetus
fountain	fōns	harm	nocēre
free	līberāre, solvere	haughty	superbus
friend	amīcus, comes, socius	have	habēre
		have a triumph	triumphāre
friendly	amīcus	he	is
friendship	amīcitia	head	caput

health	salūs, valētūdō	injury	iniūria
hear	audīre	injustice	iniūria
help	auxilium	inscription	īnscrīptiō
her	suus	inspect	cōnsīderāre
(of) herself	suī	intervene	intervenīre
high	altus	into	in
higher	superior	irrigate	irrigāre
hill	mōns	island	īnsula
(of) himself	suī	it	id
his	suus	its	suus
history	historia	(of) itself	suī
hold	tenēre		
home	domicilium, domus	journey	iter
honor	dignitās, honor	joy	gaudium
hope	n., spēs; v., spērāre	judgment	prūdentia
hope for	spērāre		
horse	equus	keep	servāre, tenēre
horseman	eques	kill	interficere, occīdere
hostage	obses	king	rēx
hour	hōra	kingdom	rēgnum
house	domicilium, domus, tēctum	know	cognōvī
		lake	lacus
household	familia	lamp	lūmen
how	quam	land	ager, terra
how long	quamdiū	language	lingua
how many	quot	large	amplus, magnus
however	autem	largest	maximus
human being	homō	last	ultimus
hurry	contendere	law	iūs, lēx
hut	casa	lead	dūcere
		lead away	abdūcere, ēdūcere
I	ego	lead into	indūcere
if	sī	lead out	ēdūcere
ill	aeger	leader	dux, imperātor, prīnceps
ill health	valētūdō		
illuminate	illūmināre	leaf	folium
immediately	statim	learn	cognōscere
impluvium	impluvium	leave	exīre, relinquere
in	in	leave behind	relinquere
in the country	rūrī	legion	legiō
in fact	vērō	length	longitūdō
in the first place	prīmum	letter	epistula, littera
in front of	ante	library	bibliothēca
in such a way	ita	life	vīta
increase	augēre, crēscere	light	lūmen, lūx
indeed	enim, vērō	like	adj., pār; v., amāre
influence	n., auctōritās; v., afficere	limit	fīnīre
		listen to	audīre
inform	certiōrem facere	live	vīvere
inhabit	habitāre, incolere	live in	habitāre, incolere
inhabitant	incola	long	adj., longus; adv., diū
injure	nocēre	look (at)	spectāre

loosen	solvere
lord	dominus
lose	āmittere
love	amāre
magistrate	magistrātus
make	facere
make a sacrifice	sacrificāre
man	homō, vir
manage	tractāre
manner	modus
many	complūrēs, multī
marketplace	forum
marvel	mīrābile
marvelous	mīrābilis
master	dominus
meet	convenīre
memorable	memorābilis
memory	memoria
merchant	mercātor
middle (of)	medius
military	mīlitāris
mind	animus
miserable	miser
misfortune	calamitās
moderate	temperātus
money	pecūnia
month	mēnsis
moon	lūna
more	magis
mother	māter
mountain	mōns
move	movēre
much	multus
my	meus
name	*n.*, nōmen; *v.*, appel-
	lāre, nōmināre
narrate	nārrāre
narrative	nārrātiō
nation	gēns, populus
native land	patria
nature	nātūra
nautical	nāvālis
naval	nāvālis
near	ad, apud, prope
near by	fīnitimus
nearest	proximus
nearly	paene
necessary	necessārius
need	dēsīderāre
neglect	neglegere

neighboring	fīnitimus
neither . . . nor	nec . . . nec
never	numquam
nevertheless	tamen
new	novus
next	*adj.*, proximus;
	adv., deinde
night	nox
no	nūllus
no one	nēmō
noble	nōbilis
none	nūllus
not	nōn
not any	nūllus
not even	nē . . . quidem
not only . . . but	nōn modo . . . sed
** also**	etiam
not want	nōlle
not wish	nōlle
not yet	nōndum
nothing	nihil
now	iam, nunc
number	numerus
observe	colere
obtain	potīrī
occupy	occupāre
office	magistrātus, officium
officer	lēgātus
often	saepe
old	antīquus, **senex**,
	vetus
old age	senectūs
on	in
on account of	propter
once	ōlim
one	ūnus
only	sōlus
open	*adj.*, apertus; *v.*,
	aperīre
opposite	contrā
or	an, aut, vel
oration	ōrātiō
orator	ōrātor
orbit	orbis
order	iubēre
origin	orīgō
other	alius, alter
others	cēterī
ought	dēbēre
our	noster
out of	ē

outstanding	illūstris	**promise**	n., fidēs;
overthrow	ēvertere		v., prōmittere
owe	dēbēre	**proof**	argūmentum
owner	possessor	**protect**	dēfendere
		protection	praesidium
pace	passus	**proud**	superbus
pain	dolor	**proverb**	prōverbium
painting	tabula	**province**	prōvincia
palace	palātium	**provision**	apparātus
part	pars	**prudence**	prūdentia
pass through	peragere	**public**	pūblicus
patience	patientia	**public show**	mūnus
peace	pāx	**punish**	pūnīre
people	populus	**punishment**	supplicium
perform	cōnficere	**push**	pellere
peril	perīculum	**put**	pōnere
peristyle	peristȳlum	**put back**	repōnere
permit	permittere	**put before**	praepōnere
personal	prīvātus	**put in charge of**	praepōnere
persuade	indūcere, persuādēre		
pitch camp	castra pōnere	**quarrel**	contentiō
place	n., locus; v., pōnere	**queen**	rēgīna
plain	campus	**quick**	celer
plan	cōnsilium		
play	lūdere	**race**	gēns, genus
pleasing	grātus, probābilis	**rain**	pluvia
pleasure	voluptās	**rampart**	vāllum
plebeians	plēbs	**reach**	tangere
plot	coniūrātiō	**read**	legere
poet	poēta	**reason**	causa
point out	mōnstrāre	**rebellious**	rebellis
pool	inpluvium	**receive**	accipere, recipere
possessor	possessor	**reduce**	redigere
posterity	posteritās	**reign**	rēgnāre
power	potestās	**related**	necessārius
practice	ūsus	**remaining**	reliquus
praise	n., laus; v., laudāre	**remembered**	memorābilis
precede	praecēdere	**remove**	auferre
prefer	mālle	**reply**	respondēre
prepare	īnstruere, parāre	**report**	nūntiāre
present	dōnāre	**republic**	rēs pūblica
preserve	servāre	**reputation**	fāma
pretty	pulcher	**resist**	resistere
prevent	prohibēre	**rest**	cēterī, reliquus
previously	anteā	**restore**	repōnere, restituere
price	pretium	**retinue**	apparātus
priest	sacerdos	**return**	n., reditus; v., redīre,
priestess	sacerdos		remittere
private	prīvātus	**reveal**	aperīre
prize	praemium	**reward**	praemium
proceed	prōcēdere, prōgredī	**right**	iūs
prohibit	prohibēre	**ring**	sonāre

rise	crēscere, orīrī	shake	vexāre
rise again	resurgere	shameful	indignus
rising sun	oriēns	sharp	ācer
river	flūmen	she	ea
road	via	shepherd	pāstor
Roman	Rōmānus	ship	nāvis
Rome	Rōma	shore	lītus
roof	tēctum	short	brevis
route	iter	shout	n., clāmor; v., clāmāre
ruin	calamitās, ruīna		
rule	n., imperium; v., rēgnāre	show	n., lūdus, spectāculum; v., mōnstrāre
rumor	fāma	shrewd	ācer
run	currere	shut	claudere
		shut out	exclūdere
sacred	sacer	sick	aeger
sacrifice	n., victima; v., sacrificāre	sister	soror
		sit	sedēre
sad	aeger	six	sex
safe	salvus	size	magnitūdō
safety	salūs	skill	ars
same	īdem	skilled	sollers
satisfied	contentus	slaughter	clādēs
save	servāre	slave	servus
say	dīcere, inquam	sleep	n., somnus; v., dormīre
school	lūdus, schola		
scout	explōrātor	small	parvus
sea	mare	snatch	rapere
second	secundus	so	ita, sīc, tam
secretary	scrība	soldier	mīles
see	cernere, sentīre, vidēre	son	fīlius
		soon	mox
see beforehand	praevidēre	sorrow	dolor
seek	petere, quaerere	soul	anima
seize	capere, occupāre, rapere	sound	sonāre
		space	spatium
self	ipse	speak	dīcere
senate	senātus	spear	hasta
senator	senātor	spectacle	spectāculum
send	mittere	speech	ōrātiō
send away	āmittere, dīmittere	spirit	anima
send back	remittere	splendor	splendor
separate	dīvidere	spoil	spolium
seriously	dīligenter	spring	fōns
seriousness	gravitās	spy	explōrātor
servant	servus	star	stella
set on fire	incendere	start	proficīscī
set free	līberāre	state	cīvitās, rēs pūblica
set out	proficīscī	statue	statua
settle	sedēre	step	passus
set up	īnstituere	still	adhūc, tamen
several	complūrēs	stir up	movēre

stop	resistere	third	tertius
story	nārrātiō	this	hic, is
strange	novus	though	autem
street	via	three	trēs
strength	virtūs	through	per
strengthen	augēre	throw	iactāre
strike	pellere	thus	ita, sīc
strive	studēre	time	tempus
strong	fīrmus, fortis, validus	to	ad, in
stronghold	arx	today	hodiē
study	n., tablīnum;	tomorrow	crās
	v., studēre	tongue	lingua
succeed	succēdere	too	quoque
successfully	bene	touch	tangere
suddenly	subitō	town	oppidum
suitable	aptus	trace	vēstīgium
summer	aestās	treat	tractāre
sun	sōl	tree	arbor
superintendent	praefectus	tribe	gēns
surpass	superāre	tribune	tribūnus
surrender	trādere	trick	dolus
swear	iūrāre	triumph	n., triumphus;
swift	celer		v., triumphāre
sword	gladius	troops	cōpiae
		true	vērus
tablet	tabula	truly	vērō
tablinum	tablīnum	trust	crēdere
take	capere	try	cōnārī
take away	auferre, rapere	turn	vertere
take back	recipere, referre	twins	geminī
take care of	cūrāre	two	duo
take an oath	iūrāre		
tall	altus	uncertain	incertus
teach	docēre	under	sub
teacher	magister	understand	cognōscere
tell	nārrāre	unfriendly	inimīcus
temperate	temperātus	unite	congregāre
temple	templum	unpopularity	invidia
terrible	terribilis	unworthy	indignus
territory	fīnēs	up to	usque
than	quam	up to now	adhūc
thanks	grātia	urge	cōgere
that	ille, is, iste, quī	use	ūsus
their	suus		
(of) themselves	suī	varied	varius
then	deinde, inde, tum	various	varius
thence	inde	very greatly	maximē
there	ibi	vice	vitium
therefore	igitur, itaque	victim	victima
thing	rēs	victor	victor
think	arbitrārī, putāre,	victory	victōria
	sentīre	villa	vīlla
		village	vīcus

virtue	virtūs	whither	quō
visit	vīsitāre	who	quī, quis
voice	vōx	whole	tōtus
		wide	lātus
wage	gerere	wife	uxor
wagon	currus	wild	ferōx
wait for	exspectāre	wild animal	bēstia
walk	ambulāre	will	voluntās
wall	vāllum	winner	victor
wander	vagārī	wise	sapiēns
wandering	error	wish	velle
want	cupere, dēsīderāre,	with	apud, cum
	velle	withdraw	cēdere
war	bellum	within	intrā
warn	monēre	without	sine
watch	spectāre	wolf	lupa
water	*n.*, aqua; *v.*, irrigāre	woman	fēmina
way	modus, mōs, via	wonder	mīrābile
we	nōs	wonderful	mīrābilis
weapons	arma	woods	silva
wear	gerere	word	verbum, vōx
weep (at) (over)	flēre	work	opus
weight	gravitās	world	orbis terrārum
well	*adj.*, validus; *adv.*,	worship	colere
	bene; *n.*, puteus	wound	vulnerāre
well-arranged	temperātus	wretched	miser
what	quid	write	scrībere
what kind of	quālis		
when	quandō, ubi	year	annus
whence	unde	yesterday	herī
where	quō, ubi	yield	cēdere
wherever	quōcumque	you	tū, vōs
which	quod	your	tuus, vester
while	dum	youth	adulēscēns, iuvenis

INDEX

501